電波法要説

今泉至明 著

一般財団法人
情報通信振興会 発行

はじめに

高度情報通信ネットワーク社会の進展に伴い、電波の利用も増大・多様化の一途をたどっている。現在無線局数は7,000万局を超え、国民の二人に一人をはるかに上回る割合で普及している。

このような動向は電波利用をめぐる制度にも反映され、特に近年頻繁に改正が行われて内容が複雑化してきている。電波法の条文数が、1950年の制定時には116条であったものが、枝番号により挿入が繰り返され、現在倍増するに至っていることは、象徴的である。

電波利用が国民生活に浸透していくにつれ、電波利用をめぐる制度がより広く、深く国民に理解されていく必要があるが、電波法を中心とする関係の制度の発展・複雑化が急速である中で、これは容易なことではない。行政をはじめとする関係者がそれぞれの分野で真剣に対応すべき課題であろう。

㈶電気通信振興会においては、早くから本書の前身たる「電波法要説」、「新電波法要説」を発行するとともに時宜に応じて改訂を施し、それらは主に「電波利用のプロ」を目指す方々に愛用され、その電波法令に対する理解の促進に貢献してきた。筆者は、同会が今回の全面的見直しを計画するに当たり、その求めに応じて作業を担当させていただくこととなったものである。

筆者はもともと旧郵政省に職を得、28年間勤務したが、その間電波関係の仕事を比較的長くさせていただき、電波法には親しみを持ってきた。そうは言っても、個人の経験できる範囲には限りがあり、電波行政についても、電波法令についても、「強い」分野と「弱い」分野が生じるのは避けがたい。従来手薄だった分野はこの機会を利用して意識的に補強に努めたつもりであるが、網羅的解説書の著者としてふさわしい力量を備えるに至ったかについてはなお自信がない。

見直しに当たっては、前回の改訂以降の制度改正をフォローしたほか、制度は変わっていなくても、重要度が高いと思われるにもかかわらず、その説明が欠けていたものについては新たに説明を加え、従来の説明ぶりが分かりにくかったり、誤解を招きやすいと思われるようなものは、できるだけ分かりやすい表現に改めた。また、以前の改訂の時点では非常にトピック的な制度改正と考えられて説明に多くのスペースが割かれたものについても、現時点からみてその必要がないと思われるものは適宜説明を簡略化した。

このような見直しの結果、本書は従前に比べて大いに改善が図られたと自負するものであるが、筆者の力量不足のため、あるいは作業時間の制約のため、内容についてはなお批判の余地が多いことと思う。電波利用の進展は今後も進み、さまざまな制度改正が行われることが想定されるが、本書についてもそれに対応して更なる改訂が必要となろう。このような機会を捉え、現在の記述についても一層の充実を図ることができればと考えている。

終わりに、本書の執筆に当たっては、㈶電気通信振興会の宮崎勝氏、㈶日本無線協会の山田久氏並びに㈳電波産業会の畠山仁孝氏及び内山宏幸氏に多大のご協力を頂いた。深く感謝申し上げる。

平成14年3月

第12版発行にあたって

令和2年3月に第11版を発行してから2年が経過した。この間情報通信分野では第5世代移動通信システム（5G）によるサービスの対象地域拡大が進展し、豊かで便利な国民生活の実現に寄与しつつあるが、併せて、その後を見据えたBeyond5Gに関する議論も始まっている。衛星通信分野でも多数の非静止衛星を用いた衛星コンステレーションの活用がわが国でも本格的に始まろうとしている。電波利用の量的・質的な増大、多様化はとどまるところを知らず、電波の効率的利用や周波数資源の開発の必要性は強まるばかりである。

このような状況を踏まえ、電波法は、令和2年の通常国会で改正が行われた。

この内容は大きく4点で、第1点は、電波有効利用促進センターの業務として「他の無線局と周波数を共用する無線局を当該他の無線局に妨害を与えずに運用するために必要な事項について照会に応ずる業務」を追加すること、第2点は、移動受信用地上基幹放送をする特定基地局を特定基地局開設料の制度の対象とすること、第3点は、技術基準に適合しない無線設備が開設されたならば、他の無線局の運用を著しく阻害するような妨害を与える恐れがあると認める場合においても、（現実に妨害を与えた場合に加えて）無線設備の製造業者、輸入業者又は販売業者に対して必要な措置を勧告できるようにすること、第4点は、衛星基幹放送の受信環境の整備に関する電波利用料の使途の特例に係る期限を2年延長し令和4年3月31日までとすること、である。

今回改訂はこの電波法改正を視野に入れて行ったが、同改正に伴う省令の改正や、それ以外の政省令改正についても、できるだけ直近にいたるまで内容に反映させるようにした。今回は令和3年末を一応の基準としている。この間においては省令レベルでも、アマチュア業務の定義を、より公共的性格に着目するような形で拡大したり、前世紀以来四半世紀近く実験試験局としての位置づけが続いてきた携帯電話抑止装置について実用局化が図られたり、注目すべきものが少なくない。

このように電波利用の量的・質的な増大・多様化に対応すべく、制度面の対応が日夜続けられているが、他方誕生以来70年を超える現在の電波法には、条文数の肥大化もさることながら、内容的にもやや雑然とした面が生じてきているように筆者には感じられる。例えば法制定時からの中心的制度である「免許」についてである。

電波法によれば免許には有効期間（一般に5年）があり、当該期間が経過すれば再免許を受ける道が開かれている。しかし、再免許は手続こそ簡素化されているが、過去に当該無線局を開設・運用してきたことを踏まえての優越的地位がその申請に与えられるわけではない。当初の免許によって与えられた電波の使用権は免許有効期間が終了することによって消滅し、再免許に向けて何らの既得権も発生しない。したがって、再免許申請者は、当初クリアーしたものと同じ審査基準を改めてクリアーしなければならない。

他方前世紀末から携帯電話が急速に国民の間に普及したことに伴い、今世紀に入って電波法に特定基地局開設計画認定制度が創設され、さらに近年特定基地局開設料というものまで登場して事情が複雑になった。前者については認定の有効期間は存在するが、再認定の制度は無い。後者も支払は当初1回限りとされている。いずれも無線局の免許期間にとらわれない長い事業活動を見据えている制度と理解される。このような制度の登場は従来の「免許」性格に影響を及ぼさざるを得ないのではないか。

そういえば電波オークションの導入が話題になってから久しい。このところ行政も検討の姿勢を強めているように見える。そうであればなおさら、免許、免許の有効期間、再免許という古来の制度も見直し、電波法全体がすっきりと整合の取れたものとなることが期待されるところである。

なお、今回改訂に当たっては、元（一財）自動車無線連合会の池田司氏、元上智大学の魚留元章氏、元（公財）日本無線協会の金坂達夫氏及び（一財）情報通信振興会の多田悦子氏に多大なご協力を頂いた。心から謝意を表したい。

令和4年3月

目　　次

第１章　総　論

第２章　無線局の免許等

第3章　無線設備

第５章　無線従事者

第7章　監　督

第８章　審査請求及び訴訟並びに電波監理審議会

第９章　雑　則

第10章　罰　則

付　録

凡　例

関係法令は、参照条文を示すときは、下段記載例のように、略語と条文を括弧をもって記載することとする。

法　令　の　名　称	略　　語
電波法	法
放送法	放
電波法施行令	施行令
電波法関係手数料令	手数料令
電波法施行規則	施
電波の利用状況の調査等に関する省令	調査令
無線局免許手続規則	免
無線従事者規則	従
無線局運用規則	運
無線設備規則	設
無線機器型式検定規則	型
特定無線設備の技術基準適合証明等に関する規則	適合証明
登録検査等事業者等規則	検査
登録修理業者規則	修理
測定機器等の較正に関する規則	較
特定周波数変更対策業務及び特定周波数終了対策業務に関する規則	変更対策
放送法施行規則	放施
無線通信規則	RR

（記載例）

電波法第５条第１項第４号……………………………………（法５Ⅰ㈣）

第１章
総　　論

１－１　序　　説

１　電波の特質及び電波の利用分野

1864年にマックスウェル（英）が、空間には電気波と磁気波からなる一種の流動するエネルギー（電磁波）が存在すると理論的に提唱し、1888年、ヘルツ（独）によって、目には見えないが光と同一の法則に従う電磁波の存在することが実験的に証明された。これが電波利用の端緒になったといわれている。そうして1895年（明治28年）マルコーニ（伊）が無線電信を発明して電波が実用に供されるようになったが、日本においても、1896年（明治29年）当時の逓信省電気試験所に無線電信研究部が置かれ、翌1897年（明治30年）東京湾において1.8kmの無線電信の実験に成功している。

電波は光と同じ法則によって空間を伝搬するが、その伝搬は、定速度性、直進性、拡散性をもち、また毎秒30万キロメートル（地球７周半の距離）という高速性をもっている。こうした特質から電波は通信用、測位用、放送用、船舶や航空機の航行用をはじめとし、政治、経済、交通、文化、教育、産業、個人生活等あらゆる面で利用されている。特に近年の社会経済の発展と情報通信技術の進歩に伴って、移動通信の分野における利用が飛躍的に進んでおり、携帯無線通信、無線ＬＡＮ、ＭＣＡ無線、簡易無線、特定小電力無線等の多様な移動通信システムが普及している。

また、衛星開発の進展に伴って、通信衛星、放送衛星等の衛星を利用した多様な通信、放送が普及し、利用の拡大及び高度化が進んでいる。

２　電波利用の要規律性

電波の利用は、空間を高速で伝わる電波の特性を利用して、これを影像、音声、信号等の搬送のための媒体とするものである。したがって、電波には影像、音声、信号等を搬送するための幅が必要となる。また、電波自体の固有の周波数に偏差の生じることもある程度はやむをえない。こうしたことから電波は所定の幅をもって共通の空間を伝搬するので、受信側において搬送される内容を正しく識別する必要があることを考えれば、利用可能な電波の数には限度がある。したがって電波の利用にあたっては、相互の混信等を防ぎ、また利用の目的がよく達せられるために、高度の技術性と利用方法の統一性、一定性が要求される。すなわち、電波は本質的に要規律性を持つといわれる所以である。

電波利用のための法制は、日本においては1900年（明治33年）、当時の逓信省の所管する電信法に無線電信への準用規定を置き、1914年（大正３年）にはこれに無線電話が加えられた。ついで1915年（大正４年）無線電信法が制定され、長期にわたり電波利用の規律の基本とされてきた。しかし、第２次世界大戦後の電波利用の拡大、高度化と一般社会の民主化に伴って、1950年（昭和25年）同法は廃止され、同時に法律第131号（同年５月２日公布、同年６月１日施行）をもって電波法が制定された。

旧無線電信法では限られた一部の者が許可を得て無線電信又は無線電話を施設することは認められていたが（旧無線電信法第２条）、原則としては、その第１条において「無線電信及無線電話ハ政府之ヲ管掌ス」と規定し、電波は国のものとされていた。これに対し電波法は、日本国憲法や民主主義の思想と相まって「電波は国民のものである」という考え方のもと、あくまでも電波の公平かつ能率的利用を図るための規範とされた。

３　法令の形式及び成立要件

社会生活の秩序を維持し、多数の人々の間の配分及び協力の関係を規律するために発達した規範を法という。法には慣習法などの不文法と成文法とがあるが、近代国家では成文法が法の重要部分を占めている。わが国の成文法は、国の根本組織及び活動を定めた最高法規としての日本国憲法の下に、法形式の差によってそれぞれ段階的に法律、政令、省令等が定められている（注）。

法律は、日本国憲法の定めに従って国会によって制定されるもので、憲法に次いで優越する効力を持っている。国民の権利義務に関する重要事項は、すべて法律に規定しなければならないものとされており、国民の義務違反に対しては罰則等の制裁規定が設けられるのが普通である。

政令は、内閣によって制定される命令である。憲法及び法律の規定を実施するために制定されるものと、法律の委任に基づいて制定されるものとがある。いずれも閣議の決定によって成立し、天皇が公布する。

省令は、各省大臣が所管の行政事務について、法律若しくは政令を施行するため、又は法律若しくは政令の委任に基づいて発する命令をいい、例えば、総務大臣が制定する命令を総務省令という。省令は、何々規則と命名される場合が多い。

告示は、公の機関がその決定した事項その他一定の事項を公式に広く一般に知らせることをいう。

（注）　審査基準

いわゆる「審査基準」は、行政庁が申請により求められた許認可等をするかどうかを法令の定めに従って判断するために必要とされる基準である（行政手続法２㈧ロ）。国民に向けられた法令ではなく、行政庁内部向けの意思統一基準にすぎないが、行政庁として法令の内容を確定する考え方を示すものであり、その事実上の対外的影響力は大きい。行政の透明性向上等のためその策定、内容の具体化、原則公開が義務づけられている（行政手続法５）。

電波法については「電波法関係審査基準」（平成13年総務省訓令67号）が定められている。

１－２　電波関係法令の体系

電波法令は、電波を利用する社会において、その秩序を維持するための規範であって、法律としては電波法があり、その施行のために必要な多くの政令及び省令がある。その他電波利用分野に関係の深い法律として、放送法、電気通信事業法、総務省設置法、国立研究開発法人情報通信研究機構法、船舶安全法、航空法などがある。

１　電波法の構成

電波法は、昭和25年法律第131号として旧無線電信法に代わって制定された法律で、情報通信行政の基本法の一をなしている。この法律に規定されている内容は次のとおりである。

第１章　総　　則
第２章　無線局の免許等
第３章　無線設備
第３章の２　特定無線設備の技術基準適合証明等
第４章　無線従事者
第５章　運　　用
第６章　監　　督
第７章　審査請求及び訴訟
第７章の２　電波監理審議会
第８章　雑　　則
第９章　罰　　則

2　電波法令の体系等

電波法令の主要なものの体系は、次のとおりである。

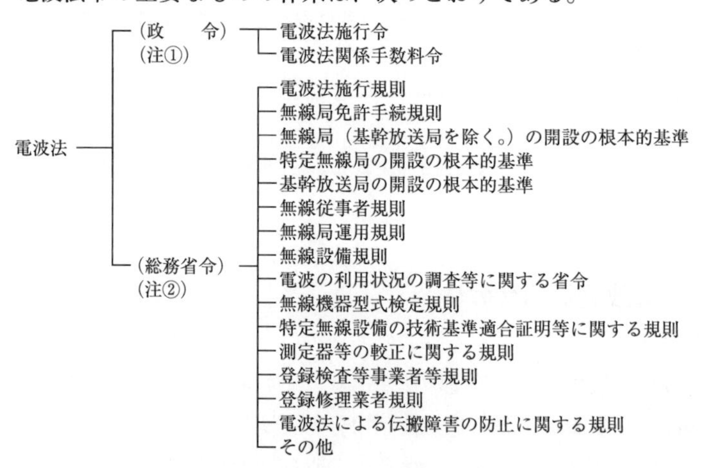

また、その他主要な電波利用関係法令としては、次のようなものがある（注③）。

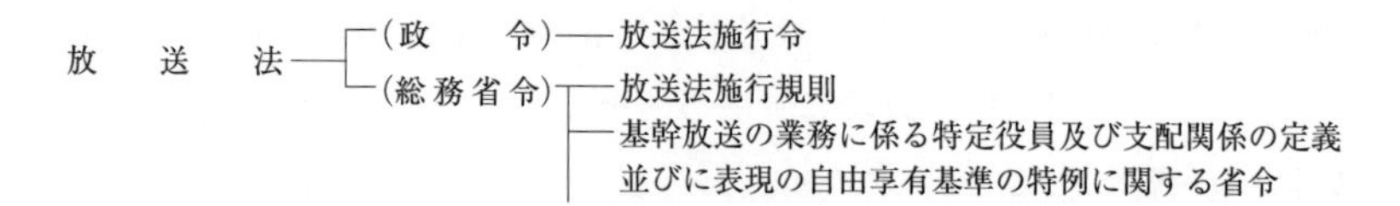

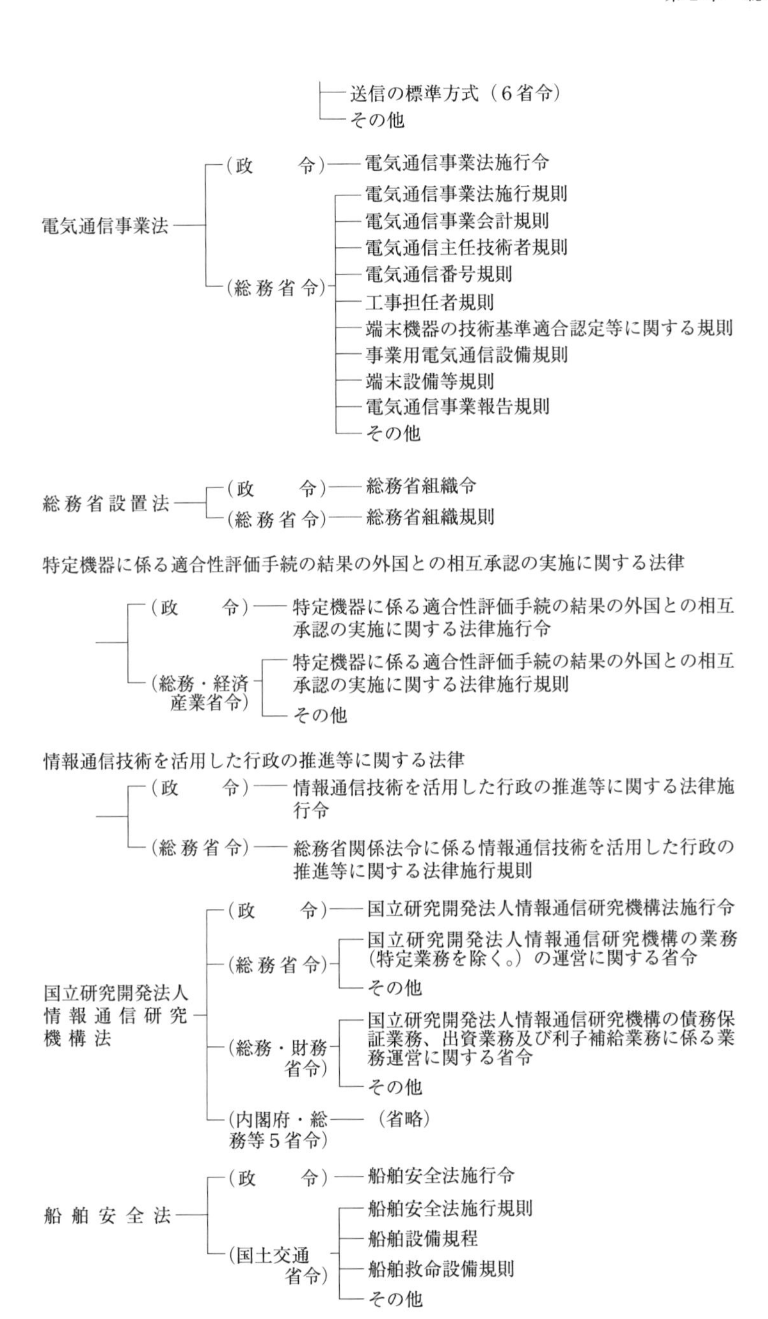
送信の標準方式（6省令）
その他
電気通信事業法
（政　　令）
電気通信事業法施行令
（総務省令）
電気通信事業法施行規則
電気通信事業会計規則
電気通信主任技術者規則
電気通信番号規則
工事担任者規則
端末機器の技術基準適合認定等に関する規則
事業用電気通信設備規則
端末設備等規則
電気通信事業報告規則
その他
総務省設置法
（政　　令）
総務省組織令
（総務省令）
総務省組織規則
特定機器に係る適合性評価手続の結果の外国との相互承認の実施に関する法律
（政　　令）
特定機器に係る適合性評価手続の結果の外国との相互承認の実施に関する法律施行令
（総務・経済産業省令）
特定機器に係る適合性評価手続の結果の外国との相互承認の実施に関する法律施行規則
その他
情報通信技術を活用した行政の推進等に関する法律
（政　　令）
情報通信技術を活用した行政の推進等に関する法律施行令
（総務省令）
総務省関係法令に係る情報通信技術を活用した行政の推進等に関する法律施行規則
国立研究開発法人情報通信研究機構法
（政　　令）
国立研究開発法人情報通信研究機構法施行令
（総務省令）
国立研究開発法人情報通信研究機構の業務（特定業務を除く。）の運営に関する省令
その他
（総務・財務省令）
国立研究開発法人情報通信研究機構の債務保証業務、出資業務及び利子補給業務に係る業務運営に関する省令
その他
（内閣府・総務等5省令）
（省略）
船舶安全法
（政　　令）
船舶安全法施行令
（国土交通省令）
船舶安全法施行規則
船舶設備規程
船舶救命設備規則
その他

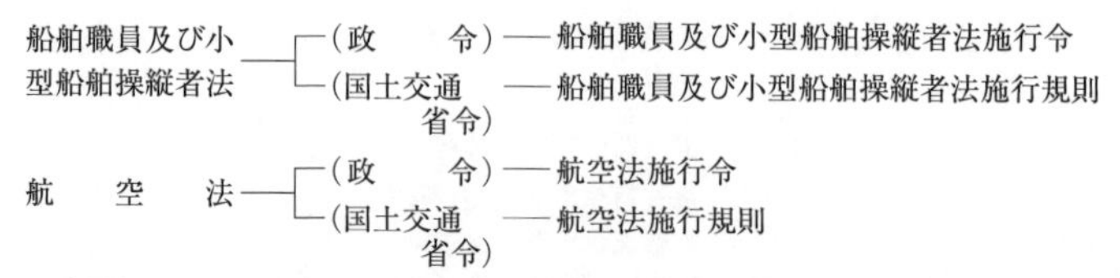

日本国とアメリカ合衆国との間の相互協力及び安全保障条約第６条に基づく施設及び区域並びに日本国における合衆国軍隊の地位に関する協定の実施に伴う電波法の特例に関する法律

国家戦略特別区域法

(注①)　電波法関係政令の概要

⑴　電波法施行令

電波法の規定に基づいて政令に委任された事項のうち、手数料関係以外のものについて定めている。

要旨は次のとおり。

ア　登録証明機関等に関する指定の有効期間を５年としている。

イ　特殊無線技士の資格の細分を定めている。

ウ　無線従事者の操作及び監督の範囲を定めている。

エ　伝搬障害防止区域の指定等に関する告示の記載事項等を定めている。

オ　指定無線設備小売業者（「９－３　不法無線局対策」参照。）が販売の相手方に対して所要の情報提供を行うに当たり、書面の交付ではなく情報通信の技術を利用する場合の方法を定めている。

カ　手数料の納付を要しない独立行政法人を定めている。

⑵　電波法関係手数料令

電波法の規定に基づいて行う申請の審査、検査、検定、試験等に際し、その反対給付的なものとして無線局、無線従事者等が納める手数料について、その額及び納付方法を規定している。

(注②)　電波法関係省令の概要

⑴　電波法施行規則

電波法を施行するために必要な細目及び法が省令に委任した事項のうち他の省令に入らない事項、２以上の省令に共通して適用される事項等を規定している。

⑵　無線局免許手続規則

無線局の免許及び免許後の変更に関する申請又は届出の手続、免許状の様式等を規定している。

⑶　無線局（基幹放送局を除く。）の開設の根本的基準

⑷　特定無線局の開設の根本的基準

⑸　基幹放送局の開設の根本的基準

⑶、⑷及び⑸はいずれも無線局開設申請の審査の基準であって、総務大臣の免許の基本的方針を規定している。

⑹　無線従事者規則

無線従事者国家試験の実施方法、期日、試験の科目及び程度、無線従事者免許の条件、手続及び免許証の取扱い、指定試験機関、認定学校、養成課程、主任講習、認定講習課程等に関する事項を規定している。

⑺　無線局運用規則

無線通信の実施方法、使用電波の区別、無線設備の機能の維持その他無線局の運用、通信方法等の細目を規定している。

⑻　無線設備規則

電波の質、空中線電力の条件及び無線設備の技術条件の細目を規定している。

⑼　電波の利用状況の調査等に関する省令

総務大臣が行う電波の利用状況の調査に関し、対象周波数帯の区分、調査事項、調査及び評価の結果の概要の作成及び公表等について規定している。

⑽　無線機器型式検定規則

法の規定による型式検定機器の型式検定合格の条件、型式検定の手続、試験の方法等を規定している。

⑾　特定無線設備の技術基準適合証明等に関する規則

技術基準適合証明の対象となる特定無線設備の種別、適合証明及び工事設計の認証に関する審査のための技術条件、登録証明機関、承認証明機関等について規定している。

⑿　測定器等の較正に関する規則

無線設備の点検に用いる測定器等の較正に関する手続、指定較正機関の指定に関する事項等について規定している。

⒀　登録検査等事業者等規則

無線設備等の検査又は点検を行う登録検査等事業者及び外国において無線設備等の点検を行う登録外国点検事業者の登録手続及び検査又は点検の実施方法等について規定している。

⒁　登録修理業者規則

携帯電話等の特別特定無線設備の修理について、修理業者の登録の手続、登録をした場合の総務大臣の公表義務等を規定している。

⒂　電波法による伝搬障害の防止に関する規則

890MHz以上の周波数の電波の伝搬障害の防止に関する電波法の規定の委任に基づく事項及び同法の規定を施行するために必要な事項を規定している。

（注③）　電波利用関係法律の概要

(1)　放送法

放送を公共の福祉に適合するように規律し、その健全な発達を図ることを目的として制定されたもので、次の原則を明らかにしている。

ア　放送が国民に最大限に普及されて、その効用をもたらすことを保障すること。

イ　放送の不偏不党、真実及び自律を保障することによって、放送による表現の自由を確保すること。

ウ　放送に携わる者の職責を明らかにすることによって、放送が健全な民主主義の発達に資するようにすること。

放送事業者は、これらの原則に基づいて、適正な放送事業の運営を行うよう規定されている。

なお、放送法は、日本放送協会の設置法の役割をもち、同法に１章（約70条）を設け、同協会の目的に始まる特殊法人としての所要の規定を置いている。

(2)　電気通信事業法

電気通信事業の公共性にかんがみ、その運営を適正かつ合理的なものにするとともに、その公正な競争を促進することにより、電気通信役務の円滑な提供を確保するとともにその利用者の利益を保護し、電気通信の健全な発達及び国民の利便の確保を図ることを目的とするものである。

(3)　総務省設置法

総務省の設置、任務及び所掌事務の範囲を定めるとともに、その所掌事務を能率的に遂行するための組織の基準を定めたものであるが、この中に情報通信行政を遂行するための規定が含まれている。

(4)　特定機器に係る適合性評価手続の結果の外国との相互承認の実施に関する法律

特定の機器に係る製造、輸出入、販売その他の事業活動の円滑化に資する観点から、我が国と外国との間で締結した適合性評価手続に関する相互承認協定の的確な実施を確保するために定められたものであり、この中で技術基準適合証明等に関する電波法の規定の特例を定めている。

(5)　情報通信技術を活用した行政の推進等に関する法律

国・地方公共団体、民間事業者、国民その他の者があらゆる活動において情報通信技術の便益を享受できる社会が実現されるよう、情報通信技術を活用した行政の推進について、その基本原則及び情報通信技術を利用する方法により手続等を行うために必要となる事項を定める等により、関係者の利便性の向上、行政運営の簡素化及び効率化並びに社会経済活動の更なる円滑化を図るものである。

(6)　国立研究開発法人情報通信研究機構法

情報の電磁的流通及び電波の利用に関する技術の研究及び開発、高度通信・放送研究開発を行う者に対する支援、通信・放送事業分野に属する事業の振興等を総合的に行う国立研究開発法人情報通信研究機構について定めたものである。

なお、本法は、従来の独立行政法人情報通信研究機構法が平成26年に改正されたものである。

⑺　船舶安全法

船舶の堪航性を保持し、人命の安全を保持するために必要な施設を要求しているもので、その中で、一定の船舶には、電波法による無線電信又は無線電話の施設を強制する規定が設けられている。

⑻　船舶職員及び小型船舶操縦者法

船舶の航行の安全を図るために、船舶職員として船舶に乗り組ませるべき者の資格等を定めたもので、この中に電波法上の無線従事者の資格を前提とした海技士（通信）及び海技士（電子通信）の資格に関する規定が設けられている。

⑼　航空法

航空機の航行の安全を図るために、航空機航行の標準、方式、手続等を定めたものである。この中に、一定の航空機には電波法上の規律を受ける無線電話等の施設を強制する規定が設けられており、また、電波法上の無線従事者の資格を前提とした航空通信士の資格に関する規定が設けられている。

⑽　日本国とアメリカ合衆国との間の相互協力及び安全保障条約第６条に基づく施設及び区域並びに日本国における合衆国軍隊の地位に関する協定の実施に伴う電波法の特例に関する法律

在日米軍が用に供する無線局について電波法の適用を排除し、日米地位協定の定めるところによるとするものである。

⑾　国家戦略特別区域法

国が定めた国家戦略特別区域に関し、規制改革その他の施策を総合的かつ集中的に推進するために必要な事項を定めており、その中で特定の実験等無線局の開設につき電波法の規定の特例を設けている。

⑿　上記以外にも電波利用分野に関係のある法律は多く、例えば、漁船法、港則法、海上交通安全法、気象業務法、水防法、災害救助法、自衛隊法、登録免許税法等がある。

１－３　電波に関する行政機構

１　総務省

電波に関する行政を担当している省は、総務省である。

総務省は、平成13年１月６日、中央省庁等改革の一環として、従前の総務庁、郵政省及び自治省を母体として設置され、行政組織、地方行財政、選挙、消防防災、情報通信、郵政行政など、国家の基本的仕組みに関する諸制度、国民の経済・社会活動を支える基本的システムを所管し、国民生活の基盤に広く関わる行政機能を担っている。

総務省設置法は第3条において総務省の任務を規定しているが、その中に「情報の電磁的方式による適正かつ円滑な流通の確保及び増進」並びに「電波の公平かつ能率的な利用の確保及び増進」が掲げられており、総務省が情報通信行政、電波行政の主管庁であることが謳われているところである。

総務省の中で電波に関係の深い情報通信行政を担当しているのは、国際戦略局、情報流通行政局、総合通信基盤局及びサイバーセキュリティ統括官で、これらの局等の所掌及び機能は次のとおりである（総務省組織令10～12、15）。

① 国際戦略局

我が国情報通信産業の国際競争力の強化、情報通信の高度化への対応などを推進し、社会インフラシステムの海外展開を効率的・効果的に実施する観点から、主に、(ア)総合的な情報通信技術政策並びに宇宙通信政策の企画・立案・推進、(イ)国際競争力強化のための情報通信産業政策の実施、(ウ)総務省の国際関係事務の総括等を所掌している。

② 情報流通行政局

「情報そのもの（コンテンツ）」及び「情報の電磁的流通の利用」を確保及び振興する観点から、主に、(ア)総合的な情報通信政策の推進、情報通信制度の整備、(イ)放送に係る有線又は無線の施設の設置及び使用の規律並びに放送業の発達、改善、調整等を所掌し、併せて郵政行政の推進等を担当している。

③ 総合通信基盤局

情報の電磁的流通に関する基盤を確保し、及び増進する観点から、主に、(ア)情報の電磁的流通のための有線又は無線の施設の設置及び使用の規律（原則として放送関係を除く。）、(イ)電気通信業の発達、改善、調整、(ウ)周波数の割当て及び電波の監督管理（放送に係る無線局免許関係事務を除く。）等を所掌している。

④　サイバーセキュリティ統括官

情報の電磁的流通におけるサイバーセキュリティの確保及び個人情報の保護に関すること等を所掌している。

なお、総務省の中の情報通信行政を所掌する組織の全体は、次ページのとおりである。

2　権限の委任

電波法に規定する総務大臣の権限は、総務省令で定めるところにより、その一部が総合通信局長又は沖縄総合通信事務所長（以下「総合通信局長」と略記する。）に委任されている（法104の３、施51の15）。

その概要は、次のとおりである。

ただし、⑴のエ、オ、カ及びキ、⑸並びに⑹のキの事項については、総務大臣が自ら行うことがある（施51の15Ⅰ）。また、⑶の登録外国点検事業者に関する事項については、関東総合通信局長のみに委任されている（総務大臣が自ら行うこともある。）（施51の15Ⅴ）。

⑴　無線局に関する事項

ア　固定局、地上一般放送局（エリア放送（注①）を行うものに限る。）、陸上局、移動局、無線測位局、VSAT地球局（注②）、船舶地球局、航空機地球局、携帯移動地球局、非常局、アマチュア局、簡易無線局、構内無線局、気象援助局、標準周波数局及び特別業務の局並びにこれら（アマチュア局を除く。）の行う業務に係る実用化試験局（いずれも外国の政府又はその代表者の開設するものを除く。）に関する次の事項

㋐　免許を与え、又は登録をすること。

㋑　免許及び登録の申請・受理から免許状及び登録状の交付までの手続・処分に関すること。

㋒　免許及び登録の変更の手続・処分に関すること。

㋓　無線従事者の選任の届出、非常時運用人に関する届出、免許人以外の無線局運用者に関する届出及び登録人以外の登録局運用者に関

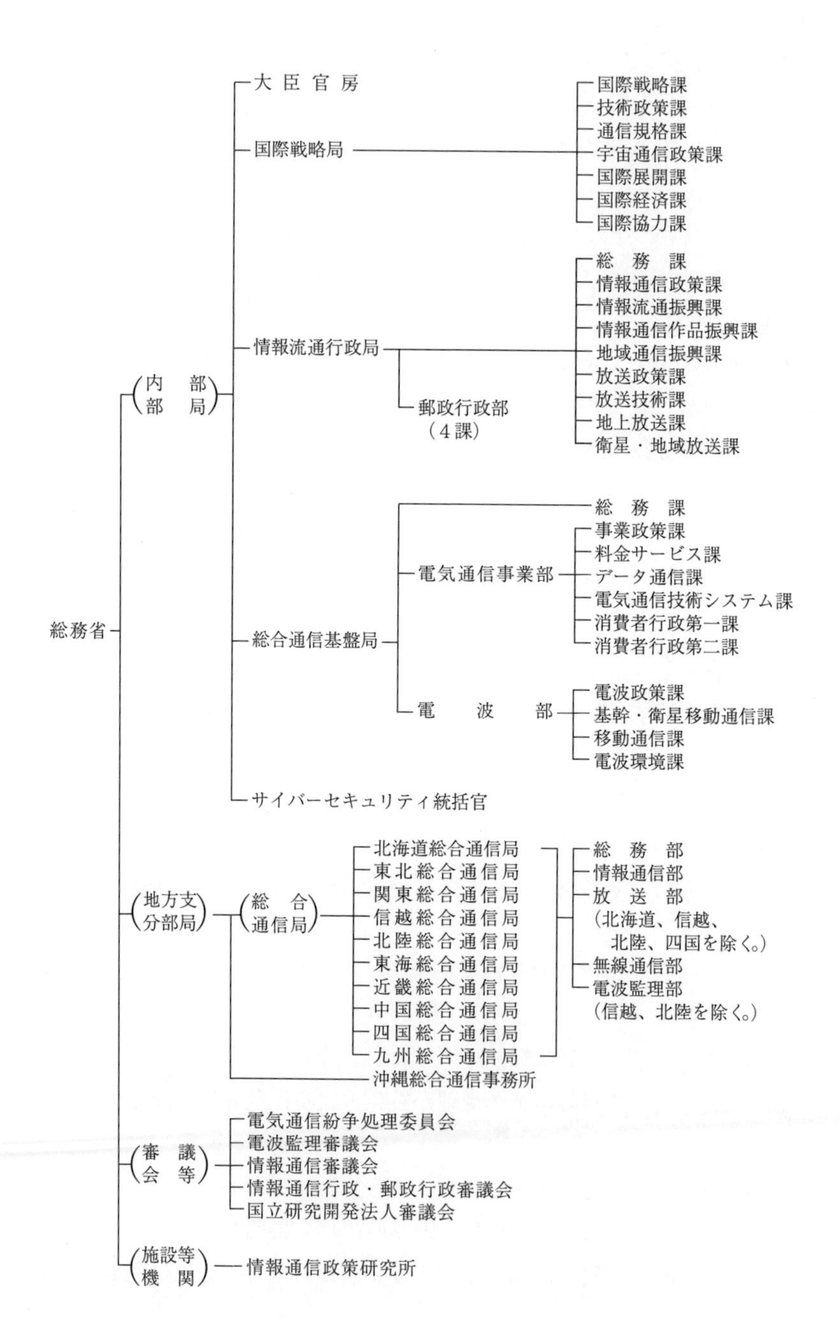
総務省
内部部局
大臣官房
国際戦略局
国際戦略課
技術政策課
通信規格課
宇宙通信政策課
国際展開課
国際経済課
国際協力課
情報流通行政局
総務課
情報通信政策課
情報流通振興課
情報通信作品振興課
地域通信振興課
放送政策課
放送技術課
地上放送課
衛星・地域放送課
郵政行政部
（4課）
総合通信基盤局
総務課
電気通信事業部
事業政策課
料金サービス課
データ通信課
電気通信技術システム課
消費者行政第一課
消費者行政第二課
電波部
電波政策課
基幹・衛星移動通信課
移動通信課
電波環境課
サイバーセキュリティ統括官
地方支分部局
総合通信局
北海道総合通信局
東北総合通信局
関東総合通信局
信越総合通信局
北陸総合通信局
東海総合通信局
近畿総合通信局
中国総合通信局
四国総合通信局
九州総合通信局
総務部
情報通信部
放送部
（北海道、信越、北陸、四国を除く。）
無線通信部
電波監理部
（信越、北陸を除く。）
沖縄総合通信事務所
審議会等
電気通信紛争処理委員会
電波監理審議会
情報通信審議会
情報通信行政・郵政行政審議会
国立研究開発法人審議会
施設等機関
情報通信政策研究所

する届出を受理すること。

㈴　免許人の外国性に伴う免許の取消し。

㈵　運用停止命令等の監督に関すること。

イ　電波法第４条の２に基づく実験等無線局に関する届出又は報告の受理、立入り検査をすること等。

ウ　無線設備の設置場所の変更及び無線設備の変更の工事の許可、届出並びに変更検査に関すること（外国の政府又はその代表者の開設するもの及び基幹放送局を除く。）。

エ　混信又はふくそうに関する調査を行おうとする者の求めに応じて行う無線局に関する情報の提供。

オ　電波の利用状況の調査に関すること（評価を除く。）。

カ　技術基準適合命令に関すること。

キ　電波の発射の臨時の停止及び措置に関すること。

ク　定期検査及び臨時検査に関すること。

ケ　無線局に関して報告を求めること。

コ　免許等を要しない無線局及び受信設備に対する監督に関すること。

⑵　**無線従事者に関する事項**

ア　無線従事者のうち、海上（４資格）、航空（１資格）及び陸上（４資格）特殊無線技士並びに第三級及び第四級アマチュア無線技士について、国家試験の実施及び免許の付与等に関すること。

イ　船舶局無線従事者証明に関すること（証明の取消処分を除く。）。

ウ　国家試験受験者の不正行為に対する制裁に関すること。

エ　無線従事者の違法行為等に対する制裁に関すること（免許の取消処分を除く。）。

⑶　**登録検査等事業者及び登録外国点検事業者に関する事項**

ア　検査等事業者及び外国点検事業者の登録に関すること。

イ　登録検査等事業者の登録の更新に関すること。

ウ　事業の承継及び廃止、報告、立入検査等の監督並びに登録の取消しに関すること。

⑷　高周波利用設備に関する事項

高周波利用設備の許可及び変更並びに監督に関すること。

⑸　手数料に関する事項

地震等による被害の防止等のために臨時に開設される無線局であって諸手数料免除の対象となるものを認定すること。

⑹　電波利用料に関する事項

ア　開設している特定無線局の数の届出に関すること。

イ　開設している特定免許等不要局の数の届出に関すること。

ウ　料額を２分の１に減免するための無線局の廃止の確認に関すること。

エ　特定免許等不要局の無線設備に係る表示者の予納の承認等に関すること。

オ　金融機関に委託して行う納付の承認に関すること。

カ　納付受託者からの徴収に関すること。

キ　納付受託者への立入り検査等

ク　不納付者に対する処分に関すること。

⑺　その他

上記の委任を受けた事項の処理は、対外的にも総合通信局長の名において行われる。例えば免許申請書等は総合通信局長あてに提出しなければならないし、免許状等も総合通信局長の名において発給される。すなわち電波法で総務大臣とあるとき、委任されているものについては、総合通信局長と読み替えることになる。

また、電波法施行規則、無線局免許手続規則、無線従事者規則等において「総務大臣又は総合通信局長に提出する」等の規定が多いが、この「又は」というのは、どちらでもよいという意味ではなく、権限委任の有無に応じてそのいずれかという意味である。

総合通信局長が委任に基づいて行った処分について不服があるときは、総務大臣に対する審査請求並びに訴訟を行うことができる（法104の３Ⅱ）。

（注①）エリア放送

一の市町村の一部の区域（当該区域が他の市町村の一部の区域に隣接する場合は、その区域を併せた区域とする。）のうち、特定の狭小な区域における需要に応えるための放送をいう（放施142㈡）。

ホワイトスペース（基幹放送用など特定の目的に割り当てられているが当面使用されておらず、地理的条件や技術的条件によって、他の目的にも利用可能な周波数のことをいう。）を活用し、一の市町村の一部の区域のうちスタジアムや大学キャンパスの中、商店街等特定の狭小な区域における需要に応えるために行われる放送であって、平成24年３月に制度化された。放送が行われる期間としては恒久的なもののほか、サッカーの試合やお祭り等のイベントで臨時に行うものも考えられる。放送の種類は「地上一般放送」であり、放送事項は観光情報・生活情報・イベント情報・行政情報等である。

（注②）VSAT地球局

VSATとはVery Small Aperture Terminalの頭文字をとったもの。陸上に開設する２以上の地球局（移動するものであって停止中のみ運用するもの）のうち、他の１の地球局（制御地球局という。）と通信系を構成し、この制御地球局により送信を制御される小規模地球局であって、電気通信業務を行うことを目的とするものをいう（施15の２Ⅰ㈢、設54の３Ⅰ、Ⅱ）。

１－４　電波法と条約との関係

１　条約の意義

条約は文書による国家間の合意である。文書の具体的名称としては、憲章（constitution）、条約（treaty、convention）、協定（agreement）、議定書（protocol）等種々のものがあるが、すべて条約の一種である。条約は国家間の合意であるから、その合意の範囲内において締約国を拘束するものである。

２　電波に関する条約

条約のうち電波に関係のあるものとしては、次のようなものがある。

⑴　国際電気通信連合憲章及び国際電気通信連合条約

国際間の電気通信についての規律を規定したもので、電波関係では重要な条約である。憲章は連合の基本的文書であり、条約によって補足される

(憲章4Ⅱ)。また、憲章及び条約は、二つの業務規則（無線通信規則、国際電気通信規則）によって更に補足される(憲章4Ⅲ)。このうち無線通信規則は国際間の電波利用に関する規律を詳細に規定している。

(2) 海上人命安全条約

船舶の航行の安全上必要な国際間の規律を規定したもので、その中で第4章として「無線通信」の1章を設け、無線設備の備付け、聴守、無線設備の性能基準等について規定している。

(3) 国際民間航空条約

航空機の航行の安全上必要な国際間の規律を規定したもので、第1附属書から第14附属書までが添付されており、その中で、第10附属書は通信手続を定めている。

(4) その他

国際移動通信衛星機構（IMSO＝International Mobile Satellite Organization）に関する条約、日米安全保障条約等も関係の深い条約である。

3 条約優先

条約は、先に述べたように国家間の合意として締約国自体を拘束するものであり、国民の権利義務に関係のある事項については、あらためて国内法に規定するのが通常である。電波法の場合もその例に洩れない。しかし、条約改定に伴う国内法改正作業の遅延等で、条約と電波法の間に異なった規定が生じた場合、あるいは条約のみに規定がある場合などが出てくることがある。憲法第98条第2項には「日本国が締結した条約及び確立された国際法規は、これを誠実に遵守することを必要とする。」という条約尊重の規定を設けているが、この憲法の規定に対応して、電波法第3条にも「電波に関し条約に別段の定めがあるときは、その規定による。」(注)とし、条約が電波法に優先して適用されることを規定している。

(注) 条約に別段の定めがある場合

条約優先といっても、条約の規定と電波法の規定との間に相違があるすべての場合に条約の規定を優先せしめるものではない。

すなわち、①条約の当該規定が指針又は勧告規定であるか、それとも各国を拘束する強制規定であるか。②電波法に全く該当規定を欠いているか。③電波法に該当規定があるとしても、条約の規定と相違しているか、また、その相違は条約が各国に要求する最低の条件をみたしていないものであるか、あるいは最低の条件に更に加重したものであるか、等の事情を個々具体に厳密に検討して、その条約の規定によるかどうかが決められるものである。すなわち、最終的には条約の強行規定に対応する規定を欠いているか、あるいは、当該規定があるとしても、条約の強行部門に抵触する場合は、条約の規定が優先適用されるのである。

1－5　電波法の目的

電波法は、第1条に「この法律は、電波の公平且つ能率的な利用を確保することによって、公共の福祉を増進することを目的とする。」と規定している。これは電波法の目的を明らかにしているものである。したがって、法律全体の解釈、運用の指導理念を表しているものといえる。

1　電波の公平な利用

電波の公平な利用とは、利用しようとする者の地位や、法人団体の性格、規模等で差別しないということや、あるいは、早い者勝ちというような単なる先着順で決めないというようなことがこれに該当するであろう。すなわち、利用の目的がどの程度公共の福祉に適合しているか、また、その無線局開設の必要性がどの程度のものであるかによって、利用者が決められる。

2　電波の能率的利用

電波の能率的利用とは、有限な電波が不要不急のものに使われたり、能率の悪い使い方にならぬよう配慮することである。すなわち、まず、発射電波が混信干渉等を起こすことのないように周波数等が選定されなければならないし、無線設備の規格も通信方式も、更に運用方法も能率的であることを要するのである。そして、最終的には、確実に、かつ、効果的に無線局の開設の目的が達成されることを法は期待している。

1－6　基本的用語の意義

1　電波

(1)　定義

電波法では、「電波」とは、300万メガヘルツ以下の周波数の電磁波をいうと定義している（法２㈠）。これは、電波法が監督規律の対象として取り上げた限界（上限）を示すものである。もちろん電磁波はこの範囲をはるかに超えて存在し、周波数が増すに従って赤外線、可視光線、紫外線、X線等と続いていくが、電磁波利用技術の現状等からみて当面この範囲の電磁波を監督規律することが社会的に必要と考えられたものであり、国際的な基準とリンクしている（注①）。

下限については、以前は10キロヘルツとされていたが、いまでは定めがない。

(2)　電波の周波数の単位

電波法では、電波の周波数の単位はヘルツのほか、次の４種類が用いられる（施２（五十二）～（五十五））（注②）。

kHz（キロヘルツ）……キロ（10^3）ヘルツをいう。

MHz（メガヘルツ）……メガ（10^6）ヘルツをいう。

GHz（ギガヘルツ）……ギガ（10^9）ヘルツをいう。

THz（テラヘルツ）……テラ（10^{12}）ヘルツをいう。

(3)　高周波利用設備の漏洩電界

一般に電波は通信等の目的意識の下に空間輻射されるのを常とするが、いわゆる高周波利用設備（法100）については、高周波電流を線条等に通ずることにより、その線条等の周辺に漏洩電界を生ずることがある。この漏洩電界が他の通信に妨害を与えるおそれがあることから、電波法ではこの設備に規律を加えている。その詳細については後述する（第９章参照）。

（注①）　電波の国際的な定義

無線通信規則では、電波について、人工的導波体のない、空間を伝搬する当面3,000GHz（300万MHz）より低い周波数の電磁波と定義づけている。

（注②）　電波の伝搬速度と波長

電波の伝搬速度毎秒 cメートル（光の速度と等しく、真空中で毎秒約 3 億メートル）、１秒間の振動数を f 回とすると、波長 λ は、λ（メートル）＝ c/fと表される。したがって、例えば500kHzの電波の波長は600メートルとなる。

２　無線設備、無線電信、無線電話

⑴　定義

電波法では無線設備について、「無線設備とは、無線電信、無線電話その他電波を送り、又は受けるための電気的設備をいう。」（法２㈣）とし、また、「無線電信とは、電波を利用して、符号を送り、又は受けるための通信設備をいう。」（法２㈡）、「無線電話とは、電波を利用して、音声その他の音響を送り又は受けるための通信設備をいう。」と定義している（法２㈢）。

⑵　無線設備の種類

無線設備には、無線電信、無線電話のほかに、テレメータ、テレビジョン、ファクシミリ、レーダー、ラジオゾンデ等は勿論、小は周波数計のような微弱な電波を使用するものから、大は宇宙通信用の大規模装置に至るまで、電波を送り又は受けるための電気的設備の一切が含まれる（注①～⑥）。

また家庭のラジオとかテレビ受像機も電波を受信するものであるから、無線設備に該当する。

⑶　無線設備の技術基準

無線設備はその目的に応じて、常に正しい電波を発射し、良好な送信及び受信ができるものでなければならない。そのため無線設備には詳細な技術基準が設けられ、厳しい技術条件が課されている。

無線設備がこの技術基準に適合しているかどうかの判定は、通常は、免許申請書に添付する工事設計書によって一次的に書類審査を行い、更に工事落成後の検査や点検において測定等を行って実地に確認するという方法がとられる。すなわち相当に複雑で多くの手続きを必要とするものである。

なお、こうした一般的な技術基準適合性確保のための制度に加え、特定無線設備（小規模な無線局に使用するための無線設備であって総務省令で定めるものをいう（法38の２の２Ⅰ）。）については技術基準適合証明、工事設計認証、技術基準適合自己確認等の制度が設けられている。

また、船舶又は航空機で使用する無線設備の機器及び周波数測定用の機器等精密で特に信頼性が要求されるものに対する無線機器型式検定制度があるが、この制度も無線設備の技術基準に関連するものである。

(注①)　テレメーター

「テレメーター」とは、電波を利用して、遠隔地点における測定器の測定結果を自動的に表示し、又は記録するための通信設備である（施２（二十一））。

(注②)　テレビジョン

「テレビジョン」とは、電波を利用して、静止し、又は移動する事物の瞬間的影像を送り、又は受けるための通信設備である（施２（二十二））。

(注③)　ファクシミリ

「ファクシミリ」とは、電波を利用して、永久的な形に受信するために静止影像を送り、又は受けるための通信設備である（施２（二十三））。

(注④)　レーダー

「レーダー」とは、決定しようとする位置から反射され、又は再発射される無線信号と基準信号との比較を基礎とする無線測位の設備である（施２（三十二））。すなわち、電波の直進性と指向性アンテナの回転とブラウン管の影像を同期させることを原理として、ブラウン管上に物標の位置を表示させる装置である。

(注⑤)　ラジオゾンデ

「ラジオゾンデ」とは、航空機、自由気球、たこ又は落下傘に通常装置する気象援助業務用の自動送信設備であって、気象資料を送信するものである（施２（四十二））。

(注⑥)　微弱な電波を使用する無線設備等については、後述の2 － 1 の 3（免許を要しない無線局）参照。

3　無線局

(1)　定義

電波法では、「無線局」とは「無線設備及び無線設備の操作を行う者の総体をいう。但し、受信のみを目的とするものを含まない。」と定義している（法２(五)）。

これは、無線局は、物的要素たる無線設備と、人的要素たる操作を行う者の両者から成り立つことを明らかにしているものである。自動的に動作するいわゆる無人方式の無線局（施2Ⅰ(四十五)）であっても、どこかの基地で制御する人がいるのであるから上述の人的要素を欠くものではない。

⑵　受信専用設備

受信のみを目的とするもの（受信専用設備）には、ラジオ受信機、テレビジョン受像機、世界の気象情報を収集している気象庁の受信設備、あるいは電波天文業務用の受信設備、その他受信のみに使用される各種受信機がある。これらは、無線局の範囲から除外されており（法2㈤）、設備の購入、設置使用は自由である。

ただし、中央集中方式（注①）や二重通信方式（注②）により通信を行う無線局の受信設備のように自己の使用する送信設備に機能上直結する受信設備は、受信専用設備とはならず、無線局に含まれる（施5）。

⑶　無線局の運用の限界

無線局は、本来免許人又は登録人（以下「免許人等」という。）以外の者による運用は認められないものである。しかしながら昨今の産業構造の分化、専門化、多様化によって、電波利用社会においても、免許人の事業等を下請とか子会社を使用して行う事例が多くなってきている。

このような場合、総務大臣が告示する一定の条件に適合していれば、免許人等以外の者が他人の無線局を運用することができる。この他人がした運用は、免許人等がしたものとされる（施5の2）（注③）。

なお、平成19年及び平成20年の法改正により、「無線局の運用の特例」として、一定の場合に無線局の免許人又は登録人がその無線局を他人に運用させることができることとなった。これは事実上他人がした運用を免許人等がしたものと見なすのではなく、正面から他人の運用と位置づけ、当該他人にも運用責任を問うていく点で新しい考え方に立ったものである（第6章参照）。

（注①）　中央集中方式

「中央集中方式」とは、送受信による干渉妨害を排除して、通信能率を向上させるために、無線局の送信所、受信所及び通信所（実際にオペレートする所）の三者が分離されているものをいう。

(注②)　二重通信方式

「二重通信方式」とは、中央集中方式の変形で、同様の目的のため無線局の送信所と受信所が分離されているものをいう。

(注③)　無線局の他人使用の条件

無線局を免許人等以外の者が運用できる場合は、放送をする無線局以外の無線局の運用であって、次に掲げる(1)の条件を満たす場合の(2)～(4)の運用である（平成７年郵政省告示第183号）。

(1)　免許人等から運用者に対して、電波法及びこれに基づく命令の定めるところによる無線局の適正な運用の確保について、適切な監督が行われていること。

(2)　スポーツ、レクリエーション、教養文化活動等の施設を利用者に提供する業務を遂行するために開設する無線局の運用

(3)　次の(ア)～(ウ)のすべてに適合するアマチュア局の運用

(ア)　アマチュア無線局の無線設備を操作することができる資格を有する運用者が、有する資格で操作できる範囲内で行うこと。

(イ)　運用者が、運用しようとするアマチュア局の免許人の立会いの下で、そのアマチュア局の免許の範囲内で行うこと。ただし、運用しようとする社団であるアマチュア局の免許人の承諾を得て、地震、台風、洪水、津波、雪害、火災、暴動その他非常の事態が発生し、又は発生するおそれがある場合において、人命の救助、災害の救援、交通通信の確保又は秩序の維持のために必要な通信を行うときは、当該免許人の立会いを要しない。

(ウ)　呼出又は応答を行う際は、運用しようとするアマチュア局の呼出符号を使用すること。

(4)　免許人等と運用者との間において、その無線局を開設する目的に係る免許人等の事業又は業務を運用者が行うことについて契約関係がある無線局の運用（その無線局が移動局（ラジオマイクの局を除く。）の場合にあっては、免許人等が、当該無線局の無線設備を実際に操作する者に対して、免許人が別に発給する「無線局運用証明書」を携帯させていること。）

４　無線従事者

「無線従事者」とは、「無線設備の操作又はその監督を行う者であって、総務大臣の免許を受けたものをいう。」と定義されている（法２(六)）。

無線設備の操作を行う者は、すでに述べたように無線局の構成要素の一つであるが、このうち総務大臣の免許を受けたものが無線従事者とよばれ

る。これは、無線設備の操作に対して、原則として資格主義を採用しているからにほかならない（法39ⅠⅡ、法40）。

この無線従事者の資格については、次の5系統に分類し、それぞれに級別があって17区分（法40）の資格が設けてある。このほか特殊無線技士については、操作範囲を限定した9区分（施行令2）の資格に細分してあるので、これを加えると23区分の資格になる。

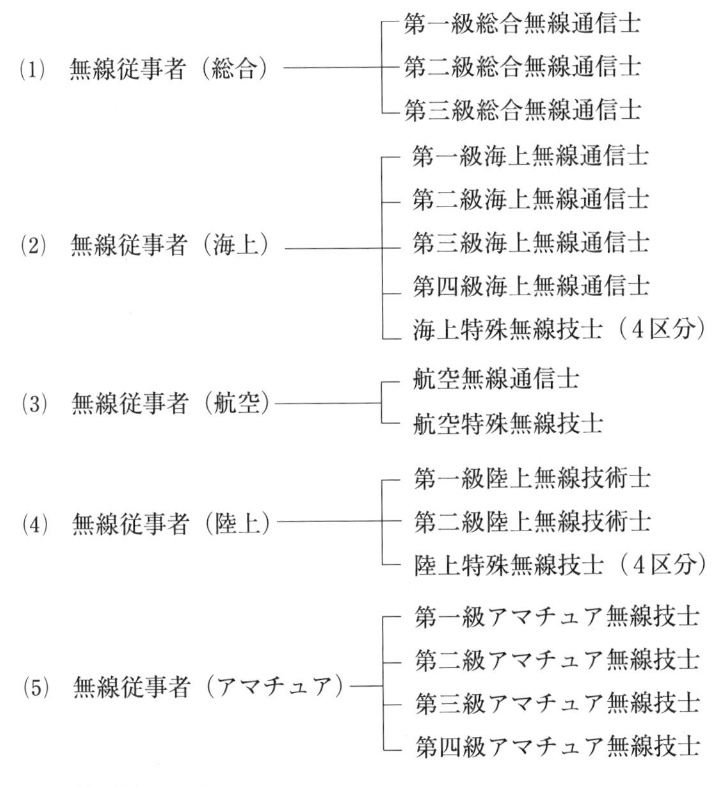

5　無線通信・放送等

電波法令では多くの術語が使用されており、またその定義が定めてあるが、本節では法に定める用語を基本的用語としてとりあげ、その定義及び若干の関連事項を述べてきた。しかし、省令（特に施行規則）で定める多くの用語のうちには特別の意義を持つものがあるので、これらの一部について特にここで述べておくこととする。

(1) 無線通信

「無線通信」とは、「電波を使用して行うすべての種類の記号、信号、文言、影像、音響又は情報の送信、発射又は受信をいう。」と定義されている（施2（十五））。一般的には通信とは人の意思の伝達であるが、電波法令では人の意思だけでなく、実験や試験等のように単に電波を発射するだけで無線通信という。このことは無線設備が電波を送り又は受けるためのすべての電気的設備であることに対応している（注①）。

(2) 放送

「放送」とは、公衆（注②）によって直接受信されることを目的とする無線通信の送信をいう（法5Ⅳ（注③））。後述のように「放送業務」という場合には、無線電話、テレビジョン、データ伝送又はファクシミリによるものに限られており（施3Ⅰ㈢）、無線電信については想定されていない。

(3) 同報通信方式

「同報通信方式」とは、特定の2以上の受信設備に対し、同時に同一内容の通報の送信のみを行う通信方式をいう（施2Ⅰ（二十））。この通信方式が多数の者に対し同時に送信のみを行うことから、これも放送の一種と誤解している場合がある。しかし、この同報通信にあっては、送信の相手、したがって受信者が特定の者（必ずしも個別でなく、例えば船舶とか気象機関、災害対策機関等であってもよい。）であり、放送とは異なるものである。

(4) 宇宙無線通信

「宇宙無線通信」とは、宇宙局若しくは受動衛星（人工衛星であって、当該衛星による電波の反射を利用して通信を行うために使用されるものをいう。）その他宇宙にある物体へ送り、又は宇宙局若しくはこれらの物体から受ける無線通信である（施2Ⅰ（十五の二））。

(5) 衛星通信

「衛星通信」とは、人工衛星局（人工衛星の無線局をいう。）の中継により行う無線通信である（施2Ⅰ（十五の三））。

⑹　混信

「混信」とは、他の無線局の正常な業務の運行を妨害する電波の発射、輻射又は誘導のことである（施2Ⅰ(六十四))。

誘導電界による場合であっても、無線局の正常な業務の運行を妨害するものは、混信として規律される。

(注①)　通信の一般的意義

通信とは、一般的には「人の意思」が媒体によって隔地者に移動することをいう。この意義からすると無線測位とか単なる電波の発射等は無線通信に該当しないことになる。しかし、電波法は電波利用の要規律性からその統一的利用を図るための規範であり、電波の送信、発射、受信のすべてを無線通信とし、一元的な管理体制がとられているものである。

(注②)　公衆

電波法令及び電波利用関係法令中「公衆」の定義は無いが、一般に「不特定かつ多数の者」と解釈されている。すなわち「不特定の者」という要件と「多数の者」という要件の両方を満たす必要があるということである。これに対し、著作権法では「この法律にいう「公衆」には、特定かつ多数の者を含むものとする」(２Ⅴ）とし、より広く公衆概念をとらえている。

(注③)　放送法における放送の定義

放送法において放送は「公衆によって直接受信されることを目的とする電気通信（電気通信事業法第２条第１号に規定する電気通信をいう。）の送信（他人の電気通信設備（同条第２号に規定する電気通信設備をいう。）を用いて行われるものを含む。)」と定義されている（放２㈠)。

電波法における放送の定義と２点において異なっているが、この相違は平成22年の放送法改正において生じた。

相違点の第１は放送を「無線通信」ではなく「電気通信」の送信ととらえていることである。電気通信事業法によれば「電気通信」とは「有線、無線その他の電磁的方式により、符号、音響又は影像を送り、伝え、又は受けること」であって、当然に有線通信も含むから、従来「有線放送」と呼ばれたものも「放送」の一部ということになる。これに対し電波法は電波の公平かつ能率的利用というその目的に照らし、無線通信のみで放送概念を形成しているのである。

相違点の第２は「送信」に「他人の電気通信設備を用いて行われるものを含む。」との注を付していることである。放送においては、コンテンツ（放送番組）が電波・電磁波に乗せられて受信者に届けられるのであって、「送信」にはコンテンツを届けることと電波・電磁波を届けることの両面が含まれる。放送法はソフト規律の法律であるから、前者の観点を重視しており、平成22年の放送法改正ではコンテンツを届けようとする者が送信者であるという観点から概念整理が図られた。したがってコンテンツを届けようとする行為が自らの電気通信設備によってなされるか他人の電気通信設備によってなされるかにかかわらず、それが送信であることが明確にされた。これに対し電波秩序の確保を狙いとする電波法においては電波を受信者に届けるという観点から送信概念を構成しており、電波を出す者を送信者ととらえる。したがって、電波を出す電気通信設備を保有・運用するものが送信者となるから、放送法の定義におけるような「注」はなじまないものである。

1－7　無線通信業務の分類及び無線局の種別

無線局の行う無線通信業務は多種多様にわたっており、これを類型別に分類整理することは、無線局の種別及び免許の単位を定め、適切な周波数の分配を行い、あるいは、それぞれに適応した監理規律を行う上に欠かせないものである。電波法令では国際電気通信連合の業務規則の規定にも対応して、次のように分類し、定義している。

1　無線通信業務（宇宙無線通信の業務を除く。）の分類（施３Ｉ）

(1)　固定業務　一定の固定地点の間の無線通信業務（陸上移動中継局との間のものを除く。）をいう。

(2)　放送業務　一般公衆によって直接受信されるための無線電話、テレビジョン、データ伝送又はファクシミリによる無線通信業務をいう。

(3)　放送試験業務　放送及びその受信の進歩発達に必要な試験、研究又は調査のため試験的に行う放送業務をいう。

(4)　移動業務　移動局（陸上移動受信設備を含む。）と陸上局との間又は移動局相互間の無線通信業務（陸上移動中継局の中継によるものを含む。）をいう。ここで陸上移動受信設備とは、陸上を移動中又は陸上の特定しない地点に停止中に使用する受信専用設備のことをいう。なお、この陸上には、河川、湖沼その他これらに準ずる水域が含まれる。

⑸	海上移動業務	船舶局と海岸局との間、船舶局相互間、船舶局と船上通信局との間、船上通信局相互間又は遭難自動通報局と船舶局若しくは海岸局との間の無線通信業務をいう。
⑹	航空移動業務	航空機局と航空局との間又は航空機局相互間の無線通信業務をいう。
⑺	航空移動（R）業務	主として国内民間航空路又は国際民間航空路において安全及び正常な飛行に関する通信のために確保された航空移動業務をいう。
⑻	航空移動（OR）業務	主として国内民間航空路又は国際民間航空路以外の飛行の調整に関するものを含む通信を目的とする航空移動業務をいう。
⑼	陸上移動業務	基地局と陸上移動局（陸上移動受信設備であって無線呼出業務用以外のものを含む。）との間又は陸上移動局相互間の無線通信業務（陸上移動中継局の中継によるものを含む。）をいう。
⑽	携帯移動業務	携帯局と携帯基地局との間又は携帯局相互間の無線通信業務をいう。
⑾	無線呼出業務	携帯受信設備（陸上移動受信設備であって、その携帯者に対する呼出し（これに付随する通報を含む。）を受けるためのものをいう。）の携帯者に対する呼出しを行う無線通信業務をいう。
⑿	無線測位業務	無線測位（電波の伝搬特性を用いてする位置の決定又は位置に関する情報の取得をいう。）のための無線通信業務をいう。
⒀	無線航行業務	無線航行のための無線測位業務をいう。
⒁	海上無線航行業務	船舶のための無線航行業務をいう。

⒂	航空無線航行業務	航空機のための無線航行業務をいう。
⒃	無線標定業務	無線航行業務以外の無線測位業務をいう。
⒄	無線標識業務	移動局に対して電波を発射し、その電波発射の位置からの方向又は方位をその移動局に決定させることができるための無線航行業務をいう。
⒅	非常通信業務	地震、台風、洪水、津波、雪害、火災、暴動その他非常の事態が発生し又は発生するおそれがある場合において、人命の救助、災害の救援、交通通信の確保又は秩序の維持のために行う無線通信業務をいう。
⒆	アマチュア業務	金銭上の利益のためでなく、もっぱら個人的な無線技術の興味によって行う自己訓練、通信及び技術的研究その他総務大臣が別に告示する業務（注）を行う無線通信業務をいう。
⒇	簡易無線業務	簡易な業務のために行われる無線通信業務をいう。
㉑	構内無線業務	一の構内において行われる無線通信業務をいう。
㉒	気象援助業務	水象を含む気象上の観測及び調査のための無線通信業務をいう。
㉓	標準周波数業務	科学、技術その他のために利用されることを目的として、一般的に受信されるように、明示された高い精度の特定の周波数の電波の発射を行う無線通信業務をいう。
㉔	特　別　業　務	⑴〜㉓に規定する業務及び電気通信業務（不特定多数の者に同時に送信するものを除く。）のいずれにも該当しない無線通信業務であって、一定の公共の利益のために行われるものをいう。

（注）　告示されているアマチュア業務

社会貢献活動のために行う業務及び国、地方公共団体等の一定の活動のために行う業務が告示されている。ただし、営利を目的とする法人等の営利事業の用に供する業務は含まれない（令和３年総務省告示第91号）。

2　宇宙無線通信の業務の分類（施3Ⅱ）

(1)　海上移動衛星業務　船舶地球局と海岸地球局との間又は船舶地球局相互間の衛星通信の業務をいう。

(2)　航空移動衛星業務　航空機地球局と航空地球局との間又は航空機地球局相互間の衛星通信の業務をいう。

(3)　携帯移動衛星業務　携帯移動地球局と携帯基地地球局との間又は携帯移動地球局相互間の衛星通信の業務をいう。

3　無線局の種別（施4Ⅰ）

(1)　固　定　局　固定業務を行う無線局をいう。

(2)　基幹放送局　基幹放送（注①）を行う無線局（当該基幹放送に加えて基幹放送以外の無線通信の送信をするものを含む。）であって、基幹放送を行う実用化試験局以外のものをいう。

(3)　地上基幹放送局　地上基幹放送（注②）又は移動受信用地上基幹放送（注③）を行う基幹放送局（放送試験業務を行うものを除く。）をいう。

(4)　特定地上基幹放送局　基幹放送局のうち法第6条第2項に規定する特定地上基幹放送局（注④）（放送試験業務を行うものを除く。）をいう。

(5)　地上基幹放送試験局　地上基幹放送又は移動受信用地上基幹放送を行う基幹放送局（放送試験業務を行うものに限る。）をいう。

(6)　特定地上基幹放送試験局　基幹放送局のうち法第6条第2項に規定する特定地上基幹放送局（放送試験業務を行うものに限る。）をいう。

(7)　地上一般放送局　地上一般放送（注⑤）を行う無線局であって、地上一般放送を行う実用化試験局以外のものをいう。

(8)　海　岸　局　船舶局、遭難自動通報局又は航路標識に開設する海岸局（船舶自動識別装置により通信を行うものに限る。）と通信を行うため陸上に開設する移動しない無線局（航路標識に開設するものを含む。）をいう。

⑼ 航　　空　　局　航空機局と通信を行うため陸上に開設する移動中の運用を目的としない無線局（船舶に開設するものを含む。）をいう。

⑽ 基　　地　　局　陸上移動局と通信（陸上移動中継局の中継によるものを含む。）を行うため陸上に開設する移動しない無線局（陸上移動中継局を除く。）をいう。

⑾ 携 帯 基 地 局　携帯局と通信を行うため陸上に開設する移動しない無線局をいう。

⑿ 無 線 呼 出 局　無線呼出業務を行う陸上に開設する無線局をいう。

⒀ 陸上移動中継局　基地局と陸上移動局との間及び陸上移動局相互間の通信を中継するため陸上に開設する移動しない無線局をいう。

⒁ 陸　　上　　局　海岸局、航空局、基地局、携帯基地局、無線呼出局、陸上移動中継局その他移動中の運用を目的としない移動業務を行う無線局をいう。

⒂ 船　　舶　　局　船舶の無線局（人工衛星局の中継によってのみ無線通信を行うものを除く。）のうち、無線設備が遭難自動通報設備又はレーダーのみのもの以外のものをいう。

⒃ 遭難自動通報局　遭難自動通報設備のみを使用して無線通信業務を行う無線局をいう。

⒄ 船 上 通 信 局　船上通信設備のみを使用して無線通信業務を行う移動する無線局をいう。

⒅ 航 空 機 局　航空機の無線局（人工衛星局の中継によってのみ無線通信を行うものを除く。）のうち、無線設備がレーダーのみのもの以外のものをいう。

⒆　陸上移動局　陸上（河川、湖沼その他これらに準ずる水域を含む。次の携帯局の場合も同じ。）を移動中又はその特定しない地点に停止中運用する無線局（船上通信局を除く。）をいう。

⒇　携　帯　局　陸上、海上又は上空の１又は２以上にわたり携帯して移動中又はその特定しない地点に停止中運用する無線局（船上通信局及び陸上移動局を除く。）をいう。

(21)　移　動　局　船舶局、遭難自動通報局、船上通信局、航空機局、陸上移動局、携帯局その他移動中又は特定しない地点に停止中運用する無線局をいう。

(22)　無線測位局　無線測位業務を行う無線局をいう。

(23)　無線航行局　無線航行業務を行う無線局をいう。

(24)　無線航行陸上局　移動しない無線航行局をいう。

(25)　無線航行移動局　移動する無線航行局をいう。

(26)　無線標定陸上局　無線標定業務を行う移動しない無線局をいう。

(27)　無線標定移動局　無線標定業務を行う移動する無線局をいう。

(28)　無線標識局　無線標識業務を行う無線局をいう。

(29)　地　球　局　宇宙局と通信を行い、又は受動衛星その他の宇宙にある物体を利用して通信（宇宙局とのものを除く。）を行うため、地表又は地球の大気圏の主要部分に開設する無線局をいう。

(30)　海岸地球局　陸上に開設する無線局であって、人工衛星局の中継により船舶地球局と無線通信を行うものをいう（法63）。

(31)　航空地球局　陸上に開設する無線局であって、人工衛星局の中継により航空機地球局と無線通信を行うものをいう（法70の３Ⅱ）。

(32)　携帯基地地球局　人工衛星局の中継により携帯移動地球局と通信を

行うため陸上に開設する無線局をいう。

⒀	船舶地球局	船舶に開設する無線局であって、人工衛星局の中継によってのみ無線通信を行うもの（実験等無線局及びアマチュア無線局を除く。）をいう（法6Ⅰ㈣ロ）。
⒁	航空機地球局	航空機に開設する無線局であって、人工衛星局の中継によってのみ無線通信を行うもの（実験等無線局及びアマチュア無線局を除く。）をいう（法6Ⅰ㈣ロ）。
⒂	携帯移動地球局	自動車その他陸上を移動するものに開設し又は陸上、海上若しくは上空の1あるいは2以上にわたり携帯して使用するために開設する無線局であって、人工衛星局の中継により無線通信を行うもの（船舶地球局及び航空機地球局を除く。）をいう。
⒃	宇宙局	地球の大気圏の主要部分の外にある宇宙物体（その主要部分の外に出ることを目的とし、又はその主要部分の外から入ったものを含む。）に開設する無線局をいう。
⒄	人工衛星局	人工衛星の無線局をいう（法5Ⅳ）。
⒅	衛星基幹放送局	衛星基幹放送（注⑥）を行う基幹放送局（衛星基幹放送試験局を除く。）をいう。
⒆	衛星基幹放送試験局	衛星基幹放送を行う基幹放送局（放送及びその受信の進歩発達に必要な試験、研究又は調査のため、一般公衆によって直接受信されるための無線電話、テレビジョン、データ伝送又はファクシミリによる無線通信業務を試験的に行うものに限る。）をいう。
⒇	非常局	非常通信業務のみを行うことを目的として開設する無線局をいう。

(41)　実験試験局　科学若しくは技術の発達のための実験、電波の利用の効率性に関する試験又は電波の利用の需要に関する調査を行うために開設する無線局であって、実用に供しないもの（放送をするものを除く。）をいう。

(42)　実用化試験局　当該無線通信業務を実用に移す目的で試験的に開設する無線局をいう。

(43)　アマチュア局　アマチュア業務を行う無線局をいう。

(44)　簡易無線局　簡易無線業務を行う無線局をいう。

(45)　構内無線局　構内無線業務を行う無線局をいう。

(46)　気象援助局　気象援助業務を行う無線局をいう。

(47)　標準周波数局　標準周波数業務を行う無線局をいう。

(48)　特別業務の局　特別業務を行う無線局をいう。

（注①）基幹放送

平成22年の放送法改正により、放送は従来の無線部分に加えて有線放送をも取り込み、有無線を包括する概念となった。この放送は基幹放送と一般放送に区別され、基幹放送は「電波法の規定により放送をする無線局に専ら又は優先的に割り当てられるものとされた周波数の電波を使用する放送」と定義される（放２(一)）。それ以外が一般放送である。この定義により、基幹放送は放送の無線部分の一部ということになる。一方、電波法も一定の改正がなされたが、無線放送を放送として定義している部分は維持され（１－６の５（注③）参照）、放送法における放送と概念上差違が生じた。しかし「基幹放送」については両法で同一の概念を用いている（法５Ⅳ、26Ⅱ(五)イ）。

（注②）地上基幹放送

基幹放送であって、衛星基幹放送及び移動受信用地上基幹放送以外のものをいう（放２(十五)）。

（注③）移動受信用地上基幹放送

自動車その他陸上を移動するものに設置して使用し、又は携帯して使用するための受信設備により受信されることを目的とする基幹放送であって、衛星基幹放送以外のものをいう（放２(十四)）。

（注④）法第６条第２項に規定する特定地上基幹放送局

自己の地上基幹放送の業務に用いる無線局をいう（法６Ⅱ）。

(注⑤) 地上一般放送

一般放送（基幹放送以外の放送をいう（放２㈢））であって、衛星一般放送（人工衛星局（衛星基幹放送局、衛星基幹放送試験局及び衛星基幹放送を行う実用化試験局を除く。）を用いて行われる一般放送をいう（放施２㈢）。）及び有線一般放送（有線電気通信設備を用いて行われる一般放送をいう（放施２㈣）。）以外のものをいう（放施２㈤））。

(注⑥) 衛星基幹放送

人工衛星の放送局を用いて行われる基幹放送をいう（放２(十三)）。

4　無線通信業務と無線局の種別との関係

無線通信業務と無線局の種類はそれぞれ関連している。その関係は次のとおりである。

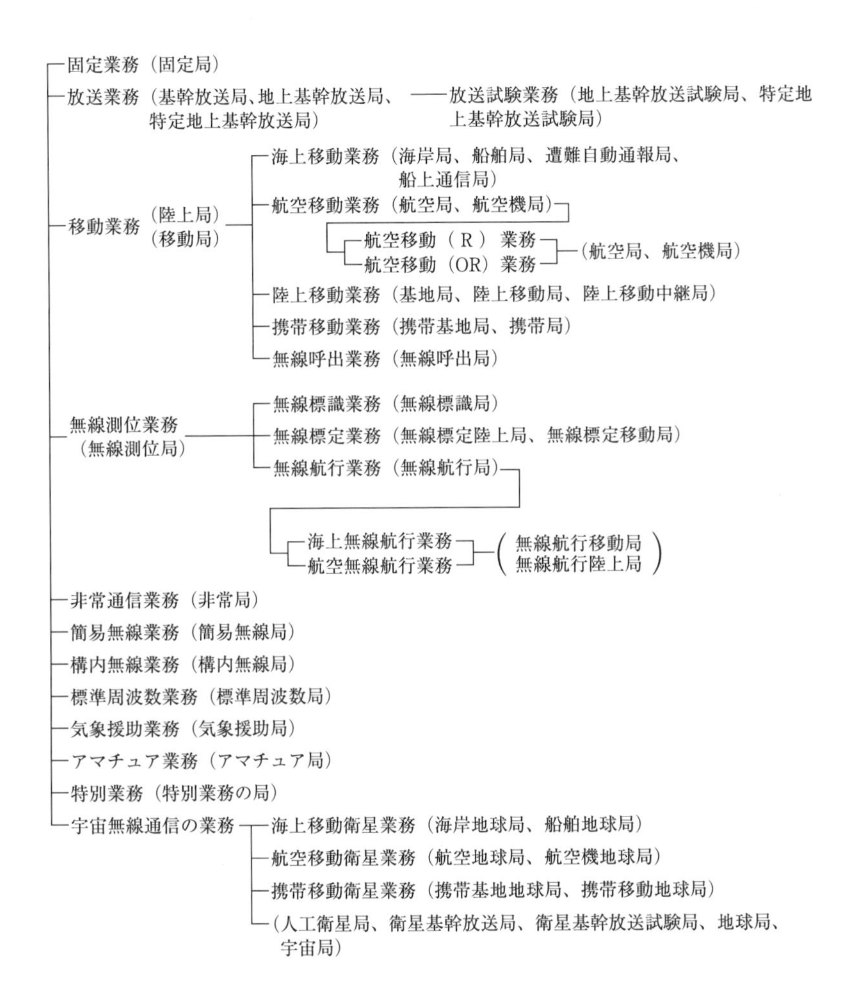
固定業務（固定局）
放送業務（基幹放送局、地上基幹放送局、特定地上基幹放送局）
放送試験業務（地上基幹放送試験局、特定地上基幹放送試験局）
移動業務（陸上局）（移動局）
海上移動業務（海岸局、船舶局、遭難自動通報局、船上通信局）
航空移動業務（航空局、航空機局）
航空移動（R）業務
航空移動（OR）業務
（航空局、航空機局）
陸上移動業務（基地局、陸上移動局、陸上移動中継局）
携帯移動業務（携帯基地局、携帯局）
無線呼出業務（無線呼出局）
無線測位業務（無線測位局）
無線標識業務（無線標識局）
無線標定業務（無線標定陸上局、無線標定移動局）
無線航行業務（無線航行局）
海上無線航行業務
航空無線航行業務
無線航行移動局
無線航行陸上局
非常通信業務（非常局）
簡易無線業務（簡易無線局）
構内無線業務（構内無線局）
標準周波数業務（標準周波数局）
気象援助業務（気象援助局）
アマチュア業務（アマチュア局）
特別業務（特別業務の局）
宇宙無線通信の業務
海上移動衛星業務（海岸地球局、船舶地球局）
航空移動衛星業務（航空地球局、航空機地球局）
携帯移動衛星業務（携帯基地地球局、携帯移動地球局）
（人工衛星局、衛星基幹放送局、衛星基幹放送試験局、地球局、宇宙局）

第2章
無線局の免許等

2－1　総　説

1　無線局開設の意義及び要免許の原則

無線局を開設しようとする者は、原則として総務大臣の免許を受けなければならない（法4）。

総務大臣の免許がないのに無線局を開設し、又は運用した者には罰則が定められている（「1年以下の懲役又は100万円以下の罰金」法110㈠㈡、法114）。

無線局は次に掲げる要件を満たせば開設したことになる。

⑴　電波を発射しうる状態にあること。

空中線を展張し、電源に接続して、スイッチ操作一つで電波を発射しうる状態、又はそれと同等の状態をいう。空中線の展張や、電源への接続がされていなくても、それらが容易かつ即座になしうる状況にあって、直ちに無線局として運用できるような場合は電波を発射しうる状態にあるものと解される。

⑵　無線設備を操作する者を配置していること。

当該無線設備を操作する技術的能力のある者（事実上の能力があれば足り、無線従事者の資格を有することを要しない。）が配置されているか、あるいは自ら操作する状況にあることである。

自己の車輌の運転席に無線設備を設置して運転手を配置し、当該車輌を運行するような場合は、特段の事情がない限り、操作者の配置があったものと考えられる。

⑶　運用する意思があること。

個々具体の場合に応じ、その客観的状況から推定することになる。例えば運転席に無線設備をとりつけ電波を発射しうる状態にして、その車輌を運行する場合等は、他の特段の事情がない限り運用の意思があるものと考えられる。

2　免許制度の意義

無線局の免許制度は、電波が有限希少な資源であり、その利用を各人の自由に委ねると混信により円滑な通信の疎通ができなくなる等の弊害が生ずるため、「電波の公平かつ能率的な利用を確保することによって、公共の福祉を増進する（電波法の目的)。」という観点から導入されたものである。

すなわち、電波の利用を一般的に禁止しておき、一定の要件に適合した者に対してその禁止を解除することにより、電波の公平かつ能率的な利用を確保するものである。

なお、電気通信業務用の無線局や基幹放送をする無線局の免許については、それぞれの免許人である事業者に行為能力や権利能力を設定する行政行為としての特許の意に用いられているとの説もある。

3　免許を要しない無線局

無線局の開設に当たっては、原則として、総務大臣の免許を受けることが必要であるが、①発射する電波が著しく微弱な無線局、②一定の条件の無線設備を使用し、周波数、用途、空中線電力の上限等が特定された無線局及び③総務大臣の登録（注①）を受けて開設する無線局（登録局）については、免許を受けることを要しない（法4 ただし書)。

ここで、①の発射する電波が著しく微弱であるということは、おおむね都市雑音レベルとの対比において配慮され、そのほか、機器の使用目的や妨害程度を加味して定めてある。また②の無線局については、利用者の急増に対処する必要があり、機器の技術水準の向上、使用周波数、空中線電力、混信回避機能その他の諸事情を勘案して、一定の条件を満たしているものを免許を要しない無線局として制度化したものである（注②)。

これに対し③の無線局は、免許という形の厳格な参入規制をするほどの必要はないが、総務大臣の登録という形でその存在を把握し、電波監理の対象とするもので、参入に当たり行政が関与しない①及び②の無線局とは基本的に性格や位置づけを異にするものである。

これら免許を要しない無線局及び条件等は、次のとおりである。

⑴　**発射する電波が著しく微弱な無線局**（法４㈠、施６ⅠⅡ）

ア　当該無線局の無線設備から３メートルの距離において、その電界強度（総務大臣が別に告示する試験設備（注③）の内部においてのみ使用される無線設備については当該試験設備の外部における電界強度を当該無線設備からの距離に応じて補正して得たものとし、人の生体内に植え込まれた状態又は一時的に留置された状態においてのみ使用される無線設備については当該生体の外部におけるものとする。）が、次の表の左欄の区分に従い、それぞれ同表の右欄に掲げる値以下であるもの

なお、電界強度の測定方法については、別に告示（昭和63年郵政省告示第127号）されている。

周　波　数　帯	電　界　強　度
322MHz以下	毎メートル500マイクロボルト
322MHzを超え10GHz以下	毎メートル35マイクロボルト
10GHzを超え150GHz以下	次式で求められる値（毎メートル500マイクロボルトを超える場合は、毎メートル500マイクロボルト） 毎メートル3.5ｆマイクロボルト ｆは、GHzを単位とする周波数とする。
150GHzを超えるもの	毎メートル500マイクロボルト

イ　当該無線局の無線設備から500メートルの距離において、その電界強度が毎メートル200マイクロボルト以下のものであって、総務大臣が用途並びに電波の型式及び周波数を定めて告示するもの（注④）

ウ　標準電界発生器、ヘテロダイン周波数計その他の測定用小型発振器

⑵　**26.9MHzから27.2MHzまでの周波数帯の電波を使用し、かつ、空中線電力が0.5ワット以下である無線局のうち総務省令で定めるものであって、適合表示無線設備**（注⑤）**のみを使用する無線局（市民ラジオの無線局）**（法４㈡、施６Ⅲ）

この省令（施６Ⅲ）では、使用周波数をＡ３Ｅ電波26.968MHz、26.976MHz、27.04MHz、27.08MHz、27.088MHz、27.112MHz、27.12MHz又は27.144MHzと定めている。

⑶ 小電力の特定の用途の無線局（法4㈢、施6Ⅳ）

ア ㋐から㋒の各条件のすべてに適合する次の無線局

① コードレス電話の無線局（注⑥）

② 特定小電力無線局（注⑦）

③ 小電力セキュリティシステムの無線局（注⑧）

④ 小電力データ通信システムの無線局（注⑨）

⑤ デジタルコードレス電話の無線局（注⑩）

⑥ PHSの陸上移動局（注⑩）

⑦ 狭域通信システムの陸上移動局（注⑪）及びその無線設備の試験のための通信を行う無線局

⑧ 5GHz帯無線アクセスシステムの陸上移動局又は携帯局（注⑫）

⑨ 超広帯域無線システムの無線局（注⑬）

⑩ 700MHz帯高度道路交通システム（注⑭）の陸上移動局

⑪ 5.2GHz帯高出力データ通信システム（注⑮）の陸上移動局であって、空中線電力が0.2ワット以下であるもの

㋐ 空中線電力が1ワット以下であること。

㋑ 呼出符号又は呼出名称の指定を受け、これを自動的に送信し、又は受信する機能その他総務省令で定める機能（注⑯）を有することにより、他の無線局にその運用を阻害するような混信その他の妨害を与えないように運用することができるものであること。

㋒ 適合表示無線設備のみを使用するものであること。

イ 電波法第3章（無線設備）に定める技術基準に相当する技術基準に適合している無線設備に係る特例

ア㋒の条件は、次の場合に緩和されている。

㋐ 本邦に入国する者が、自ら持ち込む無線設備（電波法第3章に定める技術基準に相当する技術基準として総務大臣が指定する技術基準に適合しているものに限る。）を使用して無線局（アの無線局のうち、用途、周波数その他の条件を勘案して総務省令で定めるものに限る。）を開設しようとするときは、当該無線設備は、適合表示

無線設備でない場合であっても、当該者の入国の日から同日以後90日を超えない範囲内で総務省令で定める期間を経過する日までの間に限り、適合表示無線設備とみなす（法４の２Ⅰ）（注⑰）。

(イ)　電波法第３章の定める技術基準に相当する技術基準として総務大臣が指定する技術基準に適合している無線設備を使用して実験等無線局（科学若しくは技術の発達のための実験、電波の利用の効率性に関する試験又は電波の利用の需要に関する調査に専用する無線局をいう。）（アの無線局のうち、用途、周波数その他の条件を勘案して総務省令で定めるものであるものに限る。）を開設しようとする者は、総務省令で定めるところにより、一定事項を総務大臣に届け出ることができ（法４の２Ⅱ）、この届出があったときは、当該届出に係る実験等無線局に使用される無線設備は、適合表示無線設備でない場合であっても、当該届出の日から同日以後180日を超えない範囲内で総務省令で定める期間を経過する日又は当該実験等無線局を廃止した日のいずれか早い日までの間に限り、適合表示無線設備とみなす（法４の２Ⅲ）（注⑱）。

「総務省令で定める無線局」としては、⑴特定小電力無線局のうち、①テレメーター（医療用テレメーターを除く。）用、テレコントロール用及びデータ伝送（体内植込型医療用データ伝送及び体内植込型医療用遠隔計測並びに国際輸送用データ伝送を除く。）用で使用するもの（915MHzを超え930MHz以下の周波数の電波を使用するものに限る。）、②移動体識別用で使用するもの（915MHzを超え930MHz以下の周波数の電波を使用するものに限る。）、③ミリ波レーダー（移動体検知センサーを除く。）用で使用するもの及び④移動体検知センサー用で使用するもの（57GHzを超え66GHz以下の周波数の電波を使用するものに限る。）、⑵小電力データ通信システムの無線局（注⑨⑵）に掲げる①、③及び⑤の周波数の電波を使用するものに限る。）、⑶1,895.6161MHz以上1,904.256MHz以下の周波数のうち、1,895.616MHz及び1,895.616MHzに1,728kHzの整数倍を加えたもの並びに1,897.4MHz、1,899.2MHz及び1,901MHzの周波数の電波を使用するもの並びに1,891MHz、1,899.1MHz及び1,914.1MHzの周波数の電波を使用するデジタルコードレス電話の無線局（一定の占有周波数帯幅の許容値のものに限る。）及び⑷5.2GHz帯高出力データ通信システムの陸上移動局であって、総務大臣が別に告示する条件（令和元年総務省告示第264号）に適合するものが定められている（施6の2の4）。

また、「総務省令で定める期間」は、180日とされている（施6の3Ⅱ）。

⑷　登録局

総務大臣の登録を受けて開設する無線局（法4Ⅰ㈣）。この登録は、電波を発射しようとする場合において当該電波と周波数を同じくする電波を受信することにより、一定の時間自己の電波を発射しないことを確保する機能を有する無線局その他無線設備の規格（総務省令で定めるものに限る。）を同じくする他の無線局の運用を阻害するような混信その他の妨害を与えないように運用することのできる無線局のうち総務省令で定めるものであって、適合表示無線設備のみを使用するものを総務省令で定める区域内に開設する（注⑲）場合に受けることが必要とされる（法27の18Ⅰ）。

ア　登録の対象とする無線局は次のとおり（施16）。

㋐　無線設備規則第49条の8の3（PHSの無線局の無線設備）に規定する技術基準に係る無線設備を使用する空中線電力が1ワット以下の基地局及び同条第4項に規定する技術基準に係る無線設備を使用する空中線電力が10ミリワット以下の陸上移動局

㋑　無線設備規則第49条の9（構内無線局の無線設備）第1号に規定する技術基準に係る無線設備（同号ニただし書に該当するものを除く。）を使用する構内無線局及び同条第3号（2,450MHz帯の周波数の電波を使用するもの）に規定する技術基準に係る無線設備（同号ハの技術基準が適用されるものに限る。）を使用する構内無線局

㋒　無線設備規則第49条の20の2（5.2GHz帯高出力データ通信シス

テムの無線局の無線設備）第１項に規定する技術基準に係る無線設備を使用する基地局及び陸上移動中継局

(エ)　無線設備規則第 49 条の 21（5GHz 帯無線アクセスシステムの無線局の無線設備）第１項に規定する技術基準に係る無線設備を使用する基地局、陸上移動中継局、陸上移動局、携帯基地局及び携帯局

(オ)　無線設備規則第 49 条の 34 第１項（920MHz 帯の周波数の電波を使用する陸上移動局の無線設備）に規定する技術基準に係る無線設備を使用する陸上移動局

(カ)　無線設備規則第49条の34第２項（910MHz帯の周波数の電波を使用する移動体識別用の陸上移動局）に規定する技術基準に係る無線設備を使用する陸上移動局

(キ)　無線設備規則第 54 条（簡易無線局の無線設備）第２号に規定する技術基準に係る無線設備（同号チの技術基準が適用されるものに限る。）を使用する簡易無線局

イ　登録局の無線設備の規格は、対象局の無線設備に係る無線設備規則の該当条項に定められた技術基準とされている。具体的には次のとおり（施 17）。

(ア)　無線設備規則第 49 条の８の３（PHS の無線局の無線設備）に規定する技術基準のうち基地局に係るもの及び同条第４項に規定する技術基準のうち陸上移動局に係るもの

(イ)　無線設備規則第 49 条の９（構内無線局の無線設備）に規定する技術基準のうち第１号の構内無線局に係るもの及び第３号の構内無線局に係るもの

(ウ)　無線設備規則第 49 条の 20 の２（5.2GHz 帯高出力データ通信システムの無線局の無線設備）第１項に規定する技術基準のうち基地局及び陸上移動中継局に係るもの

(エ)　無線設備規則第 49 条の 21（５GHz 帯無線アクセスシステムの無線局の無線設備）第１項に規定する技術基準のうち基地局、陸上移動中継局、陸上移動局、携帯基地局及び携帯局に係るもの

⑷ 無線設備規則第49条の34（920MHz帯の周波数の電波を使用する陸上移動局の無線設備）第1項に規定する技術基準

⑸ 無線設備規則第49条の34第2項に規定する技術基準

⑹ 無線設備規則第54条（簡易無線局の無線設備）第2号に規定する技術基準

ウ 登録局の開設区域は、次のとおり（施18）。

⑺ 351.16875MHz以上351.38125MHz以下の周波数の電波を使用する無線局の開設区域は、総務大臣が別に告示（平成20年総務省告示第465号）する区域とする。

⑴ 4,900MHzを超え5,000MHz以下の周波数の電波を使用する無線局の開設区域は、総務大臣が別に告示（平成30年総務省告示第222号）する区域とする。

⑼ 5,150MHzを超え5,250MHz以下の周波数の電波を使用する無線局の開設区域は、総務大臣が別に告示（平成30年総務省告示第223号）する区域とする。

⑽ ⑺〜⑼に掲げる無線局以外のものの開設区域は、全国とする。

（注①）登録

一般に、一定の法律事実又は法律関係を行政庁等に備える特定の帳簿に記載することをいう。すなわち、登録はこれらの事実又は関係の存否を公に表示し、又はこれを証明する公証行為であって、登録の受理又は拒否について行政庁の自由裁量の余地のないようにすることが原則である。しかし、制度上登録に際し、何等かの法律上の効果を附着させるようになると、その実体はむしろ許可に近くなる場合がある。

（注②）免許又は登録を要しない無線局に対する規制

免許又は登録を要しない無線局の制度は、無線局開設要免許・要登録の原則の例外であって、免許又は登録は不要であるが、それ以外の事項については、電波法令の一般の規律に従うこととされている。その規制は概ね次のように行われる。

⑴ 免許又は登録に関する事項、すなわち、無線通信業務、免許人、登録人、免許状、登録状、無線設備の設置場所、移動範囲及びその他無線局の内容等は自由であるから、法令の規定に対応する該当事項はほとんどない。

⑵ 無線設備の技術基準は、一般の無線局の場合と同じである。すなわち、通則的条

件、一般的技術条件、特別の技術条件及び特定無線設備として技術基準適合証明等の制度が適用される。

⑶　無線設備の操作（無線従事者制度関連）については、簡易な操作として、自由にこれを行うことができる（法39Ⅰ、施33㈠）。

⑷　総務大臣の行う監督のための無線局に対する命令、検査、報告及び制裁等の規定については、該当事項がないので適用されない。しかしながら、無線局として電波を発射するものであるから、他の無線局等に妨害を与えることがありうるので、このような場合には総務大臣は障害を除去するために必要な措置をとるべきことを命令すること、またその設備を検査することができる（法82）。

（注③）総務大臣が別に告示する試験設備

電波に関する研究開発又は法及びこれに基づく命令に規定する技術基準等に対する適合性に関する試験等を行うための電波暗室その他の試験設備であって、一定の要件に該当するものが告示されている（平成18年総務省告示第173号）。

（注④）免許を要しない微弱電波無線局の用途等

用途は「ラジコン用発振器であって、安全性を確保して使用するもの又はラジオマイク」とされ、電波の型式と周波数が指定されている（昭和32年郵政省告示第708号）。

（注⑤）適合表示無線設備

電波法の規定により、次の場合に付することとされている表示が付されている無線設備をいう。ただし、同法の規定により表示が付されていないとみなされたものを除く（法４Ⅰ㈡）。

⑴　登録証明機関又は承認証明機関が技術基準適合証明をした場合

⑵　登録証明機関又は承認証明機関により工事設計認証を受けた者がその認証に係る工事設計に基づく無線設備について検査等の義務を履行した場合

⑶　技術基準適合自己確認をし、総務大臣に所要事項を届け出た製造業者又は輸入業者が、届出工事設計に基づく無線設備について検査等の義務を履行した場合

⑷　総務大臣の登録を受けた登録修理業者が、後述４－６の１にいう特別特定無線設備（適合表示無線設備に限る。）の修理及び修理の確認をした場合

（注⑥）コードレス電話の概要

⑴　コードレス電話は通常ローゼットのところに電話機本体を設置し、送受話器は家庭や事務所の使い易い場所に置き又は人が歩きながらでも電話することができるもので、本体側は380MHz帯、送受話器側は250MHz帯を使用する空中線電力0.01W以下の一対の陸上移動業務の無線局である。

⑵　使用電波は本体側に、F1D、F2D電波の380.775MHz又は381.3125MHz及びF1D、F2A、F2B、F2C、F2D、F2N、F2X若しくはF3E電波の380.2125MHz以上381.3MHz以下の周波数であって、380.2125MHz及び380.2125MHzに12.5MHz

の整数倍を加えたもの（380.775MHzを除く。）合計89波が、送受信器側に、F1D、F2D電波の254.425MHz又は254.9625MHz及びF1D、F2A、F2B、F2C、F2D、F2N、F2X若しくはF3E電波の253.8625MHz以上254.95MHz以下の周波数帯であって、253.8625MHz及び253.8625MHzに12.5kHzの整数倍を加えたもの（254.425MHzを除く。）合計89波が、したがって89チャンネルの周波数が割り当てられている。

（注⑦）特定小電力無線局（施6Ⅳ㈡）

特定小電力無線局の使用周波数帯等の条件は、電波法施行規則第6条第4項で次のとおり各用途別に定められており、また、総務大臣が別に告示する（平成元年郵政省告示第42号）電波の型式及び空中線電力に適合するものでなければならない（同告示では個別の使用周波数及び通信方式も定められている）。

⑴　テレメーター（⑵を除く。）用、テレコントロール（電波を利用して遠隔地点における装置の機能を始動し、変更し、又は終止させることを目的とする信号の伝送をいう。）用及びデータ伝送（主に符号によって処理される、又は処理された情報の伝送交換をいい、⑶及び⑷を除く。）用。使用周波数は、①312MHzを超え315.25MHz以下、②410MHzを超え430MHz以下、③440MHzを超え470MHz以下、④915MHzを超え930MHz以下、⑤1,215MHzを超え1,260MHz以下。

⑵　医療用テレメーター（病院、診療所その他の医療機関又は研究機関において、生体信号の伝送を行うテレメーターをいう。）用。使用周波数は、①410MHzを超え430MHz以下、②440MHzを超え470MHz以下。

⑶　体内植込型医療用データ伝送（体内に植え込まれた医療機器から得た情報を体内に植え込まれた無線設備と体外の無線設備との間又は体外の無線設備相互間で行うデータ伝送をいう。）用及び体内植込型医療用遠隔計測（体内に植え込まれた医療機器から得た情報を体外の受信設備に対して自動的に送信することをいう。）用。使用周波数は、401MHzを超え406MHz以下。

⑷　国際輸送用データ伝送（国際輸送用貨物の管理の業務の用に供するものであって、国際輸送用データ伝送設備と国際輸送用データ制御設備との間又は国際輸送用データ伝送設備相互間のデータ伝送をいう。）用。使用周波数は、①433.67MHzを超え434.17MHz以下。

⑸　無線呼出用。使用周波数は、410MHzを超え430MHz以下。

⑹　ラジオマイク（⑺を除く。）用。使用周波数は、①73.6MHzを超え74.8MHz以下、②322MHzを超え323MHz以下、③806MHzを超え810MHz以下。

⑺　補聴援助用ラジオマイク（聴覚障害者の補聴を援助するための音声その他の音響の伝送を行うラジオマイクをいう。）用。使用周波数は、①75.2MHzを超え76.0MHz以下、②169.39MHzを超え169.81MHz以下。

⑻　無線電話用（⑹、⑺及び⑼を除く。）。使用周波数は、① 410MHz を超え 430MHz 以下、② 440MHz を超え 470MHz 以下。

⑼　音声アシスト用無線電話（視覚障害者の歩行を援助するための情報を音声によって伝達する無線電話をいう。）用。使用周波数は、75.2MHz を超え 76.0MHz 以下。

⑽　移動体識別（質問器（応答のための装置（「応答器」という。）に対し電波を発射し、応答器から再発射された電波を受信するための無線設備をいう。）から発射される特定の信号により変調された電波又は無変調の電波を受信した応答器が、特定の電波を再送信することにより行う移動体の識別をいう。）用。使用周波数は、① 915MHz を超え 930MHz 以下、② 2,400MHz を超え 2,483.5MHz 以下。

⑾　ミリ波レーダ（ミリメートル波帯の周波数の電波を使用するレーダーであって、無線標定業務を行うもの（⑿を除く。）をいう。）用。使用周波数は、① 60GHz を超え 61GHz 以下、② 76GHz を超え 77GHz 以下、③ 77GHz を超え 81GHz 以下。

⑿　移動体検知センサー（主として移動する人又は物体の状況を把握するため、それに関する情報（対象物の存在、位置、動き、大きさ等）を高精度で取得するために使用するセンサーであって、無線標定業務を行うものをいう。）用。使用周波数は、① 10.5GHz を超え 10.55GHz 以下、② 24.05GHz を超え 24.25GHz 以下、③ 57GHz を超え 66GHz 以下。

⒀　人・動物検知通報システム（国内において主として人又は動物の行動及び状態に関する情報の通報又はこれに付随する制御をするための無線通信を行う無線局の無線設備をいう。）用。使用周波数は、142.93MHz を超え 142.99MHz 以下及び 146.93MHz を超え 146.99MHz 以下。

（注⑧）小電力セキュリティシステムの無線局（施６Ⅳ㈢）

⑴　小電力セキュリティシステムの無線局とは、主として火災、盗難その他非常の通報又はこれに付随する制御を行う無線局である。

⑵　使用電波は、F1D、F2D 若しくは G1D 電波の 426.25MHz 以上 426.8375MHz 以下の周波数のうち、426.25MHz 及び 426.25MHz に 12.5kHz の整数倍を加えたもの（占有周波数帯幅が 8.5kHz 以下の場合に限る。）又は 426.2625MHz 及び 426.2625MHz に 25kHz の整数倍を加えたもの（占有周波数帯幅が 8.5kHz を超え 16kHz 以下の場合に限る。）が割り当てられている。

（注⑨）小電力データ通信システムの無線局（施６Ⅳ㈣）

⑴　小電力データ通信システムの無線局とは、主としてオフィスや工場等の無線LANシステムとして利用されている、データ伝送のために無線通信を行う無線局（電気通信回線設備に接続するものを含む。）である。ただし、5.2GHz 帯高出力データ通信システムの無線局は除かれる。

⑵　使用周波数は、① 2,400MHz 以上 2,483MHz 以下（無線標定業務を行うものにあ

っては、総務大臣が別に告示する条件に適合するものに限る。）、② 2,471MHz 以上 2,497MHz 以下、③ 5,150MHz を超え 5,350MHz 以下又は 5,740MHz を超え 5,730 MHz 以下（複数の電波を同時に使用する場合は、総務大臣が別に告示する周波数に限る。）（総務大臣が別に告示する場所において使用するものを除く。）、④ 24.77GHz 以上 25.23GHz 以下の周波数であって 24.77GHz 又は 24.77GHz に 10MHz の整数倍を加えたもの、⑤ 57GHz を超え 66GHz 以下とし、空中線電力は、0.58 ワット以下でなければならない。

（注⑩）デジタルコードレス電話及びPHSの陸上移動局（施6 Ⅳ㈤㈥）

⑴ デジタルコードレス電話は、加入電話であって親機（固定）と子機（移動）とからなる。この点ではコードレス電話と同じであるが、デジタルの場合、技術条件が大きく異なるほか、子機相互間の移動通信ができ、またPHSとの間で移動通信系を構成することができる。

PHSは基地局と陸上移動局とからなり（陸上移動局は免許を要しない。）、デジタルコードレス電話とあわせ、両制度が一体的になって広範囲な移動通信網を構成することができる。

⑵ 使用電波は、次のとおりである。

㋐ デジタルコードレス電話

1,893.65MHz 以上 1,905.95MHz 以下の周波数であって、1,893.65MHz 及び 1,893.65MHz に 300kHz の整数倍を加えたもの、1,895.616MHz 以上 1,904.256 MHz 以下の周波数であって、1,895.616MHz 及び 1,895.616MHz に 1,728kHz の整数倍を加えたもの又は 1,891MHz、1,897.4MHz、1,899.1MHz、1,899.2MHz、1,901 MHz 若しくは 1,914.1MHz の周波数の電波を使用し、空中線電力が 240 ミリワット以下であって、総務大臣が別に告示する電波の型式及び用途に適合するもの。

㋑ ＰＨＳの陸上移動局

1,884.65MHz 以上 1,915.55MHz 以下の周波数であって 1,884.65MHz 及び 1,884.65MHz に 300kHz の整数倍を加えたもの（総務大臣が別に告示する周波数を除く。）とし、かつ、総務大臣が別に告示する電波の型式及び用途に適合するもの（無線通信を中継する機能を備えるものを除く。）。

⑶ デジタルコードレス電話の親機、子機及びPHSの陸上移動局の空中線電力は、いずれも 0.01 ワット以下でなければならない。

⑷ PHSの基地局は、免許を受けなければ開設できないが、小型、軽量化されていて、設備的にも場所的（例えば公衆電話ボックス等）にも容易に設置できる。

（注⑪）狭域通信システムの陸上移動局（施6 Ⅳ㈦）

⑴ 狭域通信システムは、高度道路交通システム（ITS=Intelligent Transport Systems）の一つとして導入された有料道路自動料金システム（ETC=Electronic

Toll Collections）に係る無線通信技術を応用し、有料道路自動料金収受のほか、駐車場管理や物流管理、ガソリンスタンド代金支払いなど様々な分野において利用可能である通信システムである。

⑵　使用電波は、A1D又はＧ１Ｄ電波による5.815GHz、5.820GHz、5.825GHz、5.830GHz、5.835GHz、5.840GHz又は5.845GHzであり、空中線電力は、0.01ワット以下でなくてはならない。

（注⑫）５GHz帯無線アクセスシステムの陸上移動局又は携帯局（施６Ⅳ㈧）

4,900MHzを超え5,000MHz以下のうち総務大臣が別に告示する周波数の電波を使用し、主としてデータ伝送のために基地局と陸上移動局との間若しくは陸上移動局相互間で行う無線通信（陸上移動中継局の中継によるものを含む。）又は携帯基地局と携帯局（上空での運用を除く。）との間若しくは携帯局（上空での運用を除く。）相互間で行う無線通信の陸上移動局又は携帯局であって、かつ、空中線電力が0.01ワット以下のものである。

（注⑬）超広帯域無線システムの無線局（施６Ⅳ㈨）

必要周波数帯幅が450MHz以上であり、かつ、空中線電力が0.001ワット以下の無線局のうち、屋内において主としてデータ伝送を行う無線局であって3.4GHz以上4.8GHz未満若しくは7.25GHz以上10.25GHz未満の電波を使用するもの又は無線標定業務を行うことを目的として自動車その他陸上を移動するものに開設する無線局であって24.25GHz以上29GHz未満の周波数の電波を使用するものをいう。既存の無線局では実現できなかったPC周辺機器間の大容量データ伝送が短時間で可能となり、また、壁掛けTVディスプレイに画像を伝送しながらワイヤレススピーカーに音声を伝送することも可能となる。

さらに、車両同士の衝突防止を目的として利用されている車載用レーダーは、検知距離・角度の拡大により二輪車や歩行者を探知することを可能にする。

（注⑭）700MHz帯高度道路交通システム

755.5MHzを超え764.5MHz以下の周波数の電波を使用し、主として道路交通に関するデータ伝送のために基地局相互間の通信路を構成する固定局相互間、基地局と陸上移動局の間又は陸上移動局相互間で行う無線通信をいう（施４－４Ⅱ㈤）。

（注⑮）5.2GHz帯高出力データ通信システム（施６Ⅳ㈩）

5,150MHzを超え5,250MHz以下の周波数の電波を使用し、主としてデータ伝送のために基地局（屋外で利用するもの又は最大等価等方輻射電力が200ミリワットを超えるものに限る。）と陸上移動局との間（基地局と当該周波数の電波を使用する小電力データ通信システムの無線局との間を含む。）で行う無線通信（陸上移動中継局の中継によるもの及び電気通信回線設備に接続するものを含む。）をいう。小電力データ通信システムと同様いわゆる無線ＬＡＮシステムであるが、ここで対象となるのは陸上移動局のみであり、基地局及び陸上移動中継局は登録制度の対象となっている。

(注⑯) 混信防止機能

総務省令では次のものが定められており（施6の2）、無線局の種類に応じて(1)～(5)のどの機能が必要かが規定されている（設9の4）。

(1) 通信の相手方である無線局からの呼出符号又は呼出名称を受信した場合に限り、通話チャネルの設定を行うもの

(2) 電気通信事業者等が管理する識別符号（通信の相手方を識別するための符号であって、電波法の識別信号以外のものをいう。）を自動的に送信し、又は受信するもの

(3) 主として同一の構内において使用される無線局の無線設備であって、識別符号を自動的に送信し、又は受信するもの

(4) 電気通信回線に接続しない無線局の無線設備であって、利用者による周波数の切替え又は電波の発射の停止が容易に行えるもの

(5) 受信した電波の変調方式その他の特性を識別することにより、自局が送信した電波の反射波と他の無線局が送信した電波を判別できるもの

(注⑰) 本邦入国者に係る特例

この制度は、訪日観光客等が我が国に持ち込むWi-Fi端末等の利用の円滑化を図るため、平成27年の電波法改正で導入されたもので、「総務省令で定める無線局」は、小電力データ通信システムの無線局（(注⑨(2)) に掲げる①及び③の周波数の電波を使用するものに限る。）及び5.2GHz帯高出力データ通信システムの陸上移動局であって、総務大臣が別に告示する条件（平成27年総務省告示第438号）に適合するものとされている（施6の2の3）。また、「総務省令で定める期間」は、90日である（施6の3 I）。

(注⑱) 実験等無線局に係る特例

この制度は、令和元年の電波法改正で導入されたもので、我が国の事業者に、海外のスマートフォンやセンサー等を用いて新サービスや新製品を開発するための実験等を行うニーズが高まっているが、当該実験等に用いる無線設備の多くは我が国の技術基準に適合していることの証明を取得しておらず、また、開発元でない我が国の事業者は当該証明の取得が困難なため、当該実験等を断念せざるを得ないケースが多数生じていることから、携帯電話端末及びWi-Fi機器等に限って調査・研究等用端末の利用の容易化を図る等したものである。

(注⑲) 登録局開設の地域的制約

登録局の有すべき技術的条件を満たす無線局であっても、総務省令で定める区域の外に開設しようとする場合は、総務大臣の免許を受ける必要がある。

ハイパワーの屋外無線ＬＡＮ等従前に無かった新しい電波需要が急速に高まる中、

既存の周波数利用の状況を見直し、周波数資源を再配分することにより、これらの電波需要に対応していく方策が行政的に講じられつつあるが、周波数資源の逼迫状況は都市部と地方では異なっており、今後、周波数資源再配分の根拠となる周波数割当計画は地域の実情を反映したものとなることが想定される。そのような状況において、例えばハイパワーの屋外無線LANを開設しようとする場合、そのことを想定した周波数割当計画となっている地域とそうでない地域とでは必要とされる審査の程度（事前の緻密な混信計算が必要かどうか等）が大いに異なることになる。登録による無線局の開設を地域を限って認めていこうとするのはこのような理由によるものである。

2－2　無線局の免許の欠格事由

1　免許の欠格事由の意義

欠格事由とは、人的属性面で無線局の免許を与えるのに適当でないとされている事由をいう。すなわち、免許を受ける資格に欠けるということである。

欠格事由には、外国性のある者には免許を与えないものとする外国性の排除と、反社会的な人格のものには免許を与えないことがあるとする反社会性の排除とがある。前者に該当する場合には、無線局の免許を申請してもその申請は受理されず、免許は絶対に与えられない（これを絶対的欠格事由という。）。また、後者に該当する場合には、総務大臣が免許を与えないことができる（これを相対的欠格事由という。）というものである。

外国性の排除の理由は、電波の希少性に起因している。すなわち、電波の周波数は、国際条約によって、地域別、業務別に分配され、わが国もその枠内において需要に応じるのであるが、供給能力は十分とはいえない。したがって、外国人にまで利用範囲を拡張する余裕はなく、特別の場合を除き、まず日本国民の需要を満たすべきである、ないしは、日本の利益のために利用するのが先決である、とされているものである。

次に反社会性の排除は、電波の利用の場において、電波法又は放送法の罪を犯し罰せられた者とか、電波法上の違法行為により免許の取消しを受けたような、いわゆる反社会性のある者に対して、予防制裁の観点から一定期間は情状により無線局の免許を与えないことができるようにして反省を促すとともに、併せて、電波社会の秩序維持を図るものである。

2　外国性の排除

(1)　外国性排除の原則

次のいずれかに該当する者には、無線局の免許は与えられない（法5Ⅰ㈠～㈣）。

ア　日本の国籍を有しない人（注①）

イ　外国の政府又はその代表者（注②）

ウ　外国の法人又は団体（注③④）

エ　日本の法人又は団体であって、ア、イ又はウに掲げるものがその代表者であるもの又はこれらの者がその役員の3分の1以上若しくは議決権の3分の1以上を占めるもの（注⑤⑥）

上記の事由のうち、ア、イ又はウについては、直接的な外国性を排除するためのものであるが、エについては、日本の法人又は団体であっても、代表者が外国人であるとか、役員の3分の1以上又は議決権の3分の1以上を外国人によって占められる場合には、たとえ間接的であっても、その支配力は無視できなくなるので、欠格事由とされたものである。

（注①）「日本の国籍を有しない人」とは、一般的には、外国人を指す。正確に言えば、国籍法に定める「日本国籍」を有しない者をいう。

したがって、外国人であった者が国籍法によって日本に帰化した場合及び日本国籍と外国国籍を併有するいわゆる二重国籍者は、いずれも日本国籍を有する人であって、本号に該当しないし、日本以外の一又は二以上の国籍を有する者及び無国籍者は、ともにここにいう日本国籍を有しない人に該当する。

（注②）「外国の政府」とは、外国の政府機関のほか、外国の軍隊その他すべての国家機関をいい、わが国に存在する外国の大使や公使等もこれに含まれるが、これらの者の無線局の一部については、後述のとおり例外として、欠格事由から外されている。

また、「その代表者」とは、これらの国家機関について代表権を有する自然人であって、当該機関の公の地位にある者と解すべきである。

なお、外国の軍隊については、現在日本に存在するものとしては、「日本国とアメリカ合衆国との間の相互協力及び安全保障条約」に基づいて駐留する米軍があるが、これらに対しても電波法は本来当然に適用されるのである（属地的適用）。しかし、米軍の開設する無線局については、国の基本政策上から、本条の規定、その他の規定の適用を全面的に排除する必要があるので、「日本国とアメリカ合衆国との間の相互協力及び安全保障条約第６条に基づく施設及び区域並びに日本国における合衆国軍隊の地位に関する協定の実施に伴う電波法の特例に関する法律」（昭和27・法律第108号）によって、米軍の用に供する無線局については、電波法の規定にかかわらず同協定の定めるところによるものとして、特例が設けられている。現に駐留米軍が、同協定の定めるところに従って、駐留軍向けの放送局、その他多くの無線局を有していることは、周知のとおりである。

（注③）「外国の法人」とは、後述の日本法人以外の一切の法人を指し、主として外国法に準拠して設立され及び外国に住所を有する法人等をいう。外国法人のうち、外国、外国の行政区画（外国の地方団体）、外国の商事会社等については、わが国内において、その成立が認許され（民35Ⅰ）、同種の日本法人と同一の私権を享有しうるものとされている（民35Ⅱ）ほか、さらに民法は登記の義務を課し、会社法は外国会社について詳しい規定を設ける等それぞれ国家の監督下におかれている。しかし、これらはいずれも、この認可によって日本法人の地位を取得するものではないから、やはりここにいう外国の法人に該当する。

また、「日本法人」とは、日本に住所（主たる事務所の所在地）を有し、かつ、日本法に準拠して設立されたものである。

（注④）「外国の団体」とは、外国の法人たる人格は与えられていないが、団体としての実質を有し、外国に主たる住所、すなわち、主たる事務所を有し、代表者、役員等の組織を備え、かつ、定款等も有して、法人に準ずる社会活動を行っているものをいう。したがって、これらの外国の団体が日本に従たる事務所を設置した場合において、その従たる事務所もここにいう外国の団体の中に含まれる。

なお、本号では、外国の法人又は団体を排除するのであるから、外国の法人又は団体の代表者あるいはその役員等が日本の国籍を有する者又は日本法人であってもその法人又は団体自身について、前述のごとき外国性が存する限り、やはり無線局の免許は与えられない。

（注⑤）「代表者」とは、代表権をもつ者をいい、株式会社の場合は代表取締役、一般社団法人、一般財団法人等の場合は、通常理事長、会長、総裁等がこれに該当する。

（注⑥）「役員」とは、法人において業務執行、業務監査などの権限を有するものをいう。例えば、株式会社の場合は、取締役、監査役等がこれに該当する。

(2)　外国性排除の例外

外国性排除のための欠格事由の例外として、申請に係る無線局が次に掲げるものである場合は免許が与えられる（法５Ⅱ）。

ア　実験等無線局（注①）

イ　アマチュア無線局（注②）

ウ　船舶安全法第29条ノ7の船舶の無線局（注③）

エ　航空法第127条但書の許可を受けて、本邦内の各地間の航空の用に供される航空機の無線局（注③）

オ　特定の固定地点間の無線通信を行う無線局（大使館、公使館又は領事館の公用に供するものを除く。）（注④）

カ　大使館、公使館又は領事館の公用に供する無線局（特定の固定地間の無線通信を行うものに限る。）であって、それらが属する本国の国内において、日本国政府又はその代表者の同種の無線局を開設することを認める国の政府又はその代表者の開設するもの（注⑤）

キ　自動車その他陸上を移動するものに開設し、若しくは携帯して使用するために開設する無線局又はこれらの無線局若しくは携帯して使用する受信設備と通信を行うために陸上に開設する移動しない無線局（電気通信業務を行うことを目的とするものを除く。）（注⑥）

ク　電気通信業務を行うことを目的として開設する無線局（注⑦）

ケ　電気通信業務を行うことを目的とする無線局の無線設備を搭載する人工衛星の位置姿勢等を制御することを目的として陸上に開設する無線局

（注①）外国人等の開設する実験等無線局

実験等無線局については、外国人等の開設するものであっても、それによる実験、試験又は調査は、我が国を含む電波利用分野の進展等に役立つことが期待されることから、外国性排除の例外とされているものである。

（注②）外国人のアマチュア無線局の開設及び無線設備の操作

⑴　「アマチュア無線局」は「個人的な興味によって無線通信を行うために開設する無線局」と定義されている（法5Ⅱ㈡）。

⑵　外国人のアマチュア無線局の開設については、相互主義（注⑧）の時代を経て、現在は完全に免許の欠格事由の例外とされているが、外国人のアマチュア無線局の操作については、外国政府が付与する資格（電波法のアマチュア無線局の操作ができる無線従事者に相当するもの）であって、総務大臣が別に告示するものを有する

場合でなければ行ってはならないものとし、さらに、そのアマチュア無線局の免許人が属する国の政府がその国で開設する日本人のアマチュア無線局の操作について、日本の無線従事者の資格で操作を認める場合に限るとされており（法39の13、施34の8）、相互主義によることとなっている。

⑶　外国人がアマチュア無線局の免許を申請する場合には、事情により特別の資料を、免許申請書に添付して提出しなければならない（免5Ⅲ）（2－3の2の⑺参照）。

（注③）外国人等が開設する船舶又は航空機の無線局

日本の各港間等又は日本の上空を航行する船舶又は航空機の無線局は、いずれも航行の安全を図り、人命、財貨の保全のために開設するもので、必要性と公共性の高いものである。なお、この種の船舶又は航空機については、船舶安全法又は航空法の規定で無線局の設置を義務化しているので、電波法もこれに反しない措置がとられるべきものである。

⑴　船舶安全法第29条ノ7

日本船舶ニ非ザル船舶ニシテ左ニ掲グルモノニハ政令ヲ以テ本法（船舶安全法）ノ全部又ハ一部ヲ準用ス

㈠　本法施行地（日本）ノ各港間又ハ湖川港湾ノミヲ航行スル船舶

㈡　日本船舶ヲ所有シ得ル者ノ借入レタル船舶ニシテ本法施行地（日本）ト其ノ他ノ地（外国）トノ間ノ航行ニ従事スルモノ

㈢　前2号ノ外本法施行地（日本）ニ在ル船舶

⑵　航空法第127条

外国の国籍を有する航空機（外国人国際航空運送事業者の当該事業の用に供する航空機及び第130条の2の許可を受けた者の当該運送の用に供する航空機を除く。）は、本邦内の各地間において航空の用に供してはならない。但し、国土交通大臣の許可を受けた場合は、この限りでない。

（注④）特定の固定地点間の無線通信を行う無線局（固定局）

今日、産業の国際化が進んで、固定局の大手免許人である電力事業者やガス事業者の中に外資比率が20％を超える事業者も出てきており、例えば、外資比率が3分の1を超えた場合、これらの事業者が開設している固定局は、電気通信事業者である子会社を設立してその子会社が開設した無線局を利用するという形態をとらざるを得ないような状況になっているため、外国性排除の適用除外とすることが強く要望されていたこと、適用除外としても我が国電波利用社会に及ぼす大きな影響は無いこと等が考慮されたものである。

（注⑤）外国公館の無線局

外国公館に無線局の開設を認め、外交活動に無線通信を利用せしめることは、かなり前から諸外国でも相互主義によって認めてきており、その事例が支配的となっていること及びわが国の外交部門からも強く要請されてきたことによる。この場合は相互主義によるものであって、このことは無線局（基幹放送局を除く。）の開設の根本的基準第8条第8号にも規定してある。

⑴　認める通信は、大使館、公使館、領事館の公用に限られている。

⑵　特定地点間の無線通信とは、いわゆる固定地点間の通信であり、電波法上の固定業務に相当する（施3Ⅰ㈠）。

⑶　外国公館の無線局に対する免許等の権限は、当該外国との対比において特殊な取扱いを要するため、特に所轄の総合通信局長に委任することなく、総務大臣の権限において処理することとされている（施51の15）。

（注⑥）外国人等の陸上移動業務等の無線局

近年、わが国において国際化が進展し、国内における外国人、外国会社、外資系企業等の経済活動が活発化していることから、これらの者の諸活動の円滑な遂行に資するため、まず相互主義を前提とし、かつ制限付きで外国性をもつ者にも陸上移動業務、携帯移動業務等の無線局の開設が認められたが、その後この制限が撤廃されるとともに、陸上移動中継局、無線呼出局等も含める等大幅に範囲が拡大された。

こうした経緯を経て、最終的にアマチュア無線局等とともに、相互主義要件も廃止された。

（注⑦）外国人等の電気通信業務用の無線局

従来、日本の国籍を有しない個人又は法人等の電気通信業務を行うことを目的とする無線局の開設については、外国の人工衛星局の中継により、特定の固定地点間の無線通信を行う国際電気通信業務用の無線局に限り、欠格事由の例外とされていたが、WTO基本電気通信交渉の合意により、電気通信分野の自由化が世界的に確立されることとなったことに伴い、全面的に外国性排除の対象外とされた。

（注⑧）相互主義

外国人に権利を与えるに当たって、その外国人の本国が自国人に同様の権利を与えることを条件とする考え方を相互主義という。今日の国際関係では、一般に平等主義が行われる事例が多いが、特殊な場合に相互主義が採られる。相互主義には、条約でこれを定める場合と国内の法律的取扱においてこれを定める場合がある。わが国では、外国及び公共団体の賠償責任（国家賠償法6）、外国判決の効力（民事訴訟法118）について、国内的に相互主義をとる事例があり、また、国際的には、日本との平和条約が通常関係における内国民待遇、最恵国待遇について相互主義を定めている事例がある。

3　反社会性の排除等

次のいずれかに該当する者には、無線局の免許を与えないことができる

（法５Ⅲ）。

ア　電波法又は放送法に規定する罪を犯し罰金以上の刑に処せられ、その執行を終わり、又は、その執行を受けることがなくなった日から２年を経過しない者（注）

イ　無線局の免許の取消しを受け、その取消しの日から２年を経過しない者

ウ　法第27条の15第１項（第１号を除く。）又は第２項（第４号及び第５号を除く。）の規定により特定基地局（２－３の２⑹参照）の開設計画に係る認定の取消しを受け、その取消しの日から２年を経過しない者

エ　無線局の登録の取消しを受け、その取消しの日から２年を経過しない者

また、特定基地局の開設計画の認定（２－３の２⑹）を受けた者であって特定基地局の開設指針に定める納付の期限までに特定基地局開設料（後述２－３の２⑹オ参照）を納付していないものには、当該特定基地局開設料が納付されるまでの間、特定基地局の免許を与えないことができる（法５Ⅵ）。

これらは、外国性排除の場合と異なり、相対的欠格事由であるから、免許を与えないことにするか否かは情状によって総務大臣が判断することになるものである。

なお、この場合、予防反省の期間は２年間とされており、２年間を経過すれば、免許は与えられることとなる。

（注）刑の執行関係事項

⑴「罰金以上の刑」とは、一般には死刑、懲役、禁錮、罰金をいう。しかし、電波法の罰則には、死刑の罪はないから、懲役、禁錮、罰金の３種が該当することとなる。

⑵「執行を終わり」とは、懲役又は禁錮に処せられた者については、刑期の終了をいい、罰金に処せられた者については、罰金完納（罰金を完納することができないで労役場に留置された者については、その留置期間の満了）の時をいう。

⑶「執行を受けることがなくなった」とは、刑の現実の執行の全部又は一部の免除をいい、例えば、恩赦とか、仮出獄期間の満了時がこれに該当する。

⑷「現に刑の執行中の者、又は罰金未完納者」については、明文はないが、条理上

本号の欠格者に該当するものと解すべきである。

(5) 「刑の免除」となった者は、本号の「刑に処せられた者」ではないので、本号の欠格者に該当しない。

(6) 「執行猶予」の言渡しを受け、その猶予期間を経過しない者は、ここにいう欠格者に該当し、刑の執行猶予の言渡しをうけ、その言渡しを取り消されることなくして、猶予期間を経過した者は、刑の言渡しが効力を失う（刑法27）ことにより、その経過と同時に本号の欠格事由を離脱するものであり、刑の執行猶予の言渡しを受けた者が、法定の取消事由に該当し、その言渡しを取り消されたときは、その刑は現実に執行されるわけであるから、その刑の執行を終り、その執行を受けることがなくなった日から2年を経過するまでは、本号による欠格者に該当するものである。

4　基幹放送をする無線局の特則

基幹放送をする無線局（受信障害対策中継放送、衛星基幹放送及び移動受信用地上基幹放送（注①）をする無線局を除く。）の免許の欠格事由については、その他の無線局の免許の欠格事由に比し厳格な規定が置かれ、次に掲げる事項に該当する者には免許が与えられない（法5Ⅳ㈠㈡㈣）。

ア　日本の国籍を有しない人

イ　外国政府又はその代表者

ウ　外国の法人又は団体

エ　電波法又は放送法に規定する罪を犯し罰金以上の刑に処せられ、その執行を終り、又はその執行を受けることがなくなった日から2年を経過しない者

オ　無線局の免許の取消しを受け、その取消しの日から2年を経過しない者

カ　法第27条の15第1項又は第2項（第3号を除く。）の規定により特定基地局の開設計画に係る認定の取消しを受け、その取消しの日から2年を経過しない者

キ　無線局の登録の取消しを受け、その取消しの日から2年を経過しない者

ク　放送法第103条第1項若しくは第104条（第5号を除く。）の規定による基幹放送業務の認定の取消し若しくは第131条の規定による一

般放送業務の登録の取消しを受け、その取消しの日から２年を経過しない者

ケ　法人又は団体であって、ア～ウに掲げる者が放送法第２条第31号の特定役員（注②）であるもの、又はア～ウに掲げる者がその議決権の5分の1以上を占めるもの

コ　法人又は団体であって、(ア)に掲げる者により直接占められる議決権の割合とこれらの者により(イ)に掲げる者を通じて間接に占められる議決権の割合（注③）とを合計した割合がその議決権の５分の１以上を占めるもの

(ア)　ア～ウに掲げる者

(イ)　(ア)に掲げる者により直接に占められる議決権の割合が総務省令で定める割合（10分の１（施６の３の３））以上である法人又は団体

サ　法人又は団体であって、その役員がエ～キの一に該当する者であるもの

このように基幹放送をする無線局の免許に関する欠格事由は、次の点で厳格になっている。

(ア)「反社会性」が絶対的欠格事由となっている。

(イ)　外国性のある者が日本の法人又は団体に支配的影響力を有するかどうかの認定基準を引き下げている。

これは基幹放送をする無線局が言論報道機関であって、世論形成、文化創造等に極めて大きな影響を及ぼしかねない存在であるからである。

なお、基幹放送をする無線局であっても、受信障害対策中継放送（注④）をするもの、衛星基幹放送をするもの及び移動受信用地上基幹放送をするものについては、この厳格な条件ではなく（法５Ⅳ前段）一般の無線局の条件が適用される。これらの無線局は、定義上そのことが明らかな受信障害対策中継放送をするもののみならず、衛星基幹放送や移動受信用地上基幹放送をするものについても、ハード・ソフト分離の放送制度の下においては自らは放送番組の編集などは行わず、他人の放送番組をそのまま送信するだけであって、いずれもその免許人について言論報道機関としての特別

な扱いをする必要がないからである（ソフト事業者については放送法において、本法の厳しい外国性排除に相当する規律が課されている）。これに対してそれ以外の地上基幹放送については、放送局の免許を得るだけで放送事業に参入できるハード・ソフト一致の制度が残されていること（特定地上基幹放送局（注⑤））に加え、電波の有限希少性が強いこと、国民生活への密着度が特に高いこと等が考慮され、より厳しい基準が適用されているものである。

（注①）移動受信用地上基幹放送について

移動受信用地上基幹放送とは、自動車その他の陸上を移動するものに設置して使用し、又は携帯して使用するための受信設備により受信されることを目的とする基幹放送であって、衛星基幹放送以外のものをいう（放送法２（十四））。

（注②）特定役員

平成26年６月に公布された放送法の改正では、「特定役員」を「法人又は団体の役員のうち、当該法人又は団体の業務の執行に対し相当程度の影響力を有する者として総務省令で定めるもの」と定義している（放２（三十一））。その総務省令は「基幹放送の業務に係る特定役員及び支配関係の定義並びに表現の自由享有基準の特例に関する省令」（平成27年総務省令第26号）で、その第３条第１項（特定役員の定義）は、「法第２条第31号の総務省令で定める者は、業務執行役員及び業務執行決定役員とする。」と定めており、それぞれの概念について法人の種類ごとに定義している。

（注③）間接に占められる議決権の割合

㈠に掲げる者により㈡に掲げる者を通じて間接に占められる議決権の割合は、㈡に掲げる者が直接占める放送免許人等の議決権の割合（10分の１以上である場合に限る。）に、㈠に掲げる者が占める㈡に掲げる者の議決権の割合を乗じて計算することとされている。ただし、㈠に掲げる者が一人で㈡に掲げる者の議決権の２分の１を超えて占めるときは、このような計算をせず、㈡に掲げる者が占める放送免許人等の議決権の割合がそのまま適用される（施６の３の２Ⅰ）。このほか、計算方法等について若干の特則が定められている（施６の３の２Ⅱ～Ⅳ）。

（注④）受信障害対策中継放送

受信障害対策中継放送とは、相当範囲にわたる受信の障害が発生している地上基幹放送及び当該地上基幹放送の電波に重畳して行う多重放送を受信し、そのすべての放送番組に変更を加えないで当該受信の障害が発生している区域において受信されることを目的として同時にこれを再送信する放送のうち、当該障害に係るテレビジョン放送又は多重放送をする無線局の免許を受けた者が行うもの以外のものをいう

（法５Ｖ）。

（注⑤）特定地上基幹放送局

自己の地上基幹放送の業務に用いる無線局と定義される（法６Ⅱ）。この免許を得れば放送法の業務認定を受けずに放送事業を行うことができ、ハード・ソフト分離の新たな放送制度の例外として、地上基幹放送の分野についてのみ認められる。

２－３　無線局の免許手続

１　免許手続の総括

無線局の免許に関する諸手続きの流れを図示すると63ページのとおりである。

流れ図でも分かるとおり、無線局の運用開始までには、免許申請書の提出、申請の審査、予備免許の付与、無線設備の工事、落成検査の受検・合格、免許状交付という過程を踏むことになるが、近年PC利用が日常的になったことから、免許申請等においても電子申請の普及・促進の取り組みが行われてきた。この中で、電子申請における入力様式が書面の申請書等の様式（無線局免許手続規則別表の様式）と全く異なるため、免許人等にとって記載方法が分かりづらく、不備訂正等により処理に時間を要していることが課題となっていた。そこで、平成30年10月、免許手続規則を改正して、電子申請と書面申請の親和性を高めるために従来の書面申請の様式を変更するとともに、様式が定まっていない手続に係る様式の明確化を図る等の制度整備を行った。併せて、免許人による無線局の管理体制の向上等を踏まえて、免許人等の利便性の向上を図るための制度整備も行った。免許手続に関係する主な改正内容は次のとおりである。

⑴　パーソナル無線が廃止され、その免許及び再免許が終了したことにより、パーソナル無線に係る規定を削除（施９の３、免３Ｉ等）

⑵　申請書の記載事項を規定（免３Ｉ）

⑶　書面申請と電子申請との親和性を高めるため、申請書等を横様式から縦様式に変更（免別表の様式類）

⑷　電子申請をより進めるため、様式の決まっていない変更申請、各種届出等の様式化と併せ、申請書の様式を統合（免11他、別表）

⑸　再免許申請時に省略できる添付書類を拡大（事項書、工事設計書の省略（基幹放送局等一部の局種を除く。））(免16の３他)

⑹　電子申請時における再免許申請期間の緩和（一部の局種について３箇月前までの期間を１箇月前までとする。）(免18)

⑺　電磁的方法により記録することができる提出書類等（FD）の廃止(免32)

2　免許の申請

⑴　免許の申請

無線局の免許の申請は、無線局の免許を受けようとする者が、原則として随時行うことができるが、例外として、電気通信業務を行うことを目的とする一定の無線局や基幹放送局の免許申請については、総務大臣が公示する期間内に限定して行うこととされている(法6 Ⅷ)。

⑵　申請の要件

無線局の免許を受けようとする者は、申請書に一定の事項を記載した添付書類を添えて総務大臣に提出しなければならない(法6)。

申請に関する第１の要件として、無線局の免許の申請は様式行為とし「無線局免許申請書」という文書によってその意思表示を行わなければならない（もっとも、外国において取得した船舶、又は航空機の無線局の免許申請の場合には、電波法第27条の規定によって例外が認められている。）。したがって、申請書による申請に先立ち、口頭又は電報等により、免許申請を行う旨の意志表示が行われたとしても、法律上はこの様式を欠くものであるから、これをもって正式の申請とは認められない。

一方、総務省では、無線局の免許・再免許の申請等を含む電波法による申請・届出を電子的手続によりする場合においては、添付書類等は電子ファイル化したものを送信すれば足りるように関係規定の整備を行っている(施38 Ⅵ、免8 Ⅱ他)。

申請に関する第２の要件は、申請書の提出先が総務大臣であることである。この場合の総務大臣とは、行政庁たる総務大臣のほか、同大臣の補助機関をも含めているものと解すべきである。また電波法令により総務大臣

無線局の免許に関する諸手続きの流れ

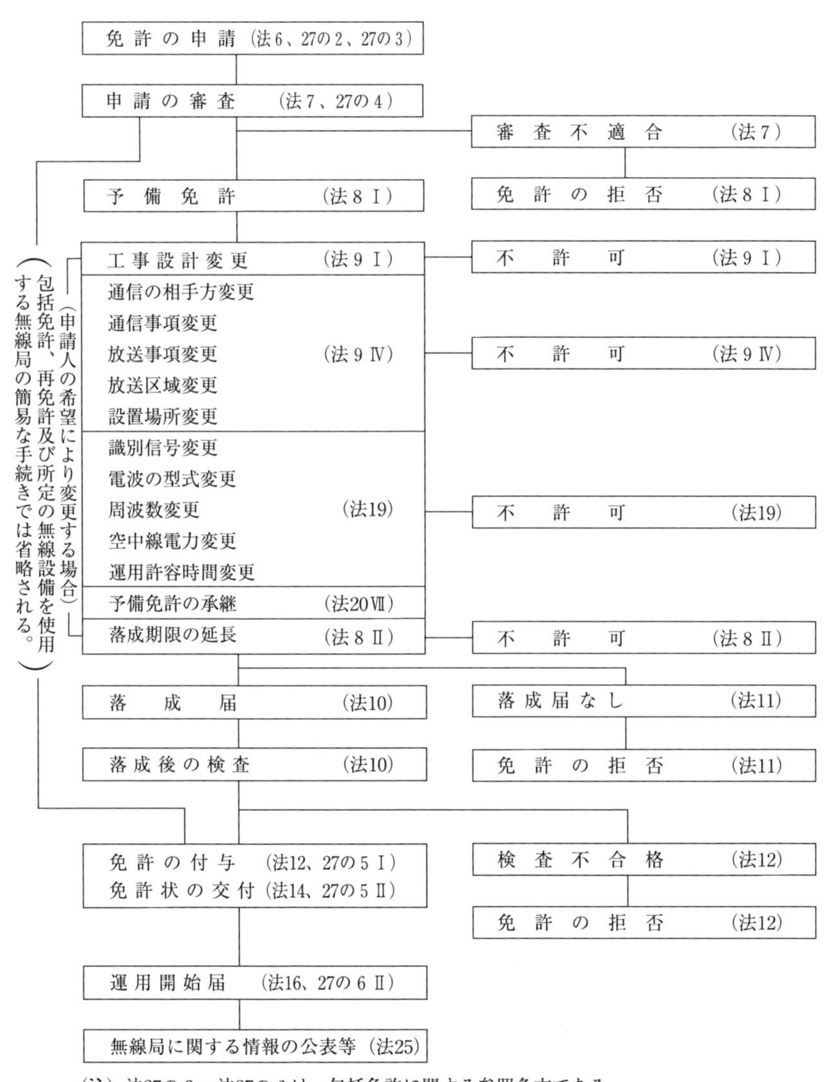

（注）法27の２～法27の６は、包括免許に関する参照条文である。

に提出する書類は、総合通信局を経由するものとされているので、この申請書も当然所轄の総合通信局（通常、申請に係る無線局の開設地を管轄する総合通信局）を経由しなければならない（施52）。

なお、総合通信局長に免許等の権限が委任されている無線局については、その総合通信局長あてに申請しなければならない（1－3の2参照）。

〔総合通信局等の管轄区域〕（総務省組織令138）

名　称	位　置	管　轄　区　域
北海道総合通信局	札幌市	北海道
東北総合通信局	仙台市	青森県、岩手県、宮城県、秋田県、山形県、福島県
関東総合通信局	東京都	茨城県、栃木県、群馬県、埼玉県、千葉県、東京都、神奈川県、山梨県
信越総合通信局	長野市	新潟県、長野県
北陸総合通信局	金沢市	富山県、石川県、福井県
東海総合通信局	名古屋市	岐阜県、静岡県、愛知県、三重県、
近畿総合通信局	大阪市	滋賀県、京都府、大阪府、兵庫県、奈良県、和歌山県
中国総合通信局	広島市	鳥取県、島根県、岡山県、広島県、山口県
四国総合通信局	松山市	徳島県、香川県、愛媛県、高知県
九州総合通信局	熊本市	福岡県、佐賀県、長崎県、熊本県、大分県、宮崎県、鹿児島県
沖縄総合通信事務所	那覇市	沖縄県

施行規則第52条では、総務大臣に提出する書類の種類ごとに、それぞれ上記の所轄総合通信局を明らかにしている。

(3)　電気通信業務用無線局等の免許申請の公募

電気通信業務用の無線局（人工衛星局、基地局等）や基幹放送局は、社会経済や国民生活に与える影響が大きく、公益性の高い無線局である。これらの無線局については、複数の事業者から同一の周波数を希望する免許申請が提出され、いわゆる競願状態が発生することが多い。

このような場合にどの申請に免許を与えるかは、単に申請の時期が早い、遅いということで判断すべきでなく、透明な手続の下でそれぞれの申請の比較審査することにより優先順位を定め、最も公共の福祉に寄与する申請を選ぶ必要がある。

このため、古くから比較審査を行っている基幹放送局（基幹放送局の開設の根本的基準10）に加え、電気通信業務用の人工衛星局や基地局等についても、比較審査に基づき免許することとし（無線局（基幹放送局を除く。）の開設の根本的基準９Ⅰ）、このためこれらの無線局については免許の申請期間を設け公募することとしている。

すなわち、次に掲げる無線局（総務省令で定めるものを除く。）であって総務大臣が公示する周波数を使用するものの免許の申請は、総務大臣が公示する期間内に行わなければならない（法６Ⅷ）。

ア　電気通信業務を行うことを目的として陸上に開設する移動する無線局（１又は２以上の都道府県の区域の全部を含む区域をその移動範囲とするものに限る。）

イ　電気通信業務を行うことを目的として陸上に開設する移動しない無線局であって、アに掲げる無線局を通信の相手方とするもの

ウ　電気通信業務を行うことを目的として開設する人工衛星局

エ　基幹放送局

なお、総務大臣が公示する期間は、１月を下回らない範囲内で周波数ごとに定めるものとし、期間の公示は、免許を受ける無線局の無線設備の設置場所とすることができる区域の範囲その他免許の申請に資する事項を併せ行うものとする（法６Ⅸ）。

また、公示する期間内に申請することを要しない総務省令で定める無線局は、次のとおり定められている（法27の17、施６の４）。

ア　認定開設者（注①）が認定計画（注②）に従って開設する特定基地局（(6)参照）を通信の相手方とする陸上に開設する移動する無線局

イ　日本放送協会又は放送大学学園の基幹放送局（基幹放送を行う実用化試験局を含む。）であって、他の基幹放送局の放送番組を中継する方法のみによる放送を行うもの以外のもの

ウ　受信障害対策中継放送を行う基幹放送局（イに掲げるものを除く。）

エ　内外放送を行う基幹放送局

オ　多重放送を行う基幹放送局（カ及びキに掲げるものを除く。）

カ　放送法第８条の規定による臨時かつ一時の目的のための放送（臨時目的放送）を専ら行う基幹放送局

キ　コミュニティ放送（注③）を行う基幹放送局

ク　同一人に属する他の基幹放送局の放送番組を中継する方法のみによる放送を行う基幹放送局（ウ及びオからキまでに掲げるもの並びに総務大臣が別に告示するものを除く。）

ケ　総務大臣が公示した期間内に免許の申請が行われた無線局が開設されている人工衛星（当該無線局が開設されていたものを含む。）に開設する基幹放送局（エ及びカに掲げるものを除く。）

コ　電気通信業務を行うことを目的として開設する人工衛星局、地上基幹放送試験局、衛星基幹放送局、衛星基幹放送試験局又は基幹放送を行う実用化試験局（イ、ウ及びオからクまでに掲げるものを除く。）であって、再免許の申請に係るもの

サ　コに掲げる無線局の申請者以外の者が開設する次に掲げる無線局

(ア)　電気通信業務を行うことを目的として開設する人工衛星局であって、その周波数がコに掲げる人工衛星局の周波数の範囲内であり、かつ、その無線設備の設置場所が当該人工衛星局の無線設備の設置場所と同一であるもの

(イ)　コに掲げる基幹放送局と無線局の目的及び放送区域が同一である基幹放送局

(4)　申請の単位

ア　無線局の免許申請は、無線局の種別に従い、送信設備の設置場所ごと（移動する無線局のうち、人工衛星局については人工衛星、また船舶局、遭難自動通報局（携帯用位置指示無線標識のみを設置するものを除く。）、航空機局、無線航行移動局、人工衛星局、船舶地球局及び航空機地球局以外のものについては送信装置ごと）に行わなければならない（免２Ｉ）。

このように無線局の免許申請は、無線局の種別ごとに行わなければならないが、これは、無線局の種別に従いそれぞれ規律の仕方を異にするため、それに対応して申請することが必要であり、また設置場所ごとに申請することは、それが無線局の無線設備の定着地を示し、いわゆる電波の発射源となるものであるから、その発射源ごとに一の無線局と観念しようとする趣旨によるものである。

イ　免許の申請をする者は、無線局を開設しようとする同一人格者ごとに行わなければならない。したがって、たとえ同じ種類の無線局を同じ設置場所に設けるような場合でも、その開設者を異にするときは、別個の無線局の申請となる。この点については、法規には、明文規定をおいていないが、免許という行政処分が原則として自然人又は法人のごとく独立の人格者を対象とするものである限り、本質的に要求されるものであって、このことは、免許以外の許可等一切の行政処分の場合にも適用されるべきものである。

ウ　免許の申請の単位については、上記の原則のほか次のような特例が定められている。

㈠　特定無線局（⑸参照）を２以上開設しようとする者は、その特定無線局が目的、通信の相手方、電波の型式及び周波数並びに無線設備の規格を同じくするものである限りにおいて、これらの特定無線局を包括して免許を申請することができる（法27の2）。

㈡　実用化試験を目的とするものは、無線局の業務（したがって無線局の種別）にかかわらず、実用化試験局として免許の申請を行わなければならない（地上基幹放送試験局、実験試験局、アマチュア局及び衛星基幹放送試験局を除く。）（免２Ⅱ）。

㈢　移動業務を行う無線局（船上通信局を除く。）が無線測位業務を併せて行う場合、衛星基幹放送局及び衛星基幹放送試験局以外の人工衛星局（電気通信業務を行うことを目的とするものに限る。）が、一般公衆によって直接受信されるための無線電話、テレビジョン、データ伝送又はファクシミリによる無線通信業務を併せて行う場合並びに特別業務を併せて行う無線局の場合は、単一の無線局の免許の申請を行うことができる（免2Ⅲ）。

(エ) 基幹放送局（基幹放送を行う実用化試験局を含む。）の免許の申請は、ア及びイによるほか、次の区分ごと、かつ、希望する周波数の1ごと（受信障害対策中継放送、衛星基幹放送、内外放送、短波放送又は総務大臣が別に告示する基幹放送局が行う放送の場合を除く。）に行わなければならない（免2Ⅴ）。

a 国内放送等の基幹放送の区分

(a) 国内放送

(b) 国際放送

(c) 中継国際放送

(d) 内外放送

b 地上基幹放送等の基幹放送の区分

(a) 地上基幹放送

(b) 衛星基幹放送

(c) 移動受信用地上基幹放送

c デジタル放送又はそれ以外の放送の区分

d 基幹放送の種類による区分

(a) 中波放送

(b) 短波放送

(c) 超短波放送

(d) 標準テレビジョン放送

(e) 高精細度テレビジョン放送を含むテレビジョン放送（超高精細度テレビジョン放送を含まないものに限る。）

(f) 高精細度テレビジョン放送

(g) 超高精細度テレビジョン放送

(h) データ放送

(i) マルチメディア放送（注④）

(j) 超短波音声多重放送

(k)　超短波文字多重放送

(l)　超短波データ多重放送

(m)　その他の放送

e　有料放送を含む基幹放送又はそれ以外の基幹放送の区分

f　臨時かつ一時の目的のための放送、コミュニティ放送、外国語放送（注⑤)、受信障害対策中継放送又はそれ以外の基幹放送の区分

(オ)　総務大臣が告示する無線局（移動する無線局を除く。）の免許の申請は、送信設備の設置場所（他の無線局の運用を阻害するような混信その他の妨害を与えるおそれのある地域として、総務大臣が告示する地域を除く。）ごとに行わなければならない（注⑥)（免２の２)。

(カ)　その他、事情に応じた合理的な特例が多く設けられている（免２Ⅵ～Ⅸ)。

(5)　特定無線局に係る包括免許

ア　包括免許の申請

無線局の免許の申請は、前述のとおり、固定局等においては送信設備の設置場所ごとに、また、移動する無線局にあっては送信装置ごとに申請するのを原則としている。しかし、携帯電話の移動局等については、近年における飛躍的な普及の進展に伴ってその数が著しく増大しており、この原則によったのでは、免許申請に係る手続的負担及び経済的負担が非常に大きくなる。一方、これらの無線局については、電波の発射等が通信の相手方である無線局（基地局等）によって制御されており、個々の無線局ごとに総務大臣が監理しなくても、混信を起こすおそれ等の不都合が少ないと認められる。これらのことから、上記原則が修正され、このような無線局（特定無線局という。）を２以上開設しようとする者は、その特定無線局が目的、通信の相手方、電波の型式及び周波数並びに無線設備の規格（注⑦）を同じくするものである限りにおいて、個々の無線局ごとに免許を申請することなく、複数の特定無線局を包括して免許を申請（免別表１の２）するこ

とができることとされた（法27の2）。

包括免許の申請は、①特定無線局の包括免許を受けようとする者の氏名又は名称及び住所並びに法人にあってはその代表者の氏名、②包括免許を受けようとする特定無線局の種類及び③希望する包括免許の有効期間を記載した申請書（免別表1の2）に添付書類（無線局事項書及び工事設計書）を添付して（法27の3、免20の6）、総務大臣又は総合通信局長に提出する（免20の5 I）。

イ　特定無線局

特定無線局とは、次の(ア)又は(イ)の無線局であって、適合表示無線設備のみを使用するものをいう（法27の2）。

(ア)　移動する無線局であって、通信の相手方である無線局からの電波を受けることによって自動的に選択される周波数の電波のみを発射するもののうち、総務省令で定める無線局（法27の2(一)）

具体的には、次の無線局である（施15の2 I）。

a　電気通信業務を行うことを目的とする陸上移動局

b　電気通信業務を行うことを目的とするVSAT地球局（14.4GHzを超え14.5GHz以下の周波数の電波を使用するものを除く。）

c　電気通信業務を行うことを目的とする航空機地球局

d　電気通信業務を行うことを目的とする携帯移動地球局（14.4GHzを超え14.5GHz以下の周波数の電波を使用するものを除く。）

e　デジタルMCA陸上移動通信を行う陸上移動局

f　高度MCA陸上移動通信を行う陸上移動局（注⑧）

g　防災対策携帯移動衛星通信を行う携帯移動地球局（注⑨）

h　広帯域移動無線アクセスシステム（注⑩）の無線局のうち陸上移動局（電気通信業務を行うことを目的とするものを除く。）

i　ローカル5G（注⑪）の無線局のうち陸上移動局（電気通信業務を行うことを目的とするものを除く。）

j　実数零点単側波帯変調方式及び狭帯域デジタル通信方式（注⑫）

の無線局のうち陸上移動局

k　実数零点単側波帯変調方式及び狭帯域デジタル通信方式の無線局のうち携帯局

(イ)　電気通信業務を行うことを目的として陸上に開設する移動しない無線局であって、移動する無線局を通信の相手方とするもののうち、無線設備の設置場所、空中線電力等を勘案して総務省令で定める無線局（法27の2(二)）

具体的には、次の無線局である（施15の2 II）。

a　広範囲の地域において同一の者により開設される無線局に専ら使用させることを目的として総務大臣が別に告示（平成26年総務省告示第319号）する周波数の電波のみを使用する基地局

b　屋内その他他の無線局の運用を阻害するような混信その他の妨害を与えるおそれがない場所に設置する基地局

c　広範囲の地域において同一の者により開設される無線局に専ら使用されることを目的として総務大臣が別に告示（平成26年総務省告示第319号）する周波数の電波のみを使用する陸上移動中継局

(6)　特定基地局の開設計画の認定

電気通信業務用の携帯電話等及び移動受信用地上基幹放送については、個々の基地局のサービスエリアが狭く、広範囲に亘ってサービスエリアを確保するには多数の基地局を開設する必要がある。したがって、これらの多数の基地局の免許申請を審査するにあたっては、個々の基地局を一局一局審査するよりも開設しようとする基地局全体についてその配置や開設時期等について総合的に審査をすることがより大切になる。また、新たなシステムの導入の際、通信事業者及び移動受信用地上基幹放送の事業者（以下「通信事業者等」という。）が多数の基地局の免許申請のすべてを一時期に提出することは実体的に困難な面がある。

したがって、通信事業者等は、開設しようとする基地局全体を対象とする開設計画をあらかじめ総務大臣に提出（認定申請書の様式は免別表８、開設計画の様式は免別表８の２）するものとし、総務大臣は、その定める開設指針に基づき審査を行った上で、その開設計画を認定するとともに、認定を受けた通信事業者等は計画に係る基地局を順次開設できることとされている。

ア　特定基地局の開設指針

総務大臣は、陸上に開設する移動しない無線局であって、次の(ア)及び(イ)のいずれかに掲げる事項を確保するために、同一の者により相当数開設されることが必要であるもののうち、電波の公平かつ能率的な利用を確保するためその円滑な開設を図ることが必要であると認められるもの（「特定基地局」という。）について、それらの開設に関する指針（「開設指針」という。）を定めることができる（法27の12 Ⅰ）。

(ア)　電気通信業務を行うことを目的として陸上に開設する移動する無線局（１又は２以上の都道府県の区域の全部を含む区域をその移動範囲とするものに限る。）の移動範囲における当該電気通信業務のための無線通信

(イ)　移動受信用地上基幹放送に係る放送対象地域（総務省令で定める基幹放送の区分ごとの同一の放送番組の放送を同時に受信できることが相当と認められる一定の地域をいう（放91 Ⅱ(二)）。）における当該移動受信用地上基幹放送の受信

イ　開設指針に定める事項

開設指針には、次の事項（移動受信用地上基幹放送をする特定基地局に係る開設指針にあっては、(ケ)に掲げる事項を除く。）を定めることとしている（法27の12 Ⅱ）。

(ア)　開設指針の対象とする特定基地局の範囲に関する事項

(イ)　周波数割当計画に示される割り当てることが可能である周波数のうち当該特定基地局に使用させることとする周波数及びその周波数の使用に関する事項（現にその周波数の全部又は一部を当該特定基地局以外の無線局が使用している場合であって、その周波数について周波数割当計画において使用の期限が定められているときは、その周波数及びその期限の満了の日を含む。）

(ウ)　当該特定基地局の配置及び開設時期に関する事項
(エ)　当該特定基地局の無線設備に係る電波の能率的な利用を確保するための技術の導入に関する事項
(オ)　開設計画の認定を受けた者が納付すべき金銭（特定基地局開設料（後述カ参照））の額並びにその納付の方法及び期限その他特定基地局開設料に関する事項
(カ)　(イ)括弧書きの場合において、期限の満了の日以前に当該特定基地局の開設を図ることが電波の有効利用に資すると認められるときは、当該周波数を現に使用している無線局による当該周波数の使用を同日前に終了させるために当該特定基地局を開設しようとする者が行う費用の負担その他の措置（終了促進措置という。）に関する事項
(キ)　当該特定基地局に係るア(ア)の無線通信を確保するため、既に開設されている特定基地局の無線設備に当該無線通信を確保するための機能を付加してその運用を図ることが電波の有効利用に資すると認められるときは、高度既設特定基地局（すでに開設されている特定基地局であって、その無線設備に当該機能を付加したものをいう。）の範囲、配置及び運用開始の時期に関する事項
(ク)　ウの認定をするための評価の基準
(ケ)　以上のほか、当該特定基地局の円滑な開設の推進に関する事項その他必要な事項

総務大臣は、開設指針を定め、又はこれを変更したときは、遅滞なく、これを公示しなければならない（法27の12 Ⅲ）。

ウ　開設計画の認定

(ア)　特定基地局を開設しようとする者は、通信系（通信の相手方を同じくする同一の者によって開設される特定基地局の総体をいう。）又は放送系（同一の放送番組の放送を同時に行うことのできる放送局の総体をいう（放91 Ⅱ㊂）。）ごとに、特定基地局の開設に関する計画（「開設計画」という。）を作成し、これを総務大臣に提出して、

その開設計画が適当である旨の認定を受けることができる（法27の13 I）。

(イ) 開設計画には、次の事項（電気通信業務を行うことを目的とする特定基地局に係る開設計画にあってはｉ及びｊを、移動受信用地上基幹放送をする特定基地局に係る開設計画にあってはｈ及びｌを除く。）を記載しなければならないこととしている（法27の13 II）。

ａ　特定基地局が上記アの(ア)又は(イ)のいずれを確保するためのものであるかの別

ｂ　特定基地局の開設を必要とする理由

ｃ　特定基地局の通信の相手方である移動する無線局の移動範囲又は特定基地局により行われる移動受信用地上基幹放送に係る放送対象地域

ｄ　希望する周波数の範囲

ｅ　当該通信系又は当該放送系に含まれる特定基地局の総数並びにそれぞれの特定基地局の無線設備の設置場所及び開設時期

ｆ　電波の能率的な利用を確保するための技術であって、特定基地局の無線設備に用いる予定のもの

ｇ　特定基地局開設料の額

ｈ　特定基地局を開設しようとする者が、電気通信事業法第９条の登録を受けている場合にあっては当該登録の年月日及び登録番号（同法第12条の２第１項の登録の変更を受けている場合にあっては、当該登録及びその更新の年月日並びに登録番号）、同法第９条の登録を受けていない場合にあっては同条の登録の申請に関する事項

ｉ　当該放送系に含まれるすべての特定基地局に係る無線設備の工事費及び無線局の運用費の支弁方法

ｊ　事業計画及び事業収支見積

ｋ　終了促進措置を行う場合にあっては、当該終了促進措置の内容及び当該終了促進措置に要する費用の支払方法

l　高度既設特定基地局を運用する場合にあっては、当該高度既設特定基地局の運用を必要とする理由、当該高度既設特定基地局の総数並びに使用する周波数ごとの当該既設特定基地局の無線設備の設置場所及び運用開始の時期

m　その他総務省令で定める事項（注⑬）

(ウ)　認定の申請は、総務大臣が公示する１月を下らない期間内に行わなければならない（法27の13Ⅲ）。

(エ)　総務大臣は、認定の申請があったときは、その申請が次のａからｅ（移動受信用地上基幹放送をする特定基地局に係る開設計画にあっては、ｅを除く。）のいずれにも適合しているかどうかを審査しなければならない（法27の13Ⅳ）。

ａ　その開設計画が開設指針に照らし適切なものであること。

ｂ　その開設計画が確実に実施される見込みがあること。

ｃ　開設計画に係る通信系又は放送系に含まれる全ての特定基地局について、周波数の割当てが現に可能であり、又は早期に可能となることが確実であると認められること。

ｄ　その開設計画に係る特定基地局を開設しようとする者が第５条第３項各号（相対的欠格事由）（移動受信用地上基幹放送をする特定基地局を開設しようとする者にあっては、同条第１項各号（絶対的欠格事由）又は第３項各号）のいずれにも該当しないこと。

ｅ　その開設計画に係る特定基地局を開設しようとする者が電気通信事業法第９条の登録を受けていること又は受ける見込みが十分であること。

(オ)　総務大臣は、(エ)により審査した結果、その申請が(エ)のａからｅ（移動受信用地上基幹放送をする特定基地局の開設計画にあっては、ｅを除く。）のいずれにも適合していると認めるときは、特定基地局の開設指針のイ(ク)の認定をするための評価の基準に従って、その適合していると認められる全ての申請について評価を行うものとする（法27の13Ⅴ）。

(カ) 総務大臣は、(オ)の評価に従い、電波の公平かつ能率的な利用を確保する上で最も適切であると認められる申請に係る開設計画について、周波数を指定して認定するものとする（法 27 の 13 Ⅵ）。

(キ) 認定の有効期間は一般に５年であるが、イ(イ)括弧書に規定する周波数を使用する特定基地局の開設計画に係るものにあっては10年とされており、さらに第５世代移動通信システムに係るものにあっては７年とされている（法27の13Ⅶ、施９の２、令和３年総務省告示第42号）。

(ク) 開設計画の認定を受けた者は、開設指針に定める納付の期限までに特定基地局開設料を現金（国税の納付に使用することができる小切手のうち銀行の振出しに係るもの及び支払保証のあるものを含む。）をもって国に納付しなければならない（法27の13Ⅷ）。

エ　開設計画の変更等

認定を受けた開設計画（ウ(イ)ａ、ｄ及びｇに掲げる事項を除く。）を変更しようとするときは、総務大臣の認定を受けなければならないこととされている（法27の14Ⅰ）。総務大臣は、開設計画の変更申請があった場合、その申請がウ(エ)の審査項目のいずれにも適合していると認めるときは認定するものとする（法27の14Ⅱ）。また、混信の除去等の必要が認められる場合の指定された周波数の変更は認められている（法27の14Ⅲ）。

オ　認定の取消し等

(ア) 総務大臣は、認定開設者（認定を受けた開設計画に係る特定基地局を開設する者）が次のいずれかに該当するときは、その認定を取り消さなければならない（法 27 の 15 Ⅰ）。

ａ　電気通信業務を行うことを目的とする特定基地局に係る認定開設者が電気通信事業の登録を取り消されたとき。

ｂ　移動受信用地上基幹放送をする特定基地局に係る認定開設者が無線局免許の絶対的欠格事由（外国性）に該当するに至ったとき。

(イ) 総務大臣は、認定開設者が次のいずれかに該当するときは、その認定を取り消すことができる（法 27 の 15 Ⅱ）。

a　正当な理由がないのに、認定を受けた開設計画に従って特定基地局を開設せず、又は認定計画に係る高度既設特定基地局を認定計画に従って運用していないと認めるとき。

b　正当な理由がないのに、認定計画に係る開設指針に定める納付の期限までに特定基地局開設料を納付していないとき。

c　不正な手段により開設計画やその変更の認定を受け、又はそれに伴う周波数の指定の変更を行わせたとき。

d　認定開設者が電波法第５条第３項第１号に該当するに至ったとき。

e　電気通信業務を行うことを目的とする特定基地局に係る認定開設者が次のいずれかに該当するとき。

①　電気通信事業の登録を拒否されたとき。

②　電気通信事業の登録の更新を受けなかったことにより、登録がその効力を失ったとき。

③　電気通信事業の変更登録を拒否されたとき（当該変更登録が認定を受けた開設計画に係る特定基地局又は高度既設特定基地局に関する事項の変更に係るものである場合に限る。）。

④　電気通信事業の全部の廃止又は解散の届出があったとき。

(ウ)　総務大臣は、(イ)（ｄ及びｅを除く。）により認定の取消しをしたときは、当該認定開設者であった者が受けている他の開設計画の認定又は無線局の免許等を取り消すことができる（法27の15 Ⅲ）。

カ　特定基地局開設料

令和元年の電波法改正において、特定基地局の開設計画の認定に関し、「特定基地局開設料」という概念が導入された。「開設計画の認定を受けた者が納付すべき金銭」と定義されている（法27の12 Ⅱ(五)）。

携帯電話等に導入される5G（第５世代移動通信システム）は、超高速・超低遅延・多数同時接続といった特徴により、多くの関連する周波数需要を惹起すると考えられ、このような状況の下での今後の電気通信業務用の周波数の割当て（開設計画の認定）においては、電波の更なる有効利用を確保することが必要となっている。そこで、特定基地局で使用する周波数の電波の経済的価値をより高く評価し、当該電波をより有効利用して多くの収益を上げようとする事業者の創意工夫に期待する観点から、開設計画の申請者による電波の経済的価値の金銭的な評価を「特定基地局開設料」として申告させ、開設計画の認定時に審査できるようにすることとした。

令和3年の電波法改正においては、「移動受信用基幹放送をする特定基地局」もこの制度の対象とされた。新たにV-High帯域（207.5MHz ～ 222MHz）の電波が当該放送に割り当てられたこと等の事情を踏まえ、電波の更なる有効利用を図る観点から、電気通信業務を行うことを目的とする特定基地局と同様に、この制度の対象としたものである。

特定基地局開設料については、より高額の納付を申し出た者が審査上有利になるものではあるが、あくまで審査の1項目であり、納付申出金額の多寡により電波獲得者が決まるいわゆるオークション制度とは異なる。

なお、特定基地局開設料の性格にかんがみ、収入相当額は電波を使用する高度情報通信ネットワークの整備等に要する費用に充てられることとされている（9－7参照）。

(7) 申請書及び添付書類

ア　申請書類は、次のものから成り立っている。

申請書類
- 特定無線局を除く無線局の申請書（免3、別表）
- 特定無線局の申請書（免20の5 Ⅰ、31、別表）
- 添付書類
  - 無線局事項書（免4、20の5 Ⅱ、20の6、別表）
  - 工事設計書（免4、20の5 Ⅱ、20の6、別表）
- 無線局の種別に応じた所定の資料（免5）

イ　特定無線局を除く無線局の免許申請書（様式免別表1）には、次の事項を記載し、電波法第6条に規定されている書類を添えて、総務大臣又は総合通信局長に提出することとされている（免3）。

⑺　免許を受けようとする者の氏名又は名称及び住所並びに法人にあっては、その代表者の氏名
⑴　免許を受けようとする無線局の種別及び局数
⑺　希望する識別信号（アマチュア局を除く。）
⑴　希望する免許の有効期間

ウ　特定無線局の免許申請書（様式免別表１の２）には、次の事項を記載し、電波法第27条の３に規定されている書類を添えて、総務大臣又は総合通信局長に提出することとされている（免20の５）。
⑺　特定無線局の包括免許を受けようとする者の氏名又は名称及び住所並びに法人にあっては、その代表者の氏名
⑴　包括免許を受けようとする特定無線局の種別
⑺　希望する包括免許の有効期間（希望する場合に限る。）

エ　特定無線局を除く無線局の申請書の添付書類の記載事項は、一般の無線局のほか、基幹放送局（基幹放送をする無線局をいい、当該基幹放送に加えて基幹放送以外の無線通信の送信をするものを含む。）、船舶局、船舶地球局（電気通信業務を目的とするものを除く。）、航空機局、航空機地球局（電気通信業務を行うことを目的とするものを除く。）、人工衛星局に区別して定めてあり、次のとおりとなっている（法６Ｉ～Ⅵ）。
⑺　一般の無線局
　ａ　目的（二以上の目的を有する無線局であって、その目的に主たるものと従たるものの区別がある場合にあっては、その主従の区別を含む。）（注⑭）
　ｂ　開設を必要とする理由（認定計画に従って開設する特定基地局については記載を省略することができる（免15Ｉ㈡）（注⑮））。
　ｃ　通信の相手方及び通信事項
　ｄ　無線設備の設置場所（移動する無線局のうち、人工衛星局についてはその人工衛星の軌道又は位置、その他の移動する無線局であって、船舶の無線局（人工衛星局の中継によってのみ無線通信

を行うものを除く。)、船舶地球局（船舶に開設する無線局であって、人工衛星局の中継によってのみ無線通信を行うもの（実験等無線局及びアマチュア無線局を除く。）をいう。）(注⑯)、航空機の無線局（人工衛星局の中継によってのみ無線通信を行うものを除く。)、航空機地球局（航空機に開設する無線局であって、人工衛星局の中継によってのみ無線通信を行うもの（実験等無線局及びアマチュア無線局を除く。）をいう。）以外のものについては移動範囲）(注⑰)

e　電波の型式、希望する周波数の範囲及び空中線電力 (注⑱)

f　希望する運用許容時間（運用することができる時間をいう。）

g　無線設備（付加機器等を含む。）の工事設計及び工事落成の予定期日 (注⑲)

h　運用開始の予定期日 (注⑳)

i　他の無線局の免許人又は登録人（以下「免許人等」という。）との間で混信その他の妨害を防止するために必要な措置に関する契約を締結しているときは、その契約の内容 (注㉑)

(イ)　基幹放送局

a　目的

b　(ア)のｂからｉまで（基幹放送のみをする無線局にあっては、ｃを除く。）に掲げる事項

c　無線設備の工事費及び無線局の運用費の支弁方法 (注㉒)

d　事業計画及び事業収支見積 (注㉓)

e　放送区域

f　基幹放送の業務に用いられる電気通信設備（電気通信事業法第２条第２号の電気通信設備をいう。）の概要

なお、特定地上基幹放送局の免許を受けようとする者は、上記項目の他に放送事項を、地上基幹放送の業務を行うことについて放送法の規定により認定を受けようとする者の当該業務に用いられる無線局の免許を受けようとする者は、上記項目の他に認定を受けよう

とする者の氏名又は名称を記載することとされている。

(ウ)　船舶局

a　(ア)の事項

b　船舶関係事項（船舶の所有者、用途、総トン数、航行区域、主たる停泊港、信号符字、旅客定員（旅客船に限る。）、国際航海に従事する船舶であるときは、その旨及び船舶安全法の規定により無線電信又は無線電話の施設を免除された船舶であるときは、その旨）（注㉔）

c　電波法第35条の規定により措置をとらなければならない船舶局であるときは、そのとることとした措置

(エ)　船舶地球局（電気通信業務を行うことを目的とするものを除く。）

a　(ア)の事項

b　(ウ)の船舶関係事項（ただし、「船舶安全法の規定により無線電信又は無線電話の施設を免除された船舶であるときは、その旨」を除く。）

(オ)　航空機局

a　(ア)の事項

b　航空機関係事項（航空機の所有者、用途、型式、航行区域、定置場、登録記号及び航空法の規定により無線設備を設置しなければならない航空機であるときは、その旨）（注㉔）

(カ)　航空機地球局

a　(ア)の事項

b　(オ)の航空機関係事項（ただし、「航空法の規定により無線設備を設置しなければならない航空機であるときは、その旨」を除く。）

(キ)　人工衛星局

a　(ア)又は(イ)の事項

b　人工衛星の打上げ予定時期及び使用可能期間並びにその人工衛星局の目的を遂行できる人工衛星の位置の範囲（注㉕）

オ　次のものは、申請書及び添付書類の他に、所定の資料を同時に提出

しなければならない。ただし、それらに記載する事項を申請者がインターネットを利用する方法により公表しているときは、書面等の提出に代えて、その公表の事実を確認するために必要な情報を提供することができる（免5）。

(ア) 船舶局、遭難自動通報局（携帯用位置指示無線標識のみを設置するものを除く。）、航空機局、航空機地球局（電気通信業務を行うことを目的とするものを除く。）又は無線航行移動局であって、申請者と船舶又は航空機の所有者が異なる場合

申請者がその船舶又は航空機を運行する者である事実を証明する書面

(イ) アマチュア局の申請をする者が社団である場合

社団の定款及び構成員に関する事項（氏名、無線従事者免許証の番号）並びに社団の理事の氏名、住所、生年月日及び略歴を記載した書類（公益社団法人にあっては、構成員に関する事項のみで可）

(ウ) アマチュア局の申請をする外国人が、電波法上の無線従事者の資格を有しない場合

電波法に定める資格（法40Ⅰ(五)）に相当する資格を付与した国の政府が発給した当該資格に関する証明書

(エ) アマチュア局の申請をする外国人が、日本に永住することを許可されている場合

許可の事実を証する書面

(オ) 特定実験試験局（注㉖）

次の事項について登録検査等事業者による点検により確認したことの書類。

a　使用する周波数、無線設備の設置場所及び空中線電力が、総務大臣が公示するものの範囲内であること。

b　電波の質

c　安全施設

d　その無線設備を操作する無線従事者

カ　総務大臣は、基幹放送局の申請書及びその添付書類中の事業計画に記載された事項のうち、特に公表することが適当であるものを告示し、その告示した事項についてインターネットの利用その他の方法により公表することとされている（施６の３の４）。

公表対象事項として告示されているのは、①免許人の氏名又は名称、②放送対象地域（衛星基幹放送局に係るものを除く。）、及び③10分の１を超える議決権を有する者の氏名又は名称及び総議決権に対する比率である（平成17年総務省告示第802号）。

なお、相続による免許の承継の届出書、免許人たる法人の合併若しくは分割又は事業の全部譲渡による免許の承継の許可の申請書及び変更の届出に係る事業計画についても、告示、公表等については免許申請の場合と同様である（施６の３の４）。

キ　特定無線局の申請書の添付書類（無線局事項書及び工事設計書）の記載事項は、次のとおりとなっている（法27の3、免20の6）。

(ア)　次の(イ)に該当しない申請の場合

a　目的（二以上の目的を有する特定無線局であって、その目的に主たるものと従たるものの区別がある場合にあっては、その主従の区別を含む。）

b　開設を必要とする理由

c　通信の相手方

d　電波の型式並びに希望する周波数の範囲及び空中線電力

e　無線設備の工事設計

f　最大運用数（免許の有効期間中において同時に開設されていることとなる特定無線局の数の最大のものをいう。）

g　運用開始の予定期日（それぞれの特定無線局の運用が開始される日のうち最も早い日の予定期日をいう。）

h　他の無線局の免許人等の間で混信その他の妨害を防止するために必要な措置に関する契約を締結しているときは、その契約の内容

(イ) 通信の相手方が外国の人工衛星局である場合

a (ア)の事項

b 外国の人工衛星の軌道又は位置

c bの人工衛星の位置、姿勢等を制御することを目的として陸上に開設する無線局に関する事項

d 通信の相手方となる人工衛星局の使用可能期間

e 人工衛星局の通信の相手方であって陸上に開設する移動しない無線局のうち、前cの無線局以外の無線局に関する事項

f 特定無線局に係る通信の制御に関する事項

ク その他、総務大臣は、申請の審査に際し必要があるときは、資料の提出を求めることができる(法7Ⅵ)。

(8) 申請書類の提出先、提出部数、手数料等

ア 申請書類の提出先

申請書類は、総合通信局の管轄区域に従って、それぞれの総合通信局を経由して総務大臣に提出しなければならない(施52)。

ただし、無線局の免許の権限等が総合通信局長に委任されている無線局については、所轄の総合通信局長宛に提出しなければならない(1－3の2参照)。

イ 提出部数

原則的に、申請書には、その添付書類である無線局事項書及び工事設計書の正本各1通とそれぞれの写しを所定の部数だけ添えて提出しなければならない。

写しの部数は、無線局の種別ごとに定められており、基幹放送局、固定局等の場合は各2通、基地局、携帯基地局等の場合は各1通と定められている。また、陸上移動局、携帯局等については、写しの添付は不要とされている。

なお、総務大臣又は総合通信局長は部数を減じ、又は提出を要しないとすることがある(免8Ⅰ)。

おって、これらの写しのうち1通は、予備免許の際に提出書類の写

しであることを証明して申請者に返戻される（資料を除く。）。ただし、免許の申請が電子申請等である場合は、その申請について予備免許を与えたときは、その写しについて提出書類の写しであることを証明して申請者に返したものとみなされる（免8Ⅱ）。

ウ　申請手数料

無線局の免許申請に当たっては、各無線局の種別に従い、それぞれ定められた額の手数料相当の収入印紙を申請書に貼って納めなければならない（法103Ⅰ、手数料令22Ⅰ）。ただし、電子情報処理組織を使用して申請をする場合は、手数料に係る納付情報により納めることとなっている（情報通信技術を活用した行政の推進等に関する法律6Ⅴ、総務省関係法令に係る情報通信技術を活用した行政の推進等に関する法律施行規則5）。

エ　免許状等の送付に要する費用

無線局の免許の申請をする者が、申請に対する処分に関する書類の送付を希望するときは、総務大臣又は総合通信局長に当該書類の送付に要する費用を納めなければならない。その納付方法も定められている（施51の9の3）。

（注①）認定開設者

（注②）の認定計画に係る特定基地局を開設する者をいう（法27の14Ⅲ）。

（注②）認定計画

特定基地局を開設しようとする者が通信系ごとに作成した開設の計画であって、総務大臣により適当である旨の認定を受けたものをいう（法27の13Ⅰ、法27の14Ⅲ）。

（注③）コミュニティ放送

一の市町村（特別区を含み、また政令指定都市にあっては区とする。）の一部の区域（当該区域が他の市町村の一部の区域に隣接する場合は、その区域を併せた区域とし、当該区域が他の市町村の一部の区域に隣接し、かつ、当該隣接する区域が他の市町村の一部の区域に隣接し、住民のコミュニティとしての一体性が認められる場合には、その区域を併せた区域とする。）における需要に応えるための放送をいう（施6の4(七)、放施別表5（注10））。

（注④）マルチメディア放送

二値のデジタル情報を送る放送であって、テレビジョン放送に該当せず、かつ、他の放送の電波に重畳して行う放送でないものをいう（施2Ⅰ（二十八の四の二）。

(注⑤) 外国語放送

外国語による放送を通じて国際交流に資する放送をいう（免２Ⅴ㈥、放施別表５（注11)）。

(注⑥) 令和２年総務省告示第399号

4.6GHzを超え4.8GHz以下の周波数の電波を使用するローカル5Gの基地局及び4.8GHzを超え4.9GHz以下の周波数の電波を使用するローカル5Gの基地局のそれぞれについて、送信設備の設置場所とすることができない地域を定めている。

(注⑦) 特定無線局の無線設備の規格

包括免許の申請に係る特定無線局の無線設備の規格については、対象となる無線局の業務別、局種別ごとに、これらの無線局に応じて無線設備規則に規定されている技術基準に準拠して定められている（施15の3）。

(注⑧) 高度MCAシステム

デジタルMCAシステムは、大ゾーンの通信エリアが構築可能なことや災害等の非常時に単独の中継局のみで端末同士が通信可能なことなどの特徴・機能を有しており、各種業務用無線として広く活用されている。この現行システムの特徴・機能を維持したまま、高度なデータ通信の利用ニーズの高まり等の状況に、より対応していくため、携帯電話等の国際標準規格として利用され、高度なサービス提供が可能なＬＴＥ方式を用いたシステムが開発された。これが高度MCAシステムと呼ばれる。無線設備規則では「高度MCA陸上移動通信とは、通信方式に直交周波数分割多重方式と時分割多重方式を組み合わせた多重方式及びシングルキャリア周波数分割多元接続方式を使用する周波数分割複信方式を用いて、高度MCA制御局の指示する周波数の電波を使用して、当該高度MCA制御局と陸上移動局との間で行われる無線通信及びその無線通信を制御するために行われる無線通信をいう」と定義している（設３（六の二)）。

(注⑨) 防災対策携帯移動衛星通信

公共業務を行うことを目的として開設された携帯基地地球局と携帯移動地球局との間で、主として防災対策のために行われる無線通信及びその無線通信を制御するために行われる無線通信をいう（設３(九の二)）。

(注⑩) 広帯域移動無線アクセスシステム

2,545MHz を超え 2,655MHz 以下の周波数の電波を使用し、主としてデータ伝送のために開設された陸上移動局と通信を行うために開設された基地局と当該陸上移動局との間で無線通信（陸上移動中継局又は陸上移動局の中継によるものを含む。）を行うシステムをいう（設３㈩）。

(注⑪) ローカル５Ｇ

4.6GHzを超え4.9GHz以下又は28.2GHzを超え29.1GHz以下の周波数の電波を使用する陸上を移動するものに開設された陸上移動局と通信を行うために開設された基地局

と当該陸上移動局との間で直接に行われる無線通信であって、通信方式に直交周波数分割多重方式と時分割多重方式を組み合わせた多重方式及びシングルキャリア周波数分割多元接続方式又は直交周波数分割多元接続方式を使用する時分割複信方式を用いる無線通信を行うシステムをいう（設３(十五))。このローカル5Gは、地域の企業や自治体等の様々な組織が自らの建物や敷地内でスポット的に柔軟に、かつ高速で大容量の情報を送るネットワークを構築し、利用することが可能となるもので、地域の課題解決や地域活性化を実現することが期待されている。

(注⑫)　狭帯域デジタル通信方式

変調方式が４分の π シフト４相位相変調、オフセット４相位相変調、16 値直交振幅変調又はマルチサブキャリア16値直交振幅変調であるものをいう(設57の３の２)。

(注⑬)　総務省令で定める事項

運用開始の予定期日（それぞれの特定基地局の運用が開始される日のうち最も早い日の予定期日)、無線設備の保守、管理及び障害時の対応の体制及び方法、無線従事者の配置方針等が定められている（免25の４Ⅱ)。

(注⑭)　目　的

免許申請に当たり、目的を具体的にどのように記載するかは、無線局免許手続規則別表を受けた告示（平成16年総務省告示第860号）で定められており、電気通信業務用、公共業務用等９種類の目的と対応するコードが掲げられている（基幹放送局については、基幹放送用という目的に加え、中波放送、短波放送等の種類及び対応するコードが掲げられている)。現在の姿になったのは平成24年であり、それ以前は135種類に区分され、極めて複雑であるとともに無線局運用上の制約にもなっていた。

なお、通信事項についても、同じ告示の改正により、従来の220区分が127区分に整理統合されている。

(注⑮)　開設を必要とする理由

行政庁がこれを十分把握することは、電波の公平かつ能率的な利用を確保する観点から、具体的には無線局の開設の根本的基準適合性を審査する上で、不可欠である。

(注⑯)　船舶地球局の定義

従来「電気通信業務を行うことを目的として船舶に開設する無線局であって、人工衛星の中継により無線通信を行うもの」であったが、平成29年の電波法改正により現在のように改められた。電気通信業務を行うことを目的としないものの実用化が見込まれるようになったためと説明されている。これに伴い、申請書添付書類記載事項に関する規定も同じ法改正で整備された（法６Ⅳ)。

(注⑰)　無線設備の設置場所

(1)　無線局の活動地及び電波の発射源を明確にする上において重要なものである。この無線設備の設置場所は、送信所については「何県（都、道、府）何市（郡）何区何町（村）何番地何内」のように行政区画によって表示することを要し、通信所や受信所が送信所と別個の場所にある場合には、それぞれ項を分けて、同様に行政区画によって表示しなければならない。

なお、送信空中線及び受信空中線の位置については、その経度及び緯度を度、分、秒をもって表示しなければならない。

(2) 移動する無線局の設置場所は、本来、その移動体であるが、当該無線局の活動地、特に電波の発射源を把握する趣旨であるので、移動体に代えて、人工衛星局については、その人工衛星の軌道又は位置、その他の移動無線局については、一定の船舶の無線局、船舶地球局、航空機の無線局、航空機地球局を除き、移動範囲を把握しようとするものである。

(3) 人工衛星局を移動する無線局としてとらえ、その人工衛星の「軌道」とは、人工衛星の軌跡をいい、位置の連続であって、軌道傾斜角、周期、遠地点、近地点の4要素で表される。また人工衛星の「位置」とは地上からみた軌道上の位置をいい、経度で表される。したがって、移動衛星の場合は「軌道」を、静止衛星の場合は「軌道」と「位置」をそれぞれ記載することとなる。

(注⑱) 電波の型式並びに希望する周波数範囲及び空中線電力

これらは、ともに周波数等の割当てを行うに必要な事項である。ここで周波数の範囲と空中線電力については、申請者の希望するものを記載させることとしているが、これは、後述の運用許容時間とともに、まず申請者の希望意思を表明させ、行政庁の審査の結果、その希望意思の範囲内において行政庁の意思が確定したときに免許を与えようとする趣旨である。なお、電波の型式については、「希望する」の語を付していないが、これは、電波の型式が、無線局の本質に通ずる要素として選択的余地のないものとして、必要な電波の型式を記載することとしているものである。

ここで、周波数の希望する範囲は、必ずしも特定の周波数によることを要せず、包括的、かつ、広範囲に希望することも許される。

また、周波数については公開の原則をたてており、総務大臣は、無線局の免許の申請等に資するため、割り当てることが可能である周波数の表（周波数割当計画）を作成し、総務省総合通信基盤局及び総合通信局（沖縄総合通信事務所を含む。）において一般公衆の閲覧に供するとともに、公示しなければならないこととされている。

なお、周波数割当計画には、割当てを受けることができる無線局の範囲を明らかにするため、割り当てることが可能である周波数ごとに、無線局の行う無線通信の態様、無線局の目的、周波数の使用に関する条件等が記載される（法26、施21）。

(注⑲) 無線設備の工事設計及び工事落成の予定期日

工事設計は、無線局の構成要素である無線設備に関する具体的仕様、計画をいうのであって、無線設備以外のものについての工事設計（例えば、舎屋の建築設計等）は一応本号の対象外である。

また、無線局の免許申請はすべての点において必ずしも確定している必要はないのであるから、中には、計画について記載することも可能であり、その限りにおいては、行政庁における審査も計画についてなされる。

次に、無線設備の工事落成の予定期日については、申請者が予定している当該無線局の無線設備の工事が完成する予定期日を記載するものであるが、これは申請者の当該局の開設に関する積極性及びその遂行能力等を判定するために必要なものである。また、この予定期日は、予備免許の際の工事落成期限の指定（法８Ⅰ㈠）の際の目安とされるものである。

（注⑳）運用開始の予定期日

無線局の運用開始とは、現実に無線局の運用を開始することをいうのであり、（注⑲）で述べた無線設備の工事落成の予定期日とは、関連は有するが、別個のものである。

すなわち、無線局は、免許が与えられるとその無線局を運用することができることとなるが、その運用開始は免許人の自由とされている。しかしながら、行政庁は現実の電波発射がいつから行われるかについて、その無線局の運用開始の予定期日を把握する必要があるとしているものである。

（注㉑）混信その他の妨害を防止するために必要な措置に関する契約の締結

他の無線局の免許人等との間に混信その他の妨害を防止するために必要な措置に関する契約を締結している申請者が、当該契約の内容を免許申請書の添付書類に記載することにより、当該契約の内容を免許審査の際の判断材料の一つとして考慮することが可能となり、免許を与える可能性や割当て可能な周波数に関する審査を迅速に行うことに資することとなる。

（注㉒）無線設備の工事費及び無線局の運用費の支弁方法

ここで無線設備の工事費とは、無線設備の設置工事を行うのに必要な経費をいい、無線局の運用費とは、完成された無線局を維持運営していく上に必要な一切の経費をいう。これは基幹放送局の場合のみに記載するものであって、放送業務を維持するに足りる財政的な基礎があるかどうかの審査の参考とされるものである。

（注㉓）基幹放送局の事業計画と事業収支見積

基幹放送局の免許申請に当たって、特に事業計画と事業収支見積を記載するのは、基幹放送局が公衆を直接の相手とする社会的影響の極めて大きい無線局であって、その申請の審査において、業務を維持するに足りる経理的基礎及び技術的能力の存在、基幹放送局の開設の根本的基準への適合性等をチェックすることが求められており、そのために事業計画と事業収支見積に記載される情報が必要とされるからである。特に、特定地上基幹放送局にあっては、その申請の審査において、ハード・ソフト分離の場合の放送法におけるソフト面の審査（マスメディア集中排除原則への適合性等）に相当する審査が併せて行われることから、事業計画等に関する情報の必要性は更に大きくなる。

（注㉔） 船舶局、航空機局関係事項

船舶局及び航空機局について特別の事項を記載するのは、その船舶又は航空機の種類、規模、運行形態等の区別によって、義務局になるかどうかを始めとして、電波法上の諸規定の適用関係に差異が生ずるので、その点を明らかにする必要があるからである。

（注㉕） 人工衛星の関係事項

人工衛星の関係事項として、「打上げ予定時期」は宇宙における衛星の電波を発射する日を的確に把握する必要があるからであり、また、「使用可能期間」は宇宙における周波数の利用の見通しを立てる必要があるからである。更に「位置の範囲」については、国際電気通信連合の無線通信規則に基づき義務づけられている国際調整を行うに際して、静止衛星の場合この位置の範囲を示す必要があるからである。

（注㉖） 特定実験試験局

総務大臣が公示する周波数、当該周波数の使用が可能な地域及び期間並びに空中線電力の範囲内で開設する実験試験局をいう（施７㈤）。電波の有効利用技術やそれを利用した新たなシステムを早期に開発するためには免許手続を簡略化して実験試験局をスピーディに開設できるようにする必要があることから、電波秩序上支障のない範囲でそれを可能とすべく、平成16年に導入された。

3　申請の審査

⑴　申請の審査の開始

総務大臣は、無線局の免許の申請書類を受理（注①）したときは、その書類によって所定の事項について審査する（法７）が、その所定の事項は、下記⑵のように定められている。

総務大臣は、免許申請書類が不適法（違式な記載を含む。）なものであると認めるときは、相当の期間を定めて、申請者に補正を求めるものとされている（免９Ⅰ）。例えば、申請書の宛先、様式等記載内容が法令に適合しなかったり、提出部数が適正でなかったり、手数料に相当する額の収入印紙が貼られていなかったりするような場合である。補正されれば当初提出された時点で適法な申請書類が提出されたものとされる。これに対し、不適正の内容によっては補正が不可能な場合もある。例えば、申請者が無線局の免許の絶対的欠格事由に該当したり、申請に係る無線局が免許を要しないものであったり、申請を行うべき期間が定められているときにその期間が経過した後に申請が行われたりするような場合である。このような場合については無線局免許手続規則には規定がないが、行政手続きに関する一般法である行政手続法では「法令に定められた申請の形式上の要件に適合しない申請については、速やかに、申請をした者に対し相当の期間を定めて当該申請の補正を求め、又は当該申請により求められた許認可等を拒否しなければならない。」（行政手続法７）と規定されていることから、免許が拒否されることになると考えられる。

⑵　申請の審査事項

ア　イ及びウ以外の無線局

総務大臣は、基幹放送局及び特定無線局以外の無線局の免許申請書を受理したときは、遅滞なくその申請が次の各号に適しているかどうかを審査しなければならない（法７Ⅰ）。

㋐　工事設計が電波法令に定める技術基準に適合すること（注②）。

㋑　周波数の割当てが可能であること。

㋒　主たる目的及び従たる目的を有する無線局にあっては、その従たる目的の遂行がその主たる目的の遂行に支障を及ぼすおそれがないこと。

㋓　総務省令で定める無線局（基幹放送局を除く。）の開設の根本的基準に合致すること（注③）。

なお、総務大臣は、この審査に際し、必要があると認めるときは、申請者に対し出頭又は資料の提出を求めることができる（法７Ⅵ）。

イ　基幹放送局（当該基幹放送に加えて基幹放送以外の無線通信の送信をするものを含む。）

総務大臣は、基幹放送局の免許申請書を受理したときは、遅滞なくその申請が次の各号に適合しているかどうかを審査しなければならない（法７Ⅱ）。

㋐　工事設計が電波法第３章に定める技術基準に適合すること及び基幹放送の業務に用いられる電気通信設備が放送法第121条第１項の総務省令で定める技術基準に適合すること（注②）。

⑷ 総務大臣が定める基幹放送用周波数使用計画に基づき、周波数の割当てが可能であること（注④～⑥）。

⑸ 当該業務を維持するに足りる財政的基礎があること（注⑦）。

⑹ 特定地上基幹放送局にあっては、次のいずれにも適合すること。

① 基幹放送の業務に用いられる電気通信設備が放送法第111条第1項の総務省令で定める技術基準に適合すること。

② 免許を受けようとする者が放送法第93条第1項第5号に掲げる要件（いわゆるマスメディア集中排除原則）に該当すること。

③ その免許を与えることが放送法第91条第1項の基幹放送普及計画に適合することその他放送の普及及び健全な発達のために適切であること。

⑺ 地上基幹放送の業務を行うことについて放送法第93条第1項の規定により認定を受けようとする者の当該業務に用いられる無線局にあっては、当該認定を受けようとする者が同項各号に掲げる要件のいずれにも該当すること。

⑻ 基幹放送に加えて基幹放送以外の無線通信の送信をする無線局にあっては、次のいずれにも適合すること。

① 基幹放送以外の無線通信の送信について、周波数の割当が可能であること。

② 基幹放送以外の無線通信の送信について、総務省令で定める無線局（基幹放送局を除く。）の開設の根本的基準に合致すること。

③ 基幹放送以外の無線通信の送信をすることが適正かつ確実に基幹放送をすることに支障を及ぼすおそれがないものとして総務省令で定める基準（注⑧）に合致すること。

⑼ 総務省令で定める基幹放送局の開設の根本的基準（注⑨）に合致すること。

なお、総務大臣は、この審査に際し、必要があると認めるときは、申請者に対し出頭又は資料の提出を求めることができる（法7Ⅵ）。

ウ 特定無線局

総務大臣は、特定無線局の包括免許の申請（２－３の２⑸参照）を受理したときは、遅滞なくその申請が次の各号に適合しているかどうかを審査しなければならない（法27の4）。

㈠　周波数の割当てが可能であること。

㈡　総務省令で定める特定無線局の開設の根本的基準に合致すること（注⑩）。

（注①）「受理」とは、一般に「申請、請願、届出等について、公の機関がその内容の審理又は審査をすべきものとしてこれを受け取ること」と解されている（吉国一郎、茂串俊、工藤敦夫、大森政輔、角田礼次郎、味村治、大出峻郎、津野修「法令用語辞典」）。「受理」については、従来の行政法学では「他人の行為を有効な行為として受領すること」と解され、形式上の要件が整っていることのチェックがその前提になっていた。したがって、形式上の要件を欠く申請書類は受理されなかった。これに対し行政手続法では第７条で「行政庁は、申請がその事務所に到達したときは遅滞なく当該申請の審査を開始しなければならず、かつ、…法令に定められた申請の形式上の要件に適合しない申請については速やかに、申請をした者に相当の期間を定めて当該申請の補正を求め、又は当該申請により求められた許認可等を拒否しなけばならない。」と規定し、申請の到達をもって審査を開始すべきとする原則を明らかにして、従来の「受理」概念を否定している。したがって、電波法第７条において依然として「受理」という語が使われているとしても、その意味は上記のとおり「受取り」という程度に解し、到達によって申請の成立とする行政手続法の考え方と整合されるべきであろう。

（注②）「電波法令に定める技術基準」とは、電波法第28条から第38条までの規定のほか、電波法施行規則のうちの相当部分及び無線設備規則の全部が該当する。なお、無線機器型式検定規則、特定無線設備の技術基準適合証明等に関する規則等が関連する。「放送法第121条第１項の総務省令」とは、放送法施行規則のうちの相当部分及び各種の「放送に関する送信の標準方式」の全部が該当する。

放送に関する送信の標準方式という省令は、放送の送信の諸特性を定めたもので、基幹放送については、次の５省令が定められている。

中波放送に関する送信の標準方式

超短波放送に関する送信の標準方式

超短波音声多重放送及び超短波文字多重放送に関する送信の標準方式

超短波データ多重放送に関する送信の標準方式

標準テレビジョン放送等のうちデジタル放送に関する送信の標準方式

放送網は、情報等を送信する放送局とこれを受信する一般公衆が一体となって構成されるものである。したがって、放送の標準方式は放送局の基本的条件であると同時に、一般公衆の受信機も対象とし、その技術上の基本にもなっている。こうしたことから放送の標準方式は、一般公衆の能力（経済的、技術的）及び社会一般の文化並びにその向上を考慮して定めてある。すなわち放送の標準方式は、放送局の建設計画を策定したり、一般公衆の受信機を製作する上での指針となり、また資料とされる。このような関係から放送網の設定及び建設等に当たっては、放送の標準方式が先決されなければならない。

（注③）この省令では、無線局を電気通信業務用無線局、公共業務用無線局、漁業用海岸局、陸上移動中継局、実験試験局、アマチュア局、携帯局、簡易無線業務用無線局、その他の一般無線局の９種類に分類し、それぞれの特質等に応じた基本的な条件が定めてある。

（注④）「基幹放送用周波数使用計画」は、放送法で定める放送普及基本計画（放 91 Ⅰ）（注⑤）における放送系の数の目標（注⑥）の達成に資することになるように、放送用割当可能周波数（周波数割当計画に示される割り当てることが可能な周波数のうち放送をする無線局に係るものをいう。）の範囲内で、混信の防止その他電波の公平かつ能率的な利用を確保するために必要な事項を勘案して定められる（法７Ⅲ）。

この計画を定めたとき又は変更したときは遅滞なく公示される（法７Ⅳ、Ⅴ）。

（注⑤）「基幹放送普及基本計画」とは、放送法の規定により総務大臣が基幹放送の計画的な普及及び健全な発達を図るために定めるものであって、総務大臣はこれに基づき必要な措置を講ずるものとされている（放 91 Ⅰ）。

この計画には、放送局の置局に関し、次の事項を定めることとされており（放 91 Ⅱ）、また、これを定めたとき又は変更したときは公示されることになっている（放 91 Ⅴ）。

⑴　基幹放送を国民に最大限に普及させるための指針、基幹放送をすることができる機会をできるだけ多くの者に対し確保することにより、基幹放送による表現の自由ができるだけ多くの者によって享有されるようにするための指針その他基幹放送の計画的な普及及び健全な発達を図るための基本的事項

⑵　放送対象地域

⑶　放送系の数の目標

（注⑥）「放送系の数の目標」とは、基幹放送普及基本計画で定めるものの一つであって、放送対象地域ごとの放送系（同一の放送番組の放送を同時に行うことができる放送局の総体をいう。）の数の目標である（放 91 Ⅱ㈢）。

（注⑦）「財政的基礎」の存在を要件とするのは、基幹放送局の性格からして、免許後において財政的な面で放送業務が行えなくなり、その運用を休止する等の事態となっては、貴重な電波が死蔵されることになるし、また、一方において、不特定多数の受信者に与える影響が極めて大きいからである。

（注⑧）適正かつ確実に基幹放送をすることに支障を及ぼすおそれがないものとする基準

総務省令では次のとおりと定めている（施６の４の２）。

⑴　放送法に基づく災害の場合の放送その他基幹放送事業者が法律に基づき行う放送をしようとする場合において、基幹放送外の送信が当該放送を阻害するときには、当該基幹放送外の送信を中断して、当該放送を行うものであること。

⑵　基幹放送外の送信が、基幹放送と認識されないよう適切な措置を講じていること。

⑶　基幹放送外の送信が、その基幹放送の受信設備に影響を与えるものではないこと。

⑷　基幹放送局提供事業者（ハード事業者）が基幹放送外の送信を行う場合にあっては、その実施の詳細についてその基幹放送設備を供用する認定基幹放送事業者（ソフト事業者）の承諾を得ているものであること。

⑸　⑴～⑷に掲げるもののほか、基幹放送外の送信が、基幹放送を行うべき時間又は帯域に影響を及ぼすものではないこと。

（注⑨）この省令では、国内放送を行う基幹放送局、衛星基幹放送又は移動受信用地上基幹放送を行う基幹放送局、国際放送を行う基幹放送局、中継国際放送を行う基幹放送局、協会国際衛星放送を行う基幹放送局及び内外放送を行う基幹放送局について、それぞれの開設の条件を定め、また、中波放送、超短波放送、テレビジョン放送、超短波音声多重放送、超短波文字多重放送、テレビジョン音声多重放送、テレビジョン文字多重放送、テレビジョン・データ多重放送を行う基幹放送局についての開設指針、競願処理の原則等を定めている。

（注⑩）「特定無線局の開設の根本的基準」とは、電気通信業務を行う特定無線局及びその他の特定無線局の免許に当たっての総務大臣の根本的方針を定めた総務省令である。

４　予備免許

⑴　予備免許の付与及び指定事項

総務大臣は、申請書を審査した結果、審査事項のすべてに適合していると認めるときは、次の事項を指定して予備免許を与える（法８Ⅰ）。

ただし、包括免許、再免許及び所定の無線設備を使用する無線局の簡易な免許手続においては、予備免許は省略され、審査事項に適合していると認めるときは、所定の事項を指定して免許が与えられる（２－３の１及び後述参照。）。

ア　工事落成の期限

イ　電波の型式及び周波数（注①）

ウ　呼出符号（標識符号を含む。）、呼出名称その他の総務省令で定める識別信号（注②、注③、注④）

エ　空中線電力（注⑤）

オ　運用許容時間

上記指定事項のうちウの総務省令で定める識別信号は、次のとおりである（法8 I㈢、施6の5）。

ア　呼出符号（標識符号を含む。）

イ　呼出名称

ウ　無線通信規則第19条に規定する海上移動業務識別、船舶局選択呼出番号及び海岸局識別番号

⑵　**予備免許の意義及び効果等**

予備免許は、無線局の免許申請内容のすべてが、申請書記載どおり実現し、落成後の検査に合格したならば、免許（法12）を与えるという意味をもつ行政処分である。したがって、予備免許は、免許に至る手続の一段階にすぎず、まだ免許を受けたものではないから、検査の準備のための試験電波の発射を行う場合を除き、電波を発射し運用することは禁じられている。違反者は、免許を受けない無線局の運用者と同列に罰せられる（「1年以下の懲役又は100万円以下の罰金」法110㈡、法114）。

無線局の予備免許が与えられたときは、申請者に対し、その旨を文書をもって通知される（免10）。

⑶　**予備免許の附款**

予備免許、免許、許可又は無線局の登録には、条件又は期限を付することができる（法104の2）。

ここで条件、期限とは、行政処分の効力を制限するためにつけられるもので、これを「附款」という（注⑥）。

ただし、この条件や期限は、行政庁の恣意にわたる公権力の行使を防ぐために、「公共の利益を増進し、又は予備免許、免許、許可若しくは無線局の登録に係る事項の確実な実施を図るため必要最小限度のものに限り、かつ、当該処分を受ける者に不当な義務を課することとならないものでな

ければならない。」との規定をおいている（法104の2Ⅱ）。

⑷　審査結果による免許の拒否

総務大臣は、申請を審査した結果、審査事項に不適合なものがあると認めた場合は、免許を拒否し、申請者に対してその旨を理由を記載した文書をもって通知する（免14Ⅰ）。その場合は、申請の事実が消滅するので、無線局の開設を更に希望するならば、別に新しい申請書を提出しなければならない。

（注①）指定周波数の表示等

予備免許の際に指定される周波数等の表示又は指定の方法について、次のような特例が設けられている（免10の2）。

⑴　船舶局、航空機局、陸上移動業務の無線局又は携帯移動業務の無線局に係る周波数は、総務大臣が別に告示する記号により表示することがある。

⑵　超短波データ多重放送を行う基幹放送局の周波数の指定に際しては、データチャネルを併せて指定する。

⑶　デジタル放送を行う基幹放送局の周波数の指定に際しては、そのデジタル放送の種類により、1秒におけるシンボル数又は伝送容量（誤り訂正等を含む。）を併せて指定する。

⑷　法第8条第1項の規定により指定する電波の型式でアマチュア局に係るものは、総務大臣が別に告示する記号により表示することがある。

（注②）呼出符号、呼出名称

呼出符号、呼出名称は、電波の発信源を明らかにするもので、通信の呼出応答に必ず使用することになっている。呼出符号は、無線電信、無線電話の両方に使用されるもので、JNUR（最上山丸）、JOAK（NHK東京第1放送）などがこれである。呼出名称は、無線電話のみに使用されるもので、東電 1 号、ちよだ丸などがこれである。呼出符号は、国際電気通信連合の取極めによって世界的に重複割当てにならぬよう規律されており、日本に割当てられた国際符字列は、JAA − JSZ、7JA − 7NZ及び8JA − 8NZの範囲であるが、この範囲内において総務大臣が一定の割当基準を定め、これに基づいて無線局に指定している。

（注③）標識符号

標識符号とは、無線標識業務において、局の識別のために発射する符号をいう。通常2文字又は3文字で構成される。

（注④）識別信号の国際的制度

⑴　海上移動業務において1960年代に選択呼出装置を使用して船舶局及び海岸局を

識別する方法が欧州方面で実用に供されていた。これは９けたの数字で組み立てる識別番号をもって船舶局、海岸局を識別し、相手局を呼び出すとき、及び応答するときに選択呼出装置で送信し、自動方式で連絡を設定し、無線電話やテレックス自動交換等に使用されていた。

⑵　当時の選択呼出装置は、連続単一周波数コード方式であったが、欧州方面で多くの国が実用に供するようになり、1967年の国際電気通信条約附属無線通信規則（RR）に導入され、欧州方面の地域的なものから全世界的な制度となった。ただこの連続単一周波数コード方式では不十分な点があること及び国際海事機構（IMO）の関係もあって、1974年のRRでデジタル選択呼出方式が導入され、このデジタル方式が世界的に統一された選択呼出装置となっている。

また、この1974年のRRでは、識別信号について「すべての伝送は識別信号その他の手段によって識別され得るものでなければならない」とする規定の他、局の識別、使用周波数、通信方式及びその他多くのことについて、従来のモールス無線電信の場合と並行的に規定し、識別信号制度が導入された。

⑶　RRは1983年の主管庁会議で改正され、またIMOの計画するデジタル方式の全世界的海上遭難安全システムに必要な規定の整備及び海上移動業務識別に使用する「海上識別数字」の表が作成され、3数字の国際割当及びそれを使用する識別番号等の組立方式が定められた。海上識別数字の分配の例（抜粋）は、次のようになっている。

海上識別数字	分　　配　　国
211	ドイツ連邦共和国
244	オランダ王国
366	アメリカ合衆国
431	日本国

⑷　RRは2007年の世界無線通信会議（WRC－07）で改正され、海上移動業務識別（MMSI）の割当てが、従前の「船舶局及び船舶地球局並びにこれらの船舶上の局と通信することができる海岸局及び海岸地球局」に加えて、捜索救助の航空機や航路標識等その他の「船舶に搭載されない無線局」に対しても可能になった。

（注⑤）空中線電力の指定

空中線電力については、指定された電力の数値は、次に掲げる意味を有するものである（免10の3)。

⑴　基幹放送局（⑵〜⑷のものを除く。)、電気通信業務を行うことを目的として開設する無線呼出局及び無線標識局

送信に際して使用しなければならない単一の値の空中線電力（超短波音声多重放送又は超短波文字多重放送を行う基幹放送局については、実効輻射電力が、基幹放送に加えて基幹放送以外の無線通信の送信をする無線局については、当該送信を行

うに際して使用する最大空中線電力が、併せて指定される。）

⑵　超短波放送、テレビジョン放送及びマルチメディア放送を行う基幹放送局（⑶及び⑷のものを除く。）

送信に際して使用しなければならない単一の値の空中線電力（実効輻射電力が併せて指定される。また、基幹放送に加えて基幹放送以外の無線通信の送信をする無線局については、当該送信を行うに際して使用する最大空中線電力が併せて指定される。）

⑶　超短波放送を行う基幹放送局（⑷のものを除く。）であって、補完放送（注⑦）を行うもの

送信に際して使用しなければならない単一の値の空中線電力及び所定の送信の方式により補完放送を行うに際して使用しなければならない各単一の値の空中線電力（それぞれ実効輻射電力が併せて指定される。また、基幹放送に加えて基幹放送以外の無線通信の送信をする無線局については、当該送信を行うに際して使用する最大空中線電力が併せて指定される。）

⑷　衛星基幹放送局、衛星基幹放送試験局、人工衛星に開設する基幹放送を行う実用化試験局

送信に際して使用しなければならない単一の値の空中線電力（実効輻射電力又は等価等方輻射電力が併せて指定される。また、基幹放送に加えて基幹放送以外の無線通信の送信をする無線局については、当該送信を行うに際して使用する最大空中線電力が併せて指定される。）

⑸　地上一般放送局及び特定実験試験局

送信に際して使用できる最大の値の空中線電力（実効輻射電力又は等価等方輻射電力が併せて指定される。）

⑹　その他の無線局

送信に際して使用できる最大の値の空中線電力

すなわち⑴～⑷の場合は、常に一定のサービスエリアを維持する必要があるため、原則として単一の値の空中線電力を指定するものであり、⑸及び⑹の場合は、指定された値を上まわることは許されないが、これより低い値での運用は差支えないものであって、むしろ必要最小限の電力で運用することが原則とされている（法54）。

（注⑥）附款

附款とは、免許、許可等の行政処分の効力を制限するためにつける条件、期限等をいう。「条件」とは、発生不確実な一定の事実が発生したら、効力を発生せしめる（停止条件）とか、一定の事実が消滅したら効力を失わしめる（解除条件）ものであり、「期限」とは、発生確実な将来の事実が発生したら、効力を発生せしめ（始期）、事実が消滅したら、効力を失わしめる（終期）ものをいう。

(注⑦) 補完放送

次に掲げるものをいう(施2Ⅰ(二十八の九))。

(1) 超短波放送であって、主音声(超短波放送又はテレビジョン放送において送られる主たる音声その他の音響をいう。)に伴う音声その他の音響を送るもの、又は主音声に併せて文字、図形その他の影像若しくは信号を送るもの

(2) テレビジョン放送であって、静止し、若しくは移動する事物の瞬間的影像に伴う音声その他の音響(主音声を除く。)を送るもの、又は静止し、若しくは移動する事物の瞬間的影像に併せて文字、図形その他の影像(音声その他の音響を伴うものを含む。)若しくは信号を送るもの

5 予備免許の内容の変更

予備免許を受ければ、工事に着手し、予備免許の際の指定事項に準拠して、申請書の内容を実現するわけであるが、すべてが必ずしも最初の計画どおり進むとは限らない。よって、電波法では、総務大臣の許可を受けてこれらの計画を変更しうる途を開いている(変更事項の概要については、2－3の1の「免許手続の総括」の項参照)。

なお、これらの変更を許可する場合の審査については、予備免許のときの審査(2－3の3の(2)参照)に準じて行うものと解釈されている。

(1) 工事設計の変更

ア 予備免許を受けた者は、工事設計を変更しようとするときは、あらかじめ総務大臣の許可を受けなければならない。ただし、総務省令で定める軽微な事項の変更については許可を受けないで変更することができる(法9Ⅰ)。

軽微な事項については、その設備又は装置の全部を変更する場合と、その一部を変更する場合に区別して定められている(施10、同別表1の3)。

なお、許可を要しない軽微な事項を変更したときは、遅滞なくその旨を届け出なければならない(法9Ⅱ)。

イ 工事設計を変更することで、周波数、電波の型式又は空中線電力に変更を来すものであってはならず、また変更は、技術基準に合致するものでなければならない(法9Ⅲ)。

ウ　工事設計変更の許可を受けようとする場合又は届出をしようとする場合は、原則として申請書又は届出書に無線局事項書（変更を必要とする理由その他必要事項を記載したもの。）及び工事設計書（必要事項を記載したもの。）を添えて提出することになっている。また提出先及び提出部数は、免許申請書類の場合と同じである（免12Ⅰ、別表４）。

⑵　無線局の目的、通信の相手方、通信事項、放送事項、放送区域、無線設備の設置場所等の変更

予備免許を受けた者は、無線局の目的、通信の相手方、通信事項、放送事項、放送区域、無線設備の設置場所又は基幹放送の業務に用いられる電気通信設備を変更しようとするときは、あらかじめ総務大臣の許可を受けなければならない。ただし、次の事項を内容とする無線局の目的の変更は行うことができない。

ア　基幹放送局以外の無線局が基幹放送をすることとすること。

イ　基幹放送局が基幹放送をしないこととすること（法９Ⅴ）。

総務大臣の許可を受けるためには、申請書に変更を必要とする理由その他必要事項を記載した無線局事項書を添えて提出しなければならない（免12Ⅰ㈡）。

なお、基幹放送の業務に用いられる電気通信設備の変更が総務省令で定める軽微な変更に該当するときは、許可を受けないで変更でき、その変更をした後遅滞なく、その旨を総務大臣に届け出ることでよいこととされている（法９Ⅴ）。

また、無線局の目的の変更の結果、法第５条第１項から第３項までの規定による欠格事由に該当することが生じ得るが、そのような場合には変更は許可されない（法９Ⅵ）。

⑶　指定の変更

総務大臣は、予備免許を受けた者が識別信号、電波の型式及び周波数、空中線電力又は運用許容時間の指定の変更を申請した場合において、混信の除去その他特に必要があると認めるときは、その指定を変更することができる（法19）。

指定変更の申請に当たっては、原則として申請書に変更を必要とする理由その他必要事項を記載した無線局事項書を添えて提出しなければならない（免12Ⅰ㈢）。

この場合、指定事項の変更は、直接的には物的設備に係わりのないものであるが、このうち、電波の型式、周波数、空中線電力の変更は、その原因で工事設計に変更を生ずる場合が起こる。その場合は、この指定変更のほかに、別に工事設計の変更の手続（申請又は届出）を行わなければならない。

⑷　工事落成期限の延長

工事落成期限は、予備免許に当たり総務大臣から指定されるもので（法8Ⅰ）、予備免許を受けた者は、その期限内に工事を落成させなければならない。しかしながら、予期せざる事情等やむを得ざる事由によって期限の延長の必要が生じたときは、次の事項を記載した期限延長の申請書を提出して、総務大臣の許可を得ることができる（法8Ⅱ、免11Ⅰ、別表3）。延長申請は、相当の理由があれば1回に限定されない。延長申請に際しては、延長の期限及び理由を記載した申請書（別表3）に、原則としてその写し2通を添えて提出しなければならない（免11）。

a　無線局の予備免許を受けた者の氏名又は名称及び住所並びに法人にあっては、その代表者の氏名

b　無線局の種別及び局数

c　識別信号

d　予備免許の年月日及び予備免許通知書の番号

e　工事落成の期限

f　希望する延長期間及び延長する理由

⑸　予備免許の承継

電波法は、予備免許を受けた者について相続が行われたとき等において、予備免許を受けた者の地位を他の者が承継する場合の規定（届出によるもの又は許可を受けることを要するもの）を設けているが、この規定は、免許を受けている無線局の免許人の地位の承継に関する規定をそっくり準用

することになっている（法20 Ⅷ）。そこで、その免許人の地位の承継に関する制度の項（２－７の６参照）のところで述べることにする。なお、準用するに当たっては、その項で免許とあるのは予備免許、免許人とあるのは予備免許を受けた者と読み替える。

6　工事落成及び落成後の検査

(1)　工事落成届

ア　落成届の提出

予備免許を受けた者は、工事が落成したときは、その旨を総務大臣に届け出て（落成届）、検査を受けなければならない（法10）。

工事の落成届は、①無線局の予備免許を受けた者の氏名又は名称及び住所並びに法人にあっては、その代表者の氏名、②無線局の種別及び局数、③識別信号、④予備免許の年月日及び予備免許通知書の番号、⑤工事落成の年月日、⑥検査を希望する日（電波法第10条第２項に基づき検査の一部を省略する場合を除く。）を記載した落成届出書を総務大臣又は総合通信局長に提出して行う（法10、免13Ⅰ、別表３の２）。

イ　落成届の不提出による免許の拒否

指定された工事落成期限（工事落成期限の延長が認められたときは、その期限）経過後 2 週間以内に工事落成届の提出がないときは、総務大臣は、その無線局の免許を拒否しなければならない（法11）（注①）。

(2)　落成後の検査

ア　検査の目的及び検査項目

予備免許を受けた者は、工事が落成したときは前記のとおりその旨を総務大臣に届け出て、その無線設備、無線従事者の資格（主任無線従事者の要件、船舶局無線従事者証明及び遭難通信責任者の要件に係るものを含む。）及び員数並びに時計及び書類（注②）について検査を受けなければならない（法10）。この検査を落成後の検査（通称「新設検査」）という。

この落成後の検査は、総務大臣が前述の検査項目（以下「無線設備等」という。）について、すべてが法の要件に適合しているかどうかを確認するものである。その結果適合しているときは必ず免許が与えられ、不適合のものがあるときは免許は拒否されることになる（注①）。

イ　検査の一部省略

落成後の検査は、総務大臣の派遣する職員がアの無線設備等について実地に確認するのが原則であるが、国が開設する無線局を除き、検査を受けようとする予備免許を受けた者が、総務大臣の登録を受けた「登録検査等事業者」又は「登録外国点検事業者」（以下「登録検査等事業者等」という。）から無線設備等についての点検を受け、その点検結果を記載した書類（総務省令で定める様式の「無線設備等の点検実施報告書」）を落成届に添えて提出した場合は、検査の一部の省略を受けることができる（法10Ⅱ、施41の6）。

すなわち、点検結果を記載した書類が適正なものであり、かつ、点検を実施した日から起算して3か月以内に提出された場合は、実地検査を省略して、書面審査のうえで検査の判定が行われる（施41の6）。

なお、この検査の一部省略の制度は、落成後の検査のみでなく、変更検査、定期検査においても同様に適用され、さらに定期検査については登録検査等事業者を活用した検査の全部省略の道も開かれている（注③）。

ウ　検査手数料

落成後の検査を受けるに当たっては、一定額の検査手数料を落成届に貼った収入印紙で納付しなければならない。ただし、電子情報処理組織を使用して落成の届出を行う場合は、その場合に得られた納付情報により納付することになっている（法103、手数料令3、21Ⅰ、施51の9の2）。

（注①）免許の拒否

免許の拒否とは、無線局の免許を与えないという総務大臣の意思決定である。免許の拒否があると、それまでの一切の行為は白紙にもどり、申請そのものが無かったものと同様の結果になる。免許手続の段階における免許拒否には、次のような場合がある。

⑴　免許申請を審査した結果、予備免許の付与の要件に適合しない場合（法８Ⅰ）

⑵　工事落成期限経過後２週間以内に工事落成届が提出されない場合（法11）

⑶　落成後の検査において、不合格となった場合（法12）

なお、免許を拒否したときは、申請者に対し拒否する旨及び拒否の理由を記載した文書をもって通知される（免14）。

（注②）書類

無線局には次の書類を備え付けておかなければならない（法60）。

これらの書類は、検査の対象となっている（法10、73）。なお、後述（６－６）のとおり近年備付けを免除される場合が拡大している。

⑴　無線業務日誌

無線局の毎日の運用状況を記録する法定帳簿である（法60、施40）。

⑵　総務省令で定める書類（業務書類）

局種によって異なるが、次のものは概ね共通的である（法60、施38Ⅰ）。

㈠　免許状（落成後の検査の場合は不要）

㈡　無線局の免許申請書及び変更申請書の添付書類の写し

㈢　軽微な工事設計変更の届書の添付書類の写し

上記の㈡及び㈢は、総務大臣又は総合通信局長が提出書類の写しであることを証明したものでなければならない（施38Ⅰ）。

㈣　その他

無線局の種別によって不要とするもの、追加して必要とするものがある。

（注③）登録検査等事業者制度の導入

無線局の検査の一部省略については、平成10年４月、無線局の検査に民間能力を活用することを目的として認定点検事業者制度が導入されたが、平成16年１月には、点検事業者の新規参入の容易化を図るためこれを改め、登録点検事業者制度が導入された。さらにこの制度は、平成22年12月の電波法一部改正において「登録検査等事業者制度」となった。本制度は、従来どおり無線設備等の点検を行い、その結果を記載した「無線設備等の点検実施報告書」を総務大臣に提出した場合は、検査の一部が省略され（法10の新設検査、法18の変更検査及び法73Ⅲの定期検査）、それに加えて新たに無線設備等の検査を行い、その結果が適法である旨を記載した証明書を総務大臣に提出した場合は総務大臣による検査の全部が省略される（法73Ⅲの定期検査のみ）ものである。

なお、「人の生命又は身体の安全の確保のためその適正な運用の確保が必要な無線局として総務省令で定めるもの」は本制度による検査全部省略の対象から除かれている（法73Ⅲ）。

7　登録検査等事業者制度

(1)　登録検査等事業者制度の目的

従来、無線局の開設に際しての落成後の検査をはじめ、電波法に基づく無線局の検査においては、検査行為のすべてを総務省の職員が実施していた。しかし、最近の無線通信技術の進歩に伴い、測定器の性能及びその操作性が向上していること、また、民間において無線通信に関する専門的な知識・技能を有する技術者が多数育成されたことから、無線局の検査に民間能力を活用するため、国が開設する無線局を除くすべての無線局の落成後の検査、変更検査及び定期検査において、総務大臣の登録を受けた登録検査等事業者等が行った無線設備等の検査又は点検の結果を活用することによって、検査の全部又は一部を省略することとされたものである。

この結果、免許人等の負担が軽減し、柔軟かつ迅速な無線局の開設・運用が可能となった。

(2)　検査等事業者の登録

無線設備等の検査又は点検の事業を行う者は、総務大臣の登録を受けることができ（法24の2Ⅰ）、登録を申請した者が一定の条件に適合しているときは、総務大臣はその登録をしなければならないこととされている（法24の2Ⅳ）。従前は認定制であったが、登録制度を採用したことにより、一定の適格性を有する検査等事業者であれば、行政庁の裁量の余地なく登録検査等事業者としての資格が付与され、検査等事業への参入が容易になるものである。

登録の要件は、次のとおり（無線設備等の点検の事業のみを行う者にあっては、ウを除く。）である（法24の2Ⅳ、別表1～4）。

ア　次のいずれかに適合する知識経験を有する者が点検を行うものであること。

(ア)　第一級総合無線通信士、第二級総合無線通信士、第三級総合無線通信士、第一級海上無線通信士、第二級海上無線通信士、第四級海上無線通信士、航空無線通信士、第一級陸上無線技術士、第二級陸

上無線技術士、陸上特殊無線技士又は第一級アマチュア無線技士の資格を有すること。

(イ)　外国の政府機関が発行する(ア)に掲げる資格に相当する資格を有する者であることの証明書を有すること。

(ウ)　学校教育法による大学、高等専門学校、高等学校又は中等教育学校において無線通信に関する科目を修めて卒業した者（当該科目を修めて専門職大学の前期課程を修了した者を含む。）であって、無線設備の機器の試験、調整又は保守の業務に２年以上従事した経験を有すること。

(エ)　学校教育法による大学、高等専門学校、高等学校又は中等教育学校に相当する外国の学校において無線通信に関する科目を修めて卒業した者であって、無線設備の機器の試験、調整又は保守の業務に２年以上従事した経験を有すること。

イ　国立研究開発法人情報通信研究機構又は総務大臣の指定較正機関が行う較正等４種類の較正又は校正のいずれかを過去１年以内に受けた周波数計、スペクトル分析器、電界強度測定器、高周波電力計、電圧電流計及び標準信号発生器（無線設備の点検を行うのに優れた性能を有するとして総務省令で定めるものに該当すれば、過去１年を超え３年を超えない範囲内で総務省令で定める期間内にこれら較正又は校正を受けていればよい。）（注①）を使用して無線設備の点検を行うものであること。

ウ　次のいずれかに適合する知識経験を有する者が無線設備の検査（点検である部分を除く。）を行うものであること。

(ア)　学校教育法による大学（短期大学を除く。）若しくは旧大学令による大学において無線通信に関する科目を修めて卒業した者又は第一級陸上無線技術士の資格を有する者であって、無線設備の機器の試験、調整若しくは保守の業務に３年以上従事した経験又はアの知識経験を有する者として無線設備等の点検の業務に１年以上従事した経験を有すること。

(イ) 学校教育法による短期大学（専門職大学の前期課程を含む。）若しくは高等専門学校若しくは旧専門学校令による専門学校において無線通信に関する科目を修めて卒業した者（専門職大学の前期課程にあっては、修了した者）又は第一級総合無線通信士、第一級海上無線通信士若しくは第二級陸上無線技術士の資格を有する者であって、無線設備の機器の試験、調整若しくは保守の業務に５年以上従事した経験又はアの知識経験を有する者として無線設備等の点検の業務に２年以上従事した経験を有すること。

(ウ) 第二級総合無線通信士、第二級海上無線通信士又は陸上特殊無線技士（総務省令で定めるものに限る。）の資格を有する者であって、無線設備の機器の試験、調整若しくは保守の業務に７年以上従事した経験又はアの知識経験を有する者として無線設備等の点検の業務に３年以上従事した経験を有すること。

(エ) 外国の政府機関が発行する(イ)に掲げる資格に相当する資格を有する者であることの証明書を有する者であって、無線設備の機器の試験、調整又は保守の業務に５年以上従事した経験を有すること。

(オ) (ア)の大学に相当する外国の学校の無線通信に関する科目を修めて卒業した者であって、無線設備の機器の試験、調整又は保守の業務に３年以上従事した経験を有すること。

(カ) (イ)の短期大学又は高等専門学校に相当する外国の学校の無線通信に関する科目を修めて卒業した者であって、無線設備の機器の試験、調整又は保守の業務に５年以上従事した経験を有すること。

エ　無線設備等の検査又は点検を適正に行うのに必要な業務の実施の方法（無線設備等の点検の事業のみを行う者にあっては、無線設備等の点検を適正に行うのに必要な業務の実施の方法に限る。）が定められていること。

このほか、登録の欠格事由、登録の更新（注②）、登録簿、登録証、変更の届出、承継、適合命令、報告及び立入検査、廃止の届出、登録の取消し、登録の抹消、登録証の返納、外国点検事業者の登録等について定められている（法24の２Ｖ、24の３～24の13）。

（注①）較正等の期間要件の緩和

検査等事業者が無線設備の点検を行う場合、過去１年以内に所定の較正等を受けた測定器その他の設備を使用することが登録を受ける条件であったところ、平成29年の電波法改正により、この「１年」の要件が最大３年までに緩和された。測定器等については、近年の技術の発達により、部品の集積化が図られ、構造が単純化する等により、経年による計測値の誤差の増幅が生じにくくなっている状況がある。このような状況に照らし、一律に１年以内の較正等を求める制度を改めたものである。

総務省令では一定の要件に該当する高周波電力計、電圧電流計及び標準信号発生器について、この期間要件を２年に緩和している（検査２の２）。

（注②）登録の更新

登録については有効期間（５年）が設けられており、更新を受けなければ効力が失われる（法24の２の２Ｉ、施行令１）。ただし、これは無線設備等の検査の事業を行う者の場合であり、無線設備等の点検の事業のみを行う者については無期限となっている（法24の２の２Ｉ）。前者の場合、検査の実施が総務大臣による定期検査の省略という重大な効果につながることから、一定の期間ごとに登録要件の確認が必要と考えられるためである。

8　免許の付与及び免許状の交付

(1)　免許の付与

総務大臣は、前記の落成後の検査を行った結果、その無線設備等のすべての検査項目（６の(2)参照）が、法の規定に違反しないと認めるときは、遅滞なく申請者に対し免許を与えなければならない（法12）。

(2)　免許の拒否

総務大臣は、落成後の検査を行った結果、(1)の要件に適合しないと認めたとき（検査不合格）は、免許を拒否する（６の注①参照）。

(3)　免許状の交付

総務大臣は、免許を与えたときは、所定の様式（大きさを含む。）の免許状を交付する（法14Ｉ、免21Ｉ、別表６～６の３）。

ただし、同一人に属する２以上の所定の無線局（例えば、陸上移動局、携帯局、簡易無線局、携帯移動地球局）で、無線設備の常置場所が同じであるものは、あわせて 1 枚の免許状を交付されることがある。同一人に属する2以上のPHSの基地局、フェムトセル基地局又は特定陸上移動中継局（注）について、その無線設備の設置場所がいずれも同一総合通信局の管轄区域内にある場合も同じである（免21 Ⅶ）。

⑷ 免許状の性格と効果

免許状は、総務大臣が適法に免許を与えた合法局であるということを対外的に証明する書類である。また、無線局は免許状に記載されたところにより運用しなければならないことになっており、運用の基準として重要な意味をもつものである（法52～55）。

⑸ 免許状の記載事項

免許状には、次に掲げる事項が記載される（法14 Ⅱ、Ⅲ）。

ア 免許の年月日及び免許番号

イ 免許人の氏名又は名称及び住所

ウ 無線局の種別

エ 無線局の目的（主たる目的及び従たる目的を有する無線局にあっては、その主従の区別を含む。）

オ 通信の相手方及び通信事項（基幹放送のみをする基幹放送局の場合を除く。）

カ 無線設備の設置場所

キ 免許の有効期間

ク 識別信号

ケ 電波の型式及び周波数

コ 空中線電力

サ 運用許容時間

シ 放送区域（基幹放送局の場合に限る。）

ス 放送事項（特定地上基幹放送局の場合に限る。）

セ 認定基幹放送事業者の氏名又は名称（その認定基幹放送事業者の地上基幹放送の業務の用に供する基幹放送局の場合に限る。）

(注) フェムトセル基地局、特定陸上移動中継局

設備規則で定める携帯無線通信の技術基準のうち一定のもの（設 49 の６の３～ 49 の６の５、49 の６の９、49 の 28 ～ 49 の 29）に適合する無線設備を使用する基地局、陸上移動中継局であって、屋内その他他の無線局の運用を阻害するような混信その他の妨害を与えるおそれがない場所に設置するものを、それぞれフェムトセル基地局、特定陸上移動中継局という（施 33㈥）。

9　包括免許の付与及び免許状の交付等

包括免許については、免許の単位、免許手続等が一般の無線局と異なるため、次の特例が定められている。

(1)　免許の付与

総務大臣は、包括免許の申請書を審査（２－３の３の(2)参照）した結果、審査事項のすべてに適合していると認めるときは、次の事項（特定無線局（法第 27 条の２第２号に掲げる無線局に係るものに限る。）を包括して対象とする免許にあっては、次の事項（ウを除く。）及び無線設備の設置場所とすることができる区域）を指定して免許を与えなければならない（法 27 の５Ⅰ）。

ア　電波の型式及び周波数

イ　空中線電力

ウ　指定無線局数（同時に開設されている特定無線局の数の上限をいう。）

エ　運用開始の期限（１以上の特定無線局の運用を最初に開始する期限をいう。）

上記の空中線電力は、包括免許に係るすべての特定無線局が送信に際して使用できる空中線電力のうち、最大のものが指定される（免 20 の７）。また、運用開始の期限については、包括免許人から申請があった場合において、総務大臣が延長の期限及び理由が相当と認めたときは、期限の延長が認められることとなっている（法 27 の６Ⅰ、免 23 の２）。

(2)　免許状の交付及び記載事項

総務大臣は、包括免許を与えたときは、(1)の指定事項及び包括免許人

の氏名等の法定事項を記載した所定の様式の免許状を交付する（法27の5Ⅱ、免21の2）。

(3) 指定無線局数の遵守

包括免許人は、免許状に記載された指定無線局数を超えて特定無線局を開設してはならない（法27の7）。

10 運用開始の届出

所定の無線局の免許人は、免許を受けたときは、遅滞なく無線局の運用開始の期日を総務大臣に届け出なければならない（法16Ⅰ、施10の2、免24別表3の4）。また、届け出た無線局の運用を1か月以上休止するとき及びその休止期間を変更するときは、その休止期間を総務大臣に届け出なければならない（法16Ⅱ）。なお、届出の手続き等は、無線局免許手続規則で規定している（免24、別表3の4）。

運用開始の届出を要する無線局は、次のとおりである。

(1) 基幹放送局

(2) 海岸局であって、電気通信業務を取り扱うもの、海上安全情報の送信を行うもの又は2,187.5kHz、4,207.5kHz、6,312kHz、8,414.5kHz、12,577kHz、16,804.5kHz、27,524kHz、156.525MHz若しくは156.8MHzの電波を送信に使用するもの。

(3) 航空局であって、電気通信業務を取り扱うもの又は航空交通管制の用に供するもの。

(4) 無線航行陸上局

(5) 海岸地球局

(6) 航空地球局（航空機の安全運航又は正常運航に関する通信を行うものに限る。）

(7) 標準周波数局

(8) 特別業務の局（携帯無線通信等を抑止する無線局（注①）、道路交通情報通信を行う無線局及びA3E電波1,620kHz又は1,629kHzの周波数の電波を使用する空中線電力10ワット以下の無線局を除く。）

(9) 特定無線局（注②）

（注①）携帯無線通信等を抑止する無線局

「無線局根本基準第７条の３に規定する無線局をいう。」と定義されている（施８Ⅱ（十四））。

コンサートホールなどでの携帯電話等の着信音による迷惑を防止する等のため平成10年から実験試験局として導入されていた「携帯電話等抑止装置」の実用局化が図られ、令和２年６月制度整備が行われた。すなわち、携帯無線通信等を抑止する無線局は特別業務の局の一種とされて無線局（基幹放送局を除く。）の開設の根本的基準第７条の３が新設され、①既設の携帯無線通信を行う基地局、陸上移動中継局又は陸上移動局等の通信を抑止し、建物その他の施設における静穏を保持することその他一定の公共の利益のために行われることを目的として開設するものであること、及び②既設の携帯無線通信等の無線局を開設・運用することについて同一の周波数を使用する無線局を運用しているものから同意を得られていることという条件を満たすべきことが規定された。また、同根本基準には特別業務の局全般に係る規定も第７条の２として新設され、携帯無線通信等を抑制する無線局はその規定に適合することも求められている。

（注②）特定無線局の運用の開始等

⑴　第１号包括免許人（法27条の２第１号に掲げる特定無線局の包括免許人をいう。）は、包括免許に係る１以上の特定無線局の運用を最初に開始したときは、遅滞なくその旨を総務大臣に届け出なければならない。ただし、その包括免許に係る特定無線局と通信の相手方を同じくする他の特定無線局が既に運用されている場合は届け出の必要はない（法27の6Ⅱ、施10の3）。

⑵　第２号包括免許人（法27条の２第２号に掲げる特定無線局の包括免許人をいう。）は、包括免許に係る特定無線局を開設したとき（再免許による場合を除く。）は、当該特定無線局ごとに、15日以内に、運用開始の期日、無線設備の設置場所その他の所定の事項を、総務大臣に届け出なければならない（法27の６Ⅲ、施15の４、免24の２）。

⑶　総務大臣は、包括免許人から申請があった場合において、相当と認めるときは、運用開始の期限を延長することができる。当該申請は、①包括免許人の氏名又は名称及び住所並びに法人にあってはその代表者の氏名、②無線局の種別、③包括免許の種別、④運用開始の期限、⑤希望する延長期限及び延長の理由を記載した申請書を総合通信局長に提出して行う（法27の６Ⅰ、免23の２Ⅰ、別表３の３）。

11　無線局に関する情報の公表等

総務大臣は、無線局の免許又は登録（以下「免許等」という。）をしたときは、総務省令で定める無線局を除き、その無線局の免許状若しくは登録状に記載された事項（法 14、法 27 の 22）又は包括免許人若しくは包括登録人からその無線局の開設に当たり届け出られた事項（法27の6・免24の2、法27の31・免25の23）のうち、総務省令で定めるものをインターネットの利用その他の方法で公表することとされている（法25Ⅰ）。

総務大臣が公表する免許状記載事項等は、免許状記載事項等のうち①免許等の番号、②免許人等の個人の氏名（法人又は団体の名称の一部として用いられているものを除く。）及び免許人等の住所、③地上基幹放送の業務の用に供する無線局に係る認定基幹放送事業者の個人の氏名（法人又は団体の名称の一部として用いられているものを除く。）、④識別信号のうちの呼出名称、以外のものである（施11Ⅰ）。また、無線局によっては、無線設備の設置場所及び周波数の公表のしかた等について特例が定められている（施11Ⅱ～Ⅳ）。さらに、警察の責務の遂行上必要な無線通信を行うことを目的とするもの、自衛隊の任務の遂行上必要な無線通信を行うことを目的とするもの等17種類の無線局については、原則として、免許人等の名称、無線局の種別又は無線設備の規格、無線局の目的、無線設備の設置場所、移動範囲又は無線設備を設置しようとする区域及び周波数のみを公表することとされている（施11Ⅴ～Ⅷ、別表2の2）。

免許状記載事項等を公表しない無線局は、①特定秘密の保護に関する法律第3条で特定秘密として指定するものに係るもの、②人工衛星、宇宙物体又はロケットの位置及び姿勢制御のための無線通信を行うことを目的とするもの、③原子力事業者が事業遂行上必要な無線通信を行うことを目的とするもの、等5種類が定められている（施11の2）。

また、上記公表する事項のほか、総務大臣は、自己の無線局の開設又は周波数の変更をする場合、工事設計の変更又は無線設備の変更の工事を行おうとする場合、通信の相手方の変更を行おうとする場合等に必要とされる混信若しくはふくそうに関する調査又は終了促進措置（2⑹イ㋕参照）を行おうとする者の求めに応じ、当該調査又は終了促進措置を行うため必要な限度において、当該者に対し、無線局の無線設備の工事設計その他の無線局に係る情報であって総務省令で定めるものを提供することができる。

なお、提供を受けた者は、当該情報を他の目的のために利用し、又は提供してはならない（法25Ⅱ、Ⅲ、施11の2の2～11の2の5）。

12　電波の利用状況の調査等

総務大臣は、周波数割当計画の作成又は変更その他電波の有効利用に資する施策を総合的かつ計画的に推進するため、無線局の数、無線局の行う無線通信の通信量、無線局の無線設備の使用の態様その他電波の利用状況を把握するために必要な事項の調査を行い、その調査の結果に基づき、電波に関する技術の発達及び需要動向、周波数割当てに関する国際動向その他の事情を勘案して、電波の有効利用の程度を評価する（注）とともにその結果の概要を公表することとされている（法26の2Ⅰ～Ⅲ）。また、総務大臣は、この評価結果に基づき周波数割当計画を作成し、又は変更しようとする場合において必要があると認めるときは、免許人等に及ぼす技術的及び経済的影響を調査することができる（法26の2Ⅳ）。

総務大臣は、これらの調査を行うため必要な限度において、免許人等に対し、必要な事項について報告を求めることができる（法26の2Ⅴ）。

この調査の方法や具体的な調査事項は総務省令「電波の利用状況の調査に関する省令」で、次のように定められている。

⑴　調査は、おおむね２年を周期として、714MHz以下の周波数及び714MHzを超える周波数ごとに行う（調査令３Ⅰ）。ただし、携帯無線通信を行う無線局の使用する周波数帯と広帯域移動無線アクセスシステムの無線局が使用する周波数帯のうち2,545MHzを超え2,575MHz以下及び2,595MHzを超え2,645MHz以下のものについては、毎年行う（調査令３Ⅱ）。

⑵　調査は、原則として総合通信局の管轄区域ごと及び周波数割当計画に記載されている割り当てることが可能である周波数の範囲ごとに行う（調査令４）。

⑶　調査事項は、免許を受けた無線局については、①免許人の数、②無線局の数、③無線局の目的及び用途、④無線設備の使用技術、⑤無線局の具体的な使用実態、⑥他の電気通信手段への代替可能性、⑦電波を有効利用するための計画、⑧使用周波数の移行計画、である（調査令５Ⅰ）。

また、調査方法は、上記①から④については、総合無線局管理ファイル（法103の2Ⅳ(二)）に記録されている情報の整理、⑤から⑧については、免許人に対して報告を求める事項の収集、である（調査令5Ⅱ）。登録局の調査事項及び調査方法もこれらと同じである（調査令5Ⅲ）。また、免許及び登録を要しない無線局に係る調査事項、調査方法については、別途定めている（調査令5Ⅳ、別表）。なお、利用状況調査を補完するものとして、電波の発射状況に係る調査の結果を活用することができる（調査令5Ⅵ）。

(4) 総務大臣は、別に告示する基本的な方針に合致する割当可能周波数帯を重点的に調査する必要があると認めるときは、無線局ごと又は登録局ごとその他当該割当可能周波数帯の調査に必要な限度において詳細に調査を行うことができる（調査令5の2、令和2年総務省告示第136号）。

(5) 総務大臣は、必要があると認めるときは、①の周期にかかわらず、対象を限定して臨時に利用状況調査を行うことができる（調査令6、臨時の利用状況調査）。

2－4 免許の有効期間

1 免許の有効期間の意義

無線局の免許の有効期間は、電波が有限希少な資源であり、電波利用に係る関係国際条約の改正あるいは無線技術の発展や電波利用ニーズの進展に対応し、電波の公平かつ能率的な利用を確保するために周波数の再配分を行う必要が生じ得ることから、一定期間ごとに無線局における周波数利用の見直しを行うため設けられたものである。

これは、無線局の免許の効力を期間的に制約する。したがって、免許の有効期間の満了の時点において、免許はその効力を失い、別途定められている再免許を受けない限り、その無線局を運用することはできなくなる。

2 有効期間の年数

免許の有効期間は、免許の日から起算して5年を超えない範囲内において総務省令で定められている（法13Ⅰ、法27の5Ⅲ）。その期間は、次に定められている無線局を除き、5年である（施7、7の2）。

ア　地上基幹放送局（臨時目的放送（注）を専ら行うものに限る。）
当該目的を達成するために必要な期間

イ　地上基幹放送試験局　2年

ウ　衛星基幹放送局（臨時目的放送を専ら行うものに限る。）
当該放送の目的を達成するために必要な期間

エ　衛星基幹放送試験局　2年

オ　特定実験試験局　当該周波数の使用が可能な期間

カ　実用化試験局　2年

(注)「臨時目的放送」とは放送法第8条の「臨時かつ一時の目的のための放送」であり、次に掲げる事項のいずれかを目的とするものである（放8、放施7Ⅱ）。

(1)　国又は地方公共団体が主催し、後援し、又は協賛する博覧会その他これに類する催し物の用に供すること。

(2)　暴風、豪雨、洪水、地震、大規模な火事その他による災害が発生した場合に、その被害を軽減するために役立つこと。

3　有効期間の終期の統一

免許の有効期間は、同一の種別（地上基幹放送局については、コミュニティ放送を行う地上基幹放送局とそれ以外の放送を行う地上基幹放送局に区別する。）に属する無線局については同時に有効期間が満了するように終期が統一されている（施8）。

このため、総務省令で定める局の種別ごとの免許の有効期間（前項参照）は、総務大臣が定める一定の時期に免許された無線局に適用されるものとされ、免許の日がこれと異なる無線局の免許の有効期間は、一定の時期に免許された無線局の免許の有効期間の満了の日までの期間とされている。

なお、次の無線局に係る総務大臣が定める一定の時期は、次のとおりである。

ア　(ア)コミュニティ放送を行う地上基幹放送局、(イ)携帯無線通信を行う無線局及び(ウ)広帯域移動無線アクセスシステムの無線局のうち2,545MHzを超え2,575MHz以下及び2,595MHzを超え2,645MHz以下の周波

数の電波を使用するものにあっては、別に総務大臣が告示で定める日（注①）

イ　(ア)陸上移動業務の無線局（上記アの(イ)及び(ウ)を除く。）、(イ)携帯移動業務の無線局、(ウ)無線呼出局、(エ)船上通信局、(オ)無線航行移動局及び(カ)地球局にあっては、毎年一の総務大臣が告示で定める日（注②、③）

この統一された終期は、無線局の審査、再編成（例えば、周波数の入替、使用時間の制約等）を行うときの一定の時点となるものである。社会生活や国民生活の基盤を提供するために必須となっており、トラフィック量が増加し続け、周波数がひっ迫している移動通信システム（携帯電話や広帯域移動無線アクセスシステムの無線局）用の周波数の有効利用を確保する必要から、これらの無線局の再免許の際に、周波数有効利用の状況を踏まえて審査できるようにするため、免許の有効期間の終期を統一することとして、平成29年9月に関係規定を改正し、上記アの(イ)及び(ウ)が加えられた。

ただし、次の無線局は再編成等の必要は生じないものと考えられ、この終期の統一制度から除かれている。

(ア)　地上基幹放送局（臨時目的放送を専ら行うもの及び中継国際放送を行うものに限る。）

(イ)　地上基幹放送試験局

(ウ)　地上一般放送局（エリア放送を行うものに限る。）

(エ)　船舶局　　　　　　　　(オ)　遭難自動通報局

(カ)　航空機局

(キ)　衛星基幹放送局（臨時目的放送を専ら行うものに限る。）

(ク)　衛星基幹放送試験局　　(ケ)　実験試験局

(コ)　実用化試験局　　　　　(サ)　アマチュア局

(シ)　簡易無線局　　　　　　(ス)　構内無線局

(セ)　気象援助局

(ソ)　特別業務の局（携帯無線通信等を抑止する無線局に限る。）

(タ)　包括免許に係る特定無線局であって、電気通信業務を行うことを目的として開設するもの（携帯無線通信を行う無線局並びに広帯域移動無線アクセスシステムの無線局のうち2,545MHzを超え2,575MHz以下及び2,595MHzを超え2,645MHz以下の周波数の電波を使用するものを除く。）

(注①)　総務大臣が定める一定の時期
　(ア)については平成27年11月１日及びその後５年ごとの11月１日、(イ)及び(ウ)については平成29年10月１日及びその後５年ごとの10月１日とする（平成29年総務省告示第310号）。

(注②)　毎年一の総務大臣が定める日
　(ア)～(エ)については６月１日、(オ)及び(カ)（船舶地球局を除く。）については12月１日、(カ)（船舶地球局に限る）については２月１日とする（平成19年総務省告示第429号）。

(注③)　陸上移動業務、携帯移動業務の無線局、無線呼出局、船上通信局、無線航行移動局及び地球局の免許の有効期間
　これらの移動する無線局は複雑で数も多いことから、免許事務量を平準化させるため、有効期間が５年であることを考慮し、期間の前後を１年ずつずらした５のグループに分けて、告示により免許の一定日を定めている。

4　有効期間の特例

(1)　短期の有効期間

免許の有効期間は上記のように法定されているが、次の場合は、法定期間に満たない一定の期間を有効期間とすることができる（施９）。

ア　申請者がその旨申請しているとき。

イ　周波数割当計画又は基幹放送用周波数使用計画により周波数を割り当てることが可能な期間が法定期間に満たないとき。

ウ　外国人等又は外国性のある法人等が開設するアマチュア局（本邦に永住することを許可された者が開設するものを除く。）について、免許を申請する者の本邦に在留する期間が５年に満たないとき。

(2)　無期限の無線局

無線局のうち、義務船舶局及び義務航空機局についての免許の有効期間は、無期限とされている（法13Ⅱ）。これらは、いずれも他の法律によっ

て無線局の設置を義務づけているものであるから、その特殊な性格を勘案して、無期限とされているものである。したがって、これらの局は、再免許を受ける必要はないことになる（注①②）。

(3) 多重放送の放送局

超短波放送又はテレビジョン放送をする無線局の免許がその効力を失ったときは、その放送の電波に重畳して多重放送をする無線局の免許は、その効力を失う（法13の2）。

（注①）「義務船舶局」とは、船舶安全法第4条（同法第29条ノ7の規定に基づく政令において準用する場合を含む。）の船舶の船舶局である（法13Ⅱ）。

船舶安全法第4条

1 船舶ハ国土交通令ノ定ムル所ニ依リ其ノ航行スル水域ニ応ジ電波法（昭和25年法律第131号）ニ依ル無線電信又ハ無線電話ニシテ船舶ノ堪航性及人命ノ安全ニ関シ陸上トノ間ニ於テ相互ニ行フ無線通信ニ使用シ得ルモノ（以下無線電信等ト称ス）ヲ施設スルコトヲ要ス但シ航海ノ目的其ノ他ノ事情ニ依リ国土交通大臣ニ於テ已ムコトヲ得ズ又ハ必要ナシト認ムルトキハ此ノ限リニ在ラズ

2 前項ノ規定ハ第2条第2項ニ掲グル船舶其ノ他無線電信等ノ施設ヲ要セザルモノトシテ国土交通省令ヲ以テ定ムル船舶ニハ之ヲ適用セズ

（注②）「義務航空機局」とは、航空法第60条の規定により、無線設備を設置しなければならない航空機の航空機局である（法13Ⅱ）。

第60条 国土交通省令で定める航空機には、国土交通省令で定めるところにより航空機の姿勢、高度、位置又は針路を測定する装置、無線電話その他の航空機の航行の安全を確保するための装置を装備しなければ、これを航空の用に供してはならない。ただし、国土交通大臣の許可を受けた場合は、この限りでない。

2－5 再免許

1 再免許の意義

前述のとおり無線局の免許には有効期間が存在するが、同時に「再免許を妨げない」こととされている（法13Ⅰ）。これは、無線局を開設した者は一般に長期間の運用を望むものであり、かつ、免許有効期間終了の時点において当該無線局が継続開設されても電波有効利用上問題がないと認められることが通常期待されるためである。

再免許も理論的には新たな免許であるが、実質は無線局の継続開設の許可であることから、「総務省令で定める簡易な手続（免16～20）によることができる」（法15）とされている。

2　再免許の手続

⑴　再免許の申請

ア　再免許の申請は、２－３の２⑺イの事項（⒲を除く。）のほか識別信号、免許番号、免許年月日を記載した再免許申請書（免別表１）に次の事項を記載した書類を添えて提出しなければならない（免16、16の２Ⅰ）。

⑺　免許の番号

⑷　継続開設を必要とする理由

⒲　電波の型式並びに希望する周波数の範囲及び空中線電力

㈡　希望する運用許容時間

㈤　将来の業務計画等（電気通信業務用無線局等に限る。）

㈲　免許の期間における業務の概要（基幹放送局、気象援助局等を除く。）

㈸　申請の際における無線設備の工事設計の内容

㈹　人工衛星の使用可能期間（人工衛星に開設する無線局に限る。）

㈾　無線局の目的を遂行できる人工衛星の位置の範囲（人工衛星に開設する無線局に限る。）

イ　ただし、再免許の申請が基幹放送局に係るものであるときは、記載すべき事項は次のとおりとなる（免16の２Ⅱ）。

⑺　アの⑺～㈡及び㈸～㈾の事項

⑷　将来の事業計画（経営形態を除く。）

⒲　将来の事業収支見積り（日本放送協会及び放送大学学園の場合を除く。）

㈡　放送事項（特定地上基幹放送局等の場合に限る。）

㈤　放送区域

㈲　免許の期間における事業並びに資産、負債及び収支の実績（一部基幹放送局の場合を除く。）

(キ) その無線局が用いられる地上基幹放送の業務の認定を受けようとする者の氏名または名称

(ク) 基幹放送の業務に用いられる電気通信設備の概要

ウ　添付書類の提出の省略

地上一般放送局、簡易無線局、構内無線局、気象援助局、標準周波数局、特別業務の局、固定局、基地局、携帯基地局、無線呼出局、陸上移動中継局、陸上局、船舶局、遭難自動通報局、陸上移動局、航空機局、携帯局、船上通信局、移動局、無線標識局、無線航行移動局、無線標定陸上局、無線標定移動局、無線測位局、特定実験試験局、アマチュア局（人工衛星等のアマチュア局を除く。）、携帯基地地球局、携帯移動地球局及び地球局の再免許を申請しようとする場合であって、その添付書類に記載することとなる内容が、現に受けている免許に係る申請書の添付書類の内容と同一である場合は、申請書にその旨を記載して当該申請書に添付する書類の提出を省略することができる（免16の3）。

エ　工事設計書等の提出の省略等

免許の有効期間中において再免許の申請の時までに当該無線局の工事設計の内容に変更がなかったとき又は当該無線局の無線設備の工事設計の内容に変更があった場合において全部の事項について記載した工事設計書を当該変更の許可の申請若しくは届出に際し提出したときは、申請書に添付すべき工事設計書の提出を省略することができる。この場合においては、添付する無線局事項書にその旨を記載しなければならない（免17）。

オ　特定無線局の再免許の申請

特定無線局の再免許の申請については、申請書（別表1の2）及び添付書類の様式、記載事項、添付書類の省略等について、別に定められている（法27の5Ⅲ、免20の8～20の10）。

(2) 申請の期間

再免許の申請は、アマチュア局（人工衛星等のアマチュア局を除く。）

にあっては免許の有効期間満了前１箇月以上１年を超えない期間、特定実験試験局にあっては免許の有効期間満了前１箇月以上３箇月を超えない期間、その他の無線局にあっては免許の有効期間満了前３箇月以上６箇月を超えない期間において行わなければならない。ただし、免許の有効期間が１年以内である無線局については、その有効期間満了前１箇月までに行うことができる（免18Ⅰ）。なお、この規定にかかわらず総務大臣が別に告示する無線局（注）に関するものであって、当該申請を電子申請等により行う場合にあっては、免許の有効期間満了前１箇月以上６箇月を超えない期間に行うことができる（免18Ⅱ）。また、免許の有効期間満了前１箇月以内に免許を与えられた無線局については、免許を受けた後直ちに再免許申請を行わなければならない（免18Ⅲ）。

⑶　審査及び免許の付与

再免許の申請の審査は、最初の新設申請の場合の審査要件（法7、27の4）によって行われる。そして、同要件に適合していると認められるときは、一連の免許手続のうち、予備免許（法8Ⅰ）、落成届（法10）、落成後の検査（法10）等の各手続の全部を省略し、下記の事項を指定して免許（再免許）が与えられる。

ア　一般の無線局の免許の場合（免19）

㈠ 電波の型式及び周波数

㈡ 識別信号

㈢ 空中線電力

㈣ 運用許容時間

イ　特定無線局に係る包括免許の場合（免20の11）

㈠ 電波の型式及び周波数

㈡ 空中線電力

㈢ 指定無線局数（法27の２第２号に掲げる無線局に係る申請にあっては、無線設備の設置場所とすることができる区域）

なお、免許の有効期間が、周波数の再配分を行う必要性等を考慮して設けられている（２－４の１）以上、行政庁において必要と認めるときは、再免許に当たり旧免許の場合と異なる指定を行うことがあり得る。

（注） 再免許申請期間の特例（平成30年総務省告示第355号）。

再免許の申請を免許の有効期間満了前1箇月以上6箇月を超えない期間に行うことができる無線局は次のとおりである。

1 船舶局　2 遭難自動通報局　3 船上通信局　4 無線航行移動局
5 航空機局　6 構内無線局　7 気象援助局
8 包括免許に係る特定無線局であって、電気通信業務を行うことを目的として開設するもの（携帯無線通信を行う無線局及び広帯域移動無線アクセスシステムの無線局（2,575MHzを超え2,595MHz以下の周波数の電波を使用するものを除く。）を除く。）

2－6　簡易な免許手続

無線局は、その種別（目的）、規模又は態様が極めて多岐であり、また、その運用についても、固定してのもの、移動するものあるいは他の無線局から制御されるもの等複雑な事情にある。こうした複雑で多岐にわたる無線局について、その免許申請書類の記載、提出等が一律であることは不合理であるので、無線局の態様に応じて、これら申請書類の記載あるいは提出の方法等の簡略化の途が開かれている。また、無線局の利用の増加に対し、行政庁の事務の合理化と利用者の利便を考慮し、包括免許制度のほか、一定の条件の無線設備を使用する無線局について、免許の手続中の予備免許から免許の前提である工事落成後の検査までの段階的な手続を省略する方法が採られている（法15、27の2）。

1　申請書類の簡略等

この場合の方法としては、申請書及び添付書類（無線局事項書、工事設計書）の記載の省略及び簡略、申請手続の簡略等がある。その概要は、およそ次のとおりである。

ア　無線局の種別、目的、規模等に応じ、無線局事項書の記載事項（法6）の一部の省略（免15）

イ　現在の無線局を廃止し、その無線設備の全部を継続使用して他の無線局を開設する場合の工事設計書の記載の省略（免15の2）

ウ　既に免許申請をしている無線局の無線設備と同じ内容の工事設計の

無線設備を使用する無線局についての工事設計書の記載の省略（免15の3）

エ　同一人が２以上の同種の無線局（一定の種類のものに限る。）を同時に申請する場合で、無線設備の設置場所又は常置場所が同一である場合又は設置場所が同一の総合通信局の管轄区域内の場合、申請書類を１通にとりまとめて記載可能（免15の2の2）

オ　無線設備に、型式検定に合格した機器又は総務大臣が別に告示する適合表示無線設備を使用する場合の工事設計書の記載の省略（免15の3 Ⅲ、Ⅳ）

２　予備免許から工事落成後の検査までの手続を省略する無線局

包括免許に係る特定無線局を除く次の無線局については、その免許の申請を審査した結果、法定の審査事項（法7 Ⅰ、Ⅱ）の各号に適合しているときは、予備免許（法8）、工事設計の変更（法9）、落成後の検査（法10）の各手続がとられることなく、電波の型式及び周波数、呼出符号（標識符号を含む。）又は呼出名称、空中線電力並びに運用許容時間を指定して、無線局の免許が与えられる。

この場合、免許申請書類の写しについては、総務大臣又は総合通信局長が申請書類の写しであることを証明し、免許を与えたときに申請者に返す（免15の4 Ⅱ、15の5 Ⅱ）。

⑴　適合表示無線設備のみを使用する無線局（免15の4）

技術基準適合証明制度等については第４章で述べるが、これらの制度は、小規模な無線局に使用する無線設備であって総務省令で定めるもの（これを「特定無線設備」という。）について、無線局の免許申請前の段階において、電波法令に定める技術基準に適合していることの証明等を行うものである。この証明等を行うにあたっては設計書等の書類審査や無線設備についての実際の試験等が行われる。ここにこの適合表示無線設備を使用する無線局の免許手続を大きく省略する要素があるわけである。

この特定無線設備を定める総務省令は「特定無線設備の技術基準適合証明等に関する規則」であって、その第２条に「何無線局に使用するための無線設備」として定めてある。すなわち、この規則に基づく技術基準適合証明等を受けた特定無線設備（適合表示無線設備）（4－2の2参照）のみを使用する無線局（宇宙無線通信を行う実験試験局を除く。）については、簡易な免許手続により免許が与えられるものである。なお、この適合証明規則では免許を要しない無線局の特定無線設備についても併せて定めてある。

(2) その他特定の無線局

ア 型式検定に合格した無線設備の機器を使用する遭難自動通報局その他総務大臣が告示する無線局（免15の5Ⅰ）

イ 特定実験試験局（免15の6）

3 外国において取得した船舶等の無線局

外国において取得した船舶又は航空機に開設する無線局については、総務大臣は、申請から免許状付与までの電波法の一般的な正規の手続によらないで、免許を与えることができる（法27Ⅰ）。すなわち、免許を受けようとする者は、申請書に無線局事項書（船舶局にあっては免別表2第3、航空機局にあっては免別表2第4）を添えて、総合通信局長に提出する（免31の2Ⅰ）。

この場合、「外国において取得」とは、製造発注、売買、よう船契約、航空機チャーター等の場合が考えられる。

この特例による免許は、その船舶又は航空機が日本国内の目的地に到着したときに、その効力を失うものとされている（法27Ⅱ）。したがって、目的地到着後は、改めて正規の申請を行い、免許を受けなければならない。

2－7 免許内容の変更

無線局の免許を受けた後において、事情の変更により、免許内容を変更する必要が生ずる場合がある。一つは、免許人の自らの希望意志によって変更する場合であり、もう一つは行政庁の監督権限によって変更する場合である。これらの概要は、次のとおりである。

なお、包括免許については、8において一括記述することとする。

⑴　免許人の意志による変更

ア　無線局の目的、通信の相手方、通信事項、放送事項、放送区域、無線設備の設置場所若しくは基幹放送の業務に用いられる電気通信設備の変更又は無線設備の変更の工事（法17）

イ　識別信号、電波の型式、周波数、空中線電力又は運用許容時間の指定の変更（法19）

ウ　免許人の地位の承継（法20）

⑵　行政庁の監督権限による変更（第７章で後述する。）

ア　周波数､空中線電力の指定変更又は人工衛星局の設置場所の変更（法71）

イ　無線局の運用の停止、運用許容時間、周波数又は空中線電力の制限（法76 Ⅰ）

ウ　登録の効力停止（76 Ⅱ）

エ　免許の取消し（法75、76 Ⅲ、Ⅵ）

オ　登録の取消し（76 Ⅴ）

１　無線局の目的、通信の相手方、通信事項、放送事項、放送区域の変更

無線局の目的（注）、通信の相手方、通信事項（放送局の場合は、放送事項）及び放送区域の変更は、予備免許中と同様、免許を受けた後にも総務大臣に申請をし、その許可を受けることによって可能である。ただし、基幹放送局は基幹放送用割当可能周波数の電波を使用するものであり、また、基幹放送局以外の無線局は基幹放送用割当可能周波数以外の周波数の電波を使用するものであるから、基幹放送局以外の無線局が基幹放送をすること、及び基幹放送局が基幹放送をしないこととする無線局の目的変更は認めないこととしている（法17 Ⅰ）。

許可申請は、申請書に変更を必要とする理由その他必要事項を記載した無線局事項書を添えて提出しなければならない（免25 Ⅰ）。

（注）　無線局の目的の変更

　無線局の目的とは、無線局の開設の目的をいい、従前は、原則として変更は認められなかった。それは、目的は無線局の特性のうちの中心的なものであり、目的が変わ

ることは無線局としての一体性が断たれ、別局として認識すべきだと考えられたことによる。現実に、無線局の目的が変われば、その無線局の実質に変更を来し、場合によっては周波数の指定変更等の必要が生じる事態が生じ得た。

しかし、近年の無線技術の発展に対応して、電波利用の柔軟化を促進し、電波のより能率的な利用を促進するため、通信用の無線局を放送にも利用する、あるいは、放送用の無線局を通信にも利用するというように、電波利用のニーズに応じて無線局の目的も柔軟に変更できるようにすることが求められてきた。また、周波数の利用も弾力化が進み、目的の変更を認めてもその無線局の実質に著しい変更を来さない場合も普通に想定されることとなった。そこで平成22年の電波法一部改正において法第17条を整備し、免許人が無線局の目的を変更することができることとされた。

2　無線設備の設置場所の変更

(1)　変更の申請

免許人は、無線設備の設置場所を変更しようとするときは、あらかじめ総務大臣の許可を受けなければならない（法17 I）。設置場所の変更については、すべて許可事項であって、届出で足りる場合はない。

設置場所の変更の許可を申請するときは、申請書に無線局事項書を添付して提出しなければならない。

なお、設置場所を変更するときには、併せて無線設備を変更する必要が生じることがあるが、この場合は、別に下記4の無線設備の変更の工事に関する手続を行わなければならない。

(2)　変更検査

許可を受けた新しい場所での運用は、変更検査を受け、許可の内容に適合していると認められた後でなければ行ってはならない（法18 I）。

変更検査における検査の一部の省略及び検査を要しない場合（施10の4、別表2）があること、変更検査手数料を納付しなければならないこと等は後述の許可を受けて行った無線設備の変更の工事の場合と同じである。

なお、人工衛星の軌道又は位置を変更する場合は、宇宙空間に存在している事実に鑑み変更検査は行われない（法6 I㈣、18 I）。

３　基幹放送の業務に用いられる電気通信設備の変更

免許人は、基幹放送の業務に用いられる電気通信設備を変更しようとするときは、あらかじめ総務大臣の許可を受けなければならない（法17Ⅰ）。ただし、変更が総務省令で定める軽微なものであるときは、変更後遅滞なく、その旨を総務大臣に届け出ればよい（法17Ⅱ）。

総務省令で定める軽微な変更としては、電気通信設備の現用機器の機能を代替することができる予備の機器に対し電力供給するための電源設備の変更であって、当該電気通信設備の性能を低下させないものが定められている（施10Ⅲ、別表１の４）。

なお、無線設備の設置場所の変更の場合と異なり、本変更は変更検査の対象になっていない（法18Ⅰ）。

４　無線設備の変更の工事

⑴　無線設備の変更の工事の要件

予備免許中は、無線設備の内容を変更することを工事設計の変更という。これは、予備免許中は無線設備の実体がないか又は完成されていない時期であるから、設計の変更に外ならないからである。これに対し免許後の無線設備の変更は、設備の実体に手を加える工事を行うものであるから、無線設備の変更の工事という。

呼称は異なるが設備の変更ということは同じであるので、変更の工事の要件は、予備免許中の工事設計の変更に関するものを準用するものとし、次のようになっている（法17Ⅱ、９ⅠⅡⅢ）。

ア　免許人は、無線設備の変更の工事をしようとするときは、あらかじめ総務大臣の許可を受けなければならない。ただし、総務省令で定める軽微な事項については、許可を受けなくてもよい。

イ　軽微な事項について無線設備の変更の工事を行ったときは、遅滞なくその旨を届け出なければならない。

ウ　無線設備の変更の工事は、周波数、電波の型式又は空中線電力に変更を来すものであってはならない（注）。

エ　変更後の無線設備は、技術基準に適合するものでなければならない。

オ　前イの軽微な事項は、予備免許中の工事設計の変更に係る軽微な事項と同じである（既述の2－3の5の⑴参照）。

⑵　許可の申請又は届出

無線設備の変更の工事の許可の申請又は届出をするときは申請書又は届書に無線局事項書（変更を必要とする理由その他必要事項を記載したもの。）及び工事設計書（変更に係る部分について変更後の事項を記載したもの。）を添えて提出しなければならない（免12、25Ⅰ）。

⑶　変更検査

ア　無線設備の変更の工事について、総務大臣の許可を受けた免許人は、工事が落成した場合、その旨を文書により総務大臣又は総合通信局長に届け出て検査（変更検査）を受け、当該変更工事の結果が許可の内容に適合していると認められた（すなわち、変更検査合格）後でなければ、許可に係る無線設備を運用してはならない（法18、免25）。変更検査に合格しないまま、変更部分を運用した者には罰則がある（「1年以下の懲役又は100万円以下の罰金」法110㈤、法114）。

イ　この変更検査は、検査を受けようとする免許人が、検査を受けようとする無線設備について、総務大臣の登録を受けた登録検査等事業者又は登録外国点検事業者の点検を受け、その点検結果を記載した書類（「無線設備等の点検実施報告書」）を総務大臣又は総合通信局長に提出した場合は、検査の一部の省略を受けることができる。即ち、報告書によってアの適合性が確認できれば（本書の落成後の検査及び定期検査の項参照）、実地確認の省略等が行われることとなる（法18Ⅱ、施41の5）。

ウ　許可を受けて無線設備の変更を行った場合は、ア又はイによる確認を受ける（変更検査を受ける）のが原則であるが、特例として、別に総務省令で定める場合は、変更検査を受けなくてもよい（法18Ⅰただし書、施10の4、施別表2）。このときは、許可を受けたら直ちに新しい設備を運用することができる。

エ　変更検査を受けるときは、変更検査手数料として、局種、局の規模に相応した額を所定の手続により納付しなければならない（法103、手数料令４、10）。

（注）無線設備の変更の工事と周波数等の変更

無線設備の変更が原因で、指定事項である周波数、電波の型式又は空中線電力に変更が及ぶことがあってはならないということである。したがって、別途に、あるいは同時に指定の変更の手続（後述の５参照）を行い、これに必要な（通常指定の変更に伴い無線設備の変更が必要となる。）無線設備の変更の工事を行うことは支障ないものである。

５　指定事項の変更

⑴　指定事項の意義

指定事項とは、次に揚げるものをいう。

ア　識別信号

イ　電波の型式及び周波数

ウ　空中線電力

エ　運用許容時間

これらの指定事項は、予備免許のとき、再免許のとき及び簡易な免許手続（２－６参照）による免許のときに指定される。

指定事項は免許状に記載され（法14）、無線局の運用の基準となるものである（法52～55）。

⑵　指定変更の手続

指定事項は、その全部であってもまた一部であっても変更を受けることができる。すなわち、総務大臣は、免許人が指定の変更を申請した場合において、混信の除去その他特に必要があると認めるときは、その指定を変更することができる（法19）。

なお、この場合の手続（免25 Ⅰ）は、予備免許中の指定の変更の場合と全く同様である（２－３の５の⑶参照）。

６　免許人の地位の承継

無線局の免許は、対物的許可の性格のほかに対人的許可の性格も併せ有しているので、免許人たる人格が変われば、原則として、無線局の免許の効力は消滅するものと考えるべきである。しかしながら、特に行政上及び国民生活上の便宜から、免許人が変わっても、引続き無線局の免許人の地位の承継が認められる場合がある（注①）。

電波法上免許人の地位の承継が認められるのは、次に掲げる相続、法人の合併又は分割、事業の全部譲渡及び船舶又は航空機の運行者の変更の場合だけである。

⑴　相続

免許人について相続があったときは、その相続人は免許人の地位を承継する（法20 Ⅰ）。

この場合は、当然承継といって、相続の事実が発生すると自動的に免許人の地位も承継されることになっている。その場合、免許人の地位を承継した者は、遅滞なく、別に定める事項（免20の2）を記載した届出書（免別表5）に、承継の事実を証明する書面を添えて、総務大臣又は総合通信局長に届け出なければならない（法20 Ⅸ）。なお、届出義務懈怠に対しては罰則が設けられている（「30万円以下の過料」法116㈢）。

相続人が2人以上である場合は、民法の規定によって共同相続となるが、その場合は、無線局の免許も共同免許（注②）となる。しかし、電波法では、協議により免許人の地位を承継すべき相続人を定める場合を想定して、相続人を単一化した場合は、他の相続人がこれに同意した事実を証する書面を添付して届け出ることになっている（免20の2）。

⑵　法人の合併

免許人たる法人が合併したときは、合併後存続する法人（吸収合併の場合）又は合併により設立された法人（新設合併の場合）は、総務大臣の許可を受けて免許人の地位を承継することができる（法20 Ⅱ）（注③）。

この場合は、許可を受けて初めて承継ができるが、その許可に当たっての審査は、免許の欠格事由への該当の有無（法5）及び新設の場合の予備免許の審査要件（法7）について行われる（法20 Ⅳ）。

合併の場合の免許人の地位の承継の申請書に記載すべき事項及び添付資料は、別に定められており（免20の3）、またその申請者が、設立登記（新設合併の場合）又は変更登記（吸収合併の場合）を完了した時は、登記事項証明書を総務大臣又は総合通信局長に提出しなければならない（免 20 の 3 Ⅷ）。

⑶　法人の分割

法人の分割には、分割により設立した会社に、分割をする会社の営業を承継させる方法（新設分割という。）又は既に存在する他の会社に、分割をする会社の営業を承継させる（吸収分割という。）方法があるが、いずれの場合も分割により無線局をその用に供する事業の全部を承継した法人は、総務大臣の許可を受けて免許人の地位を承継することができる（法 20 Ⅱ）。

この場合も、許可を受けて初めて承継ができるが、その許可に当たっての審査は、免許の欠格事由への該当の有無（法５）及び新設の場合の予備免許の審査要件（法７）について行われる（法 20 Ⅵ）。

分割の場合の免許人の地位の承継の申請書に記載すべき事項及び添付資料は、合併の場合と同様に別に定められており（免 20 の３）、またその申請者が、設立登記又は変更登記を完了したときは、直ちに登記事項証明書を総務大臣又は総合通信局長に提出しなければならない（免 20 の３Ⅸ）。

⑷　事業の全部譲渡

免許人が無線局をその用に供する事業の全部の譲渡しをしたときは、その譲受人は、総務大臣の許可を受けて免許人の地位を承継することができる（法 20 Ⅲ）。

この場合も、許可を受けて初めて承継ができるが、その許可に当たっての審査は、免許の欠格事由への該当の有無（法５）及び新設の場合の予備免許の審査要件（法７）について行われる（法 20 Ⅵ）。

譲受けの場合の免許人の地位の承継の申請書に記載すべき事項及び添付資料は、別に定められている（免 20 の３の２）。

⑸　特定地上基幹放送局の承継

ア　特定地上基幹放送局の免許人たる法人が分割をしたときは、分割により当該基幹放送局を承継し、これを分割により地上基幹放送の業務を承継した他の法人の業務の用に供する業務を行おうとする法人は、総務大臣の許可を受けて当該特定地上基幹放送局の免許人から当該業務に係る基幹放送局の免許人の地位を承継したものとみなすこととし、また、特定地上基幹放送局の免許人が当該基幹放送局を譲渡し、譲受人が当該基幹放送局を譲渡人の地上基幹放送の業務の用に供する業務を行おうとする場合において、当該譲受人が総務大臣の許可を受けたとき、又は特定地上基幹放送局の免許人が地上基幹放送の業務を譲渡し、その譲渡人が当該基幹放送局を譲受人の地上基幹放送の業務の用に供する業務を行おうとする場合における当該譲渡人が総務大臣の許可を受けたときも同様とする旨規定している（法 20 Ⅳ）。

すなわち(ア)特定地上基幹放送局の免許人たる法人が分割により２法人に別れ、一方がハード事業者になって、ソフト事業者となった他方に業務を提供しようとする場合、及び(イ)特定地上基幹放送局の免許人がハード部分を譲渡してソフト事業者となり、譲受人がハード事業者となって当該ソフト事業者に業務を提供しようとする場合、又は特定地上基幹放送局の免許人がソフト部分を譲渡してハード事業者となり、ソフト事業者たる譲受人のために業務を提供しようとする場合について、当該ハード事業者たらんとする者は、総務大臣の許可を得て免許人の地位の承継をすることができる。

イ　他の地上基幹放送の業務の用に供する基幹放送局の免許人が当該地上基幹放送の業務を行う認定基幹放送事業者と合併をし、又は当該地上基幹放送の業務を行う事業を譲り受けた場合において、合併後存続する法人若しくは合併により設立された法人又は譲受人が総務大臣の許可を受けたときは、当該法人又は譲受人が当該基幹放送局の免許人から特定地上基幹放送局の免許人の地位を承継したものとみなすこととし、また、地上基幹放送の業務を行う認定基幹放送事業者が当該地上基幹放送の業務の用に供する基幹放送局を譲り受けた場合において、総務大臣の許可を受けたときも同様とする旨規定している（法 20 Ⅴ）。

すなわち(ア)ハード事業者が業務を提供しているソフト事業者と合併し、又は当該ソフト事業者の事業を譲受したときは、合併法人又は譲受人は総務大臣の許可を受けて、免許人の地位を承継することができ、また(イ)ソフト事業者がその利用するハード（基幹放送局）を譲受したときも同様とされる。

(6)　船舶、航空機の運行者の変更

船舶局のある船舶若しくは船舶地球局（電気通信業務を行うことを目的とするものを除く。）又は無線設備が遭難自動通報設備若しくはレーダーのみの無線局のある船舶について、船舶の所有権の移転その他の理由により船舶を運行する者に変更があったときは、変更後船舶を運行する者は、免許人の地位を承継する（法 20 Ⅶ）。航空機局若しくは航空機地球局（電気通信業務を行うことを目的とするものを除く。）のある航空機又は無線設備がレーダーのみの無線局のある航空機についても同様である（法 20 Ⅷ）。

運行者とは、当該船舶又は航空機等の運行について実質的に支配している者をいう。所有権者、よう船契約者等が通常これに該当する。運行者は、当該船舶又は航空機等に設置してある無線局の運営者であり、かつ、通信の実施者となるものであるから、通信の実施者が免許人たるべきものとする建前から、運行者に変更がある場合、免許人の地位の移転の問題が生じてくるのである。

ア　船舶に係る運行者の変更は、所有権の移転（売買、譲渡、遺贈等）による場合のほか、よう船契約等による場合がある（注④）。

イ　航空機に係る運行者の変更は、船舶の場合と同様に所有権の移転のほか、チャーター等による場合がある（注⑤）。

なお、よう船契約や航空機のチャーター契約は、その契約態様が多岐にわたるものであるから、これが運行者の変更にかかわるかどうかは、個々の契約内容によって決まるものである。

上記の運行者に変更があった場合は、相続の場合と同様に当然に免許人の地位も承継され、総務大臣への届出義務が生じる（法 20 Ⅶ）。届出の手続及び届出義務解怠に対する罰則については、(1)の相続の場合と同様である。

(注①) 対人的許可と対物的許可

「対人的許可」とは、申請者の経歴、技能、健康等を審査して許可されるもので、許可の効力の移転は認められない。電波法上の無線従事者の免許、医師法上の医師の免許等がこれに該当する。

「対物的許可」とは、申請内容による社会上の障害の有無、物的設備、地理的事情等、外部事情を審査して許可されるもので、許可の効力の移転が認められる。無線局の免許は、この両者の性質を併せ有するものと解され、電波法上に法定された場合にのみその承継が認められている。

(注②)「共同免許」とは、2以上の者が共同して単一の免許を受けたものをいう。この場合の複数の免許人は、連帯して電波法上の権利義務の主体となるものと解される。

(注③) 新設合併と吸収合併

「新設合併」とは、A会社とB会社が解散して消滅し、それと同時に新しいC会社を設立して、両者がこの中に入り込むことをいう。

「吸収合併」とは、合併により、AB両当事会社のうち、A会社だけが存続し、B会社をその中に吸収する場合をいう。この場合、A会社は定款の変更を行い、B会社は解散する。

(注④) よう船契約

よう船契約の代表的なものとして、次のようなものがある。

(ア) 裸よう船契約（Bare charter）とは、船体のみについての船舶賃貸借契約である。

(イ) 定期よう船契約（Time charter）とは、船舶の全部を貸切るとともに、船長をよう船者の商業上の指揮下におく契約である。

(注⑤) 航空機のチャーター

航空機のチャーターとして、次のようなものがある。

(ア) ドライ・チャーター（Dry chater）とは、船舶の裸よう船契約に該当するものである。

(イ) ウェット・チャーター（Wet charter）とは、船舶の定期よう船契約に該当するものである。

7 変更に係る申請及び届出等の書類

変更等の申請書及び届書（添付書類を含む。）の提出先、提出部数、記載の簡略等は、原則として免許申請書の場合と同様である。

8　包括免許の免許内容の変更

特定無線局の免許を受けた包括免許人については、前述の1～5に記述する変更に関する規定（法17、19）の適用はなく、別途次のとおり定められている（法27の11）。

⑴　目的、通信の相手方及び無線設備の工事設計の変更

包括免許人は、特定無線局の目的若しくは通信の相手方を変更しようとするとき又は特定無線局の免許申請書に記載した無線設備の工事設計と異なる工事設計に基づく無線設備を無線通信の用に供しようとするときは、あらかじめ総務大臣（総合通信局長）の許可を受けなければならない。ただし、基幹放送をすることとするという内容の目的の変更はできない（法27の8）。

この許可を受けようとするときは、申請書に所定の様式（包括免許申請の際の様式に同じ。）の無線局事項書及び工事設計書を添えて提出しなければならない（免25の2 Ⅰ）。

⑵　指定事項の変更

包括免許（再免許を含む。）の付与の際、総務大臣が申請者に指定する事項についても、一定の条件のもとではあるが、申請によって変更をうけることができる。即ち、総務大臣は、電波の型式、周波数、空中線電力又は指定無線局数について、包括免許人から指定の変更の申請があった場合において、その変更が電波の能率的な利用の確保、混信の除去その他特に必要があると認めるときは、その指定を変更することができることとなっている（法27の9）。

なお、この指定変更の申請手続は、⑴の許可申請の手続と同様である（免25の2 Ⅱ）。

⑶　包括免許人の地位の承継

一般無線局の免許人の場合と同様である（6参照）（法27の11 Ⅱ）。

2－8　免許状の取扱

⑴　免許状の意義

免許状は、総務大臣が無線局の免許を与えたときに交付するもので、免許を与えたということを公に証明する書類であり、かつ、免許の内容を表示する書類でもある。

無線局には免許状を備え付けておかなければならないのが原則である（法60、施38 Ⅰ）。

⑵　免許状の訂正

免許人は、免許状に記載した事項に変更が生じたときは、免許状を総務大臣に提出して訂正を受けなければならない（法21）。

訂正の申請は、①免許人の氏名又は名称及び住所並びに法人にあっては、その代表者の氏名、②無線局の種別及び局数、③識別信号（包括免許に係る特定無線局を除く。）、④免許の番号又は包括免許の番号、⑤訂正を受ける箇所及び訂正を受ける理由を記載した申請書を総務大臣又は総合通信局長に提出して行う（免22 Ⅰ、Ⅱ、別表6の5）。

上記の申請に対し、総務大臣又は総合通信局長は新たな免許状の交付による訂正を行うことがある。また、総務大臣又は総合通信局長は申請がなくても職権により訂正を行うこともある（免22 Ⅲ、Ⅳ）。

免許人は、新たな免許状の交付を受けたときは、遅滞なく旧免許状を返さねばならない（免22 Ⅳ）。

⑶　免許状の再交付

免許人は、免許状を破損し、汚し、失った等のために免許状の再交付の申請をしようとするときは、①免許人の氏名又は名称及び住所並びに法人にあっては、その代表者の氏名、②無線局の種別及び局数、③識別信号（包括免許に係る特定無線局を除く。）、④免許の番号又は包括免許の番号、⑤再交付を求める理由を記載した申請書を総務大臣又は総合通信局長に提出して行う（免23 Ⅰ、Ⅱ、別表6の8）。この場合、所定の手数料を納めなければならない（手数料令8）。

なお、免許人は新たな免許状の交付を受けたときは、亡失等の場合を除き、遅滞なく旧免許状を返さなければならない（免23 Ⅲ）。

⑷　免許状の返納

免許がその効力を失ったときは、免許人であった者は、1か月以内にその免許状を返納しなければならない（法24）。

なお、1か月以内に免許状を返納しない者には罰則がある（「30万円以下の過料」法116㈢）。

2－9　無線局の運用の休止及び廃止

⑴　休止と廃止の意義

無線局の運用の休止とは、無線局の運用の一時的中断である。再開の意志を持つ限り格別の休止期間の制限はないが、正当な理由なく無線局の運用を引続き6か月以上休止すると、総務大臣から免許を取り消されることがある（法76 Ⅱ㈠）。

無線局の廃止とは、単に無線局の物理的な滅失をいうのではなく、免許人が無線局によってその局の無線通信業務を行うことを止める意志を表示することを指すものであり、いわば電波の利用社会からの脱退を意味する。運用休止中はまだ免許の効力は存続しているが、廃止すれば、免許はその効力を失う（法23）。

⑵　休止と廃止の自由及び手続

運用の休止も廃止もともに、原則として免許人の自由意思による。しかし、次のような届出義務がある。

ア　一定の無線局については、その無線局の運用を1か月以上休止するときは、免許人はその休止期間を総務大臣に届け出なければならない。休止期間を変更するときも同様である（法16 Ⅱ、施10の2）。ここで一定の無線局というのは、無線局の免許を受けたとき、その運用開始の期日を届け出なければならない無線局（2－3の10参照）のことである。

イ　免許人（包括免許人を除く。）はその無線局を廃止するときは、その旨を総務大臣に届け出なければならない（法22）。第1号包括免許人は、その包括免許に係るすべての特定無線局を廃止するときは、その旨を総務大臣に届け出なければならない（法27の10 I）。第2号包括免許人は、その包括免許に係る特定無線局を廃止したときは、15日以内に総務大臣に届け出なければならない（法27の6 III、施15の4）。

免許人又は第1号包括免許人による廃止の届出は、廃止する前に、次に掲げる事項を記載した届出書によって行う。ただし、災害等により運用が困難となった無線局又は包括免許に係る全ての特定無線局に係る当該届出は、当該無線局又は特定無線局の廃止後遅滞なく、当該災害等により無線局の運用が困難となった日に廃止した旨及びその理由並びに次に掲げる事項を記載した文書を総務大臣又は総合通信局長に提出して行うことができる（免24の3、別表7）。

(ア) 免許人の氏名又は住所並びに法人にあっては、その代表者の氏名

(イ) 無線局の種別及び局数

(ウ) 識別信号（包括免許に係る特定無線局を除く。）

(エ) 免許の番号又は包括免許の番号

(オ) 廃止する年月日（事後届出の場合は、廃止した年月日）

第2号包括免許人による廃止の届出は、次に掲げる事項を記載した文書を総務大臣又は総合通信局長に提出して行う。

(ア) 包括免許人の氏名又は名称及び住所並びに法人にあっては、その代表者の氏名

(イ) 包括免許の番号

(ウ) 特定無線局の番号

(エ) 廃止した年月日

(オ) 包括免許に係る全ての特定無線局を廃止したときは、その旨

ただし、屋内その他他の無線局の運用を阻害するような混信その他の妨害を与えるおそれがない場所に設置する基地局に係るものであるときは、(ウ)の記載は不要であり、代わりに無線設備の工事設計の内容の記載が必要となる（免24の4 I、別表7の2）。

ウ　休止と廃止の自由は、電波法以外の法令で次に揚げるような制約を受ける。

(ア)　日本放送協会は、不可抗力による場合その他一定の場合を除き、総務大臣の許可がなければ、その基幹放送局を廃止し、又はその放送を12時間以上（協会国際放送にあっては24時間以上）休止することができない（放86 Ⅰ）。

(イ)　義務船舶局又は義務航空機局の場合は、休止又は廃止を行えば、船舶安全法又は航空法の規定によりその船舶又は航空機の運行ができなくなる。

２－10　免許の失効

(1)　免許の失効の原因

次の場合に該当するときは、無線局の免許はその効力を失う。

ア　無線局の廃止（法22、27の10 Ⅱ）

イ　有効期間の満了（法13）

ウ　外国で取得した船舶又は航空機の無線局が、特例によって免許が与えられた場合、その船舶又は航空機が日本国内の目的地へ到着したとき（法27）

エ　免許の取消し（法75、76 Ⅱ）

オ　免許人の不存在（法人の解散、免許人が死亡して相続されない場合）

カ　超短波放送又はテレビジョン放送をする無線局の電波に重畳して多重放送をする無線局の場合、重畳される側の本体無線局の免許が効力を失ったとき（法13の2）

(2)　免許失効の場合の措置

無線局が上記によりその免許の効力を失ったときは、免許人であった者は、

ア　１か月以内に免許状を返納しなければならない（法24）。返納しない者には罰則がある（「30万以下の過料」法116㈢）。

イ　遅滞なく空中線の撤去その他の総務省令で定める電波の発射を防止するために必要な措置（無線設備の区別に応じ、空中線の撤去、送信機の撤去、電源設備の撤去、電池の取外し等が定められている（施42

の2）。）を講じなければならない（法78）。本規定に違反した者には罰則がある（「30万円以下の罰金」法113㈥）。

2－11　無線局の登録

⑴　登録の申請

無線局の登録を受けようとする者は、次の事項を記載した申請書を総務大臣に提出しなければならない（法27の18Ⅱ）。この申請は2－1の3⑷アの無線局の種別に従い、送信設備の設置場所（移動する無線局にあっては送信装置）ごとに行うこととされている（免25の9Ⅰ）。

ア　氏名又は名称及び住所並びに法人にあってはその代表者の氏名

イ　開設しようとする無線局の無線設備の規格

ウ　無線設備の設置場所

エ　周波数及び空中線電力

また、この申請書には、次の事項を記載した書類を添付しなければならない（法27の18Ⅲ、免25の10Ⅱ）。

ア　開設の目的

イ　運用開始の予定期日

ウ　希望する登録の有効期間

エ　移動する無線局にあっては、常置場所

オ　無線設備の工事設計の内容

カ　他の無線局の免許人等との間で混信その他の妨害を防止するために必要な措置に関する契約を締結しているときは、その契約の内容

⑵　登録の実施

総務大臣は、登録の申請があったときは、⑶により登録を拒否する場合を除き、次の事項を総合無線局管理ファイル（全無線局について免許又は登録に関する事項を電子情報処理組織によって記録するファイルをいう（法103の2Ⅱ㈡）。）に登録しなければならない（法27の19）。

ア　⑴のア～エの事項

イ　登録の年月日及び登録の番号

⑶　登録の拒否

総務大臣は、登録の申請が次のいずれかに該当する場合には、登録を拒否しなければならない（法27の20Ⅰ）。

ア　無線設備の設置場所が、登録局開設が認められる区域として総務省令で定められる区域（２－１の３⑷ウの区域）以外であるとき

イ　申請書又はその添付書類のうちに重要な事項について虚偽の記載があり、又は重要な事実についての記載が欠けているとき

また、総務大臣は、登録の申請が次のいずれかに該当する場合には、登録を拒否することができる（法27の20Ⅱ）。

ア　申請者が法第５第３項の規定により「無線局の免許を与えないことができる」とされる者であるとき（２－２の３参照）

イ　申請に係る無線局と使用する周波数を同じくするものについて既設登録局の登録人（無線局の登録を受けた者をいう。以下同じ。）に対し登録に係る無線局の開設が禁止され、又は登録局の運用が制限されているとき（７－２の５⑵参照）

ウ　以上のほか、申請に係る無線局の開設が周波数割当計画に適合しないときその他電波の適正な利用を阻害するおそれがあると認められるとき

⑷　登録の有効期間

登録の有効期間は、登録の日から起算して５年を超えない範囲において総務省令で定めることとされており、総務省令では５年と定められている。また、免許の場合と同様再登録もありうる（法27の21、施７の３）。有効期間の終期の統一及び短期の有効期間についても免許の場合と同様である（２－４の３、２－４の４⑴参照）（施８、９）。

⑸　変更登録等

登録人は無線設備の設置場所又は周波数若しくは空中線電力を変更しようとするときは、次の軽微な変更の場合を除き、変更登録を受けなければならない（法27の23Ⅰ、施19Ⅰ）。

ア　登録局開設が認められる区域内における無線設備の設置場所（移動

する無線局にあっては、常置場所又は移動範囲）の変更であって、登録をした総合通信局長の管轄区域を超えないもの

イ　周波数又は空中線電力の変更であって、無線設備の変更の工事を伴わないもの

変更登録を受けるに当たっても申請書を提出することを要し、総務大臣は、(2)及び(3)に準じて登録又は拒否をすることになる（法27の23 Ⅱ、Ⅲ）。

また、登録人は氏名若しくは名称、住所又は代表者の氏名（法人の場合）に変更があったとき又は上記軽微な変更をしたときは、遅滞なくその旨を総務大臣に届け出なければならない。それを受けて総務大臣は遅滞なく登録を変更することを要する（法27の23 Ⅳ）。

(6)　承継

次の場合には登録人の地位はそれぞれの行為の相手に承継される。ただし、承継すべき者が(3)後段のア又はウに該当するときはこの限りでない（法27の24 Ⅰ）。

ア　登録人が登録局をその用に供する事業の全部を譲渡したとき

イ　登録人について相続、合併又は分割（登録局をその用に供する事業の全部を承継させるものに限る。）があったとき

登録人の地位を承継した者は、遅滞なく、その事実を証する書面を添えて総務大臣に届け出なければならない（法27の24 Ⅱ）。

免許人の地位の承継の場合は相続のときのみ当然承継となり、他は総務大臣の許可を要するが、登録人の地位の承継は原則すべて当然承継となり、免許の場合に比べて緩い制度となっている。ただ、例えば相続人が、電波法に規定する罪を犯して罰金刑に処せられ、その執行を終わった日から2年を経過しない者である場合、登録人の地位は承継されないこととされている。免許人の地位が相続で承継される場合についてはこのような制限規定はないが、そもそも無線局については開設者が異なれば別局として別途開設手続が必要であるのが原則であるところ、行政上及び社会生活上の便宜を考慮し特に承継という方法が認められているものであるから、相対的欠格事由を有する者にまで相続人であることを理由に当然承継を認めるこ

とは妥当でないと思われる。その意味で登録人に係る制度が合理的であり、免許人の場合についても立法的に措置されることが望ましい。

(7)　廃止の届出

登録人は、登録局を廃止したときは、遅滞なく、総務大臣に届け出ることを要し、届出があった場合、登録はその効力を失う（法27の26）。

(8)　登録の特例

登録を受けなければならない無線局を、登録局の開設が認められる区域として総務省令で定める区域内に２以上開設しようとする者は、その無線局が周波数及び無線設備の規格を同じくするものである限りにおいて、それらの無線局を包括して対象とする登録を受けることができる（法27の29 Ⅰ）。この場合、申請書には無線設備の設置場所に代えて「無線設備を設置しようとする区域（移動する無線局にあっては、移動範囲）」を記載すべきこととされている（法27の29 Ⅱ）。

この登録を受けた者を包括登録人というが、包括登録人は申請書記載事項を変更しようとするときは(5)に準じて変更登録を受けるべきこととされている（法27の30 Ⅰ、施19 Ⅱ）。また、包括登録人は、登録に係る無線局を開設したときは、当該無線局ごとに、15日以内に次の事項を総務大臣に届け出なければならない（法27の31、施20、免25の23）。

ア　運用開始の期日

イ　無線設備の設置場所（移動する無線局にあっては、移動範囲及び常置場所）

ウ　登録人の氏名又は名称及び住所並びに法人にあっては、その代表者の氏名

エ　登録局を開設した日

オ　登録の年月日

カ　登録の番号

キ　無線設備の工事設計の内容

この登録は、包括登録人がその登録に係るすべての無線局を廃止したときは、その効力を失う（法27の33）。

(9)　その他

以上のほか、登録状（法27の22）及びその訂正（法27の25）、返納（法27の28）、登録の抹消（法27の27）等について法定されており、さらに、登録手続の詳細は無線局免許手続規則第5章で定められている。

2－12　無線局の開設に関するあっせん等

多種多様な無線システムが実用化され、電波利用の需要が拡大すると周波数逼迫への対応策が喫緊の課題となる。新たな周波数需要に応じた電波の効率的な利用を促進するためには、個別の無線局の開設に当たって、既存の無線局との混信等を排除した運用を可能とするための当事者間における事前調整が重要な役割を担うようになる。

また、無線局開設後においても、事業の拡大に合わせた無線局の移動範囲の拡大や周波数の追加等の要望が出てくるが、このような場合においても、他の既存無線局との混信等を排除した運用を可能とするためには、当事者間での調整を行うことが重要である。

このような事前調整が調わないときには、既存無線局との混信のおそれが高い部分には周波数を割り当てることができず、調整が調った場合に比べて電波の利用効率が落ちることとなる。

このため、事前調整を円滑に進め、電波の効率的な利用を図るために、国が関係当事者間の利害調整を支援することとし、電気通信紛争処理委員会（注）によるあっせん及び仲裁の制度が導入された。

（注）電気通信紛争処理委員会

電気通信事業法第144条第1項の規定により総務省に置かれた委員会で、同法、電波法及び放送法の規定によりその権限に属させられた事項を処理する。両議院の同意を得て総務大臣が任命する5人の委員によって組織される。

1　あっせん・仲裁の手続

(1)　あっせんの申請とあっせん委員

新に無線局を開設し、又は無線局の無線設備の変更工事や無線局の免許の指定事項を変更しようとする者、変更登録をしようとする者が、その開設・変更等により混信その他の妨害を与えるおそれがある他の免許人等に対し、妨害を防止するために必要な措置に関する契約の締結について協議を申し入れたにもかかわらず、協議に応じず、又は協議が調わないとき（注）は、当事者が電気通信紛争処理委員会に対し、あっせんを申請することができる。ただし、当事者が⑵の仲裁の申請をした後は、この限りでない。

委員会は、当事者が不当な目的でみだりにあっせんを申請した等と認めるときを除きあっせんを行うこととし、委員その他の職員のうちからあっせん委員を指名する。指名されたあっせん委員は、当事者間をあっせんし、双方の主張の要点を確かめて事件解決に努め、さらに当事者から意見を聴取し、報告を求め、事件の解決に必要なあっせん案を作成して提示する。

なお、⑴の協議が調わず当事者の双方が委員会に対して仲裁を申請したときは、このあっせんを打ち切るものとする（法27の35 Ⅰ、Ⅱ）。

⑵　仲裁の申請と仲裁委員

⑴の協議が調わないときは、当事者の双方は、委員会に対して仲裁を申請することができる。委員会による仲裁は、３人の仲裁委員が行うが、この仲裁委員は、委員会の委員その他の職員のうちから当事者の合意によって選定した者につき、委員会によって指名される。仲裁については、仲裁委員を仲裁人とみなして仲裁法（平成15年法律第138号）の規定を準用することとしている（法27の35 Ⅲ、Ⅳ）。

（注）妨害の防止の協議

無線局の免許人等は、妨害の防止の協議の申入れがあったときは、電波の公平かつ能率的な利用を確保する見地から、誠実に協議を行うとともに、相当の期間内に当該協議が整うよう努めなければならないこととされている（運４の２）。

２　あっせん・仲裁の対象無線局に係る業務

⑴　あっせん・仲裁の適用対象業務

法第27条の35では本制度の対象となる無線局について「電気通信業務その他の総務省令で定める業務を行うことを目的とするものに限る」と規定しており、本制度の適用対象が限られている（法27の35 Ⅰ）。

総務省令で定める業務としては、極めて公共性が高く、かつその遂行に電波利用が不可欠であって、その無線局と既存局との間の調整が円滑に行われることが必要である次のものが規定されている（施20の2）。

ア　電気通信業務

イ　放送の業務

ウ　人命若しくは財産の保護又は治安の維持に係る業務

エ　電気事業に係る電気の供給の業務

オ　鉄道事業に係る列車の運行の業務

カ　ガス事業に係るガスの供給の業務

キ　デジタルＭＣＡ陸上移動通信又は高度ＭＣＡ陸上移動通信を行う無線局を使用する業務

(2)　あっせん・仲裁に係る無線局に関する事項

その変更があっせん・仲裁の対象となる無線局に関する事項としては、次に掲げるものが省令で規定されている（法27の35 Ⅰ、施20の3）。

ア　通信の相手方

イ　通信事項

ウ　無線設備の設置場所（包括登録に係る登録局にあっては、無線設備を設置しようとする区域（移動する無線局にあっては、移動範囲））

エ　無線設備

オ　放送事項

カ　放送区域

キ　識別信号

ク　電波の型式

ケ　周波数

コ　空中線電力

サ　運用許容時間

3　あっせん・仲裁を行う機関等

あっせん・仲裁制度の対象無線局等を考慮して、あっせん・仲裁機関は、電気通信事業法において設置されている機関である「電気通信紛争処理委員会」としたものである。

（あっせん・仲裁の図）

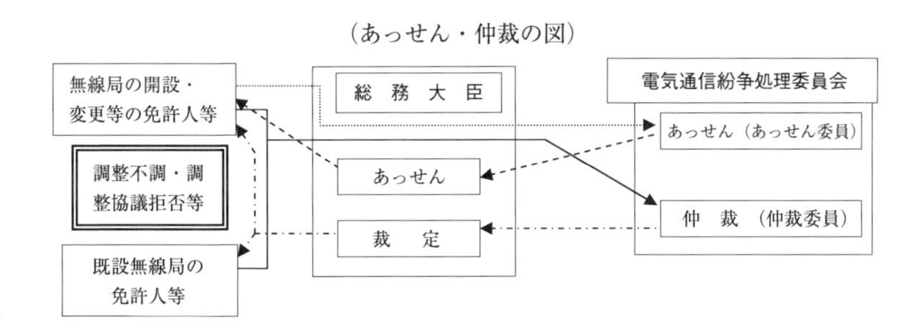

また、あっせん・仲裁手続の申請は、処理手続の窓口の一元化により申請者の混乱を防ぐようにするため、電気通信事業法における場合と同様に総務大臣を経由することとしている（法27の35Ｖ）。

第３章
無線設備

3－1　総　説

1　無線設備の定義

第１章で述べたように、無線設備とは、無線電信、無線電話その他電波を送り又は受けるための電気的設備をいう。したがって、設備別ないしは用途別にみれば無線電信、無線電話、テレメーター、テレビジョン、ファクシミリ、ラジオ・ゾンデ、レーダー、無線測位等がある。

また、無線設備は、無線設備の操作を行う者とともに、無線局を構成する要素である（法２(五)）。

2　無線設備の機能上の分類

無線設備は、電波を送り又は受けるための電気的設備であるが、これを電波送受の機能によって分類すれば次のようになる。

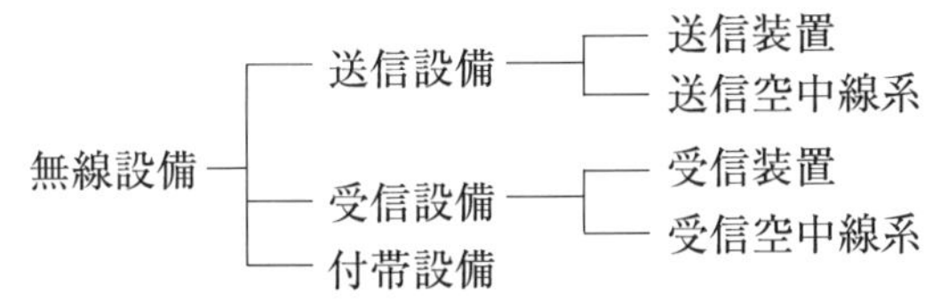

ここで「送信設備」とは、送信装置と送信空中線系とから成る電波を送る設備をいい（施２Ｉ（三十五））、「送信装置」とは、無線通信の送信のための高周波エネルギーを発生する装置及びこれに付加する装置を（施２Ｉ（三十六））、「送信空中線系」とは、送信装置の発生する高周波エネルギーを空間へ輻射する装置をいうものである（施２Ｉ（三十七））。

受信設備とは、電波を受ける設備であって、受信装置及び受信空中線系で構成されるものである。

付帯設備は、直接電波を送受信するものではないが、送受信設備の能力をより完全に発揮させるための付加装置及び発射電波の偏差の自己監査のための装置並びに無線設備が人体又は物件に損傷を与えることを防ぐ施設等の特殊な設備をいうものである。

3　無線設備の規制及び技術基準

電波法令は、無線設備に対し極めて詳細な技術基準を設けている。その理由は、おおむね次のとおりである。

⑴　無線局の通信目的の達成

無線局は、それぞれ開設の目的を有するのであるから、その目的を十分達成しうる無線設備の能力がなければならない。したがって、一定の技術条件を満たしている無線設備が必要となる。

⑵　他局への妨害排除

空間を共通の通路として伝達される無線通信は、電波の質を中心として無線設備の全ての条件において一定の基準に達していなければ他局への妨害は必至であり、ひいては通信目的の達成はもちろん、通信秩序の維持すらも困難となる。このために、厳格な技術条件が要求されることになる。

⑶　電波の規律上の要件

電波の適正利用に関する施策又は個々の無線局の管理にあたっては無線設備の技術基準を前提としなければならないことが多い。

例えば、周波数の指定について、いかなる間隔をもって割り当てるべきかは、発射電波の周波数の許容偏差及び幅、あるいは受信装置の感度、選択度、了解度等の技術的条件に左右される。

3－2　無線設備の通則的条件

1　電波の型式の表示

電波の主搬送波（注①）の変調の型式、主搬送波を変調（注②）する信号の性質及び伝送情報の型式は、次のように分類し、それに対応する記号をもって表示される。ただし、主搬送波を変調する信号の性質を表示する記号は、対応する算用数字をもって表示することがある（施４の２）。

⑴　主搬送波の変調の型式　［記号］

ア　無変調　N

イ　振幅変調（注③）

(ア)　両側波帯（注④）	A
(イ)　全搬送波（注⑤）による単側波帯	H
(ウ)　低減搬送波（注⑥）による単側波帯	R
(エ)　抑圧搬送波（注⑦）による単側波帯	J
(オ)　独立側波帯（注⑧）	B
(カ)　残留側波帯（注⑨）	C
ウ　角度変調（注⑩）	
(ア)　周波数変調（注⑪）	F
(イ)　位相変調（注⑪）	G
エ　同時に、又は一定の順序で振幅変調及び角度変調を行うもの	D
オ　パルス変調（注⑫）	
(ア)　無変調パルス列	P
(イ)　変調パルス列	
a　振幅変調	K
b　振幅変調又は時間変調	L
c　位置変調又は位相変調	M
d　パルスの期間中に搬送波を角度変調するもの	Q
e　aからdまでの各変調の組合せ、又は他の方法によって変調するもの	V
カ　アからオまでに該当しないものであって、同時に、又は一定の順序で振幅変調、角度変調又はパルス変調のうちの2以上を組合わせて行うもの	W
キ　その他のもの	X
(2)　**主搬送波を変調する信号の性質**	［記号］
ア　変調信号のないもの	0
イ　デジタル信号（注⑬）である単一チャネルのもの	
(ア)　変調のための副搬送波（注⑭）を使用しないもの	1
(イ)　変調のための副搬送波を使用するもの	2

ウ　アナログ信号（注⑮）である単一チャネルのもの　3

エ　デジタル信号である２以上のチャネルのもの　7

オ　アナログ信号である２以上のチャネルのもの　8

カ　デジタル信号の１又は２以上のチャネルとアナログ信号の１又は２以上のチャネルを複合したもの　9

キ　その他のもの　X

⑶　伝送情報の型式　［記号］

ア　無情報　N

イ　電信

㈠　聴覚受信を目的とするもの　A

㈡　自動受信を目的とするもの　B

ウ　ファクシミリ　C

エ　データ伝送（注⑯）、遠隔測定（注⑰）又は遠隔指令（注⑱）　D

オ　電話（音響の放送を含む。）　E

カ　テレビジョン（映像に限る。）　F

キ　アからカまでの型式の組合せのもの　W

ク　その他のもの　X

⑷　電波の型式の表記

電波の型式は、上記の主搬送波の変調の型式、主搬送波を変調する信号の性質及び伝送情報の型式を同表に規定する記号をもって、かつ、その順序によって表記することになっている（施４の２Ⅱ）。具体的に例示すれば、次のとおりである。

ア　変調のための副搬送波を使用しない振幅変調の両側波帯の聴覚受信を目的とする電信　A1A

イ　単一チャネルのアナログ信号で振幅変調した両側波帯の電話（音響の放送を含む。）　A3E

ウ　単一チャネルのアナログ信号で振幅変調した抑圧搬送波の電話（音響の放送を含む。）　J3E

エ　単一チャネルのアナログ信号で周波数変調した電話（音響の放

送を含む。）　F3E

オ　単一チャネルのアナログ信号で振幅変調した残留側波帯のテレビジョン（映像に限る。）　C3F

カ　２チャネル以上のデジタル信号で位相変調した伝送情報型式の組合せのもの　G7W

キ　パルス変調で情報を送るための変調のないもの（レーダー等）　P0N

（注①）搬送波

音声、映像等の信号によって変調される持続波をいう。非常に高い周波数を有する持続波の振幅等を信号の波形に従って変化せしめ、これによって信号が搬送されるので Carrier（搬送波）という言葉が用いられる。

（注②）変調

伝送しようとする情報を搬送波に乗せる手段をいう。目的とする伝送内容（符号、音声、写真、テレビジョンなど）を忠実に、かつ、能率的に伝えるために種々の方法が考えられているが、大別すると振幅変調、角度変調（周波数変調又は位相変調）、パルス変調に分けられる。

（注③）振幅変調

変調波によって搬送波の振幅を変化させる変調の方式をいう。

（注④）側波帯

電波を振幅変調すれば、搬送波を中心として上下両側に対称的に、いわゆる上側波帯と下側波帯が発生する。この両側波帯を使用する方式をDSB（Double Side Band）方式といい、片側の側波帯すなわち、単側波帯のみを使用する方式をSSB（Single Side Band）方式という。

（注⑤）全搬送波

両側波帯用の受信機で受信可能となるよう搬送波を一定のレベルで送出する電波をいう（施２（六十七））。この電波は、側波帯の電力とほぼ同程度のエネルギーを有する搬送波を添加して送信される。

（注⑥）低減搬送波

受信側において局部周波数の制御等に利用するため一定のレベルまで搬送波を低減して送出する電波をいう（施２（六十六））。この電波は、一定レベルの搬送波を同時に送信するので、これにより受信側において自動周波数調整（AFC）ができる。

（注⑦）抑圧搬送波

受信側において利用しないため搬送波を抑圧して送出する電波をいう（施２

（六十五））。この電波は、搬送波を側波帯の平均電力より通常40dB以上抑圧して送出するので、搬送波電力は極めて微少で、発射電力のほとんどを情報の伝送に寄与させることができる。受信側では、局部発振器の発振周波数を調整して送信側と同期をとる。

（注⑧） 独立側波帯方式

それぞれ独立した側波帯を並べて2CH～4CHを伝送する多重方式をいう。パイロット周波数を付加して送出し、受信側ではこのパイロット周波数を基準として同期をとる。ISB（Independent Side Band）方式とも呼ばれている。

（注⑨） 残留側波帯

搬送波の一部と片方の側波帯（普通は下側波帯）の大部分を取り除いた残部だけを使う通信方式を「残留側波帯方式」という。

（注⑩） 角度変調

搬送波の角度を信号に従って変化させる変調の方式をいい、その周波数を変化させる場合を周波数変調、位相を変化させる場合を位相変調という。

（注⑪） 周波数（位相）変調

変調波によって搬送波の周波数（位相）を変化させる方式をいい、外部雑音に対して強く、忠実度が良好な性質を有しているが、必要周波数帯幅が広くなるため、搬送波が30MHz以下（長波、中波、短波）においては、FS方式以外は利用されず、超短波帯以上に利用されている。

（注⑫） パルス変調

搬送波をパルス性の変調波によってON－OFFする変調の方式をいう。必要周波数帯幅が極めて大きくなるため、マイクロ波における多重通信に適している。パルスを変化させる内容によって、PAM、PWM、PPM、PCM等に分類される。

（注⑬） デジタル信号

離散的な値のみを表示する信号をいう。電信符号のようにアナログ量を介さないものもあるが、通常はアナログ量を有限個のけた数の数値に変換すること（量子化）によって得られる。

（注⑭） 副搬送波

ある信号でまずはじめに主搬送波とは別の搬送波を変調し、この被変調波でさらに主搬送波を変調する方式をとる場合において、最初の変調される搬送波をいう。

（注⑮） アナログ信号

連続した値を表し得る信号をいう。音声信号等がある。

（注⑯） データ伝送

一般に電子計算機等の情報処理装置により処理されるべき情報、あるいは処理された情報の伝送をいう。

（注⑰）遠隔測定

測定機器から遠隔の点において、測定結果を自動的に表示し、又は記録するための電気通信の使用をいう（RR1.131）。

（注⑱）遠隔指令

装置の機能を遠隔の点から始動、変更又は終止させる目的で無線信号を伝送するための電気通信の使用をいう（RR1.134）。

2　周波数の表示

⑴　電波の周波数は、使用上特に必要がある場合を除き、次のように表示される（施4の3Ⅰ）。

3,000kHz以下のもの	kHz
3,000kHzを超え3,000MHz以下のもの	MHz
3,000MHzを超え3,000GHz以下のもの	GHz

⑵　電波のスペクトルは、その周波数の範囲に応じ、次の表に掲げるように9の周波数帯に区分されている（施4の3Ⅱ）。

周波数帯の周波数の範囲	周波数帯の番号	周波数帯の略称	メートルによる区分
3kHzをこえ、30kHz以下	4	VLF	ミリアメートル波
30kHzをこえ、300kHz以下	5	LF	キロメートル波
300kHzをこえ、3,000kHz以下	6	MF	ヘクトメートル波
3MHzをこえ、30MHz以下	7	HF	デカメートル波
30MHzをこえ、300MHz以下	8	VHF	メートル波
300MHzをこえ、3,000MHz以下	9	UHF	デシメートル波
3GHzをこえ、30GHz以下	10	SHF	センチメートル波
30GHzをこえ、300GHz以下	11	EHF	ミリメートル波
300GHzをこえ、3,000GHz（又は3THz）以下	12		デシミリメートル波

3　空中線電力の表示

空中線電力は、電波の型式のうち主搬送波の変調の型式及び主搬送波を変調する信号の性質に応じ、使用する送信設備について、尖頭電力、平均電力又は搬送波電力によって表示される（施4の4ⅠⅡ）。

ただし、特定の場合には、規格電力で表示される（施４の４Ⅲ）。

なお、詳細は「３－４」空中線電力の項で、その他の条件とともに、述べる。

３－３　電波の質

空中線から発射された電波は、周波数が変動しないこと、換言すれば電波が常に指定されたとおりの周波数のものであること、及び不必要な発射を伴わないものであることが望ましい。しかし、実際にはいろいろな原因によって周波数がズレたり、不必要な発射を伴ったりすることがあり、このズレが大きかったり、不必要な発射が強すぎたりすると、他の無線局に妨害を与えるおそれがあるばかりでなく、通信そのものも円滑に行われない場合が生じてくる。このため電波法令では、周波数の偏差、占有周波数帯幅及びスプリアス発射又は不要発射の強度を電波の質と称し、これらは総務省令に定めるところに適合するものでなければならないとしている（法28、設５～７）。

１　周波数の許容偏差

周波数の許容偏差というのは、発射によって占有する周波数帯の中央の周波数の割当周波数（注①）からの許容することができる最大の偏差又は発射の特性周波数（注②）の基準周波数（注③）からの許容することができる最大の偏差をいい、百万分率又はヘルツで表される（施２（五十九））。

すなわち、無線局に指定された電波の周波数と実際に発射された電波の周波数を全く一致する値に保つことは現状では技術的に困難であるから、一定の限度内の偏差を認め、この限度内であれば許容することにしているのである。

周波数の許容偏差は、周波数帯別に、また無線局の種別ごとに、あるいは空中線電力の如何によって、定められている（設５、別表１）。

（注①）割当周波数

無線局に割り当てられた周波数帯の中央の周波数をいう（施２（五十六））。

（注②）特性周波数

与えられた発射において容易に識別し、かつ、測定することのできる周波数をいう（施２(五十七)）。

（注③）基準周波数

割当周波数に対して、固定し、かつ、特定した位置にある周波数をいう。この場合において、この周波数の割当周波数に対する偏位は、特性周波数が発射によって占有する周波数帯の中央の周波数に対してもつ偏位と同一の絶対値及び同一の符号をもつものとする（施２(五十八)）。

２　占有周波数帯幅の許容値

電波を利用して情報を送るためには、その情報が搬送波の上下の側帯波となって伝送されるので、それらの側帯波を含むある幅を必要とする。この幅を占有周波数帯幅という。電波法施行規則においては、「上限の周波数を超えて輻射され、及びその下限の周波数未満において輻射される平均電力が、それぞれ与えられた発射によって輻射される全平均電力の0.5％に等しい上限及び下限の周波数帯幅をいう。ただし、周波数分割多重方式の場合、テレビジョン伝送の場合等0.5％の比率が占有周波数帯幅及び必要周波数帯幅の定義を実際に適用することが困難な場合においては、異なる比率によることができる。」と規定されている（施２(六十一)）。

周波数を能率的に使用し、かつ、他の無線局の電波に混信等の妨害を与えないようにするためには、この周波数帯幅を必要最小限に止めることが望ましい。発射電波に許容される占有周波数帯幅は、電波の型式、無線局の種別等に応じて定められている（設６、別表２）。

３　スプリアス発射又は不要発射の強度の許容値

(1)　スプリアス発射等の定義

送信機から発射する電波には、一般に必要周波数帯外の領域に存在する不要発射が含まれる。

不要発射は、スプリアス発射と帯域外発射からなる（施２(六十三の三)）。

スプリアス発射とは、必要周波数帯外における１又は２以上の周波数の電波の発射であって、そのレベルを情報の伝送に影響を与えないで低減することができ、高調波（注①）発射、低調波（注①）発射、寄生発射（注

②）及び相互変調積（注③）を含み、帯域外発射を含まないものと定義されている。

帯域外発射とは、必要周波数帯に近接する周波数の電波の発射で情報の伝送のための変調の過程において生ずるものと定義されている（施2（六十三～六十三の二））。

(2) スプリアス発射等の強度の許容値

上記のスプリアス発射等は、通信を行うのに不必要なものであるばかりでなく、他の通信に有害な混信を与えることもあるので、技術の現状が許す限り、最低の量に制限する必要がある。

スプリアス発射の強度の許容値は、無変調時において給電線に供給される周波数ごとのスプリアス発射の平均電力により規定される許容値であり、不要発射の強度の許容値は、変調時において給電線に供給される周波数ごとの不要発射の平均電力（一部送信設備にあっては尖頭電力）により規定される許容値である。

スプリアス発射又は不要発射の強度の許容値は、周波数帯別に、また無線局の種別ごとに、あるいは空中線電力の如何によって、定められている（設7、別表3）。

（注①）高調波・低調波

規則正しい周期をもった周期的な波形は、これを分解してみると、本来の周波数（これを基本周波数という）と、この周波数の2倍、3倍･･･n倍というような周波数を含んだものになる。電波もこのようなもので、100kHzの基本周波数を発射した場合、200kHz、300kHz･･････などを含んだものが発射される。これらを高調波というが、具体的には200kHzを第2高調波、300kHzを第3高調波といっている。また、基本周波数の1/2、1/3･･････1/nが発射された場合に、これを低調波という。

（注②）寄生発射

送信装置から所要の周波数以外の周波数の電波が発射されることをいい、寄生振動ともいう。送信機内部の配線間の誘導やトランジスタ、電子管などの電極間容量が結合インピーダンスとなって別の発振を生じ、所要周波数の電波と同時に、又は所要周波数の電波が抑制されて寄生発射のみ発射されるものである。

（注③）相互変調積

希望波と不要波が共存している場合、送受信機などの非直線性により、それぞれの周波数の整数倍の和又は差の周波数の電波が発射されることをいう。

3－4　空中線電力

空中線電力とは、送信機からアンテナ系の給電線に供給される電力であって、規則においては、尖頭電力（注①)、平均電力（注②)、搬送波電力（注③）又は規格電力（注④）と定義されている（施2(六十八))。

空中線電力は、総務大臣の指定事項の一つとして免許状に表示されるが、通信目的達成上、あるいは空界の秩序維持上重要な役目を果たしているものである。指定については、放送局や無線標識局及び電気通信業務用の無線呼出局などには一定のサービスエリアを確保するために、送信に際して使用しなければならない単一（テレビジョン放送については映像、音声ごとに）の値が、その他の無線局には、送信に際して使用できる最大の値が指定されている（免10の3）（2－3の4参照)。

（注①）尖頭電力（pX）

通常の動作状態において、変調包絡線の最高尖（せん）頭における無線周波数 1 サイクルの間に送信機から空中線系の給電線に供給される平均の電力をいう（施 2（六十九))。

（注②）平均電力（pY）

通常の動作中の送信機から空中線系の給電線に供給される電力であって、変調において用いられる最低周波数の周期に比較して十分長い時間（通常、平均の電力が最大である約 10 分の 1 秒間）にわたって平均されたものをいう（施 2（七十))。

（注③）搬送波電力（pZ）

変調のない状態における無線周波数1サイクルの間に送信機から空中線系の給電線に供給される平均の電力をいう。ただし、この定義は、パルス変調の発射には適用しない（施 2（七十一))。

（注④）規格電力（pR）

終段真空管の使用状態における出力規格の値をいう（施 2（七十二))。

1　空中線電力の表示区分

空中線電力は、電波の型式のうち主搬送波の変調の型式及び主搬送波を変調する信号の性質が次の表の左欄に掲げる記号で表される電波を使用する送信設備について、それぞれ同表の右欄に掲げる電力をもって表示される（施 4 の 4 Ⅰ)。

<table>
<tr><th colspan="2">記　　号</th><th rowspan="2">空　中　線　電　力</th></tr>
<tr><th>主搬送波の変調の型式</th><th>主搬送波を変調する信号の性質</th></tr>
<tr><td rowspan="5">A</td><td>1</td><td>尖頭電力(pX)</td></tr>
<tr><td>2</td><td>(1)　主搬送波を断続するものにあっては尖頭電力(pX)
(2)　その他のものにあっては平均電力(pY)</td></tr>
<tr><td>3</td><td>(1)　地上基幹放送局（地上基幹放送試験局及び基幹放送を行う実用化試験局を含む。以下、この表において同じ)。の設備にあっては搬送波電力（pZ)
(2)　携帯用位置指示無線標識、衛星非常用位置指示無線標識、設備規則第45条の3の5に規定する無線設備(航海情報記録装置又は簡易型航海情報記録装置を備える衛星位置指示無線標識)、航空機用救命無線機又は航空機用携帯無線機であって、伝送情報の型式の記号がXであるものにあっては尖頭電力(pX)
(3)　その他のものにあっては平均電力(pY)</td></tr>
<tr><td>7又はX</td><td>(1)　断続しない全搬送波を使用するものにあっては平均電力(pY)
(2)　その他のものにあっては尖頭電力(pX)</td></tr>
<tr><td>8又は9</td><td>平均電力(pY)</td></tr>
<tr><td>B</td><td></td><td>尖頭電力(pX)</td></tr>
<tr><td rowspan="3">C</td><td>3</td><td>(1)　地上基幹放送局の設備にあっては尖頭電力(pX)
(2)　地上基幹放送局以外の無線局の設備にあっては平均電力(pY)</td></tr>
<tr><td>7又はX</td><td>(1)　断続しない全搬送波を使用するものにあっては平均電力(pY)
(2)　その他のものにあっては尖頭電力(pX)</td></tr>
<tr><td>8又は9</td><td>平均電力(pY)</td></tr>
<tr><td>D</td><td></td><td>(1)　インマルサット船舶地球局のインマルサットF型、航空機地球局のインマルサットBGAN型、インマルサット携帯移動地球局のインマルサットF型及びインマルサットBGAN型並びに設備規則第58条の２の12においてその無線設備の条件が定められている固定局の無線設備にあっては平均電力（pY)
(2)　その他のものにあっては搬送波電力（pZ)</td></tr>
<tr><td>F</td><td></td><td>平均電力(pY)</td></tr>
</table>

G		平均電力(pY)
H		(1)　地上基幹放送局の設備にあっては尖頭電力(pX) (2)　地上基幹放送局以外の無線局の設備にあっては平均電力(pY)
J		尖頭電力(pX)
K		尖頭電力(pX)
L		尖頭電力(pX)
M		尖頭電力(pX)
N		尖頭電力(pX)
P		尖頭電力(pX)
R		尖頭電力(pX)
V		尖頭電力(pX)

なお、次に掲げる送信設備の空中線電力は、上記の表にかかわらず、平均電力（pY）をもって表示される（施4の4 Ⅱ）。

(1)　デジタル放送（F7W 電波及び G7W 電波を使用するものを除く。）を行う地上基幹放送局（地上基幹放送試験局及び基幹放送を行う実用化試験局を含む。）及び地上一般放送局（地上一般放送を行う実用化試験局を含む。）並びに設備規則第37条の27の21に規定する番組素材中継を行う無線局及び同規則第37条の27の22に規定する放送番組中継を行う固定局（いずれも G7W 電波を使用するものを除く。）の送信設備

(2)　超広帯域無線システムの無線局（注①）の送信設備

(3)　200MHz 帯広帯域移動無線通信（注②）を行う無線局の送信設備

(4)　実数零点単側波帯変調方式の無線局の送信設備

(5)　700MHz 帯高度道路交通システム（注③）の基地局及び陸上移動局の送信設備

(6)　無線標定業務を行う無線局であって、77GHz を超え 81GHz 以下の周波数の電波を使用するものの送信設備

(7)　携帯無線通信を行う無線局の送信設備

⑻　広帯域移動無線アクセスシステムの無線局の送信設備
⑼　ローカル5Gの無線局の送信設備

また、次に掲げる送信設備の空中線電力は、上記の表にかかわらず、規格電力（pR）をもって表示される（施４の４Ⅲ）。

⑴　500MHz 以下の周波数の電波を使用する送信設備であって、１ワット以下の出力規格の真空管を使用するもの（遭難自動通報設備、設備規則第45条の３の５に規定する無線設備（簡易型航海情報記録装置を備える衛星位置指示無線標識）及びラジオ・ブイの送信設備並びに航空移動業務又は航空無線航行業務の局の送信設備を除く。）
⑵　実験試験局の送信設備
⑶　⑴⑵に掲げるもののほかに、尖頭電力、平均電力又は搬送波電力を測定することが困難であるか又は必要がない送信設備

さらに、特定小電力無線局であって、57GHzを超え64GHz以下の周波数の電波を使用するもの（無線設備規則第49条の14第12号に規定するものに限る。）の送信設備の空中線電力は、尖頭電力（pX）をもって表示される（施４の４Ⅳ）ほか、実験試験局の送信設備であって適合表示無線設備を使用するものの空中線電力は、当該送信設備が技術基準適合証明又は工事設計認証を受け、若しくは技術基準適合自己確認が行われた電力をもって表示する（施４の４Ⅴ）。

（注①）超広帯域無線システムの無線局
必要周波数帯幅が450MHz以上であって、次に掲げるものをいう（施４の４Ⅱ㈡）。
⑴　空中線電力が0.001ワット以下の無線局であって、次に掲げるもの
ア　屋内において主としてデータ伝送を行う無線局であって、3.4GHz以上4.8GHz未満の周波数の電波を使用するもの
イ　無線標定業務を行うことを目的として自動車その他の陸上を移動するものに開設する無線局であって、24.25GHz以上29GHz未満の周波数の電波を使用するもの
⑵　空中線電力が１ワット以下の無線局（上空で運用するものを除く。）であって、7.25GHz以上9GHz未満の周波数の電波を使用するもの

（注②）200MHz 帯広帯域移動無線通信
170MHz を超え 202.5MHz 以下の周波数帯の電波を使用し、通信方式に直交周波数

分割多重方式と時分割多重方式を組み合わせた多重方式及び直交周波数分割多元接続方式を使用する時分割複信方式を用いる無線通信をいう（施４の４Ⅱ㈢）。

（注③）700MHz 帯高度道路交通システム

755.5MHz を超え 764.5MHz 以下の周波数の電波を使用し、主として道路交通に関するデータ伝送のために基地局相互間の通信路を構成する固定局相互間、基地局と陸上移動局の間又は陸上移動局相互間で行う無線通信をいう（施４の４Ⅱ㈤）。

2　空中線電力の換算比及び算出方法等

送信装置の搬送波電力、平均電力及び尖頭電力のそれぞれの換算比は、電波の型式に応じて定められている（設 12、別表４）。

なお、空中線電力の測定及び算出方法は、別に告示されている（設 13、昭和 34 年郵政省告示第 683 号）。

3　空中線電力の許容偏差

空中線電力の許容偏差とは、実際に電波を発射する場合の送信設備の空中線電力が、指定された空中線電力に対して許される偏差をいう。これは、空中線電力に関する送信設備の性能ということでもある。

ア　空中線電力の許容偏差は、次の左欄の送信設備の区別に従い、それぞれ右欄のとおりである（設 14 Ⅰ）。

なお、引用されている条文番号は無線設備規則のものである。

送　信　設　備	許容偏差	
	上　限（パーセント）	下　限（パーセント）
1　地上基幹放送局の送信設備（２の項に掲げるものを除く。）	5	10
2　短波放送、超短波放送、テレビジョン放送、マルチメディア放送（移動受信用地上基幹放送に限る。）又は超短波多重放送を行う地上基幹放送局（短波放送を行うものにあつては、Ａ３Ｅ電波を使用するもの並びに２の２の項及び６の項⑴に掲げるものを除く。）の送信設備	10	20
2の2　470MHzを超え710MHz以下の周波数の電波を使用するテレビジョン放送を行う地上基幹放送局であつて、空中線電力が0.5ワット以下の送信設備（複数波同時増幅器を使用するものに限る。）	20	20

2の3 470MHzを超え710MHz以下の周波数の電波を使用するエリア放送を行う地上一般放送局の送信設備	占有周波数帯幅が5.7MHzのもの	10	20
	占有周波数帯幅が468kHzのものであつて、空中線電力が13分の50ミリワット以下のもの	10	50
	占有周波数帯幅が468kHzのものであつて、空中線電力が13分の50ミリワットを超えるもの	10	20
3 海岸局（3の2の項に掲げるものを除く。）、航空局又は船舶のための無線標識局の送信設備で26.175MHz以下の周波数の電波を使用するもの		10	20
3の2 次に掲げる送信設備 (1) 船舶自動識別装置 (2) 簡易型船舶自動識別装置 (3) VHFデータ交換装置		40	30
4 次に掲げる送信設備 (1) 生存艇（救命艇及び救命いかだ）又は救命浮機の送信設備 (2) 双方向無線電話 (3) 船舶航空機間双方向無線電話		50	20
5 無線呼出局（電気通信業務を行うことを目的として開設するものに限る。）の送信設備		15	15
6 次に掲げる送信設備 (1) 76MHzを超え95MHz以下の周波数の電波を使用する受信障害対策中継放送（超短波放送（デジタル放送を除く。）に係るものに限る。）を行う地上基幹放送局の送信設備であって、空中線電力が0.25ワット以下のもの (2) 170MHzを超え470MHz以下の周波数の電波を使用する無線局の送信設備（200MHz帯広帯域移動無線通信を行う無線局の無線設備に限る。） (3) 470MHzを超える周波数の電波を使用する無線局の送信設備。ただし、次の無線局の送信設備を除く。 ア 携帯無線通信の中継を行う無線局 イ 符号分割多元接続方式（CDMA）携帯無線通信を行う無線局等 ウ 時分割・符号分割多重方式（TD − CDMA）携帯無線通信を行う無線局等 エ 時分割・符号分割多元接続方式（TD − CDMA）携帯無線通信を行う無線局等 オ 時分割・直交周波数分割多元接続方式（TD − OFDMA）携帯無線通信を行う無線局等 カ 時分割・周波数分割多元接続方式（TD − FDMA）携帯無線通信を行う無線局等 キ シングルキャリア周波数分割多元接続方式（SC − FDMA）携帯無線通信を行う無線局等		50	50

ク　直交周波数分割多元接続方式（OFDMA）携帯無線通信を行う無線局等 ケ　シングルキャリア周波数分割多元接続方式（SC－FDMA）又は直交周波数分割多元接続方式（OFDMA）携帯無線通信を行う無線局及びローカル5Gの無線局等 コ　デジタルＭＣＡ陸上移動通信を行う無線局等 サ　高度MCA陸上移動通信を行う無線局等 シ　時分割多元接続方式（TDMA）狭帯域デジタルコードレス電話の無線局 ス　ＰＨＳの無線局 セ　特定ラジオマイクの陸上移動局（470MHzを超え714MHz以下の周波数の電波を使用するものに限る。） ソ　デジタル特定ラジオマイクの陸上移動局（470MHzを超え714MHz以下の周波数の電波を使用するものに限る。） タ　1,215MHzを超え2,690MHz以下の周波数の角度変調の電波を使用する単一通信路の陸上移動業務の無線局（特定ラジオマイクの陸上移動局（1,240MHzを超え1,260MHz以下の周波数の電波を使用するものに限る。）及びデジタル特定ラジオマイクの陸上移動局（1,240MHzを超え1,260MHz以下の周波数の電波を使用するものに限る。）を除く。） チ　この表の２、４、７～９、17及び19の項の無線局		
７ 次に掲げる送信設備 ⑴　916.7MHz以上920.9MHz以下の周波数の電波を使用する構内無線局の送信設備 ⑵　915.9MHz以上929.7MHz以下の周波数の電波を使用する特定小電力無線局の送信設備 ⑶　2,400MHz以上2,483.5MHz以下の周波数の電波を使用する特定小電力無線局の送信設備であって周波数ホッピング方式を用いるもの ⑷　小電力データ通信システムの無線局の送信設備（5,470MHzを超え5,730MHz以下及び57GHzを超え66GHz以下の周波数の電波を使用するものを除く。） ⑸　5.2GHz帯高出力データ通信システムの無線局の送信設備 ⑹　５GHz帯無線アクセスシステムの無線局の送信設備 ⑺　916.7MHz以上923.5MHz以下の周波数の電波を使用する陸上移動局の送信設備 ⑻　無人移動体画像伝送システムの無線局の送信設備であって、2,483.5MHzを超え2,494MHz以下の周波数の電波を使用するもの	20	80
８　次に掲げる送信設備 ⑴　アマチュア局の送信設備 ⑵　142.93MHzを超え142.99MHz以下、146.93MHzを超え146.99MHz以下、169.39MHzを超え315.25MHz以下、401MHzを超え402MHz以下、405MHzを超え406MHz以下又は433.67MHzを超え434.17MHz以下の周波数の電波を使用する特定小電力無線局の送信設備 ⑶　超広帯域無線システムの無線局の送信設備	20	

9　次に掲げる送信設備 (1)　ミリ波レーダー用の特定小電力無線局の送信設備 (2)　移動体検知センサー用の特定小電力無線局の送信設備であって、57GHzを超え66GHz以下の周波数の電波を使用するもの (3)　小電力データ通信システムの無線局の送信設備であって、57GHzを超え66GHz以下の周波数の電波を使用するもの		50	70
10　第49条の6に定める携帯無線通信の中継を行う無線局（基地局と陸上移動局との間の携帯無線通信が不可能な場合、その中継を行う陸上移動局又は陸上移動中継局をいう。以下同じ。）の送信設備	陸上移動局又は陸上移動中継局の送信設備であつて、陸上移動局（携帯無線通信の中継を行う陸上移動局を除く。）と通信を行うもの	87	62
	陸上移動局又は陸上移動中継局の送信設備（718MHzを超え748MHz以下の周波数の電波を送信する場合を除く。）であつて、基地局と通信を行うもの	87	74
	陸上移動局又は陸上移動中継局の送信設備（718MHzを超え748MHz以下の周波数の電波を送信する場合に限る。）であつて、基地局と通信を行うもの	87	62
11　符号分割多元接続方式（CDMA）携帯無線通信及び時分割・符号分割多重方式（TD－CDMA）携帯無線通信を行う無線局の送信設備	次に掲げる送信設備 (1)　第49条の6の4に定める基地局の送信設備であつて、拡散符号速度(拡散符号によりスペクトル拡散された信号の速度をいう。以下同じ。）が一の搬送波当たり毎秒1.2288メガチップのもの (2)　符号分割多元接続方式携帯無線通信設備の試験のための通信等を行う無線局（符号分割多元接続方式携帯無線通信を行う基地局の無線設備の試験又は調整をするための通信を行う無線局をいう。以下同じ。）の送信設備であつて、陸上移動局（携帯無線通信の中継を行うものを除く。）と通信を行うもののうち、拡散符号速度が一の搬送波当たり毎秒1.2288メガチップのもの (3)　第49条の6の5に定める基地局の送信設備であつて、拡散符号速度が一の搬送波当たり毎秒1.2288メガチップのもの (4)　時分割・符号分割多重方式携帯無線通信設備の試験のための通信等を行う無線局（時分割・符号分割多重方式携帯無線通信を行う基地局の無線設備の試験又は調整をするための	59	61

	通信を行う無線局をいう。以下同じ。）の送信設備であつて、陸上移動局（携帯無線通信の中継を行うものを除く。）と通信を行うもののうち、拡散符号速度が一の搬送波当たり毎秒1.2288メガチップのもの			
	次に掲げる送信設備 (1)　第49条の６の４に定める基地局の送信設備であつて、拡散符号速度が毎秒3.84メガチップのもの (2)　符号分割多元接続方式携帯無線通信設備の試験のための通信等を行う無線局の送信設備であつて、陸上移動局（携帯無線通信の中継を行うものを除く。）と通信を行うもののうち、拡散符号速度が毎秒3.84メガチップのもの (3)　第49条の６の５に定める基地局の送信設備であつて、拡散符号速度が毎秒3.84メガチップのもの (4)　時分割・符号分割多重方式携帯無線通信設備の試験のための通信等を行う無線局の送信設備であつて、陸上移動局（携帯無線通信の中継を行うものを除く。）と通信を行うもののうち、拡散符号速度が毎秒3.84メガチップのもの		87	47
	次に掲げる送信設備であつて、空中線電力が23デシベル（１ミリワットを０デシベルとする。）を超えるもの (1)　第49条の６の４に定める陸上移動局の送信設備であつて、拡散符号速度が毎秒3.84メガチップのもの (2)　符号分割多元接続方式携帯無線通信設備の試験のための通信等を行う無線局の送信設備であつて、基地局と通信を行うもの (3)　陸上移動局の送信設備であつて、拡散符号速度が毎秒3.84メガチップのもの	718MHzを超え748MHz以下の周波数の電波を送信する場合	48	67
		その他の周波数の電波を送信する場合	48	58

	(4) 時分割・符号分割多重方式携帯無線通信設備の試験のための通信等を行う無線局の送信設備であつて、基地局と通信を行うもののうち、拡散符号速度が毎秒3.84メガチップのもの			
	次に掲げる送信設備であつて、空中線電力が23デシベル（1ミリワットを0デシベルとする。）以下のもの (1) 第49条の6の4に定める陸上移動局の送信設備であつて、拡散符号速度が毎秒3.84メガチップのもの (2) 符号分割多元接続方式携帯無線通信設備の試験のための通信等を行う無線局の送信設備であつて、基地局と通信を行うもの (3) 陸上移動局の送信設備であつて、拡散符号速度が毎秒3.84メガチップのもの (4) 時分割・符号分割多重方式携帯無線通信設備の試験のための通信等を行う無線局の送信設備であつて、基地局と通信を行うもののうち、拡散符号速度が毎秒3.84メガチップのもの	718MHzを超え748MHz以下の周波数の電波を送信する場合	87	58
		その他の周波数の電波を送信する場合	87	47
12 時分割・符号分割多元接続方式（TD－CDMA）携帯無線通信を行う無線局の送信設備	次に掲げる送信設備 (1) 基地局の送信設備 (2) 時分割・符号分割多元接続方式携帯無線通信設備の試験のための通信等を行う無線局（時分割・符号分割多元接続方式携帯無線通信を行う基地局の無線設備の試験若しくは調整をするための通信を行う無線局又は基地局と陸上移動局との間の携帯無線通信が不可能な場合、その中継を		87	47

	行う無線局をいう。以下同じ。）の送信設備であつて、陸上移動局（携帯無線通信の中継を行うものを除く。）と通信を行うもの		
	次に掲げる送信設備であつて、空中線電力が10デシベル（１ミリワットを０デシベルとする。）以下のもの ⑴　陸上移動局（携帯無線通信の中継を行うものを除く。）の送信設備 ⑵　時分割・符号分割多元接続方式携帯無線通信設備の試験のための通信等を行う無線局の送信設備であつて、基地局と通信を行うもの	196	67
	次に掲げる送信設備であつて、空中線電力が10デシベル（１ミリワットを０デシベルとする。）を超え21デシベル（１ミリワットを０デシベルとする。）以下のもの ⑴　陸上移動局（携帯無線通信の中継を行うものを除く。）の送信設備 ⑵　時分割・符号分割多元接続方式携帯無線通信設備の試験のための通信等を行う無線局の送信設備であつて、基地局と通信を行うもの	87	47
	次に掲げる送信設備であつて、空中線電力が21デシベル（１ミリワットを０デシベルとする。）を超えるもの ⑴　陸上移動局（携帯無線通信の中継を行うものを除く。）の送信設備 ⑵　時分割・符号分割多元接続方式携帯無線通信設備の試験のための通信等を行う無線局の送信設備であつて、基地局と通信を行うもの	48	58
13　時分割・直交周波数分割多元接続方式（TD － OFDMA）携帯無線通信及び時分割・周波数分割多元接続方式（TD － FDMA）携帯無線通信を行う無線局の送信設備	次に掲げる送信設備 ⑴　第49条の６の７において無線設備の条件が定められている基地局の送信設備 ⑵　第49条の６の７において無線設備の条件が定められている陸上移動局の送信設備 ⑶　第49条の６の７において無線設備の条件が定められている時分割・直交周波数分割多元接続方式携帯無線通信設備の試験のための通信等を行う無線局（時分割・直交周波数分割多元接続方式携帯無線通信を行う基地局の無線設備の試験若しくは調整	50	50

	をするための通信を行う無線局又は基地局と陸上移動局との間の携帯無線通信が不可能な場合、その中継を行う無線局をいう。以下同じ。）の送信設備 (4) 第49条の６の８において無線設備の条件が定められている基地局の送信設備 (5) 第49条の６の８において無線設備の条件が定められている陸上移動局の送信設備 (6) 第49条の６の８において無線設備の条件が定められている時分割・周波数分割多元接続方式携帯無線通信設備の試験のための通信等を行う無線局（時分割・周波数分割多元接続方式携帯無線通信を行う基地局の無線設備の試験若しくは調整をするための通信を行う無線局又は基地局と陸上移動局との間の携帯無線通信が不可能な場合、その中継を行う無線局をいう。以下同じ。）の送信設備			
14 シングルキャリア周波数分割多元接続方式(SC－FDMA)携帯無線通信を行う無線局の送信設備	第49条の６の９において無線設備の条件が定められている基地局の送信設備		87	47
	第49条の６の10において無線設備の条件が定められている基地局の送信設備	2,010MHzを超え2,025MHz以下の周波数の電波を送信する場合	87	47
		2,330MHzを超え2,370MHz以下又は3.4GHzを超え3.6GHz以下の周波数の電波を送信する場合	100	50
	第49条の６の10において無線設備の条件が定められている陸上移動中継局又は陸上移動局（携帯無線通信の中継を行うものに限る。）であって、陸上移動局（携帯無線通信の中継を行うものを除く。）と通信を行うものの送信設備	2,010MHzを超え2,025MHz以下の周波数の電波を送信する場合	87	47
		2,330MHzを超え2,370MHz以下又は3.4GHzを超え3.6GHz以下の周波数の電波を送信する場合	100	62

	第49条の６の10において無線設備の条件が定められている陸上移動中継局又は陸上移動局（携帯無線通信の中継を行うものに限る。）であつて、基地局と通信を行うものの送信設備	2,010MHzを超え2,025MHz以下の周波数の電波を送信する場合	87	47
		2,330MHzを超え2,370MHz以下又は3.4GHzを超え3.6GHz以下の周波数の電波を送信する場合	100	74
	第49条の６の９において無線設備の条件が定められている陸上移動局の送信設備	占有周波数帯幅の許容値が200kHzの場合	87	47
		占有周波数帯幅の許容値が1.4MHzの場合	87	53
		その他の場合	87	79
	第49条の６の10において無線設備の条件が定められている陸上移動局（携帯無線通信の中継を行うものを除く。）の送信設備	2,010MHzを超え2,025MHz以下の周波数の電波を送信する場合	87	79
		2,330MHzを超え2,370MHz以下又は3.4GHzを超え3.6GHz以下の周波数の電波を送信する場合	100	79
15　直交周波数分割多元接続方式(OFDMA)携帯無線通信を行う無線局の送信設備	次に掲げる送信設備 ⑴　第49条の６の11において無線設備の条件が定められている基地局の送信設備であつて、送信バースト長が５ミリ秒のもの ⑵　第49条の６の11において無線設備の条件が定められている陸上移動局の送信設備であつて、送信バースト長が５ミリ秒のもの ⑶　第49条の６の11において無線設備の条件が定められている直交周波数分割多元接続方式携帯無線通信設備の試験のための通信等を行う無線局（直交周波数分割多元接続方式携帯無線通信を行う基地局の無線設備の試験若しくは調整をするための通信を行う無線局又は基地局と陸上移動局との間の携帯無線通信が不可能な		50	50

	場合、その中継を行う無線局をいう。以下同じ。）の送信設備であつて、送信バースト長が５ミリ秒のもの		
	次に掲げる送信設備 ⑴　第49条の６の11において無線設備の条件が定められている基地局の送信設備であつて、送信バースト長が911.44マイクロ秒、963.52マイクロ秒、1,015.6マイクロ秒又は1,067.68マイクロ秒の自然数倍の値のもの ⑵　第49条の６の11において無線設備の条件が定められている陸上移動局の送信設備であつて、送信バースト長が911.44マイクロ秒、963.52マイクロ秒、1,015.6マイクロ秒又は1,067.68マイクロ秒の自然数倍の値のもの ⑶　第49条の６の11において無線設備の条件が定められている直交周波数分割多元接続方式携帯無線通信設備の試験のための通信等を行う無線局の送信設備であつて、送信バースト長が911.44マイクロ秒、963.52マイクロ秒、1,015.6マイクロ秒又は1,067.68マイクロ秒の自然数倍の値のもの	58	58
16　シングルキャリア周波数分割多元接続方式（SC-FDMA）又は直交周波数分割多元接続方式(TD-OFDMA）携帯無線通信を行う無線局の送信設備及びローカル５Ｇの無線局の送信設備	⑴　第49条の６の12第１項において無線設備の条件が定められている基地局の送信設備であつて、空中線端子（測定に用いることができる端子をいう。以下この項において同じ。）があるもの	100	50
	⑵　第49条の６の12第１項において無線設備の条件が定められている基地局の送信設備であつて、空中線端子がないもの	124	56
	⑶　第49条の６の12第１項において無線設備の条件が定められている陸上移動局の送信設備	100	79
	⑷　第49条の６の12第２項において無線設備の条件が定められている基地局の送信設備	224	70
	⑸　第49条の６の12第２項において無線設備の条件が定められている陸上移動局の送信設備	87	
	⑹　第49条の６の13において無線設備の条件が定められている基地局の送信設備	87	47

	(7) 第49条の6の13において無線設備の条件が定められている陸上移動局の送信設備	100	79
17 時分割・直交周波数分割多元接続方式（ＴＤ－ＯＦＤＭＡ）又は時分割・シングルキャリア周波数分割多元接続方式（ＴＤ－ＳＣＦＤＭＡ）広帯域移動無線アクセスシステムの無線局、高度MCA陸上移動通信を行う無線局及び時分割・周波数分割多元接続方式（TD-FDMA）デジタルコードレス電話の無線局の送信設備	次に掲げる送信設備 (1) 第49条の29において無線設備の条件が定められている陸上移動局（中継を行うものを除く。）であつて占有周波数帯幅の許容値が2.5MHz、5MHz、10MHz又は20MHzの送信設備 (2) 第49条の7の4において無線設備の条件が定められている陸上移動局及び高度MCA制御局の試験のための通信を行う無線局（高度MCA制御局と送信装置を共用するものを除く。）の送信設備 (3) 第49条の8の2の3において無線設備の条件が定められている時分割・直交周波数分割多元接続方式（TD－OFDMA）デジタルコードレス電話の子機（時分割・直交周波数分割多元接続方式（TD-OFDMA）デジタルコードレス電話の無線局のうち、時分割・直交周波数分割多元接続方式（TD-OFDMA）デジタルコードレス電話の親機（時分割・直交周波数分割多元接続方式（TD-OFDMA）デジタルコードレス電話の無線局のうち、主として同一の構内又はそれに準ずる場所として列車内、船舶内及び航空機内において固定して使用されるものをいう。以下同じ。）以外のものをいう。以下同じ。）の送信設備	87	79
	その他の無線局の送信設備	87	47
18 シングルキャリア周波数分割多元接続方式（SC-FDMA）又は直交周波数分割多元接続方式（OFDMA）広帯域移動無線アクセスシステムの無線局の送信設備	第49条の29の2において無線設備の条件が定められている基地局の送信設備であって、空中線端子（測定に用いることができる端子をいう。）があるもの	100	50
	第49条の29の2において無線設備の条件が定められている基地局の送信設備であって、空中線端子がないもの	124	56
	第49条の29の2において無線設備の条件が定められている陸上移動局の送信設備	100	79

19　次に掲げる送信設備 (1)　第49条の22に規定する道路交通情報通信を行う無線局の送信設備（ITS） (2)　第24条第10項に規定する狭域通信システムの基地局の送信設備（ETC） (3)　狭域通信システムの陸上移動局の無線設備の試験のための通信を行う無線局の送信設備（ETC） (4)　700MHz帯高度道路交通システムの固定局又は基地局の送信設備（ITS）	20	50
20　その他の送信設備	20	50

イ　テレビジョン放送を行う地上基幹放送局の送信設備のうち、470MHzを超え710MHz以下の周波数の電波を使用するものであって、アによることが困難又は不合理であるため総務大臣が別に告示するものは、その告示する技術的条件に適合するものでなければならない（設14Ⅱ）。

ウ　インマルサット船舶地球局、インマルサット携帯移動地球局、海域で運用される構造物上に開設し、インマルサット人工衛星局の中継により無線通信を行う無線局のうち1,626.5MHzを超え1,660.5MHz以下の周波数の電波を使用するもの、航空機地球局のうち1,626.5MHzを超え1,660.5MHz以下の周波数の電波を使用するもの及び衛星測位誤差補正情報を提供する無線航行陸上局の無線設備、衛星非常用位置指示無線標識、捜索救助用レーダートランスポンダ、捜索救助用位置指示送信装置、携帯用位置指示無線標識、簡易型航海情報記録装置を備える衛星位置指示無線標識並びに航空機用救命無線機の送信設備の空中線電力の許容偏差は、前記アによらないで総務大臣が別に告示するところによらなければならない（設14Ⅲ）。

エ　符号分割多元接続携帯無線通信を行う陸上移動局（拡散符号速度が3.84メガビットのものに限る。）又は時分割・符号分割多重方式携帯無線通信を行う陸上移動局（拡散符号速度が3.84メガビットのものに限る。）の送信設備であって、複数の周波数帯の搬送波を同時に受信することができるシングルキャリア周波数分割多元接続方式携帯無線通信を行う陸上移動局の送信設備を同一の筐体に収められたものの空中線電力の許容偏差は、前記アによらないで総務大臣が別に告示するところによらなければならない（設14Ⅳ）。

オ　実験試験局の送信設備の空中線電力の許容偏差は、前記アにかかわらず、上限20パーセント（470MHzを超える周波数の場合は上限50パーセント）とする。ただし、適合表示無線設備を用いて開設する実験試験局にあっては、当該適合表示無線設備の送信設備に係る前記ア～エによる（設14Ⅴ）。

３－５　送信設備の一般的条件

送信装置と送信空中線系とから　なる電波を送る設備を「送信設備」という（施２Ⅰ（三十五））。送信設備は規律監督を受ける無線設備の中核をなす部分で、詳細な技術条件が課せられている。ここでは、その一般的条件について述べることとする。

１　人体にばく露される電波の許容値

この許容値は、最近の携帯電話等の急速な普及に伴い、それらから発射される電波から人体を防護するため、次のとおり定められている（設14の２）。なお、(1)及び(2)における比吸収率（注①）及び入射電力密度（注②）の測定方法は、総務大臣が告示している。

(1)　人体（側頭部及び両手を除く）にばく露される電波の許容値

ア　無線局の無線設備（送信空中線と人体（側頭部及び両手を除く。）との距離が20センチメートルを超える状態で使用するものを除く。）から人体（側頭部及び両手を除く。）にばく露される電波の許容値は、次の表の第１欄に掲げる無線局及び同表の第２欄に掲げる発射される電波の周波数帯の区分に応じ、それぞれ同表の第３欄に掲げる測定項目について、同表の第４欄に掲げる許容値のとおりとする。

無線局	周波数帯	測定項目	許容値
(ア)　携帯無線通信を行う陸上移動局、広帯域移動無線アクセスシステム（注③）の陸上移動局、高度	100kHz以上６GHz以下	人体（側頭部及び四肢をを除く。）における比吸収率	毎キログラム当たり２ワット以下

ＭＣＡ陸上移動通信を行う陸上移動局、ローカル5Gの陸上移動局、700MHz帯高度道路交通システムの陸上移動局、時分割多元接続方式(TDM)広帯域デジタルコードレス電話の無線局、時分割・直交周波数分割多元接続方式(TD－OFDMA)デジタルコードレス電話の無線局、非静止衛星に開設する人工衛星局の中継により携帯移動衛星通信を行う携帯移動地球局、対地静止衛星に開設する携帯移動地球局、インマルサット携帯移動地球局(インマルサットGSPS型に限る。)及び防災対策用携帯移動地球局		人体四肢（両手を除く。）における比吸収率	毎キログラム当たり４ワット以下
(イ) 携帯無線通信を行う陸上移動局、ローカル５Ｇの陸上移動局及び超広帯域無線システムの無線局	６GHzを超え30GHz以下	人体（側頭部及び両手を除く。）の任意の体表面４平方センチメートルにおける入射電力密度	毎平方センチメートル当たり２ミリワット以下
(ウ) 第49条の14第14号及び第15号に規定する無線標定業務の無線局並びに第49条の20に規定する小電力データ通信システムの無線局（同条第７号に掲げるものに限る。）	30GHzを超え300GHz以下	人体（側頭部及び両手を除く。）の任意の体表面１平方センチメートルにおける入射電力密度	毎平方センチメートル当たり２ミリワット以下

イ　アの表に掲げる無線局の無線設備又は当該無線設備と同一の筐体に収められた他の無線設備（総務大臣が別に告示するものに限る。）が同時に複数の電波（「複数電波」という。）を発射する機能を有する場合にあつては、総務大臣が別に告示する方法により算出した総合照射比が１以下でなければならない。ただし、発射される複数電波の周波数が全て100kHz以上６GHz以下の場合には、複数電波の人体（側頭

部及び両手を除く。）における比吸収率について、アの表第４欄に掲げる許容値を適用することができる。

ウ　ア及びイは、総務大臣が別に告示する無線設備については、適用しない。

⑵　人体頭部にばく露される電波の許容値

ア　無線局の無線設備（携帯して使用するために開設する無線局のものであって、人体側頭部に近接した状態において電波を送信するものに限る。）から人体側頭部にばく露される電波の許容値は、次の表の第１欄に掲げる無線局及び同表の第２欄に掲げる発射される電波の周波数帯の区分に応じ、それぞれ同表の第３欄に掲げる測定項目について、同表の第４欄に掲げる許容値のとおりとする。

無線局	周波数帯	測定項目	許容値
㈠　前項の表㈠に掲げる無線局のうち、伝送情報が電話（音響の放送を含む。以下この項において同じ。）のもの及び電話とその他の情報の組合せのもの	100kHz以上６GHz以下	人体側頭部における比吸収率	毎キログラム当たり２ワット以下
㈡　前項の表㈡に掲げる無線局のうち、伝送情報が電話のもの及び電話とその他の情報の組合せのもの	６GHzを超え30GHz以下	人体側頭部の任意の体表面４平方センチメートルにおける入射電力密度	毎平方センチメートル当たり２ミリワット以下

イ　アの表に掲げる無線局の無線設備又は当該無線設備と同一の筐体に収められた他の無線設備（総務大臣が別に告示するものに限る。）が同時に複数電波を発射する機能を有する場合にあつては、総務大臣が別に告示する方法により算出した総合照射比が１以下でなければならない。ただし、発射される複数電波の周波数が全て100kHz以上６GHz以下の場合には、複数電波の人体側頭部における比吸収率について、アの表第４欄に掲げる許容値を適用することができる。

ウ　ア及びイは、総務大臣が別に告示する無線設備については、適用しない。

（注①） 比吸収率

電磁界にさらされたことによって任意の生体組織10グラムが任意の6分間に吸収したエネルギーを10グラムで除し、さらに6分で除して得た値をいう（設14の2Ⅰ）。

（注②） 入射電力密度

任意の6分間に通過するエネルギーを6分で除して得た値をいう（設14の2Ⅰ）。

（注③） 広帯域移動無線アクセスシステム

電気通信業務を行うことを目的として、2,545MHzを超え2,655MHz以下の周波数の電波を使用し、主としてデータ伝送のために開設された陸上移動局と通信を行うために開設された基地局と当該陸上移動局との間で無線通信（陸上移動中継局又は陸上移動局の中継によるものを含む。）を行うシステムをいう（設3(十)）。

2　送信装置

(1)　周波数安定のための条件

周波数を安定に保つことは、送信装置の基本的条件の一つである。その条件は次のとおり定められている。

ア　周波数をその許容偏差内に維持するため、送信装置は、できる限り電源電圧又は負荷の変化によって発振周波数に影響を与えないものでなければならない（設15Ⅰ）。

イ　周波数をその許容偏差内に維持するため、発振回路の方式は、できる限り外囲の温度若しくは湿度の変化によって影響を受けないものでなければならない（設15Ⅱ）。

ウ　移動局（移動するアマチュア局を含む。）の送信装置は、実際上起こり得る振動又は衝撃によっても周波数をその許容偏差内に維持するものでなければならない（設15Ⅲ）。

エ　水晶発振回路に使用する水晶発振子は、周波数をその許容偏差内に維持するため、次の条件に適合するものでなければならない（設16）。

(ア)　発振周波数が当該送信装置の水晶発振回路により又はこれと同一の条件の回路により、あらかじめ試験を行って決定されているものであること。

(イ)　恒温槽（注①）を有する場合は、恒温槽は水晶発振子の温度係数に応じてその温度変化の許容値を正確に維持するものであること。

⑵　通信速度の条件

ア　無線電信の手送り電鍵操作による送信装置は、その操作の通信速度が25ボー（注②）において安定に動作するものでなければならない（設17Ⅰ）。

イ　手送り電鍵操作によらない送信装置（例えば、自動送信のもの）は、その最高運用通信速度の10％増の通信速度において安定に動作するものでなければならない（設17Ⅱ）。

ウ　上記の規定にかかわらず、アマチュア局の送信装置は、通常使用する通信速度で、できる限り安定に動作するものでなければならない（設17Ⅲ）。

⑶　変調の条件

ア　送信装置は、音声その他の周波数によって搬送波を変調する場合には、変調波の尖頭値において、（±）100％を超えない範囲に維持されるものでなければならない（設18Ⅰ）。

イ　アマチュア局の送信装置は、通信に秘匿性を与える機能を有してはならない（設18Ⅱ）。

⑷　通信方式の条件

ア　船舶局及び海岸局の無線電信であって、通信方式が単信方式（注③）のものは、ブレークイン式（注④）又はこれと同等以上の性能のものでなければならない。この場合において、ブレークインリレー（注⑤）を使用するものは、容易に予備のブレークインリレーに取り替えて使用することができるように設備しなければならない。ただし、26.175MHzを超える周波数の電波を使用する無線設備のブレークインリレーについては、この限りでない（設19Ⅰ）。

イ　無線電話（アマチュア局のものを除く。）であって、その通信方式が単信方式のものは、送信と受信との切換装置が一挙動切換式又はこれと同等以上の性能を有するものであり、かつ、手動切換の船舶局のものについては、当該切換装置の操作部分が当該無線電話のマイクロホン又は送受話器に装置してあるものでなければならない（設19 Ⅱ）。

ウ　電気通信業務を行うことを目的とする無線電話局の無線設備であって、その通信方式が複信方式（注⑥）のものは、ボーダス（注⑦）式又はこれと同等以上の性能のものでなければならない。ただし、近距離通信を行うものであって簡易なものについては、この限りでない（設19 Ⅲ）。

エ　電気通信業務を行うことを目的とする海上移動業務の無線局の無線電話の送信と受信との切換装置で、その切換操作を音声により行うものは、別に告示する技術的条件に適合するものでなければならない（設19 Ⅳ）。

（注①）恒温槽

水晶発振器等の温度を一定に保つため、温度が上昇すれば加熱力を弱め（あるいは冷却力を強め）、温度が下降すれば加熱力を強め（あるいは冷却力を弱め）るように動作する一種のサーモスタットを恒温器というが、この恒温器を備えて、内部の温度が常に一定となっている槽をいう。

（注②）ボー

通信速度を表す単位で、モールス電信符号の 1 単位（短点の長さ）を伝送するに要する秒数の逆数をボー（Baud）と定義する。したがって、50 ボーの通信速度は正の半ヘルツ（Hz）をマーク、負の半ヘルツ（Hz）をスペースと考えれば、25Hz となる。1 分間に伝送する字数（字／分）とボーとの関係は次式で示される。

和文の場合　$字／分 = \frac{（ボー）\times 60}{13.2}$　　欧文の場合　$字／分 = \frac{（ボー）\times 60}{8 又は 9}$

なお、単位名はフランスの電信技術者 J.M.E Baud（1845 － 1903）に由来する。

（注③）単信方式

相対する方向で送信が交互に行われる通信方式をいう。すなわち、相対する無線局が、同時に送受信することなく、一方が送信中の場合は、相手方は受信のみに限られ、また送信中の局は受信不可能な状態となる。

（注④）ブレークイン式

ブレークインリレーを用いて、自局が送信状態にあるとき、すなわち電信の場合は電鍵操作によるマークのときに、電話の場合は送話するための送受話器についているスイッチを押したときに、受信機の動作を停止させるか又は空中線を受信機から外すように動作させることによって、送受信の切換えをすみやかにするための方式をいう。

(注⑤) ブレークインリレー

同一場所において送信機と受信機を同時に運用する場合であって、送受信の周波数が同一であるか、又は接近しているときは、自局の送信電波が強電界であるために、受信が妨害されるか、又は受信機に障害が起きるが、これを防止するとともに送信時(電波が出ている時) アンテナを送信機へ接続し受信時はアンテナを受信機へ接続するための継電器をいい、主として電信通信で用いられる。

(注⑥) 複信方式

相対する方向で送信が同時に行われる通信方式をいう (施２Ｉ(十八))。

(注⑦) ボーダス (VODAS)

Voice Operated Device Anti-Singing の略で、無線回線と有線回線とを結合する場合に送受話回線を分離する端局装置をいい、鳴音 (Singing) や反響などの妨害を防ぐため反響阻止装置を設けている。

3　送信空中線系

(1)　送信空中線の型式及び構成の条件

送信空中線の型式及び構成は、次の条件に適合するものでなければならない (設20)。

ア　空中線の利得 (注①) 及び能率がなるべく大であること。

イ　整合が十分であること。

ウ　満足な指向特性が得られること。

(2)　指向特性の要素

空中線の指向特性は、次の事項を要素として定められる (設22)。

ア　主輻(ふく)射方向及び副輻射方向

イ　水平面の主輻射の角度の幅 (注②)

ウ　空中線を設置する位置の近傍にあるものであって、電波の伝わる方向を乱すもの。

エ　給電線よりの輻射

(注①) 空中線の利得

与えられた空中線の入力部に供給される電力に対する、与えられた方向において同一の距離で同一の電界を生ずるために基準空中線の入力部で必要とする電力の比をいう。この場合において、別段の定めがないときは、空中線の利得を表す数値は、主輻射の方向における利得を示す (施２ (七十四))。

なお、散乱伝搬を使用する業務においては、空中線の全利得は、実際上得られるとは限らず、また、見かけの利得は時間によって変化することがある。

おって、アンテナ利得の表記は仮想的な等方向性アンテナを基準とする絶対利得と半波長ダイポールアンテナを基準とする相対利得があり、利得の比較には注意が必要である。

(注②) 水平面の主輻射の角度の幅

その方向における輻射電力と最大輻射の方向における輻射電力との差が最大 3 デシベルであるすべての方向を含む全角度をいい、度でこれを示すものである(施 2(七十九))。

3－6　受信設備の一般的条件

受信設備は、本来電波の発射を目的とするものではないが、副次的に発する電波等が妨害源となるおそれがある。また、通信目的を達成するためには、受信設備自体の性能も良好でなくてはならない。

電波法令では、次の一般的条件を定めている。

1　副次的に発する電波又は高周波電流の限度

受信設備は、電波を受けるための設備であるが、副次的に

ア　受信空中線や電力線などから、電波が放射される場合

イ　電力線等を介して、高周波電流が漏洩する場合

などがある。この副次的に発する電波又は高周波電流は、総務省令で定める限度を超えて他の無線設備の機能に支障を与えるものであってはならない(法29)。ここで限度というのは、いわば強度の許容値ともいうべきものであって、次のとおりとされている。

(ア) 受信空中線と電気的常数の等しい擬似空中線回路(注)を使用して測定した場合は、その回路の電力が4ナノワット以下であること(設24Ⅰ)。

(イ) 2,400MHz以上2,483.5MHz以下の周波数の電波を使用する特定小電力無線局並びに2,425MHzを超え2,475MHz以下の周波数の電波を使用する構内無線局であって周波数ホッピング方式を用いるもの、57GHzを超え66GHz以下の周波数の電波を使用する移動体検知センサー用の特定小電力無線局、小電力データ通信システムの無線局及び5.2GHz帯高出力データ通信システムの無線局の受信装置につい

ては、(ア)にかかわらず、それぞれ次の表のとおりであること（設24Ⅱ）。

a　b 以外の受信装置

周　波　数　帯	副次的に発する電波の限度
1 GHz 未満	4ナノワット
1 GHz 以上	20 ナノワット

b　移動体検知センサー用の特定小電力無線局（57GHzを超え66GHz以下の周波数の電波を使用するものであってキャリアセンスの備え付けを要しないものに限る。）の受信装置

周　波　数　帯	副次的に発する電波の限度
55.62GHz 以下	任意の 1MHz 幅で（－）30 デシベル以下の値
55.62GHz を超え 57GHz 以下	任意の 1MHz 幅で（－）26 デシベル以下の値
64GHzを超え67.5GHz以下	任意の 1MHz 幅で（－）26 デシベル以下の値
67.5GHz を超えるもの	任意の 1MHz 幅で（－）30 デシベル以下の値

(ウ)　次の無線局の受信装置については、(ア)にかかわらず、各受信装置別、周波数別に強度の許容値が定められている（設24Ⅲ～XXXⅡ）。

・携帯無線通信の中継を行う無線局（Ⅲ）（使用周波数718 ～ 748MHz、773 ～ 803MHz、815 ～ 845MHz、860 ～ 890MHz、900 ～ 915MHz、945 ～ 960MHz、1,427.9 ～ 1,462.9MHz、1,475.9 ～ 1,510.9MHz、1,710 ～ 1,785MHz、1,805 ～ 1,880MHz、1,920 ～ 1,980MHz、2,110 ～ 2,170MHz）

・符号分割多元接続方式（CDMA）携帯無線通信及びこれらの試験のための通信等を行う無線局、時分割・符号分割多重方式（TD － CDMA）携帯無線通信及びこれらの試験のための通信等を行う無線局、時分割・符号分割多元接続方式（TD － CDMA）携帯無線通信及びこれらの試験のための通信等を行う無線局、時分割・直交周波数分割多元接続方式（TD － OFDMA）携帯無線通信を行う無線局及びこれらの試験のための通信等を行う無線局、時分割・周波数分割多元接続方式（TD － FDMA）携帯無

線通信を行う無線局及びこれらの試験のための通信等を行う無線局、シングルキャリア周波数分割多元接続方式（SC － FDMA）携帯無線通信を行う無線局、シングルキャリア周波数分割多元接続方式（SC-FDMA）又は直交周波数分割多元接続方式（OFDMA）携帯無線通信を行う無線局、直交周波数分割多元接続方式（OFDMA）携帯無線通信を行う無線局及びこれらの試験のための通信等を行う無線局並びにローカル５Ｇの無線局（使用周波数718～748MHz、773～803MHz、815～845MHz、860～890MHz、900～915MHz、945～960MHz、1,427.9～1,462.9MHz、1,475.9～1,510.9MHz、1,710～1,785MHz、1,744.9～1,784.9MHz、1,805～1,880MHz、1,839.9～1,879.9MHz、1,920～1,980MHz、2,010～2,025MHz、2,110～2,170MHz、2,330MHz～2,370MHz、3.4～3.6GHz、3.4～4.1GHz、4.5～4.6GHz、27～28.2GHz、28.3 ～29.5GHz、29.1 ～ 29.5GHz）（Ⅳ～Ⅷ）

・特定小電力無線局（使用周波数 312 ～ 315.25MHz、433.67 ～434.17MHz、916.7 ～ 923.5MHz（移動体識別用）、915.9 ～929.7MHz、10.5 ～ 10.55GHz、24.05 ～ 24.25GHz、57 ～ 64GHz、76 ～ 77GHz、77 ～ 81GHz のもの）（Ⅺ、Ⅻ、ⅩⅢ、ⅩⅤ・ⅩⅥ、ⅩⅨ）

・使用周波数41～42GHz、54.25～57GHz、116GHz～134GHzの無線局（Ⅻ）

・構内無線局及び移動体識別用の陸上移動局（使用周波数 916.7 ～920.9MHz のもの）（ⅩⅤ）

・陸上移動局（使用周波数 920.5 ～ 923.5MHz のもの）（ⅩⅤ）

・広帯域移動無線アクセスシステムの無線局（直交周波数分割多元接続方式（OFDMA）のもの、時分割・直交周波数分割多元接続方式（TD-OFDMA）又は時分割・シングルキャリア周波数分割多元接続方式（TD-SCFDMA）のもの並びにシングルキャリア周波数分割多元接続方式（SC-FDMA）又は直交周波数分割多元接続方式（OFDMA）のもの）（ⅩⅣ、ⅩⅩⅠ）

・200MHz 帯広帯域移動無線通信を行う無線局（XXⅡ）
・無人移動体画像伝送システムの無線局（使用周波数2,483.5MHz～2,494MHz、5,650～5,755MHz）（XⅣ）
・5GHz 帯無線アクセスシステムの無線局（XⅣ）
・固定局、基地局、陸上移動中継局及び陸上移動局（使用周波数17.7～18.72GHz、19.22～19.7GHz のもの）（XⅣ）
・22GHz帯、26GHz帯又は38GHz帯の周波数の電波を使用する陸上移動業務の無線局（XⅣ）
・超広帯域無線システムの無線局（使用周波数3.4～4.8GHz、7.25～10.25GHz、7.587～8.4GHz、24.25～29GHzのもの）（XVⅢ）
・1,500MHz 帯の周波数の電波を使用する電気通信業務用固定局（XX）
・無線通信規則付録第18号の表に掲げる周波数の電波を使用する無線局（VHFデータ交換装置を除く）（XXⅢ）
・時分割多元接続方式（TDMA）広帯域デジタルコードレス電話の無線局、時分割・直交周波数分割多元接続方式（TD-OFDMA）デジタルコードレス電話の無線局（XXⅣ、XXV）
・71GHz以上86GHz以下の周波数の電波を使用する陸上移動局（XXⅦ）
・700MHz 帯高度道路交通システムの無線局（XXⅦ）
・VHF帯データ交換装置又はデジタル船上通信設備（使用周波数450～470MHzのもの）の無線局（XXXI）
・高度 MCA 陸上移動通信を行う無線局及び高度 MCA 制御局の試験のための通信等を行う無線局（XXXⅡ）

また、次の無線局の受信装置については、(ア)にかかわらず、強度の許容値は別に告示されている（設24 Ⅸ、X、XⅦ、XXⅧ、XXⅨ、XXXⅢ）。

・船舶地球局、航空機地球局及び携帯移動地球局（使用周波数1,618.25～1,626.5MHz のもの）
・狭域通信システム（ETC）の陸上移動局及び基地局（使用周波

数 5,770 ～ 5,810MHz）

・特定小電力無線局（使用周波数 401 ～ 406MHz のもの）

・航空機地球局（インマルサット BGAN 型のもの）並びにインマルサット携帯移動地球局（インマルサットＤ型のうちＧ１Ｄ電波を受信するもの、インマルサット BGAN 型のうち主として航空機に搭載されるもの及びインマルサット GSPS 型のもの）

・対地静止衛星に開設する人工衛星局（インマルサット人工衛星局を除く。）の中継により携帯移動衛星通信を行う携帯移動地球局（使用周波数（受信）1,525MHz ～ 1,559MHz のもの）

・高度 600km 以下の軌道を利用する非静止衛星に開設する人工衛星局の中継により携帯移動衛星通信を行う携帯移動地球局及び他の地球局によってその送信の制御が行われる小規模地球局

さらに、衛星基幹放送の受信装置については、アに加えて、副次的に発する電波の限度が定められている（設 24 XXX）。

なお、免許を要しない無線局の受信設備や受信専用設備等にあっても同様なおそれがあるが、これらの受信設備が他の無線設備の機能に継続的かつ、重大な障害を与える場合の措置については、後記の７－３ の５で詳述する。

（注） 擬似空中線回路

実際の空中線と等価の抵抗、インダクタンス及び容量を有する回路で、供給エネルギーは電波として輻射せずに回路内で熱として消費せしめるものである。電波を外部に出さず、他に混信妨害を与えないで試験の目的を達するのに使用される。

2　受信設備の性能

受信設備は、なるべく次の条件に適合するものでなければならない（設 25）。

ア　内部雑音が小さいこと。

イ　感度（注①）が十分であること。

ウ　選択度（注②）が適正であること。

エ　了解度（注③）が十分であること。

また、受信空中線については、前３－５の３の送信空中線系の条件が準用される（設26）。

（注①）感度

受信機、受話器、又は計器等において、受信又は測定しうる入力の最小値が小さいほど、感度が大又は良好であるという。

（注②）選択度

一つの受信機あるいは回路が、接近した多数の周波数の中の一つを、どの程度まで分離選択できるかの度合をいう。一つの同調回路の選択度は、その回路に含まれるインダクタンスをL、抵抗をRとし、選択する周波数をfとすれば、$2\pi fL / R$に比例する。一般に、スーパーヘテロダイン受信機の場合の選択度は中間周波数増幅器の選択度によって決まる。

（注③）了解度

ある回路の一端から言葉を送って、それを他端で受信した場合、送話した言葉のうち了解できた単語の数を百分率で表したものをいう。

3－7　付帯設備の条件

1　保護装置

無線設備には、破損等を保護するために、次のとおり電源回路のしゃ断機又は警報装置等の保護装置を施設しなければならない。

ア　真空管に使用する水冷装置には、冷却水の異状に対する警報装置又は電源回路の自動しゃ断器を装置しなければならない（設8Ⅰ）。

イ　陽極損失1kW以上の真空管に使用する強制空冷装置には、送風の異状に対する警報装置又は電源回路の自動しゃ断器を装置しなければならない（設8Ⅱ）。

ウ　負荷電力10Wを超える無線設備の電源回路には、ヒューズ又は自動しゃ断器を装置しなければならない（設9）。

2　特殊な装置

(1)　選択呼出装置等

この項で選択呼出装置等というのは、異なる免許人が同一地区で同一周波数を共用する場合の選択呼出装置並びに連絡設定を自動的に行うための呼出名称記憶装置及び識別装置又は信号処理装置等のことである。

ア　次の左欄の無線局で総務大臣が別に告示するものは、同右欄の装置で所定の技術的条件（告示）に適合するものを装置しなければならない（設９の２Ⅰ）。

無　　線　　局	装　　置
F3E電波54MHzを超え70MHz以下、142MHzを超え162.0375MHz以下又は335.4MHzを超え470MHz以下を使用する無線電話局	選択呼出装置
無線標定業務の無線局	選択呼出装置 識別装置
陸上移動業務の無線局（PHSの陸上移動局を除く。）、携帯移動業務の無線局及び簡易無線局	呼出名称記憶装置又は自動識別装置
構内無線局	送信装置識別装置
海上移動業務の無線局	自動識別装置

イ　次の無線局が装置する選択呼出装置等は、総務大臣が別に告示する技術的条件に適合するものでなければならない（設９の２Ⅱ～Ⅳ）。

(ア)　2,850kHzから28,000kHzまで又は118MHzから136MHzまでの周波数の電波を使用する航空移動業務の無線電話局の選択呼出装置

(イ)　海上移動業務の無線局又は44MHz以下の周波数の電波を使用する無線標定業務の無線局で別に告示されるものの選択呼出装置

(ウ)　コードレス電話の親機の呼出名称記憶装置及び識別装置

(エ)　海上移動業務の無線局に使用する秘匿性を有する通信を行うための変調信号処理装置

(オ)　26.1MHzを超え28MHz以下、29.7MHzを超え41MHz以下又は146MHzを超え162.0375MHz以下の周波数の電波を使用する海上移動業務の無線局のデータ伝送装置（注①）

(2)　緊急警報信号発生装置

緊急警報信号発生装置は、次のア～オの条件に適合する緊急警報信号（注②）を発生するものでなければならない。ただし、標準テレビジョン放送等のうちデジタル放送に関する送信の標準方式において別に定められているものについては、この限りでない。（設９の３）。

ア　周波数偏位方式により変調されたものであって、マーク周波数が1,024Hz及びスペース周波数が640Hzであること。この場合において、

周波数の許容偏差は、それぞれ（±）100万分の10とする。

イ　位相は、周波数偏位時において連続していること。

ウ　伝送速度は、毎秒64ビットであること。この場合において、伝送速度の許容偏差は、（±）100万分の10とする。

エ　歪率は、5パーセント以下であること。

オ　構成は、別に告示するところによるものであること。

（注①）　海上移動業務の無線局のデータ伝送装置

船舶又は海岸局の識別、船舶の位置その他情報を自動的に送受信するもの（船舶自動識別装置、簡易型船舶自動識別装置及びVHFデータ交換装置を除く。）をいう（設9の2Ⅵ）。

（注②）　緊急警報信号

災害に関する放送の受信の補助のために伝送する信号であって、第１種開始信号、第２種開始信号又は終了信号をいう（施２Ⅰ（八十四の二））。

ここで第１種開始信号とは、待受状態にあるすべての受信機を作動させるために伝送する信号をいい（施２Ⅰ（八十四の三））、第２種開始信号とは、特別の待受状態にある受信機のみを作動させるために伝送される信号をいい（施２Ⅰ（八十四の四））、終了信号とは、第１種開始信号又は第２種開始信号の受信によって動作状態にある受信機を当該緊急警報信号を受信する前の状態に復させるために伝送する信号をいう（施２Ⅰ（八十四の五））。

3　混信防止機能

免許を要しない無線局のうち、空中線電力１ワット以下の特定用途の無線局（第２章２－１の３⑶参照）は、免許を要しない条件の一つとして混信防止機能を有することが定められている（法４㈢、施６の２、設９の４）。

具備すべき混信防止機能の具体的な内容は、無線局の種類に応じて規定されている（設９の４㈠～（十二）、施６の２）（２－１の３注⑯参照）。

4　安全施設

無線設備には、人体に危害を及ぼし又は物件に損傷を与えることのないように、総務省令で定める安全施設をしなければならない（法30）。

ここで安全施設という用語は、前１の保護装置と同義に聞こえるが、安全施設というのは無線局の無線装置が、人体又は物件に損傷を与えることを防ぐためのものであり、保護装置は無線設備の破損を防止する目的のものであって、意義は異なるものである。

総務省令（施行規則）では、次のように要件を定めている。

(1) 無線設備の安全性の確保

無線設備は、破損、発火、発煙等により人体に危害を及ぼし、又は物件に損傷を与えることがあってはならないとされ、破損、発火、発煙等からの危害のないことが要求されている（施21の2）。

(2) 電波の強度に対する安全施設

無線設備には、その無線設備から発射される電波の強度（電界強度、磁界強度、電力束密度及び磁束密度をいう。）が別に定める値を超える場所に取扱者以外の者が容易に出入りすることができないように、施設をしなければならない。

この場所とは、人が通常、集合し、通行し、その他出入りする場所のことである（施21の3Ⅰ）。

ただし、次の無線局の無線設備については強制されない。

ア　平均電力が20ミリワット以下の無線局の無線設備

イ　移動する無線局の無線設備

ウ　地震、台風、洪水、津波、雪害、火災、暴動その他非常の事態が発生し、又は発生するおそれがある場合において、臨時に開設する無線局の無線設備

エ　前各号のほか、この規定を適用することが不合理であるものとして総務大臣が別に告示する無線局の無線設備

なお、別に定める電波の強度は、周波数別に各強度の値が定められており（施21の3、別表2の3の2）、また、その算出方法及び測定方法は告示で定められている（施21の3Ⅱ）。

(3) 高圧電気に対する安全施設

ここで高圧電気というのは、高周波若しくは交流の電圧300ボルト又は直流の電圧750ボルトを超える電気をいう（施22）。

ア　高圧電気を使用する電動発電機、変圧器、ろ波器、整流器その他の

機器は、外部より容易にふれることができないように、絶縁しゃへい体又は接地された金属しゃへい体の内に収容しなければならない。ただし、取扱者のほか出入できないように設備した場所に装置する場合はこの限りでない（施22）。

イ　送信設備の各単位装置相互間をつなぐ電線であって、高圧電気を通ずるものは、線溝若しくは丈夫な絶縁体又は接地された金属しゃへい体の内に収容しなければならない。ただし、取扱者のほか出入できないように設備した場所に装置する場合は、この限りでない（施23）。

ウ　送信設備の調整盤又は外箱から露出する電線に高圧電気を通ずる場合においては、その電線が絶縁されているときであっても、電気設備に関する技術基準を定める省令（昭和40年経済産業省令第61号）の規定するところに準じて保護しなければならない（施24）。

エ　送信設備の空中線、給電線若しくはカウンターポイズ（注）であって、高圧電気を通ずるものは、その高さが人の歩行その他起居する平面から2.5メートル以上のものでなければならない。ただし、次に掲げる場合は強制されない（施25）。

(ア)　2.5メートルに満たない高さの部分が、人体に容易にふれない構造である場合又は人体が容易にふれない位置にある場合

(イ)　移動局であって、その移動体の構造上困難であり、かつ、無線従事者以外の者が出入しない場所にある場合

(4)　空中線等の保安施設

無線設備の空中線系には避雷器又は接地装置を、また、カウンターポイズには接地装置をそれぞれ設けなければならない。ただし、26.175MHzを超える周波数を使用する無線局の無線設備及び陸上移動局又は携帯局の無線設備の空中線系についてはこの限りでない（施26）。

(5)　航空機用気象レーダーの安全施設

航空機用気象レーダーには、その設備の操作に伴って人体に危害を及ぼし又は物件に損傷を与えるおそれのある場合は、必要と認められる施設をしなければならない（施27）。

（注） カウンターポイズ

アンテナ高の10%程度の高さに、アンテナの水平部の投影面積の3～4倍の範囲にわたり、大地より絶縁した多数の導線を架設し、大地との間になるべく大きい容量をもたせる容量接地方式である。乾燥地や岩山など導電率が不良な場所で、主に長波や中波送信アンテナの接地に用いられる。

5　周波数測定装置

(1)　周波数測定装置の備付けの強制及び装置の条件

周波数測定装置は、無線局においては、主として周波数の偏差が許容値内にあるかどうかを測定するために使用される。総務省令で定める送信設備には、その発射する電波を測定するために、次の条件に合致する周波数測定装置を備え付けなければならない（法31）（注①②）。

ア　その誤差が使用周波数の許容偏差の2分の1以下でなければならない（法31）。

イ　その型式について、総務大臣の行う型式検定に合格したものでなければならない（法37㈠）（注③）。

(2)　周波数測定装置備付け不要の送信設備

周波数測定装置は、できるだけ多くの無線局が備え付け、発射電波を随時測定して、これを正確に維持することが好ましい。しかしながら無線局からすれば、その通信上の目的のために必要とするものではないこと、負担も大きいこと等の事情があり、次のものは、装置の備付けが免除されている（法31、施11の3）。

ア　26.175MHzを超える周波数の電波を利用するもの

イ　空中線電力10ワット以下のもの

ウ　法定の条件に適合する周波数測定装置を備え付けている相手方の無線局によって、その使用電波の周波数が測定されることになっているもの

エ　当該送信設備の無線局の免許人が、別に備え付けた法定の条件に適合する周波数測定装置をもって、その使用電波の周波数を随時測定しうるもの

オ　基幹放送局の送信設備であって、空中線電力50ワット以下のもの

カ　標準周波数局において使用されるもの

キ　アマチュア局の送信設備であって、当該設備から発射される電波の特性周波数を0.025パーセント以内の誤差で測定することにより、その電波の占有する周波数帯幅が、当該無線局が動作することを許される周波数帯内にあることを確認することができる装置を備え付けているもの

ク　その他総務大臣が別に告示するもの

⑶　周波数の測定

周波数測定装置を備え付けた無線局は、周波数測定について、次に掲げるような措置をとらなければならない。

ア　周波数測定装置の備付けを強制された無線局は、できる限りしばしば自局の発射する電波の周波数（通信の相手方となる局の送信設備の使用電波の周波数を測定することになっている無線局であるときは、それらの周波数を含む。）を測定しなければならない（運４Ⅰ）。

イ　免許人が別に備えつけた法定の条件の周波数測定装置により、その属する無線局の使用電波の周波数を随時測定することになっているものは、その別に備えた周波数測定装置により、できる限りしばしば当該送信設備の発射する電波の周波数を測定しなければならない（運４Ⅱ）。

ウ　上記ア及びイの測定結果、その偏差が許容値を超えるときは、直ちに調整して許容値内に保たなければならない（運４Ⅲ）。

⑷　周波数測定装置の較正

⑶のア及びイの無線局は、その周波数測定装置が常時法定の確度（使用周波数の許容偏差の２分の１以下）を保つよう較正しておかなければならない（運４Ⅳ）（注④）。

⑸　委託による無線局の周波数の測定

免許人等の依頼によりその無線局の発射する電波の周波数を総務省が測定する手続が定められている（総務省設置法４（六十四）、昭和28年郵政省

告示763号）。

(注①) 周波数測定装置と無線局の定義との関係

周波数測定装置は、電波を送り又は受けるための電気的設備であって、電波法の定義によれば、それ自体無線局を構成するものである。しかし、発射する電波が著しく微弱な無線局として免許を要しない無線局の範囲に含まれる（施６Ⅰ㈢）。

(注②) 周波数測定装置の種類

周波数測定装置には、通常次のような種類のものがある。

⑴ 計数形周波数計

⑵ スペクトルアナライザ

⑶ ヘテロダイン周波数計

計数形周波数計は、１秒間に繰り返す波の数をパルス化しカウントするので、周波数カウンタとも呼ばれる。

スペクトルアナライザは本来周波数分析器であるが、デジタル化と高機能化により計数形周波数計に比べて高感度で周波数選択性があることから、周波数計として用いられている。

ヘテロダイン周波数計は、高周波用の計数形周波数計が出現するまでは唯一の精密な周波数計であった。

(注③) 周波数測定装置の型式検定合格の条件

周波数測定装置は、発射する電波を測定する基本的な測定装置であり、かつ、精密機械であるので、その技術的条件を製造者の任意に任せることは妥当ではなく、型式検定に合格した機器であることを強制している。ただし、総務大臣が行う検定に合格したものでなければならないという強制については、外国の型式検定に合格している機器であっても、その外国の型式検定が総務大臣が行う型式検定規則による型式検定に相当すると総務大臣が認めるものは、この強制機器として認められる（施11の5㈠）。

(注④) 周波数測定装置の較正

周波数測定装置の較正には、標準周波数局から発射される極めて精度の高い標準電波が使用される。標準電波の許容偏差は、設備規則上では$\frac{0.005}{100万}$以下であり、国立研究開発法人情報通信研究機構（以下「機構」という。）がこの標準周波数局を開設し運用している。

なお、無線設備の点検に用いる周波数測定装置等の較正は機構又は総務大臣の指定する者（指定較正機関）が行う（法102条の18）。

３－８　無線局の業務又は使用電波の区別等による無線設備の特別の技術条件

無線設備の技術基準について、前節までにおいて通則的事項から始め、電波の質、空中線電力並びに送信設備、受信設備及び付帯設備の一般的技術条件について述べてきた。これらはすべての無線局の設備に共通して適用されるものである。ところが無線局はその目的（用途）、使用電波（電波の型式、周波数）、通信方式、運用の型態等が様々であり、使用する無線設備も複雑、かつ、多岐にわたっている。したがって、電波法令では、それぞれの無線設備に必要、かつ、特有な技術条件を個々に定めている。

１　船舶局

(1)　計器及び予備品の備付け

船舶局の無線設備には、その操作のために必要な計器及び予備品であって、総務省令で定めるものを備え付けなければならない（法32）。

このうち計器としては、補助電源の電圧計、蓄電池の充放電電流計、空中線電流計等８項目にわたって定められているが、26.175MHzを超える周波数の電波を使用するもの等一定の送信設備については一部省略が認められている（施30、31）。

また、予備品としては、送信用の真空管及び整流管、ブレークインリレー、空中線用線条及び空中線素子等８項目にわたって定められている（ただし、無線設備が送信用終段電力増幅管に替えて半導体素子を使用するものである場合は、予備品の備付けを要しないとされている。）が、一定のレーダーについてはこれにかかわらずマグネトロン、サイラトロン等６項目が定められている（ただし、レーダーが現用するマグネトロン、サイラトロン等に替えて半導体素子を使用するものである場合は、それらの予備品の備付けを要しないとされている。）（施31 Ⅰ～Ⅴ）。

(2)　義務船舶局の無線設備の機器

義務船舶局の無線設備には、船舶及び航行区域の区分に応じて、一定の機器を備えなければならない（法33）。

船舶及び航行区域の区分は、次のとおりである（施28 Ⅰ）。

ア　A 1 海域（注①）のみを航行する船舶

イ　A 1 海域及び A 2 海域（注②）のみを航行する船舶

ウ　A 1 海域 A 2 海域及びその他の海域を航行する船舶

これらの区分に応じて、送信設備及び受信設備の機器、遭難自動通報設備の機器、船舶の航行の安全に関する情報を受信するための機器並びにその他の機器の別に、どのような機器を何台備えなければならないかが定められている（施 28 Ⅰ）。さらに、義務船舶局の状況により、若干の特則がある（施 28 Ⅱ～Ⅹ、昭和 55 年郵政省告示第 329 号）。

(3)　義務船舶局等の無線設備の条件

義務船舶局及び義務船舶局のある船に開設する一定の船舶地球局（施 28 の 2 Ⅰ参照）（以下「義務船舶局等」という。）の無線設備は、次に掲げる要件に適合する場所に設けなければならない（法 34 本文）。

ア　その無線設備の操作に際し、機械的原因、電気的原因その他の原因による妨害を受けることがない場所であること。

イ　その無線設備につきできるだけ安全を確保することができるように、その場所が当該船舶において可能な範囲で高い位置にあること。

ウ　その無線設備の機能に障害を及ぼすおそれのある水、温度その他の環境の影響を受けない場所であること。

ただし、総トン数 300 トン未満の漁船のもの等一定の義務船舶局等については、この限りでない（法 34 ただし書、施 28 の 2 Ⅱ、平成 4 年郵政省告示第 91 号）。

また、義務船舶局等の無線設備については、次に掲げる措置のうち、義務船舶局が設置された船舶の種類、規模等に応じ、一又は二の措置をとらなければならない（法 35 本文、施 28 の 4）。

ア　予備設備を備えること。

イ　その船舶の入港中に定期に点検を行い、並びに停泊港に整備のために必要な計器及び予備品を備えること。

ウ　その船舶の航行中に行う整備のために必要な計器及び予備品を備えること。

ただし、これについても例外が認められている（法35ただし書、施29）。

（注①）Ａ１海域
　Ｆ２Ｂ電波156.525MHzによる遭難通信を行うことができる海岸局の通信圏であって、総務大臣が告示するもの及び外国の政府が定めるものをいう（施28 Ｉ㈠）。
（注②）Ａ２海域
　Ｆ１Ｂ電波2,187.5MHzによる遭難通信を行うことができる海岸局の通信圏（Ａ１海域を除く。）であって、総務大臣が告示するもの及び外国の政府が定めるものをいう（施28 Ｉ㈡）。

2　義務航空機局

義務航空機局の送信設備は、所定の有効通達距離を持つものでなければならない（法36）。

具体的には総務省令で、

⑴　A3E電波118MHzから144MHzまでの周波数を使用する送信設備及びATCトランスポンダの送信設備
⑵　機上ＤＭＥ及び機上タカンの送信設備
⑶　航空機用気象レーダーの送信設備

について、有効通達距離が定められている（施31の3）。

3　人工衛星局

⑴　人工衛星局の遠隔操作

ア　人工衛星局の無線設備は、遠隔操作により、電波の発射を直ちに停止することができるものでなければならない（法36の２ Ｉ）。

イ　対地静止衛星（注①）に開設する人工衛星局は、無線設備の設置場所を遠隔操作により変更することができるものでなければならない（法36の２ Ⅱ、施32の５）（注②）。

⑵　人工衛星局の送信空中線の指向方向

ア　対地静止衛星に開設する人工衛星局（一般公衆によって直接受信されるための無線電話、テレビジョン、データ伝送又はファクシミリによる無線通信業務を行うことを目的とするものを除く。）の送信空中線の地球に対する最大輻射の方向は、公称されている指向方向に対して、0.3度又は主輻射の角度の幅の10%のいずれか大きい角度の範囲内に維持されなければならない（施32の3 Ⅰ）。

イ　対地静止衛星に開設する人工衛星局（一般公衆によって直接受信されるための無線電話、テレビジョン、データ伝送又はファクシミリによる無線通信業務を行うことを目的とするものに限る。）の送信空中線の地球に対する最大輻射の方向は、公称されている指向方向に対して、0.1度の範囲内に維持されなければならない（施32の3 Ⅱ）。

(3) 人工衛星局の位置の維持

ア　対地静止衛星に開設する人工衛星局（実験試験局を除く。）であって、固定地点の地球局相互間の無線通信の中継を行うものは、公称されている位置から経度の（±）0.1度以内にその位置を維持することができるものでなければならない（施32の4 Ⅰ）。

イ　対地静止衛星に開設する人工衛星局（一般公衆によって直接受信されるための無線電話、テレビジョン、データ伝送又はファクシミリによる無線通信業務を行うことを目的とするものに限る。）は、公称されている位置から緯度及び経度のそれぞれ（±）0.1度以内にその位置を維持することができるものでなければならない（施32の4 Ⅱ）。

ウ　対地静止衛星に開設する人工衛星局であって、ア及びイの人工衛星局以外のものは、公称されている位置から経度の（±）0.5度以内にその位置を維持することができるものでなければならない（施32の4 Ⅲ）。

(4) 人工衛星局等の電力束密度

ア　人工衛星局（1,525MHzを超え1,530MHz以下又は2,500MHzを超え2,535MHz以下の周波数の電波を使用して移動する地球局と無線通信を行う人工衛星局を除く。）その他の宇宙局の地表面における電力束密度の許容値については別に定めがある（施32の6 Ⅰ、別表2の5）。

イ　8.025GHzを超え8.4GHz以下の周波数の電波を使用して、地球の特性及び自然現象に関する情報を取得するための宇宙無線通信を行う人工衛星局であって、対地静止衛星に開設する人工衛星局以外のものの対地静止衛星の軌道における電力束密度（搬送波のスペクトルのうち最大の電力密度の ４ kHz の帯域幅における電力束密度とする。）は１平方メートル当り（−）174 デシベル（１ワットを０デシベルとする。）を超えてはならない（施 32 の６Ⅱ）。

ウ　6.7GHzを超え、7.075GHz以下の周波数の電波を使用して固定地点の地球局と無線通信を行う人工衛星局であって、対地静止衛星に開設する人工衛星局以外のものの対地静止衛星の軌道及びその軌道から傾斜角の（±）５度以内の軌道における電力束密度の総和（搬送波のスペクトルのうち、最大の電力密度の４kHzの帯域幅における電力束密度の総和とする。）は、１平方メートル当たり（−）168デシベルを超えてはならない（施32の６Ⅲ）。

（注①）対地静止衛星

地球赤道面上に円軌道を有し、かつ、地球の自転軸を軸として、地球の自転と同一の方向及び周期で回転する人工衛星をいう（施 32 の２Ⅲ）。

（注②）人工衛星局の遠隔操作等

「人工衛星局は、その無線設備の設置場所を遠隔操作により変更することができるものでなければならない。」としたのは、もともと静止衛星の場合は、放置しておけば西へ流れていく性質をもっており、適宜元の位置へもどさなければならないものであるから、人工衛星局の位置を保持するために必要な設備の条件として規律するものである。

４　無線局の区分別による無線設備の特別の技術条件

以上のほか、無線設備の特別の技術条件については、無線局を次のとおり区分し、詳細に、かつ確立された数値をもって定めている。

⑴　中波放送を行う地上基幹放送局　設33の２～33の８

⑵　短波放送を行う地上基幹放送局　設33の10～33の18

⑶　超短波放送（デジタル放送を除く。）を行う地上基幹放送局　設34～37の２

⑷　超短波音声多重放送又は超短波文字多重放送を行う地上基幹放送局　設37の７の３～37の７の７

⑸　超短波放送のうちデジタル放送を行う地上基幹放送局（移動受信用地上基幹放送を行うものを除く。）　設37の27の７～37の27の８

⑹　標準テレビジョン放送又は高精細度テレビジョン放送を行う地上基幹放送局（移動受信用地上基幹放送を行うものを除く。）

設37の27の９～37の27の11

⑺　移動受信用地上基幹放送を行う地上基幹放送局

設37の27の11の２～37の27の11の３

⑻　11.7GHz を超え12.2GHz 以下の周波数の電波を使用する標準テレビジョン放送、高精細度テレビジョン放送、超高精細度テレビジョン放送、超短波放送又はデータ放送を行う衛星基幹放送局及び当該衛星基幹放送局と通信を行う地球局

設37の27の15～37の27の17

⑼　12.2GHz を超え12.75GHz以下の周波数の電波を使用する標準テレビジョン放送、高精細度テレビジョン放送、超高精細度テレビジョン放送、超短波放送又はデータ放送を行う衛星基幹放送局及び当該衛星基幹放送局と通信を行う地球局

設37の27の18～37の27の20

⑽　番組素材中継を行う無線局等

設37の27の21～37の27の23

⑾　エリア放送を行う地上一般放送局

設37の27の24～37の27の25

⑿　船舶局及び海岸局並びに船舶地球局等

設37の28～45の３の７

⒀　航空移動業務及び航空交通管制の用に供する無線測位業務の無線局、航空機に搭載して使用する携帯局並びに航空移動衛星業務の無線局　設45の５～45の22

⒁　無線方位測定機等　設46～49の４

⒂　海洋観測を行う無線標定業務の無線局　設49の４の２

⒃　航空機搭載型合成開口レーダー　設49の４の３

⒄　無線呼出局（電気通信事業を行うことを目的とするものに限る。）　設49の５
⒅　携帯無線通信の中継を行う無線局　設49の６
⒆　符号分割多元接続方式（CDMA）携帯無線通信を行う無線局等　設 49 の６の４
⒇　時分割・符号分割多重方式（TD-CDMA）携帯無線通信を行う無線局等　設49の６の５
(21)　時分割・符号分割多元接続方式（TD-CDMA）携帯無線通信を行う無線局等　設49の６の６
(22)　時分割・直交周波数分割多元接続方式（TD-OFDMA）携帯無線通信を行う無線局等　設49の６の７
(23)　時分割・周波数分割多元接続方式（TD-FDMA）携帯無線通信を行う無線局等　設49の６の８
(24)　シングルキャリア周波数分割多元接続方式(SC-FDMA)携帯無線通信を行う無線局等　設49の６の９～設49の６の10
(25)　直交周波数分割多元接続方式（OFDMA）携帯無線通信を行う無線局等　設49の6の11
(26)　シングルキャリア周波数分割多元接続方式（SC-FDMA）又は直交周波数分割多元接続方式（OFDMA）携帯無線通信を行う無線局及びローカル５Ｇの無線局等　設49の６の12 ～ 49の６の13
(27)　デジタル MCA 陸上移動通信を行う無線局等　設49の７の２～49の７の３
(28)　高度ＭＣＡ陸上移動通信を行う無線局等　設49の７の４
(29)　コードレス電話の無線局　設49の８
(30)　時分割多元接続方式（TDMA）狭帯域デジタルコードレス電話の無線局　設49の８の２
(31)　時分割多元接続方式（TDMA）広帯域デジタルコードレス電話の無線局　設49の８の２の２
(32)　時分割・直交周波数分割多元接続方式（TD-OFDMA）

デジタルコードレス電話の無線局　設49の８の２の３

⒀ PHSの無線局　設49の８の３

⒁ 構内無線局　設49の９

⒂ 特定小電力無線局　設49の14

⒃ デジタル空港無線通信を行う無線局等　設49の15

⒄ 特定ラジオマイクの陸上移動局　設49の16

⒅ デジタル特定ラジオマイクの陸上移動局　設49の16の２

⒆ 小電力セキュリティシステムの無線局　設49の17

⒇ 携帯移動衛星データ通信を行う無線局　設49の18

(41) 22GHz帯、26GHz帯又は38GHz帯の周波数の電波を使用する陸上移動業務の無線局　設49の19

(42) 小電力データ通信システムの無線局　設49の20

(43) 5.2GHz帯高出力データ通信システムの無線局　説49の20の２

(44) ５GHz帯無線アクセスシステムの無線局　設49の21

(45) 道路交通情報通信を行う無線局　設49の22

(46) 700MHz帯高度道路交通システムの無線局　設49の22の２

(47) 携帯移動衛星通信を行う無線局　設49の23～設49の23の５

(48) インマルサット携帯移動地球局　設49の24

(49) 海上において電気通信業務を行うことを目的として開設する携帯移動地球局（本邦の排他的経済水域を越えて航海を行う船舶において使用するものに限る。）　設49の24の２

(50) 回転翼航空機に搭載して電気通信業務を行うことを目的として開設する携帯移動地球局　設49の24の３

(51) 防災対策携帯移動衛星通信を行う携帯移動地球局　設49の24の４

(52) 60MHz帯又は2GHz帯の周波数の電波を使用する無線局　設49の24の5～49の25

(53) 6.5GHz帯又は7.5GHz帯の周波数の電波を使用する陸上移動業務の無線局　設49の25の２

(54) 18GHz帯の周波数の電波を使用する陸上移動業務の無線局

設49の25の2の2

⑸ 60GHz帯の周波数の電波を使用する陸上移動業務の無線局
設49の25の3

⑹ 80GHz帯の周波数の電波を使用する陸上移動局　設49の25の4

⑺ 狭域通信システムの無線局等　設49の26

⑻ 超広帯域無線システムの無線局　設49の27

⑼ 直交周波数分割多元接続方式広帯域移動無線アクセスシステムの無線局　設49の28

⑽ 時分割・直交周波数分割多元接続方式（TD-OFDMA）又は時分割・シングルキャリア周波数分割多元接続方式（SC-FDMA）広帯域移動無線アクセスシステムの無線局等　設49の29

⑾ シングルキャリア周波数分割多元接続方式（SC-FDMA）又は直交周波数分割多元接続方式（OFDMA）広帯域移動無線アクセスシステムの無線局等　設49の29の2

⑿ 200MHz帯広帯域移動無線通信を行う無線局　設49の30

⒀ 23GHz帯の周波数の電波を使用する陸上移動局　設49の31

⒁ 400MHz帯の周波数の電波を使用する陸上移動業務の無線局　設49の32

⒂ 無人移動体画像伝送システムの無線局（169MHz帯、5.7GHz帯）　設49の33

⒃ 920MHz帯の周波数の電波を使用する陸上移動局　設49の34

⒄ 非常局　設50

⒅ 国際通信（国際放送を除く。）を行う無線局　設51～53

⒆ 簡易無線局　設54

⒇ 市民ラジオの無線局　設54の2

(71) 気象援助局（ラジオゾンデ）　設54の2の2

(72) 他の一の地球局によってその送信の制御が行われる小規模地球局（VSAT地球局）　設54の3

(73) 携帯無線通信等を抑止する無線局　設54の4

(74)　振幅変調の電波を使用する無線局　設55〜57の2の2

(75)　角度変調等の電波を使用する無線局　設57の3〜58の2の2

(76)　54MHz以上の周波数の電波を使用して通信系を構成する固定局　設58の2の3〜58の2の12

(77)　地球局、固定局等の特則　施32〜32の2、32の7〜32の9

なお、省令改正に伴う経過措置についてはそれぞれ附則で定められている。

3－9　無線機器型式検定

1　無線機器型式検定の意義

無線機器型式検定というのは、無線機器製造者の製造する機器が、定められた性能を有するものであるか否かを総務大臣が判定するものであるが、その判定に当たり、全数試験を行わず、1型式1台のみを試験して、同一型式のすべてを検定することをいう。

したがって、機器の型式について試験し認定するものであるから、基準に合致していると認定された型式の機器は、すべて型式検定に合格した機器と称し、その旨の表示がされる。

型式検定は、無線設備について無線局の免許及び検査の対象として規律することのほかに、加重的に無線機器の型式についての検定を強制する制度であるから、対象とされている無線機器は、人命財貨の保全、電波の秩序維持のために極めて高い精度と信頼度が要求されるものに限られている。

しかも、これらの機器は、総務大臣の行う型式検定に合格（これに相当すると認められたものを含む。）したものでなければ施設してはならないものとする強い法的拘束を受けている（法37）。

2　型式検定の対象機器

総務大臣が行う型式検定に合格したものでなければ施設できない無線設備の機器は、次のとおりである（法37、施11の4、28）。

ア　電波法第31条の規定により備付けを強制される周波数測定装置

イ　船舶安全法により船舶に備え付けなければならないレーダー

ウ　船舶に施設する救命用の無線設備の機器であって国際航海に従事する旅客船又は総トン数300トン以上の船舶に備え付ける次のもの

(ア)　双方向無線電話

(イ)　船舶航空機間双方向無線電話（旅客船に限る。）

(ウ)　衛星非常用位置指示無線標識

(エ)　捜索救助用レーダートランスポンダ

(オ)　捜索救助用位置指示送信装置

エ　義務船舶局の無線設備であって、総務省令で定める船舶及び航行区域の区分に応じて備付ける次のもの

(ア)　デジタル選択呼出装置等による通信を行う送受信設備の機器

(イ)　遭難自動通報設備の機器

(ウ)　船舶の航行の安全に関する情報を受信するための機器

(エ)　その他の機器（双方向無線電話、超短波帯のデジタル船舶呼出専用受信機等）

オ　船舶地球局の無線設備の機器

カ　義務航空機局に設置する無線設備の機器

上記の無線機器は、総務大臣が検定規則に基づいて行う型式検定合格機器であることが原則であるが、次のものでもよいとの緩和策がとられている（法37ただし書、施11の5）。

ア　外国において、日本の検定規則で定める型式検定に相当するものと総務大臣が認める型式検定に合格しているもの

イ　その他総務大臣が別に告示（昭和61年郵政省告示第221号）するもの（船舶安全法の型式承認を受けたレーダー等）

3　型式検定の合格の条件

型式検定の対象機器については、それぞれ合格の条件が定められている（型２、別表１、別表２、平成17年総務省告示第1094号、令和３年総務省告示第82号）。

4　型式検定の手続等

(1)　検定の申請

検定の申請は、その機器の製造者（製造業者又は輸入業者あるいは輸入

機器の改修者をいう。）が行うものである。

申請は、所定の様式の申請書（これに収入印紙を貼付して手数料を納める。）に、取扱説明書及び検査成績書（製造者自身の検査に基づく成績書をいう。）の正本及び写し各１通並びに受検機器１台を添えて、総務大臣に提出して行う（型４Ⅰ、Ⅱ、５）。

ただし、受検機器について、別に定めるところにより、電波法別表１に規定する要件を備える者（注）が検査等事業者の登録に必要とされる較正を受けた測定機等を使用して所定の方法により試験を行い、所定の試験結果通知書を提出する場合は、検査成績書及び受検機器の提出を要しない（型４Ⅰただし書）。すなわち、試験データの取得に民間能力の活用を図るとともに、業務の簡素合理化による審査期間の短縮及び型式検定手数料の低廉化を可能としている。

⑵ 申請機器の試験、合格機器等

総務大臣は機器を別に定める規定の条項に基づいて詳細に試験し、（前記により受検機器を提出しなかったものは、書面審査による。）合格すれば無線機器型式検定合格証書を交付し、これを告示する。総務大臣は、この試験を国立研究開発法人情報通信研究機構又は総務大臣が別に定める基準に適合する者に委託することができる。合格機器には、別に定められている合格マーク及び一定の事項を記載した標章を付さなければならない（型６、８、15）。

（注）電波法別表１の要件を備える者

ただし、この中から第三級総合無線通信士、第四級海上無線通信士、航空無線通信士、陸上特殊無線技士若しくは第一級アマチュア無線技士の資格又は外国政府が発給した無線通信規則第37条に基づく無線電話通信士一般証明書のみを有する者は除かれる（型４Ⅰただし書）。

5 型式検定合格の取消し

型式検定制度は、１型式１台のみを試験し、同一型式のすべての機器について型式検定合格機器とするものであるから、場合によっては同一型式のものであっても試験した機器の性能等の条件を満足しないものが生じないとも限らない。そうした事態が生じては電波法秩序を乱すばかりでなく、社会的にも影響するところが大きい。そこでこれらの対策として、総務大臣は、合格機器として用いられている機器の多くが検定合格の条件に適合しないため、型式検定合格の効果を維持することができないと認めるときは、その合格を取り消すことになっている。なお、合格を取り消したときは、合格者であった者に対し、その旨を理由に付した文書をもって通知するとともに、告示する（型12）。

３－10　無線設備の技術基準の策定等の申出

１　経緯

電波法においては、電波の能率的利用の確保及び他の無線局への混信等の防止、周波数の効率的利用の見地から、使用する無線設備は電波法及び関連総務省令で定める技術基準に適合するものでなければならないとされ（法第３章）、それぞれの無線システムごとに技術基準が省令等で定められている。そして新たな無線システムが導入される場合には、現状の標準化動向等を踏まえ一義的には総務省が技術基準の策定又は変更を行うが、その際には電波の利用者等のニーズや創意工夫を十分考慮した上で行うこととされている。

一方、新たな電波利用を希望する者等にとって技術基準は計画している無線システムの導入の可否を含めその利害に大きな影響を及ぼしうることから、これらの技術基準の策定・変更を行うに当たっては、その手続を透明化し、これらに利害を有する者の意見を踏まえることが望ましい。このような観点から平成22年の電波法改正では、利害関係者等が技術基準の原案・変更案等を示して総務大臣に申し出を行うことを可能とする制度が創設された。これにより、今まで以上に社会のニーズや創意工夫に対応した技術基準の策定・変更が可能となり、今後新たな電波利用システムの導入促進や新産業の創出等が活発化することが期待されている。

２　制度

利害関係人は、総務省令で定めるところにより、電波法第28条から第32

条まで又は第38条の規定により総務省令で定めるべき無線設備の技術基準について、原案を示して、これを策定し、又は変更すべきことを総務大臣に申し出ることができる（法38の２Ⅰ）。

利害関係人は法令で定義されておらず、広く利害関係者全体を指す。申出の対象が技術基準であるから、無線設備の生産者、販売者、利用者、研究者など広範な人々が含まれるであろう。

申出の方法は電波法施行規則で定められている（施32の９の２、別表２の６）。また、申出の対象となる技術基準としては、たとえば次のようなものがある。

・無線局の送信設備に使用する電波の周波数の偏差及び幅、高調波の強度等電波の質（法28、設５（別表１）、設６（別表２）、設７（別表３））
・無線局の受信設備の条件（副次的に発する電波の限度等）（法29、設24）
・無線局の無線設備の安全施設（法30、施21の2、3、施22～27）
・無線局の送信設備に必要な周波数測定装置の備付け（法31、施11条の３）
・船舶局の無線設備に必要な計器及び予備品の備付け（法32、施30、31）

総務大臣は、申出を受けた場合において、その申出に係る技術基準を策定し、又は変更する必要がないと認めるときは、理由を付してその旨を申出人に通知しなければならないこととされている（法38の２Ⅱ）。

第４章
特定無線設備の技術基準適合証明等

４－１　技術基準適合証明

１　意義

技術基準適合証明制度は、小規模な無線局に使用する無線設備であって別に総務省令で定めるもの（「特定無線設備」という。）について、これを無線局に設置する前の段階、すなわち工場で製造された段階あるいは流通の段階において、原則として個々の無線設備ごとに試験を行って、技術基準への適合性を判断し、適合しているときはこれを証明するものであり、基準認証制度の一つある。また、この技術基準に適合することの判断のための試験及びその証明の業務を行う登録証明機関及び承認証明機関（総務大臣の登録又は承認を受けた民間又は外国の機関）の制度を設けている（法38の２、38の31）。

なお、無線局に設置する前の無線設備について、技術基準への適合性を試験をして判断し、証明又は合格機器とするということでは、前第３章の無線機器型式検定制度と併立しているが、試験の方法、証明又は合格の効果をはじめとし、目的や意義等は異なるものである。

２　目的及び効用

この制度の対象となる特定無線設備は、移動通信用等の比較的小規模な無線設備であるが、このような無線設備を使用する無線局は普及が進み、極めて数が多くなっている。このため、この制度は技術基準を適正に維持及び監理するという目的を持つとともに、行政庁における無線局の免許、監督事務の簡素化と電波利用者、電気通信事業者、無線設備のメーカ等の負担の軽減に役立っている。

加えて、電気通信分野の国際化の進展に伴う国際的調和が図られている。

３　技術基準適合証明設備の利点

技術基準適合証明を受けるかどうかは自由である。しかし、技術基準適合証明を受けた無線設備については、次のような利点がある。

なお、これらの利点は後述の認証工事設計や技術基準適合自己確認を行った工事設計に合致している特定無線設備についても等しく認められており、法的効果は同一である。技術基準適合証明設備を含め、これらの特定無線設備には所定の表示が付されることから、一括して「適合表示無線設備」と呼ばれる（法4㈡）。

⑴　使用周波数帯、空中線電力が定められた範囲内にあり、かつ、適合表示無線設備のみを使用する市民ラジオの無線局、コードレス電話の無線局、特定小電力無線局、小電力セキュリティシステムの無線局、小電力データ通信システムの無線局、デジタルコードレス電話の無線局、PHSの陸上移動局、狭域通信システムの陸上移動局、5GHz帯無線アクセスシステムの陸上移動局等は、免許を要しない無線局となる（法4、施6、設9の4）。

⑵　自己と同一周波数の電波が発射されている場合に自己の電波発射を控える機能を有する等無線設備の規格を同じくする他の無線局の運用を阻害するような混信等を与えないように運用することのできる一定の無線局で適合表示無線設備のみを使用するものを一定の区域内に開設する場合、免許を受ける必要がなく登録で可となる（法27の18）。

⑶　適合表示無線設備のみを使用する無線局の免許申請をした場合は、予備免許（法8）及び落成後の検査（法10）の各手続きを省略して、直ちに指定事項を指定して、無線局の免許が与えられる。予備免許が無く、工事落成期限も指定されないから、予備免許中の工事設計の変更（法9）、落成期限逸脱による免許拒否（法11）といったことは当然生じない（法15、免15の4）。

⑷　適合表示無線設備（告示に定めるものに限る。）を使用する無線局の免許申請書に添付する工事設計書には、当該設備の技術基準に係る部分の記載は要しない（免15の3）。

⑸　既設の無線局の無線設備を適合表示無線設備に取り替える場合は、許可を要せず（施10、別表1の3）、あるいは追加するときは許可は必要

であるが変更検査は省略される（施10の４、別表２）。

４　特定無線設備

特定無線設備を定めるにあたっては、その無線設備は設置前に技術基準への適合性の判断が可能かどうか、免許事務の簡素化の対象になり得るかどうか等の事情及び空中線電力、使用形態、使用目的等、総合的見地から検討し、小規模とされる無線局のものであって、主として携帯用、車載用の無線局の無線設備を定めている。

この場合、例えば空中線電力50ワット以下のすべての陸上移動局を対象とするといったような包括的な方法によらず、何通信を行う何局（多くの場合、無線局の目的）の無線設備といったように、専門的分野に区別して定めてある。このため無線設備だけでなく、それを使用する無線局も結果的に対象を決める基準となっている。

具体的な定めは総務省令「特定無線設備の技術基準適合証明等に関する規則」によってなされ、市民ラジオの無線局に使用するための無線設備、特定小電力無線局に使用するための無線設備、ラジオマイク、Wi-Fi機器、携帯電話基地局・移動局無線設備、レーダ、衛星通信機器、５GHz帯無線アクセスシステムの基地局に使用するための無線設備等190種類（令和３年10月現在）が指定されている（適合証明２Ⅰ）。

特定無線設備は大きく次の三つのグループに分けられるが、種別としては⑶が最も多い。

⑴　免許等不要局（免許や登録を受けずに使用できる無線局）に係るもの
　　特定小電力機器、小電力データ伝送システム（無線LAN等）など
⑵　第１号包括免許対象局に係るもの
　　携帯電話（３G、LTE等）など
⑶　その他（簡易な免許又は登録の対象となる無線局に係るもの
　　携帯電話基地局、5GHz帯無線アクセスシステムなど

５　技術基準適合証明の手続

⑴　審査等

登録証明機関は、その登録に係る技術基準適合証明を受けようとする者

から求めがあった場合には、総務省令で定めるところにより審査を行い、その特定無線設備が技術基準に適合していると認められるときに限り、技術基準適合証明を行う（法38の６Ⅰ）。

審査の方法は次のとおりである（適合証明６Ⅰ）。ただし、適合表示無線設備の工事設計に基づく特定無線設備等一定の特定無線設備については、審査の一部省略が認められる（適合証明６Ⅲ）。

ア　工事設計の審査

申込設備の工事設計が技術基準に適合しているかどうかの審査を行う。

イ　対比照合審査

申込設備とその工事設計書に記載された内容との対比照合審査を行う。

ウ　特性試験

申込設備について、別に定める（送信装置、受信装置別に試験項目、試験方法及び使用測定器等が定めてある（適合証明別表１、平成16年総務省告示第88号）。）試験を行い、技術基準に適合しているかどうかの審査を行う。

⑵　報告及び公示

登録証明機関は、技術基準適合証明を行ったときは、技術基準適合証明を受けた特定無線設備の種別その他を総務大臣に報告する（法38の６Ⅱ、適合証明６Ⅳ）。

総務大臣は、この報告を受けたときは、次に掲げる事項を公示する（法38の６Ⅳ、適合証明６Ⅶ）。

ア　技術基準適合証明を受けた者の氏名又は名称
イ　技術基準適合証明を受けた特定無線設備の種別
ウ　技術基準適合証明を受けた特定無線設備の型式又は名称
エ　技術基準適合証明番号
オ　電波の型式、周波数及び空中線電力
カ　設備規則第14条の２（人体における比吸収率の許容値）第１項の規

定が適用される無線設備である場合には、その旨

キ　技術基準適合証明をした年月日

なお、登録証明機関は、技術基準適合証明を拒否するときは、その旨を理由を付した文書をもって申請者に通知する（適合証明7）。

(3)　証明の表示

技術基準適合証明が行われたときは、定められた様式の表示（電磁的方法による記録・表示を含む。）が、当該特定無線設備の見やすい箇所等に付されることとなる（法38の7、適合証明8）。

この表示は、ここで述べる場合のほか、後述する登録証明機関が認証した工事設計に基づく特定無線設備及び承認証明機関が証明した特定無線設備（認証した工事設計に基づく設備を含む。）にも付される（法38の26、38の31Ⅳ、適合証明20、27、36）。

また、適合表示無線設備を組み込んだ製品を取り扱うことを業とする者は総務省令で定めるところにより製品に組み込まれた適合表示無線設備に付されている表示と同一の表示を当該製品に付することができる（法38の7Ⅱ）。これは平成26年の電波法改正により導入された制度で、これにより、たとえば技術基準適合証明等を受けた無線モジュールを組み込んだ製品の製造業者等が、その無線モジュールに付されている技術基準適合証明等の表示を製品に転記することが可能になり、利用者が製品の外からも技術基準適合の状況を確認できることとなる。

この表示又はこれと紛らわしい表示は、これらの特定無線設備等に表示する場合を除いては、国内の無線設備に表示してはならない（法38の7Ⅲ）。また、これらの規定により表示が付されている特定無線設備の変更の工事をした者は、総務省令で定める方法によりその表示を除去（電磁的記録を消去し、又はその表示機能を失わせることを含む。）しなければならない（法38の7Ⅳ、適合証明8の2）。これらに違反した者には罰則がある（「50万円以下の罰金」（法112㈠、114））。

(4)　技術基準適合証明の義務

登録証明機関は、その登録に係る技術基準適合証明を行うべきことを求

められたときは、正当な理由がある場合を除き、遅滞なく審査を行わなければならない（法38の8Ⅰ）。

⑸ 総務大臣による技術基準適合証明の実施

総務大臣は、次の場合には自ら技術基準適合証明を行う（法38の18Ⅰ）。

ア 登録証明機関になる者がいないとき

イ 次のいずれかの場合において必要があると認めるとき

(ア) 登録証明機関が業務を休廃止した場合

(イ) 登録証明機関の登録を取り消した場合

(ウ) 登録証明機関に対し業務の停止を命じた場合

(エ) 天災等により登録証明機関が業務実施困難になった場合

総務大臣が技術基準適合証明の業務を行い、又はやめるときは、公示が必要であるほか、総務大臣が技術基準適合証明の業務を行うこととした場合における業務の引継ぎその他必要な事項についても定めがある（法38の18Ⅱ、Ⅲ、適合証明15）。

6 技術基準適合証明を受けた者及び設備に対する規律

⑴ 立入検査等

総務大臣は、電波法施行上必要があるときは、登録証明機関による技術基準適合証明を受けた者に対し、当該証明に係る特定無線設備に関し報告させ、又はその職員に、その者の事業所に立ち入り、当該特定無線設備その他の物件を検査させることができる（法38の20Ⅰ）。

これは、後述⑶の妨害等防止命令を発出する制度や技術基準適合証明の表示が付されていないものとみなす制度との関係において、まず総務大臣が技術基準適合証明を受けた者や設備に関する事実関係を把握することを可能ならしめ、それら制度の運用の的確を期そうとするものである。

なお、この立入検査の権限は、犯罪捜査のために認められたものと解釈してはならず、また、検査職員は、その身分を示す証明書を携帯し、関係者の請求に応じ提示しなければならない（法38の20Ⅱ、24の8Ⅱ、Ⅲ）。本章に出てくるすべての総務大臣検査について、この点は共通である。

⑵　特定無線設備等の提出

総務大臣は、⑴の検査の際、期限を定めて次の物件の提出を命じることができる（法38の21Ⅰ）。

ア　その場所での検査が著しく困難であると認められる特定無線設備

イ　その特定無線設備の検査に必要な物件

これは、検査において特定無線設備の技術基準適合性を調べる上で、その場に無い特殊な施設、設備を必要としたり、受検者が持っている物件を使う必要があったりすることを想定したものである。このことによって受検者が受けた損失は国によって補償される（法38の21Ⅱ）。

⑶　妨害等防止命令及び技術基準適合表示の否認

総務大臣は、技術基準適合証明の表示が付されている特定無線設備が実際は技術基準に適合しておらず、かつ、その使用により①他の無線局の運用を阻害するような混信その他の妨害又は②人体への危害を与えるおそれがあると認める場合において、それらの拡大を防止するために特に必要があると認めるときは、当該技術基準適合証明を受けた者に対し、それらの拡大を防止するために必要な措置を講ずべき事を命ずることができる（法38の22Ⅰ）。

この場合、技術基準適合証明の表示は付されていないものとみなされ、総務大臣はその旨公示することとされる（法38の23）。

４－２　特定無線設備の工事設計についての認証

１　工事設計認証制度の概要

この制度は、登録証明機関が、申請により、特定無線設備を、電波法に定める技術基準に適合するものとして、その工事設計（設備がその工事設計に合致することの確認の方法を含む。）について認証する制度である。即ち、携帯無線通信等の大量生産される特定無線設備について、その工事設計の技術基準への適合性を審査し、認証することにより、認証に係る工事設計に基づく特定無線設備のすべてを技術基準適合証明を受けた設備とみなすものである（法38の24Ⅰ）。

2　審査、認証及び表示

(1)　審査等

登録証明機関は、特定無線設備を取り扱うことを業とする者から求めがあった場合には審査を行い、その工事設計が技術基準に適合するものであり、かつ、当該工事設計に基づく特定無線設備のいずれもが、当該工事設計に合致するものとなることを確保することができると認められるときに限り、その工事設計について認証を行う（法38の24Ⅱ）。

なお、審査の項目は、この確認の方法に関する審査が追加されること以外は技術基準適合証明の審査とほぼ同様である（適合証明17、別表3）。

(2)　工事設計合致義務等

登録証明機関による工事設計認証を受けた者(「認証取扱業者」という。)は、その認証に係る工事設計（「認証工事設計」という。）に基づく特定無線設備を取り扱う場合には、それを認証工事設計に合致させるようにしなければならない（法38の25Ⅰ）。そのために、(1)の「確認の方法」に従って検査を行い、及びその記録を作成、保存することが義務づけられている（法38の25Ⅱ）。

(3)　表示

認証取扱業者は、認証工事設計に基づく特定無線設備について、(2)の検査に係る義務を履行したときは、その特定無線設備に総務省令で定める表示を付することができる（法38の26、適合証明20）。この表示は前述の技術基準適合証明の表示と同じものである。

(4)　認証取扱業者に対する措置命令

総務大臣は、認証取扱業者が工事設計合致義務に違反していると認める場合には、(1)の「確認の方法」を改善するために必要な措置をとるべきことを命じることができる（法38の27）。

(5)　表示の禁止

総務大臣は、次のいずれかに該当するときは、2年以内の期間を定めて、表示を付することを禁止することができる（法38の28Ⅰ）。禁止したときはその旨公示することとされる（法38の28Ⅱ）。

ア　認証工事設計に基づく特定無線設備が技術基準に適合していない場合において、他の無線局の運用を阻害するような混信その他の妨害又は人体への危害の発生を防止するため特に必要があると認めるとき。

イ　工事設計認証に係る確認の方法に従って検査を行い、検査記録を作成・保存する義務に違反したとき。

ウ　(4)の措置命令に違反したとき。

エ　不正な手段により工事設計認証を受けたとき。

オ　登録証明機関が法に定める規定に違反して工事設計認証をしたとき。

カ　技術基準が変更され、工事設計が技術基準に適合しなくなったと認めるとき。

登録証明機関による工事設計認証を受けた外国取扱業者（外国において本邦内で使用されることとなる特定無線設備を取り扱うことを業とする者をいう。）に対しては、以上に加え次の場合にも同様に表示を付することを禁止することができる。外国取扱業者については、罰則をもって制度の実効を担保することができないことから、表示の禁止を可能とする場合をより広く認めたものである（法38の30Ⅲ）。

キ　工事設計認証に係る特定無線設備に関する報告の拒否又は虚偽の報告があったとき。

ク　事業所に対する検査の拒否、妨害又は忌避があったとき。

ケ　検査の際における特定無線設備又は特に必要な物件の提出の拒否があったとき。

(6)　技術基準適合証明に関する制度の準用

技術基準適合証明を受けたものについて定められている総務大臣による立入検査等、特定無線設備等の提出命令及び妨害等防止命令の制度は、認証取扱事業者についても同様に適用される。表示が付されていないものとみなす制度についても同じである（法38の29）。

4－3　登録証明機関

1　登録

特定無線設備について、技術基準適合証明の事業を行う者は、総務大臣の登録を受けることができる。登録は、事業の対象とする特定無線設備により、前記4－1の4の(1)〜(3)の区分ごとに行うものとされる（法38条の2の2Ⅰ）。

この登録を受けようとするものは、次の事項を記載した申請書に所要の書類を添付して総務大臣に提出しなければならない（法38の2Ⅱ、Ⅲ、適合証明3）。

(1)　氏名又は名称及び住所並びに法人にあっては、その代表者の氏名

(2)　事業の区分

(3)　事務所の名称及び所在地

(4)　技術基準適合証明の審査に用いる測定器その他の設備の概要

(5)　証明員の選任に関する事項

(6)　業務開始の予定期日

この登録を受けたものを登録証明機関という（法38の5Ⅰ）（注①）。

（注①）登録証明機関は、令和元年5月現在国内の16法人が総務大臣の登録を受け業務を実施している。

2　登録の基準

登録の申請をした者が一定の要件を満たすときは、総務大臣は登録の義務を負う。その要件は、人的側面（技術基準適合証明を行う者の知識経験）、設備的側面（技術基準適合証明に使用される測定器その他の設備の信頼度）（注②）及び申請者自身の属性（特定無線設備の製造業者、輸入業者及び販売業者からの独立性）の各面から定められている。また、登録の欠格事由についても定めがあり、無線設備等の検査等事業者に関する規定が準用されている（法38の3、24の2Ⅴ、別表3、別表4、適合証明3、3の2）。

（注②）測定器その他の設備に係る較正等の期間要件は、平成29年の電波法改正により、登録検査等事業者の場合（2－2の7参照）と同様、一部緩和されている（法38の3Ⅰ(二)、適合証明3の2）。

３　登録の更新

登録は５年ごとに更新を受けなければ、効力を失う（法38の４Ⅰ、施行令１）。

４　登録の公示等

総務大臣は、登録をしたときは、次の事項を公示しなければならない（法38の５Ⅰ、適合証明４）。

⑴　登録証明機関の氏名又は名称及び住所

⑵　登録に係る事業の区分

⑶　業務を行う事務所の所在地

⑷　業務の開始の日

登録証明機関は次の事項を変更しようとするときは、その２週間前までに、総務大臣に届けなければならず、総務大臣は、この届出（氏名、名称、住所又は技術基準適合証明の業務を行う事務所の所在地の変更に係るものに限る。）があったときは、公示しなければならない（法38の５Ⅱ、Ⅲ）。

⑴　氏名又は名称及び住所並びに法人にあっては、その代表者の氏名

⑵　事務所の名称及び所在地

５　技術基準適合証明実施の報告等

登録証明機関は、技術基準適合証明をしたときは、次に掲げる事項を総務大臣に報告しなければならない（法38の６Ⅱ、適合証明６Ⅳ）。

⑴　技術基準適合証明を受けた者の氏名又は名称及び住所並びに法人にあっては、その代表者の氏名

⑵　技術基準適合証明を受けた特定無線設備の種別

⑶　その他総務省令で定める事項

技術基準適合証明を受けた者は、上記アの事項に変更があったときは、遅滞なく、その旨を総務大臣に届け出なければならない（法38の６Ⅲ、適合証明６Ⅴ、Ⅵ）。

６　登録証明機関に対するその他の規律

登録証明機関は、以上のほか、次のような義務を負う。

⑴　技術基準適合証明をした旨の表示を付す義務（法38の７）

⑵　技術基準適合証明の実施義務（法38の８）

⑶ 役員、証明員の選解任の届出義務（法38の9）

⑷ 業務規程の制定、届出義務（法38の10）

⑸ 財務諸表等の作成、備付け義務（法38の11 Ⅰ）

⑹ 帳簿の備付け義務（法38の12）

⑺ 業務休廃止の場合における事前の届出義務（法38の16）

また、総務大臣は、登録証明機関に対し、次のような権限を行使し得る。

⑻ 登録の基準を満たさなくなった場合等一定の場合における改善命令（法38の13、38の14）

⑼ 報告の徴収、立入り検査の実施（法38の15）

7 登録の取消し等

総務大臣は、登録証明機関が登録の欠格事由に該当するに至ったときは、登録を取り消さなければならない。また、登録証明機関が上記改善命令に違反したとき等一定の場合には、登録を取り消すか、又は期間を定めて業務停止を命ずることができる（法38の17）。

4－4 承認証明機関

1 承認証明機関制度の概要

この制度は、外国の技術基準認証機関が行った認証結果を、我が国の技術基準適合証明制度の中へ受け入れることを可能とするものである。即ち、外国において、わが国で使用することとなる特定無線設備の技術基準の適合証明を行おうとする者に対し、総務大臣が、その者の申請により、特定無線設備の技術基準適合証明に準ずる証明を行うことを承認し、この承認を受けた者（承認証明機関という。）に、外国取扱業者が取り扱う日本国内で使用されることとなる特定無線設備の適合証明を行うことを認める制度である。

2 承認証明機関の承認並びに証明及び認証の業務

⑴ 承認の申請及び承認の区分等

外国の法令に基づく無線局の検査に関する制度で、わが国の技術基準適合証明の制度に類するものに基づいて無線設備の検査、試験等を行う者であって、その外国において、外国取扱業者が取り扱うわが国で使用されることとなる特定無線設備について技術基準適合証明を行おうとするものから申請があったときは、総務大臣は、登録証明機関の申請の場合に準じ、法定基準に基づく審査を行い、基準に適合していると認めるときに限り承認する（法38の31、38の３、適合証明23）。

承認は、登録証明機関の場合と同様に、特定無線設備の区分ごとに行われる（法38の31Ⅰ）。

承認を受けた者（承認証明機関（注））はその承認に係る技術基準適合証明の業務を休止し、又は廃止したときは遅滞なくその旨を総務大臣に届けなければならない（法38の31Ⅱ）。

なお、総務大臣は、承認証明機関の承認をしたときは、登録証明機関の公示と同様の公示を行う（法38の31Ⅲ）。

⑵　承認証明機関の行う証明業務

承認証明機関は、外国において、外国取扱業者が取り扱うわが国で使用されることとなる特定無線設備について、登録証明機関が行う技術基準適合証明と同様の手続きによる証明申請を受け、同等の基準及び内容の審査を行い、その特定無線設備が電波法令に定める技術基準に適合していると認めるときは、所定の証明を行う。また、承認証明機関から技術基準適合証明を受けた者は、名称、住所等の変更があれば届出なければならないとされている（法38の31Ⅳ、適合証明25）。

この証明を受けた特定無線設備は、技術基準適合証明を受けた特定無線設備とみなされ、設備の見やすい箇所に証明マークが表示される（法38の31Ⅳ、適合証明27）。

⑶　承認証明機関の行う工事設計の認証

承認証明機関は、外国取扱業者の申請により、我が国で使用されることとなる特定無線設備を、電波法に定める技術基準に適合するものとして、その工事設計（設備がその工事設計に合致することの確認の方法を含む。）について認証することができる（法38の31Ⅴ）。

この承認証明機関が行う特定無線設備の工事設計単位の認証に関する

審査、認証等の規定は、登録証明機関の行う特定無線設備の工事設計についての認証に関する規定を準用することとなっている（法38の31Ⅵ）。

（注）　承認証明機関

現在２社が業務を実施している。なお、別に後述MRA法による登録外国適合性評価機関として15社が業務を実施している。

3　承認証明機関の監督等

承認証明機関は、登録証明機関と同様の業務を行うものであるから、その公共性に照らし、証明又は認証に使用する測定器等の条件、業務規程の制定等の機関の義務及び機関の承認基準などの総務大臣の監督に関する諸規定が設けられているが、一部に特別の規定があるほかは、登録証明機関に関する規定が準用されている。説明は省略する（法38の31Ⅳ）。

4－5　MRA法による電波法の特例

1　概要

相互承認協定（いわゆるMRA（Mutual Recognition Agreementの略称））は、相手国（欧州等の外国）向けの機器の認証（機器が技術上の要件を満たしていることの検査・確認）を自国（日本）で実施することを可能とする二国間の協定である。MRAの締結により、電気通信機器・電気用品等の海外への輸出入が円滑にできるようになり、企業の負担を軽減し、二国間の貿易の促進が図られる。これまで、わが国は、電気通信機器に関しては、欧州共同体（EC）、シンガポール及び米国との間で相互承認協定を締結している。

「特定機器に係る適合性評価手続の結果の外国との相互承認の実施に関する法律」（MRA法）は、MRAの適確な実施を確保するため、電波法や電気通信事業法等の特例を定めている。すなわち、相手国の技術基準認証機関が実施した電気通信機器等のわが国の技術基準への適合性の評価結果を受け入れ、また、電気通信機器等に関する相手国の技術基準への適合性の評価を行おうとする国内の事業者に対して、認定及び監督を実施すること等を規定している。電波法の適用についての特例は同法、同施行令及び同法施行規則で定められている（特定機器に係る適合性評価手続の結果の外国との相互承認の実施に関する法律33、34、同法施行令８、９、同法施行規則15）。

２　効果

最近では国際共通規格の無線LANや国際ローミングが可能な携帯電話端末などが急速に普及してきているが、これらの“海外でも使用する機器”については、この制度の活用により各国で必要となる証明手続をわが国の登録証明機関で“ワンストップ”で一括して済ませることが可能となり製造業者等にとって開発のためのリードタイム短縮や競争力の向上が期待されるところである。また相手国にとっても日本市場向けの製品に必要な証明手続を自国で済ませることが出来るため相互にメリットがあり、電気通信機器製品の輸出入の円滑化が期待されているところである。

４－６　技術基準適合自己確認

１　概要

(1)　特定無線設備のうち、無線設備の技術基準、使用の態様等を勘案して、他の無線局の運用を著しく阻害するような混信その他の妨害を与えるおそれが少ないものとして総務省令で定めるもの（特別特定無線設備という。）（注）の製造業者又は輸入業者は、その特別特定無線設備を、技術基準に適合するものとして、その工事設計（当該工事設計に合致することの確認の方法を含む。）について自ら確認することができる（法38の33Ⅰ）。

従来、無線設備の技術基準適合性を確認する方法としては、総務大臣による検査、登録証明機関による技術基準適合証明や工事設計認証等が制度化されているが、いずれもその無線設備の製造業者又は輸入業者とは異なる第三者によってチェックを受けるものである。それに対し、平成15年の法改正で創設されたこの制度は、無線設備の製造業者又は輸入業者が自ら技術基準適合性をチェックすることができる点で画期的である。

近年、急速な技術革新に伴うサービスの高度化や消費者ニーズの多様化により、新たな携帯無線通信の端末が次々に開発されるなど、市場に流通する電気通信設備のライフサイクルは短縮化の傾向にある。このような状況の下、製造業者等にとっては、市場競争力の観点から製品の迅速な市場投入がますます重要となっており、技術基準適合証明等従来のチェック方法に要する時間をできるだけ短縮したいという要望が強い。

このようなニーズを背景に、製造業者等の品質管理能力が十分向上してきており、この自己確認制度を導入しても電波秩序上支障がないと判断され、法改正が行われたものである。

⑵ 製造業者又は輸入業者は、総務省令で定めるところにより検証を行い、その特別特定無線設備の工事設計が技術基準に適合し、かつ、当該工事設計に基づく特別特定無線設備のいずれもが当該工事設計に合致するものとなることを確保できると認めるときに限り、技術基準適合自己確認を行う（法38の33Ⅱ）。

（注） 特別特定無線設備

コードレス電話の無線に使用するための無線設備、符号分割多元接続方式（CDMA）携帯無線通信を行う陸上移動局の無線局等32種類（令和３年10月現在）が指定されている（適合証明２Ⅱ）。

2 技術基準適合自己確認の届出

製造業者又は輸入業者は、技術基準適合自己確認をしたときは、次に掲げる事項を総務大臣に届け出ることができる。届出をした者を届出業者という（法38の33Ⅲ、Ⅳ）。

⑴ 氏名又は名称及び住所並びに法人にあっては代表者の氏名

⑵ 特別特定無線設備の種別及び工事設計

⑶ １⑵の検証の結果の概要

⑷ 特別特定無線設備のいずれもがイの工事設計に合致することの確認の方法

⑸ その他総務省令で定めるもの

総務大臣は、技術基準適合自己確認の届出があったときは、その旨を公示する（法38の33Ⅵ）。

３　工事設計合致義務

届出業者は、届出に係る工事設計に基づく特別特定無線設備を製造・輸入する場合には当該届出工事設計に合致するようにしなければならず、届出に係る確認の方法に従い、検査を行い、検査記録を作成し、保存しなければならない（法38の34）。

４　表示等

届出業者は、３により工事設計合致義務等を履行したときは、当該特別特定無線設備に総務省令で定める表示（電磁的方法による記録・表示を含む。）を付することができる（法38の35、適合証明41）。

その表示の禁止については、前述の工事設計認証の場合に準じた制度となっている。ただし、届出業者が禁止要件に再度該当するおそれがあると認められれば、その工事設計に係るものに限らず、総務大臣が定める２年以内の期間すべての特別特定無線設備への表示付与が禁止され得る（法38の36、38の37）。

５　技術基準適合証明等に関する制度の準用

技術基準適合証明を受けた者に対する立入検査、特定無線設備等の提出命令、妨害等防止命令等の制度及び認証取扱業者の工事設計合致義務違反に対する措置命令の制度は、同様の趣旨で届出業者及び特別特定無線設備に適用される（法38の38）。

４－７　登録修理業者

携帯電話端末等の修理に関し、平成26年の電波法改正により創設された制度であり、同改正を実施するため平成27年に登録修理業者規則が定められた。我が国においては、製造業者との契約等に基づき第三者であっても、技術基準適合確認を受ける際に提出する工事設計書類に関係法人として記載されることにより、携帯電話端末等の修理を行うことが可能であるが、製造業者との契約等がなく工事設計情報の提供を受けていない第三者（いわゆる非正規修理業者）が修理、検査した再生品の取扱いが必ずしも明確でなかった。このため、技術基準適合性が担保される修理の範囲を明確化するとともに、第三者が行った修理の内容によっては工事設計に変更を生じ、電波法第28条に規定されている「電波の質」に影響を及ぼすおそれがあることから、その場合には、修理を行った上で改めて技術基準適合性の確認及び表示を義務付けることとしたものである。そして、このような義務付けの対象となる第三者を登録制によって誕生させ、修理業務の質的担保を図るとともに、修理を行った者を明確化し、利用者の安心感を醸成することを狙いとしている。これによって、製造業者等以外の第三者による携帯電話端末の修理事業への参入が容易化すると考えられる。

1　登録

特別特定無線設備（適合表示無線設備に限る。）の修理の事業を行う者は、総務大臣の登録を受けることができる。登録を受けようとする者は次に掲げる事項を記載した申請書を総務大臣に提出しなければならない（法38の39、修理２、別表１～４）。

(1)　氏名又は名称及び住所並びに法人にあってはその代表者の氏名
(2)　事務所の名称及び所在地
(3)　修理する特別特定無線設備の範囲
(4)　特別特定無線設備の修理の方法の概要
(5)　修理された特別特定無線設備が電波法の技術基準に適合することの確認（修理の確認）の方法の概要

この登録を受けた者を登録修理業者という（法38の41）。

2　登録の基準

登録の申請をした者が次の(1)及び(2)のいずれにも適合しているときは、総務大臣は登録の義務を負う。

(1)　特別特定無線設備の修理の方法が、修理された当該無線設備の使用により他の無線局の運用を著しく阻害するような混信その他の妨害を与えるおそれが少ないものとして総務省令で定める技術基準に適合するものであること
(2)　１(5)の修理の確認の方法が、修理された特別特定無線設備が電波法の技術基準に適合することが確認できるものであること

また、登録の欠格事由についても定めがあり、無線設備等の検査等事業者に関する規定が準用されている（法38の40、24の２Ⅴ、Ⅵ、修理３）。

３　登録簿

総務大臣は登録を受けた者について、登録修理業者登録簿を備え次の事項を登録しなければならない（法38の41）。

⑴　登録の年月日及び登録番号

⑵　１⑴～⑸の事項

４　登録修理業者の義務

登録修理業者は次のような義務を負う（法38の43、38の44、修理７、８）。

⑴　修理する場合には、修理方法書に従い、修理及び修理の確認をすること

⑵　修理する場合には、修理及び修理の確認の記録を作成し保存すること

⑶　修理を行った場合、当該特別特定無線設備に修理をした旨の表示を付すこと。またこれらの特別特定無線設備に表示する以外にこの表示又はこれと紛らわしい表示をしてはならない。

５　登録修理業者に対するその他の規律

⑴　総務大臣は、登録修理業者が登録の基準に適合しなくなった場合は、当該登録修理業者に、これらの規定に適合するために必要な措置をとるべきことを命ずることができる（法38の45Ⅰ）。

⑵　総務大臣は登録修理業者が義務に違反していると認めるときは改善その他の措置をとるべきことを命ずることができる（法38の45Ⅱ）。

⑶　総務大臣は登録修理業者が修理した特別特定無線設備が電波法の技術基準に適合しておらず、他の無線局との運用を阻害するような混信その他の妨害又は人体への危害を与えるおそれがある場合、必要に応じて当該無線設備による妨害又は危害の拡大を防止するために必要な措置を講ずべきことを命ずることができる（法38の45Ⅲ）。

⑷　登録修理業者はその登録に係る事業を廃止したときは、遅滞なくその旨を総務大臣に届け出なければならない（法38の46、修理９、別表９）。

(5) 総務大臣は登録修理業者が一定の欠格事由に該当するに至った時は、その登録を取り消さなければならないほか、登録修理事業者が登録修理業者に関する電波法の規定に違反したとき、総務大臣の改善命令等に違反したとき、不正な手段で登録又は変更登録を受けたときは、その登録を取り消すことができる（法38の47）。

(6) 総務大臣は、登録修理業者の登録若しくは変更登録をしたとき（法38の42Ⅰ）又は登録修理業者から変更の届出があったとき（法38の42Ⅳ）は、登録修理業者に係る次に掲げる事項を公表する（修理10Ⅰ）。

ア　氏名又は名称

イ　事務所の名称及び所在地

ウ　登録若しくは変更登録をした年月日又は登録修理業者が変更をした年月日

エ　登録番号

オ　登録若しくは変更登録又は登録修理業者が変更をした修理する特別特定無線設備の範囲及び修理の箇所

また、総務大臣は、登録修理業者から廃止の届出があったとき又は登録の取消しをしたときは、登録修理業者に係る次に掲げる事項を公表する（修理10Ⅱ）。

カ　氏名又は名称

キ　事務所の名称及び所在地

ク　登録の年月日

ケ　登録番号

コ　事業を廃止し、又は登録を取り消した年月日

第5章
無線従事者

5－1　総　　説

1　無線従事者の定義

無線従事者とは、無線設備の操作又はその監督を行う者であって、総務大臣の免許を受けたものをいう（法2㈥）。無線局の物的要素である無線設備には、必ずその設備の操作を行う者が存在するが、電波法では、無線設備の操作に必要な知識及び技能を備え、総務大臣の免許を受けた者を無線従事者という（無線従事者の監督のもとに無資格で操作に従事している者は、無線従事者とはいわない。）。

2　無線設備の操作の内容

無線設備の操作は、通信操作と技術操作に分けられる。「通信操作」というのは、電鍵又はキーボートを有効に使用するための調整その他の作業及びこれらを用いて通信する作業（電信の場合）又はマイクロホンを用いて通話する作業（電話の場合）等実際に通信を行うための無線設備の操作である。「技術操作」というのは、通信が能率的かつ確実に行われるように、通信操作に対応して、無線設備の調整及びこれに付随する作業をいう。

5－2　無線従事者の資格制度

1　無線従事者の資格主義

電波の能率的な利用を図るためには、無線設備が良好であるほか、その操作が適切に行われなければならない。また、無線設備の操作には専門的な知識が必要であるから、誰にでもそれを行わせることはできない。

そこで電波法では、無線局の無線設備の操作は、原則として一定の資格を有する無線従事者でなければ行ってはならないことを定めている（法39条Ⅰ、Ⅱ、施34条の２）。

無線従事者は、一定の知識技能を有する者として一定範囲の無線設備の操作及び無線従事者の資格のない者の操作の監督を行うことができる地位を与えられると同時に、無線局の無線設備の操作に従事する場合はこれを正常に運用しなければならない責任のある地位に置かれるものである。

なお、無線設備の操作については、国際電気通信連合憲章に基づく無線通信規則において、国際的に資格主義を採っており、電波法においては、これに対応して国際に関係する無線局はもちろん、国内限りのものについても原則として資格主義を採用している。

2　資格主義の原則

⑴　資格主義の基本

所定の無線従事者の資格を有する者又は主任無線従事者（免許人から主任無線従事者として選任され、その旨総務大臣に届出されている者）の監督を受ける者でなければ、無線局の無線設備の操作（簡易な操作であって総務省令で定めるものを除く。）を行ってはならない。ただし、船舶又は航空機が航行中であるため、無線従事者を補充することができないとき、その他総務省令で定める場合に、例外が認められている（法39Ⅰ）。

⑵　特別の無線設備の操作

次の無線設備の操作は、所定の資格の無線従事者でなければ行ってはならない（法39Ⅱ、施34の２）。

ア　モールス符号を送り又は受ける無線電信の操作

イ　次の場合の通信操作

⑺　海岸局、船舶局、海岸地球局又は船舶地球局の無線設備の通信操作で遭難通信、緊急通信又は安全通信に関するもの

⑴　航空局、航空機局、航空地球局又は航空機地球局の無線設備の通信操作で遭難通信又は緊急通信に関するもの

⑼　航空局の無線設備の通信操作で次に掲げる通信の連絡の設定及び終了に関するもの（自動装置による連絡設定が行われる無線局の無線設備のものを除く。）

a　無線方向探知に関する通信

b　航空機の安全運航に関する通信

c　気象通報に関する通信（ｂに掲げるものを除く。）

(エ)　前各号のもののほか、総務大臣が別に告示するもの（注①）

(3)　アマチュア無線局の無線設備の操作

ア　アマチュア無線局の操作の基本

アマチュア無線局の無線設備の操作は、アマチュア無線技士又はその操作ができる資格を有する無線従事者でなければ行ってはならない（法39の13）。

イ　アマチュア局の操作の特例

(ア)　日本の無線従事者の資格を有しない者でも、外国政府（その国内において、日本の無線従事者の資格によるアマチュア局の無線設備の操作を認める国の政府に限る。）が付与する資格で、日本の無線従事者に相当する資格を有する者は、日本のアマチュア局の無線設備の操作を行うことができる。

この場合、外国の相当する資格と、その資格で操作できる日本のアマチュア局の無線設備の範囲並びに操作に当っての特則等は総務大臣が別に告示するところによることとされている（施34の8、施34の9、平成５年郵政省告示第326号）。

(イ)　次の場合であって、総務大臣が告示する条件（注②）に適合するときも、アの例外として無線従事者でなくても操作することができる（施34の10、令和３年総務省告示第92号）。

a　臨時に開設するアマチュア局の無線設備の操作をその操作ができる資格を有する無線従事者の指揮の下に行う場合

b　家庭内その他これに準ずる限られた範囲内においてアマチュア局の無線設備操作をその操作ができる資格を有する無線従事者の指揮の下に行う場合

アマチュア無線は、災害発生時に被災地の通信確保等のための「非常通信」として重要な役割を果たしてきているが、近年、深刻化する鳥獣による農作物・人身被害への対策、遭難者捜索など国の施策や地域の活動にアマチュア無線の積極的な活用が期待されている。また、令和２年４月に、無資格者が国際宇宙基地に開設されたアマチュア局との間でアマチュア無線を利用できる「体験局」を制度化したが、さらにワイヤレスIoT人材のすそ野を広げていくため、アマチュア無線の無資格の小中学生が電波の利活用の可能性や楽しさを身近な暮らしの中で体験できる取り組みも重要さが増してきた。これらを踏まえて令和３年３月に上記ｂが新たに加えられた。

⑷　罰則

前⑴〜⑶までの定めに違反した場合については、罰則（30万円以下の罰金）（法113、114））が定められている。

（注①）告示されている通信操作

国土交通省又は成田国際空港株式会社の航空局並びに国土交通省、地方公共団体、成田国際空港株式会社、関西国際空港株式会社又は中部国際空港株式会社所属の無線標識局及び無線航行陸上局であって、航空機の航行の安全確保の用に供するものの無線設備の操作（令和３年総務省告示第70号）

（注②）　告示されている条件

上記イ㈠のａに関して、⑴無線技術に対する理解と関心を深めることを目的として社団が臨時に開設するアマチュア局については、連絡設定及び終了に関する通信操作は操作に立ち会う無線従事者が行うこと等、⑵国際宇宙基地に開設されたアマチュア局と通信を行うことによって科学技術に対する理解と関心を深めることを目的として社団が臨時に開設するアマチュア局については、操作を行う者は学齢児童生徒であること、立ち会う無線従事者は、第一級、第二級、第三級総合無線通信士、第一級・第二級アマチュア無線技士であること等である。

上記イ㈠のｂに関して、科学技術に対する理解と関心を深めることを目的として行われるものであること、操作を行う者は学齢児童生徒であること、立ち会う無線従事者は操作を行う者の保護者・操作を行う者が在学している学校の教員及び職員であること等である。

3　資格主義の例外

無線設備の操作の資格主義の例外として、次の場合は、無資格者又は監督を受けない者でも操作することができる。この資格主義の例外が認められる場合は、概ね、他の無線局等に対し妨害等の影響を与えるおそれの少ないもの、無線設備の操作上の知識・技能の必要がないと認められるもの、緊急事態等で社会的にやむを得ないと認められるもの等である。

こうした無資格操作ができる場合は、概ね次のとおりである。

⑴　簡易な操作として認められているもの（法39Ⅰ、施33）

ア　免許を要しない無線局（法４㈠から㈢）の無線設備の操作

イ　電波法第27条の２第１号の特定無線局（航空機地球局にあっては、航空機の安全運航又は正常運航に関する通信を行わないものに限る。）の無線設備の通信操作及び外部の転換装置で電波の質に影響を及ぼさないものの技術操作

ウ　船舶局（船上通信設備、双方向無線電話、船舶航空機間双方向無線電話、船舶自動識別装置（通信操作を除く。）及びVHFデータ交換装置（注）（通信操作を除く。）に限る。）及び船上通信局の無線設備の操作で当該無線局の無線従事者の管理の下に行うもの

エ　陸上に開設した無線局（海岸局、航空局、船上通信局、無線航行局、海岸地球局及び航空地球局を除く。）、海岸局（船舶自動識別装置及びVHFデータ交換装置に限る。）、船舶局（船舶自動識別装置及びVHFデータ交換装置に限る。）、携帯局、船舶地球局（船舶自動識別装置に限る。）、航空機地球局（航空機の安全運航又は正常運行に関する通信を行わないものに限る。）及び携帯移動地球局（以上、特定無線局に該当するものを除く。）の無線設備の通信操作

オ　船舶局（ウ及びエの船舶局の無線設備を除く。）、航空機局、海岸地球局、航空地球局（航空機の安全運航又は正常運航に関する通信を行うものに限る。）、船舶地球局（電気通信業務を行うことを目的とするものに限る。）又は航空機地球局（エの航空機地球局を除く。）（以上、特定無線局に該当するものを除く。）の無線設備の連絡の設定及び終了（自動装置により行われるものを除く。）に関する通信操作以外の通信操作で当該無線局の無線従事者の管理の下に行うもの

カ　適合表示無線設備のみを使用するフェムトセル基地局、特定陸上移動中継局、簡易無線局、構内無線局、無線標定陸上局その他総務大臣が別に告示する無線局の無線設備の外部の転換装置で電波の質に影響

を及ぼさないものの技術操作

キ　基地局（陸上移動中継局の中継により通信を行うものに限る。）、陸上移動局、携帯局、簡易無線局（カのものを除く。）、VSAT地球局、航空機地球局、携帯移動地球局その他総務大臣が別に告示する無線局（以上、特定無線局に該当するものを除く。）の無線設備の外部の転換装置で電波の質に影響を及ぼさないものの技術操作であって、他の無線局の無線従事者に管理されているもの

ク　前各号のもののほか、総務大臣が別に告示するもの

⑵　**特定の事由によるもの**（法39Ⅰただし書、施33の２、34）

ア　船舶又は航空機が航行中であるため無線従事者を補充することができない場合であって、遭難通信、緊急通信及び安全通信を行うとき。

この場合において、その船舶又は航空機が日本国内の目的地に到着したときは、速やかに一定の無線従事者を補充しなければならない。

イ　外国各地間のみを航行する船舶又は航空機その他外国にある船舶又は航空機に開設する無線局において、無線従事者を得ることができない場合であって、その船舶又は航空機が日本国内の目的地に到着するまでの間、無線通信規則の規定により外国政府が発給した証明書を有する者が、その証明書の資格に対応する資格の無線従事者の操作の範囲に属する無線設備の操作を行うとき。

ウ　非常通信業務を行う場合であって、無線従事者を無線設備の操作に充てることができないとき、又は主任無線従事者を無線設備の操作の監督に充てることができないとき。

エ　航空機の操縦の練習を行うに際し、航空機内において第一級総合無線通信士、第二級総合無線通信士又は航空無線通信士の指揮の下に、当該航空機に開設する航空機局又は航空機地球局の無線設備の操作を行うとき。

オ　前各号のほか、総務大臣が別に告示するもの

（注）　VHF データ交換装置

船舶局又は海岸局の無線設備であって、無線通信規則付録第18の表に掲げる周波数の電波を使用し、船舶局相互間又は船舶局と海岸局との間において、デジタル変調方式によるデータ交換を行うもの（デジタル選択呼出装置、船舶自動識別装置、簡易型船舶自動識別装置及び捜索救助用位置指示送信装置を除く。）をいう（施２Ⅰ(三十七の六))。

５－３　主任無線従事者制度

１　主任無線従事者の意義

主任無線従事者とは、無線局の無線設備の操作の監督を行うことができる無線従事者であって、２アの非適格事由に該当しない者のことである（法39Ⅲ）。その者が、免許人等から主任無線従事者として無線局に選任され、その旨届出がなされているときは、その主任無線従事者の監督を受けることにより、無資格者であっても、また、下級の資格者であっても、その主任無線従事者の資格の操作範囲内での無線設備の操作を行うことができる（法39Ⅰ）。

ただし、この主任無線従事者制度は次の場合は適用されない。

⑴　アマチュア無線局（法39Ⅰ）

国際条約（無線通信規則）上、アマチュア無線局は、「(中略）専ら個人的に無線技術に興味をもち、正当に許可された者が行う（中略）無線通信業務の局」とされ、免許人と操作をする者とが一体となった特殊な無線局と位置づけられているため、主任無線従事者制度を導入せず、従来どおり、その無線設備の操作は無線従事者でなければ行ってはならないこととしているものである。

⑵　モールス符号の無線電信及び総務省令で定める無線設備の操作（法39Ⅱ、施34の２）

モールス符号を使用して行う無線電信は、電気通信術という特別の技能及びその通信に関する条約をはじめとする法規上の知識が必要である。また、海上通信、航空通信においては、無線電信の場合も無線電話等の場合も、遭難通信、緊急通信、安全通信等はその取扱について特別の手続と知識が必要である。したがって、監督を受けるだけで無資格者が操作することは許されない。

2 主任無線従事者の要件

ア 主任無線従事者は前述のとおり無線設備の操作の監督を行うものであり、その監督を受けるときは無資格者でも無線設備の操作を行うことができるという重要な任務をもつものである。したがって、主任無線従事者は、その資格区分に応じた無線従事者であって、次の非適格事由に該当しないものでなければならない(法39Ⅲ、施34の3)。

(ア) 電波法上の罪を犯し罰金以上の刑に処せられ、その執行を終わり、又はその執行を受けることがなくなった日から 2 年を経過しない者であること。

(イ) 電波法令の規定に違反したこと等により業務に従事することを停止され、その処分の期間が終了した日から 3 箇月を経過していない者であること。

(ウ) 主任無線従事者として選任される日以前 5 年間において無線局(無線従事者の選任を要する無線局でアマチュア局以外のものに限る。)の無線設備の操作又はその監督の業務に従事した期間が 3 箇月に満たない者であること。

イ 無線局の免許人等は、主任無線従事者を選任又は解任したときは、遅滞なく、その旨を所定の様式によって総務大臣に届け出なければならない(法39Ⅳ、施34の4)。

これに違反して届出をしなかった者及び虚偽の届け出をした者については、罰則(30万円以下の罰金)(法113)が定められている。

3 主任無線従事者の職務

主任無線従事者は、無線設備の操作の監督に関し、総務省令で定める次の職務を誠実に行わなければならない(法39Ⅴ、施34の5)。

ア 主任無線従事者の監督を受けて無線設備の操作を行う者に対する訓練(実習を含む。)の計画を立案し、実施すること。

イ 無線設備の機器の点検若しくは保守を行い、又はその監督を行うこと。

ウ　無線業務日誌その他の書類を作成し、又はその作成を監督すること（記載された事項に関し必要な措置を執ることを含む。）。

エ　主任無線従事者の職務を遂行するために必要な事項に関し免許人等又は登録局を運用する当該登録局の登録人以外の者に対して意見を述べること。

オ　その他無線局の無線設備の操作の監督に関し必要と認められる事項

主任無線従事者の監督の下に無線設備の操作に従事する者は、その主任無線従事者が職務遂行上の必要があるとしてする指示に従わなければならない（法39Ⅵ）。

４　主任無線従事者の定期講習

(1)　定期講習受講の義務

免許人等及び登録局を運用する当該登録局の登録人以外の者は、主任無線従事者に、一定期間（下記(3)参照）ごとに、無線設備の操作の監督に関し総務大臣の行う講習を受けさせなければならない（法39Ⅶ、70の９Ⅲ）。

ただし、次の無線局の場合は、この講習を受けさせなくてよい（法39Ⅶ、施34の６）。

ア　特定船舶局（無線電話、遭難自動通報設備、レーダーその他の小規模な船舶局に使用する無線設備として総務大臣が別に告示する無線設備のみを設置する船舶局（国際航海に従事しない船舶の船舶局に限る。）（施34の６㈠））

イ　簡易無線局

ウ　そのほか、総務大臣が別に告示するもの

(2)　定期講習の目的

主任無線従事者は、監督の業務を行うが、それにより、無資格者の無線設備の操作を認めるものであるから、最近の無線設備及び法令の知識を熟知し無資格者の監督ができるよう特別の措置がとられなければならない。

そこで主任無線従事者に対し、所定の期間ごとに、操作の監督に関する総務大臣が行う講習を受講することを義務づけている。

(3) 定期講習の期間及び時期

免許人等及び登録局を運用する当該登録局の登録人以外の者は、主任無線従事者に対する無線設備の操作の監督に関する定期講習を、次により受講させなければならない（法39Ⅶ、70の9Ⅲ、施34の7）。

ア　免許人等及び登録局を運用する当該登録局の登録人以外の者は、主任無線従事者を選任したときは、その選任の日から6箇月以内に無線設備の操作の監督に関し総務大臣の行う講習を受けさせなければならない。

イ　免許人等及び登録局を運用する当該登録局の登録人以外の者は、アの講習を受けた主任無線従事者にその講習を受けた日から5年以内に講習を受けさせなければならない（注）。当該講習を受けた日以降についても同様とする。

ウ　船舶が航行中であるとき、その他総務大臣がア及びイによることが困難又は著しく不合理であると認めるときは、総務大臣が別に告示するところによる。

(4) 定期主任講習の区分等

ア　主任無線従事者の講習には、海上主任講習、航空主任講習及び陸上主任講習の3区分がある（従70）。また、その講習科目及び講習時間は、講習の区別ごとに別に定められている（従71）。

イ　主任講習の日時、場所その他実施に関する必要な事項は、あらかじめ公示される（従72）。

ウ　主任講習を受けようとする者は、講習の区分その他の関係事項を記載した所定の様式による「主任無線従事者講習受講申請書」を総務大臣又は指定講習機関に提出しなければならない（従73）。

（注）講習受講の間隔の延長

主任無線従事者制度は、導入当初に比べ、無線局の集中管理が進展する等取り巻く状況が変化しており、また、法令等の改正概要もインターネットの普及に伴い容易に把握することが可能になったことを踏まえ、免許人の負担の軽減を図る観点から、無線局の免許の有効期間、無線局の定期検査の期間等を参考に、主任講習の期間の周期「３年以内」を「５年以内」に延長することとし、平成24年６月、電波法施行規則（第34条の７）が改正された。

5　指定講習機関制度

(1)　制度の目的及び意義

主任無線従事者は、前述のとおり一定の期間ごとに無線設備の操作の監督に関し総務大臣の行う講習を受けなければならないが、総務大臣は事務の簡素合理化を図るために、この講習事務を民間の機関に代行させることができるものとし、この代行する機関を指定講習機関と称している（法39の２Ⅰ）。

(2)　指定講習機関の指定

指定講習機関の指定は、海上主任講習、航空主任講習、陸上主任講習の区分ごとに、講習を行おうとする者の申請によって行われる（法39の２Ⅱ）。

指定の基準は、業務遂行能力を主体とするもの（法39の２Ⅳ）と人格的欠格事由を主体とするもの（法39の２Ⅴ）との両面から定められているが、前述の登録証明機関の場合と異なり、一般社団法人又は一般財団法人のみが指定され得ることとなっている。この機関として、公益財団法人日本無線協会（５－６の注②参照）が指定を受けている（注）。

この指定を行ったときは、総務大臣はその区分に係る講習は行わない（法39の２Ⅲ）。

(3)　指定講習機関に対する規律

指定講習機関は総務大臣の行う事務を代行するものであるから、その公共性と重要性は、後述の指定試験機関と類似しており、強い規律を受けることになっている（法39の４～39の10）。

（注）一般社団（財団）法人と公益社団（財団）法人

公益社団法人及び公益財団法人の認定等に関する法律により、公益社団（財団）法人は、同法第４条の認定（公益認定）を受けた一般社団（財団）法人と定義されている。したがって公益社団（財団）法人も、法律上は一般社団（財団）法人である。ただし、公益認定を受けていない一般社団（財団）法人のみを一般社団（財団）法人と呼び公益社団（財団）法人と対比させる用法も慣例的に行われている。

5－4　無線従事者の資格の区分及び操作又は監督の範囲

1　無線従事者の資格の系統及び資格の区分

無線従事者とは無線設備の操作又はその監督に従事する者であるが、多種多様な無線設備のすべてにわたる操作に必要な知識・技能を１人の者が取得することはかなり困難であるので、一定の無線設備に対応する適当な資格に区分することが必要である。このため電波法では次のとおり五つの系統に分類し、それぞれに級別があって17区分の資格を定めている（法40Ⅰ）。また、三つの系統の特殊無線技士については電波法施行令により更に９資格に区分してあるので、合計23資格の区分がある（施行令３）。

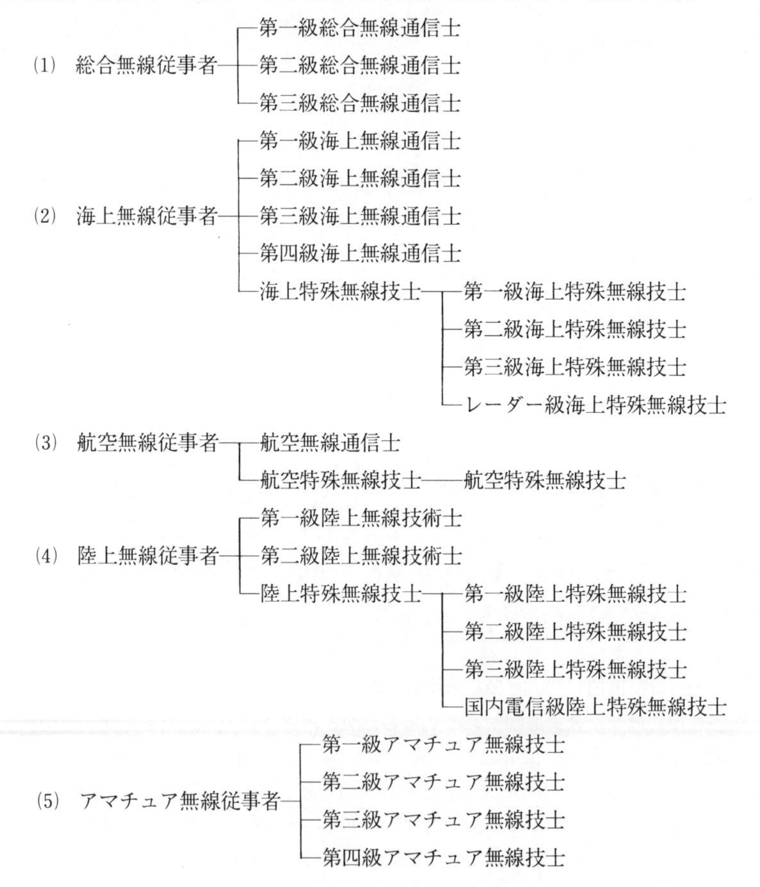

2　無線従事者の操作又は監督の範囲

無線従事者の資格を有する者が無線設備の操作を行い又はその監督を行うことができる範囲は、無線従事者の資格別に政令で定められている（法40Ⅱ、施行令３）。内容的にそれぞれ段階が設けられているが、その段階をつける要素は、概ね次のようなものである。

ア　通信操作と技術操作の区別及び操作の知識、技能

イ　無線局の業務の区別（海上業務、航空業務、陸上業務、放送業務等）

ウ　無線局の通信の種類による区別（国際通信、国内通信、電気通信業務用通信、専用通信）

エ　無線設備の区別（空中線電力、周波数、電信、電話、レーダー、ファクシミリ等）

オ　通信実施区域の区別（航行区域等）

以上の要素でもわかるとおり、無線従事者の操作範囲については、かなり精細な規定となっている（施行令３）。

ア　無線従事者が操作又は監督を行うことができる範囲（抜粋）

資　　格	操　作　の　範　囲
第一級総合無線通信士	１　無線設備の通信操作 ２　船舶及び航空機に施設する無線設備の技術操作 ３　前号に掲げる操作以外の操作で第二級陸上無線技術士の操作の範囲に属するもの
第二級総合無線通信士	１　次に掲げる通信操作 イ　無線設備の国内通信のための通信操作 ロ　船舶地球局、航空局、航空地球局、航空機局及び航空機地球局の無線設備の国際通信のための通信操作 ハ　移動局（ロに規定するものを除く。）及び航空機のための無線航行局の無線設備の国際通信のための通信操作（電気通信業務の通信のための通信操作を除く。） ニ　漁船に施設する無線設備（船舶地球局の無線設備を除く。）の国際電気通信業務の通信のための通信操作 ホ　東は東経175度、西は東経94度、南は南緯11度、北は北緯63度の線によって囲まれた区域内における船舶（漁船を除く。）に施設する無線設備（船舶地球局の無線設備を除く。）の国際電気通信業務の通信のための通信操作 ２　次に掲げる無線設備の技術操作 イ　船舶に施設する空中線電力500ワット以下の無線設備

	ロ　航空機に施設する無線設備 ハ　レーダーでイ及びロに掲げるもの以外のもの ニ　イからハまでに掲げる無線設備以外の無線設備（基幹放送局の無線設備を除く。）で空中線電力250ワット以下のもの ホ　受信障害対策中継放送局及び特定市区町村放送局の無線設備の外部の転換装置で電波の質に影響を及ぼさないもの（注①） 3　第1号に掲げる操作以外の操作のうち、第一級総合無線通信士の操作の範囲に属するモールス符号による通信操作で第一級総合無線通信士の指揮の下に行うもの
第三級総合無線通信士	1　漁船（専ら水産動植物の採捕に従事する漁船以外の漁船で国際航海に従事する総トン数300トン以上のものを除く。以下この表において同じ。）に施設する空中線電力250ワット以下の無線設備（無線電話及びレーダーを除く。）の操作（国際電気通信業務の通信のための通信操作及び多重無線設備の技術操作を除く。） 2　前号に掲げる操作以外の操作で次に掲げるもの（国際通信のための通信操作及び多重無線設備の技術操作を除く。） イ　船舶に施設する空中線電力250ワット以下の無線設備（船舶地球局（電気通信業務を行うことを目的とするものに限る。）及び航空局の無線設備並びにレーダーを除く。）の操作（モールス符号による通信操作を除く。） ロ　陸上に開設する無線局の空中線電力125ワット以下の無線設備（レーダーを除く。）の操作で次に掲げるもの (1)　海岸局の無線設備の操作（漁業用の海岸局以外の海岸局のモールス符号による通信操作を除く。） (2)　海岸局、海岸地球局、航空局、航空地球局、航空機のための無線航行局及び基幹放送局以外の無線局の無線設備の操作 ハ　次に掲げる無線設備の外部の転換装置で電波の質に影響を及ぼさないものの技術操作 (1)　受信障害対策中継放送局及び特定市区町村放送局の無線設備 (2)　レーダー 3　前号に掲げる操作以外の操作で第三級陸上特殊無線技士の操作の範囲に属するもの 4　第1号及び第2号に掲げる操作以外の操作のうち、第二級総合無線通信士の操作の範囲に属するモールス符号による通信操作（航空局、航空地球局、航空機局、航空機地球局及び航空機のための無線航行局の無線設備の通信操作を除く。）で第三級総合無線通信士又は第二級総合無線通信士の指揮の下に行うもの（国際通信のための通信操作を除く。）
第一級海上無線通信士	1　船舶に施設する無線設備（航空局の無線設備を除く。）並びに海岸局、海岸地球局及び船舶のための無線航行局の無線設備の通信操作（モールス符号による通信操作を除く。） 2　次に掲げる無線設備の技術操作 イ　船舶に施設する無線設備（航空局の無線設備を除く。） ロ　海岸局及び海岸地球局の無線設備並びに船舶のための無線

	航行局の無線設備（イに掲げるものを除く。）で空中線電力２キロワット以下のもの ハ　海岸局及び船舶のための無線航行局のレーダーでイ及びロに掲げるもの以外のもの
第二級海上無線通信士	1　船舶に施設する無線設備（航空局の無線設備を除く。）並びに海岸局、海岸地球局及び船舶のための無線航行局の無線設備の通信操作（モールス符号による通信操作を除く。） 2　次に掲げる無線設備の外部の調整部分の技術操作並びにこれらの無線設備の部品の取替えのうち簡易なものとして総務大臣が告示で定めるもの及びこれらの無線設備を構成するユニットの取替えに伴う技術操作 イ　船舶に施設する無線設備（航空局の無線設備を除く。） ロ　海岸局及び海岸地球局の無線設備並びに船舶のための無線航行局の無線設備（イに掲げるものを除く。）で空中線電力250ワット以下のもの ハ　海岸局及び船舶のための無線航行局のレーダーでイ及びロに掲げるもの以外のもの
第三級海上無線通信士	1　船舶に施設する無線設備（航空局の無線設備を除く。）並びに海岸局、海岸地球局及び船舶のための無線航行局の無線設備の通信操作（モールス符号による通信操作を除く。） 2　次に掲げる無線設備の外部の転換装置で電波の質に影響を及ぼさないものの技術操作 イ　船舶に施設する無線設備（航空局の無線設備を除く。） ロ　海岸局及び海岸地球局の無線設備並びに船舶のための無線航行局の無線設備（イに掲げるものを除く。）で空中線電力125ワット以下のもの ハ　海岸局及び船舶のための無線航行局のレーダーでイ及びロに掲げるもの以外のもの
第四級海上無線通信士	次に掲げる無線設備の操作（モールス符号による通信操作及び国際通信のための通信操作並びに多重無線設備の技術操作を除く。） 1　船舶に施設する空中線電力250ワット以下の無線設備（船舶地球局（電気通信業務を行うことを目的とするものに限る。）及び航空局の無線設備並びにレーダーを除く。） 2　海岸局及び船舶のための無線航行局の空中線電力125ワット以下の無線設備（レーダーを除く。） 3　海岸局、船舶局及び船舶のための無線航行局のレーダーの外部の転換装置で電波の質に影響を及ぼさないもの
第一級海上特殊無線技士	1　次に掲げる無線設備（船舶地球局及び航空局の無線設備を除く。）の通信操作（国際電気通信業務の通信のための通信操作を除く。）及びこれらの無線設備（多重無線設備を除く。）の外部の転換装置で電波の質に影響を及ぼさないものの技術操作 イ　旅客船であって平水区域（注②）（これに準ずる区域として総務大臣が告示で定めるものを含む。以下この表において同じ。）を航行区域とするもの及び沿海区域を航行区域とする国際航海に従事しない総トン数100トン未満のもの、漁船並びに旅客船及び漁船以外の船舶であって平水区域を航行区域とするもの及び総トン数300トン未満のものに施設する空中

	線電力75ワット以下の無線電話及びデジタル選択呼出装置で1,606.5キロヘルツから4,000キロヘルツまでの周波数の電波を使用するもの ロ　船舶に施設する空中線電力50ワット以下の無線電話及びデジタル選択呼出装置で25,010キロヘルツ以上の周波数の電波を使用するもの 2　旅客船であって平水区域を航行区域とするもの及び沿海区域を航行区域とする国際航海に従事しない総トン数100トン未満のもの、漁船並びに旅客船及び漁船以外の船舶であって平水区域を航行区域とするもの及び総トン数300トン未満のものに施設する船舶地球局（電気通信業務を行うことを目的とするものに限る。）の無線設備の通信操作並びにその無線設備の外部の転換装置で電波の質に影響を及ぼさないものの技術操作 3　前2号に掲げる操作以外の操作で第二級海上特殊無線技士の操作の範囲に属するもの
第二級海上特殊無線技士	1　船舶に施設する無線設備（船舶地球局（電気通信業務を行うことを目的とするものに限る。）及び航空局の無線設備を除く。）並びに海岸局及び船舶のための無線航行局の無線設備で次に掲げるものの国内通信のための通信操作（モールス符号による通信操作を除く。）並びにこれらの無線設備（レーダー及び多重無線設備を除く。）の外部の転換装置で電波の質に影響を及ぼさないものの技術操作 イ　空中線電力10ワット以下の無線設備で1,606.5キロヘルツから4,000キロヘルツまでの周波数の電波を使用するもの ロ　空中線電力50ワット以下の無線設備で25,010キロヘルツ以上の周波数の電波を使用するもの 2　レーダー級海上特殊無線技士の操作の範囲に属する操作
第三級海上特殊無線技士	1　船舶に施設する空中線電力5ワット以下の無線電話（船舶地球局及び航空局の無線電話であるものを除く。）で25,010キロヘルツ以上の周波数の電波を使用するものの国内通信のための通信操作及びその無線電話（多重無線設備であるものを除く。）の外部の転換装置で電波の質に影響を及ぼさないものの技術操作 2　船舶局及び船舶のための無線航行局の空中線電力5キロワット以下のレーダーの外部の転換装置で電波の質に影響を及ぼさないものの技術操作
レーダー級海上特殊無線技士	海岸局、船舶局及び船舶のための無線航行局のレーダーの外部の転換装置で電波の質に影響を及ぼさないものの技術操作
航空無線通信士	航空機（航空運送事業の用に供する航空機を除く。）に施設する無線設備及び航空局（航空交通管制の用に供するものを除く。）の無線設備で次に掲げるものの国内通信のための通信操作（モールス符号による通信操作を除く。）並びにこれらの無線設備（多重無線設備を除く。）の外部の転換装置で電波の質に影響を及ぼさないものの技術操作 1　空中線電力50ワット以下の無線設備で25,010キロヘルツ以上の周波数の電波を使用するもの 2　航空交通管制用トランスポンダで前号に掲げるもの以外のもの

	３　レーダーで１に掲げるもの以外のもの
第一級陸上無線技術士	無線設備の技術操作
第二級陸上無線技術士	次に掲げる無線設備の技術操作 １　空中線電力２キロワット以下の無線設備（テレビジョン基幹放送局の無線設備を除く。） ２　テレビジョン基幹放送局の空中線電力500ワット以下の無線設備 ３　レーダーで１に掲げるもの以外のもの ４　１及び３に掲げる無線設備以外の無線航行局の無線設備で960メガヘルツ以上の周波数の電波を使用するもの
第一級陸上特殊無線技士	１　陸上の無線局の空中線電力500ワット以下の多重無線設備（多重通信を行うことができる無線設備でテレビジョンとして使用するものを含む。）で30メガヘルツ以上の周波数の電波を使用するものの技術操作 ２　前号に掲げる操作以外の操作で第二級陸上特殊無線技士の操作の範囲に属するもの
第二級陸上特殊無線技士	１　次に掲げる無線設備の外部の転換装置で電波の質に影響を及ぼさないものの技術操作 イ　受信障害対策中継放送局及び特定市区町村放送局の無線設備 ロ　陸上の無線局の空中線電力10ワット以下の無線設備（多重無線設備を除く。）で1,606.5キロヘルツから4,000キロヘルツまでの周波数の電波を使用するもの ハ　陸上の無線局のレーダーでロに掲げるもの以外のもの ニ　陸上の無線局で人工衛星局の中継により無線通信を行うものの空中線電力50ワット以下の多重無線設備 ２　第三級陸上特殊無線技士の操作の範囲に属する操作
第三級陸上特殊無線技士	陸上の無線局の無線設備（レーダー及び人工衛星局の中継により無線通信を行う無線局の多重無線設備を除く。）で次に掲げるものの外部の転換装置で電波の質に影響を及ぼさないものの技術操作 １　空中線電力50ワット以下の無線設備で25,010キロヘルツから960メガヘルツまでの周波数の電波を使用するもの ２　空中線電力100ワット以下の無線設備で1,215メガヘルツ以上の周波数の電波を使用するもの
国内電信級陸上特殊無線技士	陸上に開設する無線局（海岸局、海岸地球局、航空局及び航空地球局を除く。）の無線電信の国内通信のための通信操作

イ　アマチュア無線技士の行うことができる操作の範囲

資　　格	操　　作　　の　　範　　囲
第一級アマチュア無線技士	アマチュア無線局の無線設備の操作

第二級アマチュア無線技士	アマチュア無線局の空中線電力200ワット以下の無線設備の操作
第三級アマチュア無線技士	アマチュア無線局の空中線電力50ワット以下の無線設備で18メガヘルツ以上又は8メガヘルツ以下の周波数の電波を使用するものの操作
第四級アマチュア無線技士	アマチュア無線局の無線設備で次に掲げるものの操作（モールス符号による通信操作を除く。） 1　空中線電力10ワット以下の無線設備で21メガヘルツから30メガヘルツまで又は8メガヘルツ以下の周波数の電波を使用するもの 2　空中線電力20ワット以下の無線設備で30メガヘルツを超える周波数の電波を使用するもの

（注①）一部放送局に関する規制緩和

これら放送局の無線設備については、近年の無線技術の進歩等により、周波数及び空中線電力の安定度向上や調整の自動化が図られたことから、平成31年1月の電波法施行令の改正により、これらの無線設備の操作に必要な無線従事者の資格要件が緩和された。具体的には、第二級及び第三級総合通信士並びに第一級及び第二級陸上特殊無線技士の操作の範囲に、これら放送局の無線設備の外部の転換装置で電波の質に影響を及ぼさないものの技術操作が追加されたものである。

なお、特定市区町村放送局は「市区町村放送（主として一の市区町村（特別区を含む。）の区域の一部において受信されることを目的として行われる地上放送（地上基幹放送であるものに限り、受信障害対策中継放送であるもの及び臨時かつ一時の目的のための放送であるものを除く。）をする無線局」と定義されている（施行令3Ⅱ㈥、総務省組織令85㈠）。

（注②）平水区域

船舶安全法施行規則では「湖、川及び港内の水域並びに次に掲げる水域」と定義し、次に掲げる水域として「千葉県富津岬から神奈川県観音埼灯台まで引いた線及び陸岸により囲まれた水域」など50以上の水域を指定している（1Ⅵ）。

3　船舶局無線従事者証明

船舶局無線従事者証明制度は、「1978年の船員の訓練及び資格証明並びに当直の基準に関する国際条約（STCW条約）」が採択されたことに伴って、昭和57年6月の電波法改正で制度化された（法48の2）（注①）。

義務船舶局等の無線従事者は、前述の無線設備の操作又はその監督を行うことができる操作範囲を満たすだけでなく、船舶局無線従事者証明を受けた者でなければ操作も監督も行うことができない（法39Ⅰ）。また、特定の船舶局には、所定の条件に合致する遭難通信責任者を配置しなければならないという特別の付加要件がある（注①②）。

⑴　**義務船舶局等の無線設備の操作**

船舶局無線従事者証明を受けている無線従事者でなければ操作を行ってはならない義務船舶局等の無線設備は、次のとおりである。ただし、航海の態様が特殊な船舶の無線設備その他総務大臣又は総合通信局長が特に認めるものについては、この限りでない（施32条の10）。

ア　次に掲げる船舶の義務船舶局の超短波帯（156MHzを超え157.45MHz以下の周波数帯をいう。）の無線設備、中短波帯（1,606.5kHzを超え3,900kHz以下の周波数帯をいう。）の無線設備並びに中短波帯及び短波帯（４MHzを超え26.175MHz以下の周波数帯をいう。）の無線設備であって、デジタル選択呼出装置による通信及び無線電話又は狭帯域直接印刷電信装置による通信が可能なもの

㋐　旅客船（Ａ１海域のみを航行するもの並びにＡ１海域及びＡ２海域のみを航行するものであって、国際航海に従事しないものを除く。）

㋑　旅客船及び漁船（専ら海洋生物を採捕するためのもの以外のもので国際航海に従事する総トン数300トン以上のものを除く。以下この号において同じ。）以外の船舶（国際航海に従事する総トン数300トン未満のもの（Ａ１海域のみを航行するもの並びにＡ１海域及びＡ２海域のみを航行するものに限る。）及び国際航海に従事しないものを除く。）

㋒　漁船（Ａ１海域のみを航行するもの並びにＡ１海域及びＡ２海域のみを航行するものを除く。）

イ　上記ア㋐から㋒までに掲げる船舶に開設されたインマルサット船舶地球局の無線設備（インマルサット船舶地球局のインマルサットＣ型のものに限る。）又は非静止衛星に開設する人工衛星局の中継により海岸地球局と通信を行う船舶地球局のうち1,621.35MHzから1,626.5MHzまでの周波数の電波を使用する無線設備

⑵　船舶局無線従事者証明を要しない場合

⑴に掲げる無線設備の操作であって、船舶局無線従事者証明を要しない場合は、次のとおりである（施33条の２Ⅱ）。

ア　外国各地間のみを航行する船舶その他外国にある船舶に開設する無線局において、船舶局無線従事者証明を受けた者を得ることができない場合であって、その船舶が日本国内の目的地に到着するまでの間、船員の訓練及び資格証明並びに当直の基準に関する国際条約第６条の規定により外国の政府の発給した証明書を有する者が当該船舶に開設する無線局の無線設備の操作を行うとき。

イ　船舶職員法第２条第２項の規定による船舶職員（通信長及び通信士の職務を行うものに限る。）以外の者で船舶局無線従事者証明を受けていない無線従事者が、義務船舶局等の無線従事者で船舶局無線従事者証明を受けたものの管理の下に当該義務船舶局等の無線設備の操作を行うとき。

（注①）　船舶局無線従事者証明制度

⑴　STCW条約では、船員の訓練を重視しており、船舶局無線従事者証明取得のために受講する総務大臣の行う訓練は、遭難等船舶の非常の場合の無線通信業務の実地訓練、救命艇用無線装置及び非常用位置指示無線標識等の操作訓練、船位通報制度等の知識の習得等を内容としている。

⑵　上記⑴の訓練の受講は、船舶局無線従事者証明を取得するための要件の一つであり、また、当該訓練には国が行う新規訓練とこれと同等なものと認定された認定新規訓練がある。近年、わが国の海運界は多くの外国人船員を雇用しており、これらの船員の中には、国際条約に基づき既に外国政府が実施した同様の訓練を受けている者がいるが、わが国の訓練を受ける場合は他と同一の要件を課していた。総務省は、平成21年５月22日、ＳＴＣＷ条約の規定により外国政府が発給した証明書を有し、かつ、過去５年間に国際航海に１年以上従事した経歴を有する者については、当該訓練で海上無線通信の実技の科目を免除する、海上無線通信制度の学科の３時数以上を２時数以内とする等、科目と時数の軽減を図るよう無線従事者規則（第61条第５号）を改正した。

なお、当該訓練を受ける上で必要となる第３級海上無線通信士の資格が取得できる制度である養成課程（次の５－５の３参照）の講習時間についても、外国政府の発給する無線通信規則に規定する海上移動業務に関する一般無線通信士証明書に該当する資格以上の証明書を有し、かつ、過去5年間に国際航海に2年以上従事した経歴を有する者には、講習時間の軽減措置を可能とする基準を設けた。

(3)　船舶無線従事者証明を受けた者が、船舶無線従事者証明に係る訓練の課程を修了した日から起算して5年を経過する日までの間所定の義務船舶局等の無線設備の操作又は監督の業務に従事せず、かつ、当該期間内に総務大臣が行う所定の訓練等の課程を修了しなかったとき等一定の場合に該当するときは、当該無線従事者証明はその効力を失う(法48の3)。総務大臣は、船舶無線従事者証明を受けた者がこれに該当する疑いのあるときは、船員手帳記載事項証明書、海岸局又は船舶局の免許人の証明した経歴証明書、上記訓練の課程を修了したことを証する書類等の提出を求めることができる(法81の2Ⅱ、施43の4)。

(注②)　遭難通信責任者

遭難通信責任者とは、船舶の遭難通信、緊急通信、安全通信に関する事項を統括管理する者のことである。旅客船又は総トン数300トン以上の船舶であって、国際航海に従事する義務船舶局には、遭難通信責任者を配置しなければならない（法50)。

5－5　無線従事者の資格取得の要件

無線従事者の資格すなわち免許を得るためには、まず、資格別の無線従事者の知識・技能の要件に適合しなければならない。次に、無線従事者免許の申請を行い、欠格事由に係る審査（法42、従45）を受け、これに該当しないときに免許が与えられる。

1　無線従事者の 知識・技能の要件

無線従事者の免許は、次のいずれかに該当するものでなければこれを受けることができない（法41Ⅱ)。

ア　無線従事者国家試験に合格した者

イ　無線従事者の養成課程で総務大臣が総務省令で定める基準に適合すると認定したものを修了した者

ウ　学校教育法による次の学校において、総務省令で定める無線通信に関する科目を修めて卒業した者（同法による専門職大学（注）の前期課程にあっては、修了した者)

(ア)　大学（短期大学を除く。)

(イ)　短期大学（学校教育法による専門職大学の前期課程を含む。）又は高等専門学校

(ウ) 高等学校又は中等教育学校

エ アからウまでの者と同等以上の知識及び技能を有する者として、総務省令で定めている要件を備える者(一定の資格及び業務経歴を有し、かつ、総務大臣が認定した「認定講習課程」を修了した者)

(注) 専門職大学

専門性が求められる職業を担うための実践的かつ応用的な能力を備えた人材を養成する必要がある等の理由で、平成29年5月に専門職大学の制度を創設する学校教育法の改正が行われ、平成31年4月1日から施行することとされている。専門職大学の課程は、前期課程(2年又は3年)と後期課程(2年又は1年)に区分され、前期課程における教育は、専門職大学の目的のうち、専門性が求められる職業を担うための実践的かつ応用的な能力を育成することを実現するために行われるものとし、後期課程における教育は、前期課程における教育の基礎の上に、専門職大学の目的を実現するために行われるものとしている。また、専門職大学を卒業した者又は専門職大学の前期課程を修了した者に対して文部科学大臣の定める学位を授与することとしている。

2 無線従事者国家試験

国家試験は、無線従事者としての知識、技能を試験するものであって、試験の結果は無線従事者国家試験結果通知書により受験者に通知される(従12)。

なお、国家試験については、1のイ、ウ、エのものとは異なる多くのかつ、複雑な関連事項があるので、節をあらためて(次の「5－6」)述べることにする。

3 無線従事者養成課程

(1) 養成課程の意義

総務大臣から養成課程の認定を受けた者(これを認定施設者という。)が、一定の無線従事者の資格に係る所定の授業を行い、終了の際試験を行って、その合格者に限り修了証明書等を交付するものとし、この修了証明書等を受領した者はその無線従事者の資格の免許を受けることができることとするものである。

(2) 養成課程の区別

養成課程には 2 種類のものがある。その一は、修業年限 1 年以上の学校等（学校教育法第１条に規定する学校その他の教育施設（専修学校、各種学校等）をいう（従７）。）であって、その教育課程に無線通信に関する科目を開設して行う養成課程（これを長期型養成課程という。）であり、その二は、学校等以外の者（学校等であっても無線通信に関する教科のないものを含む。）が短期間に集中的な授業を行う一般的な養成課程である。

この一般的な養成課程については、従来集合形式による授業形態のみが認められてきたが、情報通信技術の進展に伴ってｅラーニング等多様なメディアを高度に利用した学習方法が一定程度普及していることを受け、平成24年４月に無線従事者規則等が改正され、①同時受講型授業（集合形式で講師が対面により行う授業等）と②随時受講型授業（任意の時間、場所で行う授業）の２種の授業形態が認められた。

⑶　養成課程対象の無線従事者の資格の区別

ア　養成課程の対象となる無線従事者の資格は、次の15資格である（従20）。ただし、長期型養成課程の場合は、アマチュア無線技士の資格は対象から除かれる（従20ただし書）。

なお、養成課程の認定は、次の資格の一ごと及びその養成課程の一ごとに行われる（従 20、22）。

第三級海上無線通信士	第一級陸上特殊無線技士
第四級海上無線通信士	第二級陸上特殊無線技士
第一級海上特殊無線技士	第三級陸上特殊無線技士
第二級海上特殊無線技士	国内電信級陸上特殊無線技士
第三級海上特殊無線技士	第二級アマチュア無線技士（注）
レーダー級海上特殊無線技士	第三級アマチュア無線技士
航空無線通信士	第四級アマチュア無線技士
航空特殊無線技士	

（注）　アマチュア無線技士養成課程は、同時受講型授業での実施を前提に、授業内容が比較的限られ、短期間で修了できる第三級及び第四級のみについて導入されてきたが、上記のとおり平成24年に無線従事者規則が改正されて、養成課程に随時受講型授業の導入が可能となったことから、平成26年に無線従事者規則が改正され、同時受講型授業によった場合には受講者へ

の拘束・負担が大となるとして認められてこなかった第二級にまで対象が拡大された（平成27年4月1日施行）。

イ　航空無線通信士又は第一級陸上特殊無線技士の養成課程については、学校教育法第１条の高等学校又は中等教育学校（第一級陸上特殊無線技士については電気科又は電気通信科に限る。）を卒業した者及びこれと同等以上の学力を有する者に限り、養成課程の履修を認める（従21 Ⅲ）。

⑷　養成課程に対する規律

養成課程は上述のとおり最終的には国家試験の合格と同じ効果を与えるものであるから、認定施設者をはじめ、その行う授業科目、時間、講師等多くの関係事項について認定の基準が設けてある（従21）(注)。

また認定を受けるために必要な申請書の記載事項、認定施設者のその後の措置事項等についての条件（従22～29）が設けてある。

（注）　養成課程の認定の基準

⑴　一般の養成課程の認定基準

長期型養成課程以外の養成課程の認定の基準は、次のとおりである（従21Ⅰ）。

㋐　次のいずれかに該当する者で、総合通信局長がその養成課程を確実に実施できるものと認めるものが実施するものであること。

㈠　当該養成課程に係る資格の無線従事者の養成を業務とする者

㈡　その業務のために当該養成課程に係る資格の無線従事者の養成を必要とする者

㋑　養成課程を実施しようとする者が養成課程の実施に係る業務以外の業務を行っている場合には、その業務を行うことによって養成課程の実施に係る業務が不公正になるおそれがないものであること。

㋒　総合通信局長がその養成課程の運営を厳正に監理することができる者と認める管理責任者（養成課程の運営を直接管理する責任者をいう。）を置くものであること。

㋓　申請者、代表者、管理責任者又は講師等（設問解答、添削指導、質疑応答等による指導のみに従事する者を含む。以下同じ。）が次の各号のいずれにも該当しないこと。

㈠　電波法に規定する罪を犯して罰金以上の刑に処せられ、その執行を終わり、又はその執行を受けることがなくなった日から２年を経過しない者

㈡　電波法若しくはこれに基づく命令又はこれらに基づく処分に違反して、同法第76条第１項（同法第70条の７第４項、第70条の８第３項及び第70条の９第３項において準用する場合を含む。）又は第79条第１項及び第２項の規定による処分を受け、その処分の日から２年を経過しない者

㈢　無線従事者規則第28条第１項若しくは第２項の規定による認定の取消しの処分を受けた者又は当該処分を受けた養成課程の管理責任者であって、その処分の日から２年を経過しない者

(オ)　その養成課程の実施に必要な設備を備えるものであること。

(カ)　養成課程の種別（その養成課程において養成しようとする無線従事者の資格の別をいう。）に応じ、別に定める授業科目及び授業時間（養成を受ける者の能力に鑑み、総合通信局長が特に他の授業時間によることが適当と認めた場合は、その授業時間）を設けるほか、総務大臣が別に告示（平成５年郵政省告示第553号）する実施要領に準拠するものであること。

(キ)　授業形態は、授業科目別に同時受講型授業（㈠から㈢までに掲げるものをいう。以下同じ。）又は随時受講型授業（㈣及び㈤に掲げるものをいう。以下同じ。）に該当するものであること。

㈠　集合形式で講師が対面により行う授業

㈡　電気通信回線を使用して、複数の教室等に対して同時に行う授業

㈢　授業の内容を電気通信回線を通じて送信することにより、当該授業を行う教室等以外の場所に対して同時に行う授業

㈣　電気通信回線を通じて、㈡及び㈢に掲げる方法以外の方法により行う授業であって、同時受講型授業に相当する教育効果を有するもの

㈤　電磁的方法（電子的方法、磁気的方法その他の人の知覚によっては認識することができない方法をいう。以下同じ。）による記録に係る記録媒体を使用して行う授業であって、同時受講型授業に相当する教育効果を有するもの

(ク)　養成課程の種別及び担当する授業科目に応じ、別に定める無線従事者の資格を有する者（総合通信局長がこれと同等以上の知識及び技能を有するものと認めるものを含む。）で、その経歴等からみて総合通信局長が適当と認めるものが講師等として授業に従事するものであること。

(ケ)　同時受講型授業の講師は、一の会場当たりの養成人員40人につき １ 人以上を置くものであること。ただし、総合通信局長が養成課程の実施に支障がないと認める場合は、この限りでない。

(コ)　電気通信術以外の授業科目の授業においては標準教科書（当該科目の授業に適するものとして総務大臣が別に告示した教科書。以下同じ。）又はこれと同等以上の内容を有する教科書（電磁的方法により作成されたものにあっては、授業内容の進捗状況を管理する機能を有しているものに限る。以下同じ。）を

使用するものであること。（総合通信局長が特にその必要がないと認めた場合を除く。）

(サ) その養成課程の終了の際、総務大臣が別に告示するところにより、試験を実施して、当該試験に合格した者に限り、当該養成課程の修了証明書を発行するものであること。

(シ) 養成課程の実施に係る業務の一部を他の者に委託して行う場合は、委託して行わせる業務の範囲及び責任が明確であること。

(ス) (キ)から(シ)までに掲げるもののほか、実施の期間、講師等の担当する授業科目別授業時間（随時受講型授業の場合にあっては、講師等の担当する授業科目）、施設費及び運営費の支弁方法等に関する適切な実施計画によるものであること。

(2) 長期型養成課程の認定基準

(ア) 学校等であって、総合通信局長がその養成課程を確実に実施することのできるものと認めるものが実施するものであること。

(イ) 総合通信局長がその養成課程の運営を管理することのできるものと認める管理責任者を置くものであること。

(ウ) 申請者、代表者、管理責任者又は講師が、次の各号のいずれにも該当しないこと。

(一) 電波法に規定する罪を犯して罰金以上の刑に処せられ、その執行を終わり、又はその執行を受けることがなくなった日から２年を経過しない者

(二) 電波法若しくは同法に基づく命令又はこれらに基づく処分に違反して、法第76条第１項（同法第70条の７第４項、第70条の８第３項及び第70条の９第３項において準用する場合を含む。）又は第79条第１項及び第２項の規定による処分を受け、その処分の日から２年を経過しない者

(三) 無線従事者規則第28条第１項若しくは第２項の規定による認定の取消しの処分を受けた者又は当該処分を受けた養成課程の管理責任者であって、その処分の日から２年を経過しない者

(エ) その養成課程の実施に必要な設備を備えるものであること。

(オ) 養成課程の種別に応じ、別に定める授業科目及び授業時間を設けるほか、総務大臣が別に告示する実施要領に準拠するものであること。

(カ) 養成課程の種別及び担当する授業科目に応じ、学校教育法第 1 条に規定する大学若しくは高等専門学校において無線通信に関する科目を担当する教授若しくは准教授の職にある者又はこれらの者と同等以上の知識及び技能を有するものと総合通信局長が認める者が講師として授業に従事するものであること。

(キ) 学校等が定める方法により養成課程の授業科目の内容を習得したことの確認を行い、その授業科目の内容を習得したと認める者に限り、当該養成課程の修了証明書又はこれに代えて科目履修証明書及び卒業証明書（専門職大学の前期

課程を修了した者にあっては、修了証明書）若しくは総合通信局長が適当と認めるその他の証明書（以下「修了証明書等」という。）を発行するものであること。

(ク)　(ア)から(キ)までのほか、講師の担当する授業科目別授業時間、実施要領等に関する適切な実施計画によるものであること。

4　大学等の卒業

(1)　制度の意義

学校教育法第１条に定める大学、短大（同法による専門職大学の前期課程を含む。）、高専、高校及び中等教育学校（「大学等」という。）においては、大学設置基準、学習指導要領等によって、就学中に一定の資質を保有させることとなっているので、これらの「大学等」の教育課程において、所定の無線通信に関する科目を履修して卒業した者（専門職大学の前期課程にあっては、修了した者）には、国家試験に合格した者と同様に、一定の無線従事者の資格を付与することとするものである（法41Ⅱ(三)）。

なお、学校教育法第１条に定める学校以外の教育施設（専修学校、各種学校等）については、その設置目的、教育内容等が様々であるため、この制度の適用外となっている。しかし、これらの教育施設の１年以上の教育課程については、長期型養成課程の認定を受けることにより、その教育課程の修了者は、長期型養成課程の対象となる資格の免許を受けることが可能となっている。

(2)　卒業生が取得できる無線従事者の資格

「大学等」において無線通信に関する科目を履修して卒業すれば、申請によって、次の学校及び履習科目の区分に応じた無線従事者の免許を取得することができる（従30）。

学　校	免許の対象資格	無線通信に関する科目	
		科目名	科目の内容
大学（短期大学を除く。）	第二級海上特殊無線技士	一　無線機器学その他無線機器に関する科目	無線機器の構造、機能、保守及び運用
		二　電磁波工学その他空中線系及び電波伝搬に関する科目	空中線系等の理論、構造、機能、保守及び運用

		三　電子計測その他無線測定に関する科目	測定機器の運用
		四　電波法規その他電波法令に関する科目	電波法令
	第三級海上特殊無線技士	一　無線機器学その他無線機器に関する科目	無線機器の構造、機能、保守及び運用
		二　電磁波工学その他空中線系及び電波伝搬に関する科目	空中線系等の理論、構造、機能、保守及び運用
		三　電波法規その他電波法令に関する科目	電波法令
	第一級陸上特殊無線技士	一　無線機器学その他無線機器に関する科目	無線機器の理論、構造、機能、保守及び運用
		二　電磁波工学その他空中線系及び電波伝搬に関する科目	空中線系等の理論、構造、機能、保守及び運用
		三　電子計測その他無線測定に関する科目	測定機器の理論、構造、機能、保守及び運用
		四　電波法規その他電波法令に関する科目	電波法令
短期大学（専門職大学の前期課程を含む。）又は高等専門学校	第二級海上特殊無線技士	一　無線機器学その他無線機器に関する科目	無線機器の構造、機能、保守及び運用
		二　電磁波工学その他空中線系及び電波伝搬に関する科目	空中線系等の理論、構造、機能、保守及び運用
		三　電子計測その他無線測定に関する科目	測定機器の運用
		四　電波法規その他電波法令に関する科目	電波法令
	第三級海上特殊無線技士	一　無線機器学その他無線機器に関する科目	無線機器の構造、機能、保守及び運用
		二　電磁波工学その他空中線系及び電波伝搬に関する科目	空中線系等の理論、構造、機能、保守及び運用
		三　電波法規その他電波法令に関する科目	電波法令
	第二級陸上特殊無線技士	一　無線機器学その他無線機器に関する科目	無線機器の理論、構造、機能、保守及び運用
		二　電磁波工学その他空中線系及び電波伝搬に関する科目	空中線系等の理論、構造、機能、保守及び運用

		三　電子計測その他無線測定に関する科目	測定機器の運用
		四　電波法規その他電波法令に関する科目	電波法令
高等学校又は中等教育学校	第二級海上特殊無線技士	通信工学	一　無線機器の理論、構造、機能、保守及び運用 二　空中線系等の理論、構造、機能、保守及び運用 三　測定機器の運用
		通信技術	電波法令
	第三級陸上特殊無線技士	通信工学	一　無線機器の構造、機能、保守及び運用 二　空中線系等の理論、構造、機能、保守及び運用 三　測定機器の運用
		通信技術	電波法令

⑶　科目内容の確認

ア　「大学等」の各学校の設置者は、その学校の教育課程に開設している科目が、⑵の表の無線通信に関する科目に適合していることについて、総務大臣の確認を受けることができる（従31Ⅰ）。

イ　科目内容の確認を受けようとするときは、学校の名称、学部又は学科の名称、⑵の表の中欄に掲げる資格を取得するために必要な同表の右欄に掲げる科目、当該科目の開設の期間その他の告示で定める事項を記載した申請書を総務大臣に提出しなければならない（従31Ⅱ）。

なお、この確認は、対象となる無線従事者の資格ごとに行われる。

ウ　総務大臣は、科目内容の確認を行ったときは、確認書を交付する（従31Ⅲ）。

また、総務大臣は、確認をした科目が、確認をした期間の経過前に、⑵の表の中欄に掲げる資格の免許を受けるために必要な同表の右欄に掲げる科目の内容に適合しなくなったと認めるとき等は、確認を取り消すことができる（従32の２Ⅰ）。

エ　科目内容の確認を受けた者は、確認を受けた期間の経過前にイの学校の名称又は学部若しくは学科の名称を変更するときはあらかじめその内容及び変更する年月日を、また、学校又は確認に係る学部若しくは学科を廃止するときは、あらかじめその旨及び廃止する年月日を総務大臣に届け出なければならない（従32Ⅰ、32の３Ⅰ）。

オ　科目内容の確認を受けた者は、確認を受けた期間の経過前に、(2)の表の中欄に掲げる資格を取得するために必要な同表右欄に掲げる科目を変更するとき、又は科目の開設の期間を短縮するときは、変更の日以後の期間又は短縮する期間について、確認の取消しの申請をしなければならない（従32Ⅱ）。

カ　総務大臣は、アにより確認した無線通信に関する科目、学校の名称、学部又は学科の名称、免許の対象資格等を、インターネットの利用その他の方法で公表するものとする（従32の４）。

5　有資格者の業務経歴及び認定講習課程

(1)　資格及び業務経歴を有する者の他の資格取得の意義

現に一定の無線従事者の資格を有する者であって、所定の期間及び内容の業務経歴を有するものが、総務大臣の認定する者（認定講習課程実施者という。）が行う認定講習を受け、この講習課程（認定講習課程という。）を修了することによって、上級又は他の系統の無線従事者の資格を取得することができるというものである（法41Ⅱ(四)、従33～43）。

(2)　対象資格及び取得要件

ア　次の表の中欄の業務経歴を有する者が、右欄の認定講習課程を修了したときは、左欄の無線従事者の資格を取得することができる（従33Ⅰ、34、別表８）。

無線従事者の資格	現有資格及び業務経歴	認定講習課程の科目及び講習時間
第一級総合無線通信士	現に第二級総合無線通信士の資格を有し、かつ、当該資格により海岸局又は船舶局の無線設備の国際通信のための操作に７年以上従事した経歴を有すること。	無線工学　120時間以上

第二級総合無線通信士	現に第三級総合無線通信士の資格を有し、かつ、当該資格により船舶局の無線設備の国際通信のための操作に７年以上従事した経歴を有すること。	無線工学　72時間以上 法規　21時間以上 英語　21時間以上
第一級海上無線通信士	現に第二級総合無線通信士の資格を有し、かつ、当該資格により海岸局又は船舶局の無線設備の国際通信のための操作に７年以上従事した経歴を有すること。	無線工学　90時間以上
第二級海上無線通信士	現に第三級総合無線通信士の資格を有し、かつ、当該資格により船舶局の無線設備の国際通信のための操作に７年以上従事した経歴を有すること。	無線工学　54時間以上 法規　30時間以上 英語　54時間以上
第三級海上無線通信士	現に第一級海上特殊無線技士の資格を有し、かつ、当該資格により船舶局の無線設備の国際通信のための操作に３年以上従事した経歴を有すること。	無線工学　４時間以上 電気通信術　４時間以上 法規　22時間以上 英語　33時間以上
第四級海上無線通信士	現に第一級海上特殊無線技士又は第二級海上特殊無線技士の資格を有し、かつ、当該資格により海岸局又は船舶局の無線設備の操作に５年以上従事した経歴を有すること。	無線工学　37時間以上 法規　33時間以上
第一級陸上無線技術士	現に第一級総合無線通信士又は第二級陸上無線技術士の資格を有し、かつ、当該資格により無線局の無線設備（アマチュア局の無線設備を除く。）の操作に７年以上従事した経歴を有すること。	無線工学　150時間以上
第二級陸上無線技術士	現に第二級総合無線通信士の資格を有し、かつ、当該資格により無線局の無線設備（アマチュア局の無線設備を除く。）の操作に７年以上従事した経歴を有すること。	無線工学　120時間以上

なお、本表中船舶局における無線設備の国際通信のための操作に従事した経歴については、平成24年４月１日より、漁船に開設する船舶局によるものにあっては、当該漁船が遠洋区域（Ａ３海域以上）を航行区域とする場合に限ることとされた。

イ　総務大臣は、アのほか、別に告示するところにより、一定の無線従事者の資格及び業務経歴を有する者に他の資格の無線従事者の免許を与えるための要件を定めることができる（従33Ⅱ）。

(3) 認定講習課程の認定等

ア　認定講習課程を実施しようとする者は、認定講習課程の種別（(2)のアの左欄の無線従事者の資格ごとの認定講習課程をいう。）、講習形態（同時受講型講習又は随時受講型講習をいう。）及びその課程の一ごとに、所定の事項を記載した申請書に使用する教材等（電磁的方法により作成されたものについては、その記録に係る記録媒体）を添えて、総務大臣に提出しなければならない（従35、35の3）。すなわち、認定講習課程の実施については、前述の養成課程の場合と同様に、講習課程の開催の都度認定を受ける必要がある。ただし、同一の者が実施する2以上の認定講習課程で、その実施場所が同一の総合通信局の管轄区域内であるものの申請は、その申請を同時に行う場合に限り、一の申請書に関係書類及び使用教材等を添えて提出することができる（従35の2）。

イ　総務大臣は、アの申請があった場合は、その講習課程が営利を目的とするものでなく（第三級海上無線通信士及び第四級海上無線通信士の場合を除く。）、また、確実に実施することのできる者の申請であるかどうかをはじめ、講習科目、講習時間、講師等の資格及び能力、教科書その他の教材、修了試験の実施方法等について審査し、その申請が総務省令で定める基準に適合すると認めた場合は、認定書を交付する（従34～36）。

なお、認定を受けた者（認定講習課程実施者という。）のその後の措置事項等については、無線従事者養成課程の認定施設者の場合と同様に条件が設けてある（従37～43）。

5－6　無線従事者国家試験

無線従事者国家試験は、誰でも受けられる。年齢、性別、国籍の如何を問わない。無線従事者の免許については相対的な欠格事由があるが、国家試験の受験にあたっては、そのような制約はない。

1　試験の実施要領

(1)　試験の方法

試験は、電気通信術については実地により、その他の試験科目については筆記（多肢選択式）により行われる。ただし、総務大臣又は総合通信局長が特に必要と認める場合は、他の方法によることがある（従３Ⅰ）。

(2)　試験の時期及び公示等

無線従事者の国家試験は、各資格別に毎年少なくとも１回総務大臣が行う（法45）。

具体的には、国家試験を実施する日時、場所その他国家試験の実施に関し必要な事項は、総務大臣、総合通信局長又は指定試験機関（２参照）があらかじめ公示する（従９Ⅰ）。

(3)　試験の申請方法等

ア　国家試験（指定試験機関がその試験事務を行うものを除く。）を受けようとする者は、所定の様式による申請書を総務大臣又は総合通信局長に提出しなければならない。この場合、認定学校卒業者等が、試験の免除を申請するときは、初めて当該免除申請をする際に卒業証明書（専門職大学の前期課程を修了した者にあっては、修了証明書）及び科目履修証明書を、また一定資格を有し、業務経歴を有する者が一部の試験の免除を申請する場合は所定の様式の経歴証明書をそれぞれ添付しなければならない（従10Ⅰ）。

イ　指定試験機関が行う国家試験を受けようとする者は、その指定試験機関が定めるところにより、申請書（様式も指定試験機関が定める。）及び写真をその指定試験機関に提出しなければならない（従10Ⅱ）。

ウ　総務大臣、総合通信局長又は指定試験機関は、受験の申請があったときは、申請者に試験科目、日時及び場所を通知する（従11）。

(4)　試験結果の通知

総務大臣、総合通信局長又は指定試験機関は、国家試験を受けた者にその試験の結果を無線従事者国家試験結果通知書により通知する（従12）。

⑸ 不正行為に対する規律

無線従事者国家試験に関して不正の行為があったときは、総務大臣は、当該不正行為に関係のある者について、その受験を停止し、又はその試験を無効とすることができる。指定試験機関が試験事務を実施しているときは、その指定試験機関がこの総務大臣の職権を行うことができる。また、総務大臣は不正行為者に対して期間を定めて試験を受けさせないことができる（法48Ⅰ、Ⅱ）。

2 指定試験機関制度

総務大臣は、その指定する者に、無線従事者国家試験の実施に関する事務の全部又は一部を行わせることができる（法46Ⅰ）（注①、②）。

この指定は総務省令で定める試験事務の区分ごとに、試験事務を行おうとする者の申請により行われるもので、この指定を受けた者を指定試験機関と称する。ここで試験事務の区分は、無線従事者の資格の別とされている（従85）。したがって、この指定は無線従事者の資格の一ごとに行われる。

国家試験という重要な事務を民間の機関に委託し、総務大臣の事務を代行させるというものであるから、指定の条件を定めるとともに指定試験機関に対する強い規律体制がとられている。

なお、総務大臣は、指定試験機関の指定をしたときは、当該指定に係る区分の試験事務を行わない（法46Ⅲ）。

（注①） 指定試験機関制度の概要

⑴ 制度の目的等

無線従事者国家試験の申請が増加し、総務省における試験事務が膨大になったことから、その簡素合理化を図るため、試験事務の全部又は一部の実施を総務大臣の指定する者に委託するもので、この指定を受けた者を指定試験機関と称する（法46Ⅰ）。

⑵ 試験事務の内容及び指定

試験事務の具体的内容は試験問題の作成、申請書の受付、手数料の徴収、受験票の作成、発送、受験者名簿の作成、試験場の確保、試験執行、採点、試験結果の通知等、試験を実際に施行する場合に必要な事務である。したがって、試験問題作成基準の策定、合否の判定基準の策定等無線従事者としての必要な知識技能の審査のための基礎となる事項は、総務大臣の権限に留保されている。指定試験機関の指定は、試験事務の同一性を考慮するとともに不公平を避けるために、資格ごとに、試験事務を行おうとする者の申請により行われる（法46Ⅱ、従85、86）。

なお、指定講習機関の場合と同様、一般社団法人又は一般財団法人（５－３の５の注参照）でなければこの指定を受けることができない（法46Ⅳ一）。

⑶　指定試験機関に対する規律等

この指定試験機関は、国の事務を代行するという高い公共性と重要性を有している。したがって、役員の選任及び解任や事業計画及び収支予算に総務大臣の認可が必要とされる等、登録証明機関や指定講習機関に比べ規律は厳しくなっている（法47の２～47の４、従87～93）。

⑷　指定試験機関の行う処分等

指定試験機関は試験事務の実施に関し不正の行為があったときは、その受験を停止し、又はその試験を無効とするという総務大臣の職権を行うことができる（法48Ⅱ）。

また、この処分に不服ある者は、総務大臣に対し審査請求をすることができる（法104の４）。これは、この処分が電波法上の効果を直接に発生させる公権力的性格をもつものであり、これに対して不服申立の道を開くことが簡易かつ迅速な手続による国民の権利利益の救済と適正な行政運営の確保上必要と考えられるからである。

（注②）　公益財団法人 日本無線協会

現在、指定試験機関に指定されているのは、「公益財団法人 日本無線協会」である。無線従事者の23資格の全部についての指定試験機関となっている。

同協会は、上記の試験事務のほか、試験事務に関する調査研究、試験事務に関する周知その他の広報事務、その他これらに付帯する事業を行うことになっており、わが国の無線従事者国家試験事務の実施に大きく貢献している。

また、指定講習機関の指定（法39の２）を受けているほか、養成課程の認定施設者及び認定講習課程実施者として各種講習会を主催する等して、無線従事者の養成に寄与している。

なお、地方機関としては、総合通信局の所在地ごとに支部が設けられ、各地域ごとの上記業務を行っている。

3　試験科目及び範囲等

試験科目及び範囲は、無線従事者の資格別に定められている。一部について抜粋すると次のとおりである（従５Ⅰ）。

なお、試験の出題については、無線従事者が行い又はその監督を行うことができる操作の範囲を考慮して行うものとされている（従５Ⅱ）。

⑴　第一級総合無線通信士

ア　無線工学の基礎

㋐　電気物理

⑴ 電気回路

⑵ 半導体及び電子管

⑶ 電子回路

⑷ 電気磁気測定

イ 無線工学A

⑺ 無線設備（空中線系を除く。以下この項において同じ。）の理論、構造及び機能

⑴ 無線設備のための測定機器の理論、構造及び機能

⑵ 無線設備及び無線設備のための測定機器の保守及び運用

ウ 無線工学B

⑺ 空中線系及び電波伝搬（以下この項において「空中線系等」という。）の理論、構造及び機能

⑴ 空中線系等のための測定機器の理論、構造及び機能

⑵ 空中線系及び空中線系等のための測定機器の保守及び運用

エ 電気通信術

⑺ モールス電信　1分間75字の速度の和文、1分間80字の速度の欧文暗語及び1分間100字の速度の欧文普通語によるそれぞれ約5分間の手送り送信及び音響受信

⑴ 直接印刷電信　1分間50字の速度の欧文普通語による約5分間の手送り送信

⑵ 電　話　1分間50字の速度の欧文（運用規則別表第5号の欧文通話表によるものをいう。）による約2分間の送話及び受話

オ 法　規

⑺ 電波法及びこれに基づく命令（船舶安全法、航空法及び電気通信事業法並びにこれらに基づく命令の関係規定を含む。）

⑴ 国際電気通信連合憲章、国際電気通信連合条約、無線通信規則、国際電気通信規則（電気通信業務を取り扱う際の基本的規定に限る。以下同じ。）並びに海上における人命の安全のための国際条約（附

属書の規定を含む。)、船員の訓練及び資格証明並びに当直の基準に関する国際条約（附属書の規定を含む。）及び国際民間航空条約(附属書の規定を含む。)(電波に関する規定に限る。)

カ　地　理

主要な航路、航空路及び電気通信路を主とする世界地理

キ　英　語

(ア)　文書を十分に理解するために必要な英文和訳

(イ)　文書により十分に意思を表明するために必要な和文英訳

(ウ)　口頭により十分に意思を表明するに足りる英会話

(2)　第一級海上無線通信士

ア　無線工学の基礎

第一級総合無線通信士の範囲に同じ

イ　無線工学Ａ

第一級総合無線通信士の範囲に同じ

ウ　無線工学Ｂ

第一級総合無線通信士の範囲に同じ

エ　電気通信術

(ア)　直接印刷電信　１分間50字の速度の欧文普通語による約５分間の手送り送信

(イ)　電　話　１分間50字の速度の欧文（運用規則別表第５号の欧文通話表によるものをいう。）による約２分間の送話及び受話

オ　法　規

(ア)　電波法及びこれに基づく命令（船舶安全法及び電気通信事業法並びにこれらに基づく命令の関係規定を含む。）

(イ)　国際電気通信連合憲章、国際電気通信連合条約、無線通信規則及び国際電気通信規則並びに海上における人命の安全のための国際条約及び船員の訓練及び資格証明並びに当直の基準に関する国際条約(電波に関する規定に限る。)

カ　英　語

第一級総合無線通信士の範囲に同じ

(3)　航空無線通信士

ア　無線工学

(ア)　無線設備の理論、構造及び機能の基礎

(イ)　空中線系等の理論、構造及び機能の基礎

(ウ)　無線設備及び空中線系の保守及び運用の基礎

イ　電気通信術

(ア)　電　話　　1 分間50字の速度の欧文（運用規則別表第 5 号の欧文通話表によるものをいう。）による約 2 分間の送話及び受話

ウ　法　規

(ア)　電波法及びこれに基づく命令（航空法及び電気通信事業法並びにこれらに基づく命令の関係規定を含む。）の概要

(イ)　国際電気通信連合憲章、国際電気通信条約、無線通信規則、国際電気通信規則及び国際民間航空条約（電波に関する規定に限る。）の概要

エ　英　語

(ア)　文書を適当に理解するために必要な英文和訳

(イ)　文書により適当に意思を表明するために必要な和文英訳

(ウ)　口頭により適当に意思を表明するに足りる英会話

(4)　第一級陸上無線技術士

ア　無線工学の基礎

(ア)　電気物理の詳細

(イ)　電気回路の詳細

(ウ)　半導体及び電子管の詳細

(エ)　電子回路の詳細

(オ)　電気磁気測定の詳細

イ　無線工学Ａ

(ア)　無線設備の理論、構造及び機能の詳細

(イ)　無線設備のための測定機器の理論、構造及び機能の詳細

(ウ)　無線設備及び無線設備のための測定機器の保守及び運用の詳細

ウ　無線工学Ｂ

(ア)　空中線系等の理論、構造及び機能の詳細

(イ)　空中線系等のための測定機器の理論、構造及び機能の詳細

(ウ)　空中線系及び空中線系等のための測定機器の保守及び運用の詳細

エ　法　規

電波法及びこれに基づく命令の概要

(5)　第二級陸上無線技術士

ア　無線工学の基礎

(ア)　電気物理

(イ)　電気回路

(ウ)　半導体及び電子管

(エ)　電子回路

(オ)　電気磁気測定

イ　無線工学Ａ

(ア)　無線設備の理論、構造及び機能

(イ)　無線設備のための測定機器の理論、構造及び機能

(ウ)　無線設備及び無線設備のための測定機器の保守及び運用

ウ　無線工学Ｂ

(ア)　空中線系等の理論、構造及び機能

(イ)　空中線系等のための測定機器の理論、構造及び機能

(ウ)　空中線系及び空中線系等のための測定機器の保守及び運用

エ　法　規

電波法及びこれに基づく命令の概要

⑹　第一級陸上特殊無線技士

ア　無線工学

㈠　多重無線設備（空中線を除く。以下この号において同じ。）の理論、構造及び機能の概要

㈡　空中線系等の理論、構造及び機能の概要

㈢　多重無線設備及び空中線系等のための測定機器の理論、構造及び機能の概要

㈣　多重無線設備及び空中線系並びに多重無線設備及び空中線系等のための測定機器の保守及び運用の概要

イ　法　規

電波法及びこれに基づく命令の概要

⑺　第一級アマチュア無線技士

ア　無線工学

㈠　無線設備の理論、構造及び機能の概要

㈡　空中線系等の理論、構造及び機能の概要

㈢　無線設備及び空中線系等のための測定機器の理論、構造及び機能の概要

㈣　無線設備及び空中線系並びに無線設備及び空中線系等のための測定機器の保守及び運用の概要

イ　法　規

㈠　電波法及びこれに基づく命令の概要

㈡　国際電気通信連合憲章、国際電気通信連合条約及び無線通信規則の概要

⑻　第二級アマチュア無線技士

ア　無線工学

㈠　無線設備の理論、構造及び機能の基礎

㈡　空中線系等の理論、構造及び機能の基礎

㈢　無線設備及び空中線系等のための測定機器の理論、構造及び機能の基礎

⑷ 無線設備及び空中線系並びに無線設備及び空中線系等のための測定機器の保守及び運用の基礎

イ　法　規

第一級アマチュア無線技士の場合に同じ

⑼　第三級アマチュア無線技士

ア　無線工学

第二級アマチュア無線技士の場合と同じ、ただし、程度について「基礎」がそれぞれ「初歩」となる。

イ　法　規

⑺　電波法及びこれに基づく命令の簡略な概要

⑴　国際電気通信連合憲章、国際電気通信連合条約及び無線通信規則の簡略な概要

⑽　第四級アマチュア無線技士

ア　無線工学

⑺　無線設備の理論、構造及び機能の初歩

⑴　空中線系等の理論、構造及び機能の初歩

⑼　無線設備及び空中線系の保守及び運用の初歩

イ　法　規

電波法及びこれに基づく命令の簡略な概要

4　国家試験の一部免除

⑴　科目合格者

ア　特殊無線技士及びアマチュア無線技士の資格を除く資格の国家試験において合格点を得た試験科目（電気通信術を除く。）のある者が当該試験科目の試験の行われた月の翌月の初めから起算して３年以内（総務大臣が天災その他の非常事態により試験が行われなかったことその他特別の事情を考慮して告示して指定する者については、当該試験の行われた月の翌月の初めから起算して３年を経過した後において最初に行われる試験の実施日まで）に実施される当該資格の国家試験を受ける場合は、申請により、当該合格点を得た試験科目の試験は免

除される（従6Ⅰ）。

イ　総合無線通信士、海上無線通信士又は航空無線通信士の国家試験において電気通信術の科目に合格点を得た者は、その試験の行われた月の翌月の初めから3年以内（総務大臣が天災その他の非常事態により試験が行われなかったことその他特別の事情を考慮して告示して指定する者については、当該試験の行われた月の翌月の初めから起算して3年を経過した後において最初に行われる試験の実施日まで）に当該資格又は他の一定の資格の国家試験を受けるときは、申請により、その電気通信術の試験は免除される（従6Ⅱ）。

⑵　認定学校等の卒業者

ア　総務大臣の認定を受けた学校教育法に規定する学校その他の教育施設を卒業した者（専門職大学の前期課程にあっては、終了した者）が、当該卒業又は修了の日から3年以内（総務大臣が天災その他の非常事態により試験が行われなかったことその他特別の事情を考慮して告示して指定する者については、当該学校等卒業の日から3年を経過した後において最初に行われる試験の実施日まで）に実施される国家試験を受ける場合は、総務大臣が別に告示するところにより、申請によって、無線工学の基礎、電気通信術及び英語の試験のうちその一部又は全部が免除される（従7）（注①②）。

⑶　一定の資格を有する者

ア　一定の無線従事者の資格を有するものが他の資格の国家試験を受ける場合は、申請により、別に定める区別に従って、国家試験の一部が免除される（従8Ⅰ、別表1）。

イ　一定の無線従事者の資格を有し、かつ所定の業務経歴を有する者が国家試験を受ける場合は、申請により、別に定める区別に従って、国家試験の一部が免除される（従8Ⅱ、別表2）（注③）。

ウ　電気通信事業法上（第46条第3項）の資格で、電気通信主任技術者資格者証又は工事担任者資格者証の交付を受けている者が国家試験を受ける場合は、申請により、別に定める区別に従って、国家試験の一部が免除される（従８Ⅲ）。

（注①）　認定学校制度

⑴　認定学校の意義及び目的

学校教育法第１条に規定する学校その他の教育施設であって電気通信に関する課程を設置するものについて、次の表の区別に従い、別に告示されている認定基準により総務大臣が認定する学校のことをいい、この認定学校の卒業（専門職大学の前期課程にあっては、修了）者は、無線従事者国家試験の一部（無線工学の基礎、電気通信術又は英語）の免除を受けることができるというものである（従７、13）。

⑵　認定の対象となる資格及び学校は、次のとおりである（⑵、⑶については平成２年郵政省告示第279号）。

なお、高等専門学校に置かれる専攻科及び高等学校に置かれる専攻科（いずれも修業年限２年以上のものに限る。）であって、電気通信に関する課程を設置するものについては、それぞれ大学及び短期大学とみなすことができる。

資　　格	学校の区別
第一級総合無線通信士、第一級海上無線通信士又は第一級陸上無線技術士	大学
第二級総合無線通信士、第二級海上無線通信士又は第二級陸上無線技術士	短期大学（専門職大学の前期課程を含む。）高等専門学校
第三級総合無線通信士	高等学校　中等教育学校

⑶　各種学校等は、次により認定される。

㈠　学校教育法第82条の２に規定する専修学校及び同法第83条第１項に規定する各種学校であって、その教育課程が、⑵の各学校の教育課程に準ずると認められるものについては、⑵の区別に準じて認定される。

㈡　⑵及び⑶の㈠に該当しない教育施設であって、その教育内容が認定基準に適合すると認められるものについては、⑵の区別に準じて認定される。

⑷　学校の認定は申請に基づいて行われ、認定を受けた者については変更の届出義務等科目内容の確認の場合（５−５の４⑶参照）と同様の制度が整備されている（従14〜18）。

総務大臣が、認定した学校等並びに学部及び学科の名称等をインターネットの利用その他の方法により公表するものとされている点も同様である（従18の２）。

（注②）　学校教育法抜粋

⑴　第１条　この法律で、学校とは、幼稚園、小学校、中学校、高等学校、中等教育学校、特別支援学校、大学及び高等専門学校とする。

⑵　第83条の２　前条の大学のうち、深く専門の学芸を教授研究し、専門性が求めら

れる職業を担うための実践的かつ応用的な能力を展開させることを目的とするものは、専門職大学とする。（第２項及び第３項略）

⑶　第87条の２　専門職大学の課程は、これを前期２年の前期課程及び後期２年の後期課程又は前期３年の前期課程及び後期１年の後期課程（前条第１項ただし書の規定により修業年限を４年を超えるものとする学部にあっては、前期２年の前期課程及び後期２年以上の後期課程又は前期３年の前期課程及び後期１年以上の後期課程）に区分することができる。（第２項～第４項略）

⑷　第124条　第１条に掲げるもの以外の教育施設で、職業若しくは実際生活に必要な能力を育成し、又は教養の向上を図ることを目的として次の各号に該当する組織的な教育を行うもの（当該教育を行うにつき他の法律に特別の規定があるもの及び我が国に居住する外国人を専ら対象とするものを除く。）は、専修学校とする。

一　修業年限が１年以上であること。

二　授業時数が文部科学大臣の定める授業時数以上であること。

三　教育を受ける者が常時40人以上であること。

⑸　第134条　第１条に掲げるもの以外のもので、学校教育に類する教育を行うもの（当該教育を行うにつき他の法律に特別の規定があるもの及び第124条に規定する専修学校の教育を行うものを除く。）は、各種学校とする。

（第２項及び第３項略）

（注③）　国家試験の一部免除制及び無試験制

⑴　現に無線従事者の免許を持っていて、一定の業務経歴を有する者が上級又は他の系統の資格を得るため国家試験を受けるとき、一定の試験科目が免除されるが、この者の条件によっては、前述（５－５の５）のとおり、認定講習課程を修了することにより無試験とすることもできる。

⑵　無線従事者養成課程の修了者又は教科内容を確認された大学等の卒業者は、無試験で無線従事者の資格を得る途があるが、一方、認定学校においては試験の一部が免除されるだけとなっている。これは認定学校の場合は対象資格が上級のものであるのに対し、無試験の場合は主として特殊無線技士であって、大きな差があるからである。

５－７　無線従事者の免許及び免許証

１　免許の申請

無線従事者の免許（法41）は、無線従事者の知識・技能に関する資格要件に適合したとき、免許の申請を行うことによって受けることができる。

免許申請にあたっては、所定の様式の申請書に次の書類を添えて、総務大臣又は総合通信局長に提出しなければならない（従46）。

ア　氏名及び生年月日を証する書類（ただし、次の場合は不要である。①総務大臣が住民基本台帳法の規定により、都道府県知事等から申請者に係る本人確認情報の提供を受けるとき、②申請者が他の無線従事者免許証の交付を受けており、当該無線従事者免許証の番号を申請書に記載するとき、③申請者が電気通信事業法の規定により、電気通信主任技術者証又は工事担任者資格者証の交付を受けており、当該電気通信主任技術者証又は当該工事担任者資格者証の番号を申請書に記載するとき。）（従46Ⅱ）

イ　医師の診断書（視覚、聴覚、音声機能若しくは言語機能又は精神の機能の障害により無線従事者の業務を適正に行うに当たって必要な認知、判断及び意思疎通を適切に行うことができない者（後述2⑵により免許の欠格事由が適用されない者を除く。）が免許を受けようとする場合であって、総務大臣又は総合通信局長が必要と認めるときに限る。）

ウ　写真（申請前6月以内に撮影した無帽、正面、上三分身、無背景の縦30ミリメートル、横24ミリメートルのもので、裏面に申請に係る資格及び氏名を記載したもの）1枚。

エ　無線従事者養成課程の修了証明書（養成課程修了による場合に限る。）

オ　「大学等」の卒業者の場合は、科目履修証明書、履修内容証明書及び卒業証明書（専門職大学の前期課程を修了した者にあっては、修了証明書）。ただし、総務大臣から無線通信に関する科目の適合確認を受けている教育課程を修めた者の場合は、履修内容証明書の添付は不要である。

カ　資格及び業務経歴者の場合は、別に定める様式（従別表5）の業務経歴証明書及び認定講習課程の修了証明書

なお、無線従事者の免許を受けていた者が、当該免許を取り消された後に再免許の申請を行うときは、取消しの処分を受けた資格、免許証の番号及び取消しの年月日を記載した書類の添付を要し、ア、エ、オ及びカの書

類は、添付を要しない。

2　免許の欠格事由

(1)　無線従事者免許の欠格事由

無線従事者の知識・技能の要件（前５－５の１参照）に該当して、免許申請があっても、次のいずれかに該当する者には、総務大臣又は総合通信局長が特に支障がないと認めた場合を除き、免許は与えられない（法42、従45）。

ア　電波法上の罪を犯し罰金以上の刑に処せられ、その執行を終わり、又はその執行を受けることがなくなった日から２年を経過しない者

イ　電波法第79条第１項第１号又は第２号の規定により無線従事者の免許を取り消され、取消しの日から２年を経過しない者

ウ　視覚、聴覚、音声機能若しくは言語機能又は精神の機能の障害により無線従事者の業務を適正に行うに当たって必要な認知、判断及び意思疎通を適切に行うことができない者（ただし、総務大臣又は総合通信局長がその資格の無線従事者が行う無線設備の操作に支障がないと認める場合を除く。）

(2)　免許の欠格事由の例外

(1)のウに該当する者（精神の機能の障害により無線従事者の業務を適正に行うに当たって必要な認知、判断及び意思疎通を適切に行うことができない者を除く。）が、第三級陸上特殊無線技士又は各級アマチュア無線技士の資格の免許を受けようとするときは、免許の欠格事由が適用されない。

3　無線従事者の免許及び免許証の交付

総務大臣又は総合通信局長は、免許の申請に対し、欠格事由に該当しないとき（欠格事由の例外に該当するときを含む。）は無線従事者の免許を与える。また、免許を与えたときは、別に定める様式の免許証を交付する（従47Ⅰ）。

免許証の交付を受けた者は、無線設備の操作に関する知識及び技術の向上を図るように努めなければならない（従47Ⅱ）(注)。

無線従事者の免許証の効力は、免許の取消処分を受けない限り、終身有

効である。

（注）　無線従事者規則第47条第２項について

無線通信分野では習得した知識の陳腐化が速く、常に最新の知識にアップデートする仕組みを構築することが重要であることから、令和２年12月に制度化されたが、無線従事者に対して努力義務を課すものであり、本来電波法で規定されるべき事項と考えられる。

4　無線従事者原簿

総務大臣は、無線従事者原簿を備え付け、免許に関する事項を記載する（法43）。

この無線従事者原簿に記載される免許に関する事項は、①無線従事者の資格別、②免許年月日及び免許証の番号、③氏名及び生年月日、④免許証を訂正され、又は再交付された者であるときは、その年月日、⑤免許を取り消され若しくは業務に従事することを停止された者又は電波法上の罪を犯し刑に処せられた者であるときはその旨並びに理由及び年月日、⑥その他総務大臣が必要と認める事項、とされている（従52）。

5　免許証の取扱い

⑴　免許証の携帯

無線従事者は、その業務に従事しているときは、免許証を携帯していなければならない（施38Ⅸ）。

⑵　免許証の亡失

無線従事者が免許証を失ったときは、届出等の手続の必要はない。

なお、業務に従事している者は免許証携帯の義務があるので、免許証の再交付を受ける必要が生じる。

⑶　免許証の再交付

無線従事者は、氏名に変更を生じたとき又は免許証を汚し、破り、若しくは失ったために再交付を受けようとするときは、別に定める様式の申請書に次に掲げる書類を添えて総務大臣又は総合通信局長に提出しなければならない（従50）。

ア　免許証（免許証を失った場合を除く。）

イ　写真１枚

ウ　氏名の変更の事実を証する書類（氏名に変更を生じたときに限る。）

⑷　免許証の返納

無線従事者は、免許の取消しの処分を受けたときは、その処分を受けた日から10日以内にその免許証を総務大臣又は地方総合通信局長に返さなければならない。免許証の再交付を受けた後失った免許証を発見したときも同様である（従51Ⅰ）。

また、無線従事者が死亡し、又は失そうの宣告を受けたときは、戸籍法による死亡又は失そう宣告の届出義務者は（注）、遅滞なくその免許証を総務大臣又は総合通信局長に返さなければならない（従51Ⅱ）。

（注）戸籍法上の届出義務者は、次のとおりである。

㈠　死亡の場合（以下の順序で）（戸籍法87）
同居の親族
その他の同居者
家主、地主又は家屋若しくは土地の管理人

㈡　失そう宣告の場合（戸籍法94）
失そう宣告の裁判を請求した者

5－8　無線従事者の配置及び無線従事者選解任届

1　義務船舶局に配置する無線従事者の資格及び員数（法 50 Ⅱ）

⑴　義務船舶局の無線従事者の最低限の資格別員数

次の表の左欄の義務船舶局等（無線設備について、その船舶の航行中に行う整備のために必要な計器及び予備品を備え付ける措置をとるものに限る。）にあっては、同右欄の無線従事者を配置しなければならない（施36Ⅰ）。

義　務　船　舶　局	無線従事者の資格別員数
1　A1海域、A2海域及びその他の海域を航行する船舶の義務船舶局等で国際航海に従事する旅客船のもの	第一級総合無線通信士又は第一級海上無線通信士で船舶無線従事者資格証明を受けているもの　1名
2　その他の義務船舶局等	第一級総合無線通信士、第一級又は第二級海上無線通信士で船舶無線従事者証明を受けているもの　1名

⑵　義務船舶局の遭難通信責任者

旅客船又は総トン数300トン以上の船舶であって、国際航海に従事するものの義務船舶局には、遭難通信責任者（遭難通信、緊急通信及び安全通信に関する事項を総括管理する者）として、次のいずれかの資格を有する無線従事者であって、船舶無線従事者証明を受けているものを配置しなければならない（法50Ⅰ、施35の２Ⅰ）。

ア　第一級総合無線通信士又は第一級海上無線通信士

イ　第二級海上無線通信士

ウ　第三級海上無線通信士

２　一般の無線局の無線従事者の配置

１の義務船舶局以外の船舶局及びその他の無線局には、その無線局の無線設備の操作を行い、又はその監督を行うために必要な無線従事者を配置しなければならない（施36Ⅱ）。

３　無線従事者選解任届

免許人が無線局を運用するに当たっては、特定の無線従事者に依存するのが通常であるが、両者の関係は雇用契約等の私法上の契約によることとなるのが普通である。この場合、行政庁としても監督上無線従事者を把握する必要があるので、免許人に対し、次のとおり無線従事者を選任又は解任したときは、一定の様式によって、遅滞なくその旨を総務大臣に届け出ることを義務づけている。

ア　主任無線従事者の選任又は解任並びにその届出の義務については、既述（５－３）のとおりである。この届出をしなかったとき又は虚偽の届出に対しては罰則が定められている（法39Ⅳ、113）。

イ　その他の無線従事者を選任又は解任したときは、主任無線従事者の場合に準じて、遅滞なく、その旨を総務大臣に届け出なければならない（法51）。この場合は罰則の適用はないが、届出をしなかったとき、虚偽の届出をしたときは、電波法令違反として制裁の対象になる。

ウ　主任無線従事者の監督のもとに操作を行う無資格者については、選任又は解任について、総務大臣への届出は不要とされている。

第６章

運　　用

６－１　総　　説

１　無線局運用の概要

無線設備を設置し、その操作を行う者を配置して無線局が出来上がると、次の段階は無線局の運用をどのようにするかが問題となる。

無線局の運用とは、無線局における業務活動のことである。この業務活動は電波を発射し、又は受信して通信を行うことが中心であるが、電波は共通の空間を媒体としているため、これが適正に行われるかどうかは、電波の効率的利用に直接つながることになる。

そのため、電波法令では、無線局の運用に当たって守るべき事項をきめ細かく定めているが、無線局の運用は各無線局によって形態が異なるため、最初にすべての無線局に共通する事項を定め、次に各無線局ごとに特徴的な事項を定めている。すべての無線局に共通する主な規定は、次のとおりである。

(1)　免許状記載事項の遵守

(2)　混信等の防止

(3)　擬似空中線回路の使用

(4)　通信の秘密の保護

(5)　時計、業務書類等の備付け

(6)　無線局の通信方法

(7)　無線設備の機能の維持

(8)　非常の場合の無線通信

２　無線局運用の責任

無線局の運用を行うに当たり、法令の規定に適合するよう維持する責任を有する者は、無線従事者と無線局の免許人等（注①）である。前者の無線従事者は、直接無線設備の操作又はその監督に当たる者で、かつ、専門的知識・技能を有する者であるから、当然に実行行為者又は監督者としての責任が要求されるものである。後者の無線局の免許人等は、特に違法行為の実行を下命し、又は共同して違法行為を実行し、若しくは違法行為を幇助する等の行為がある場合は勿論、たとえそのような行為がなくても使用人たる者に違法行為があれば、それに対する監督責任が要求されるものである（注②③）。

（注①）免許等を要しない無線局に係る運用責任

免許等を要しない無線局については、２－１の３（注②）で述べたように、電波法の規制に係る部分が極めて少なく、運用責任を有する者が問題となることは稀であろうが、たとえば法82条第１項の規定は「総務大臣は、免許等を要しない無線局の無線設備の発する電波…が他の無線設備の機能に継続的かつ重大な障害を与えるときは、その設備の所有者又は占有者に対し、その障害を除去するために必要な措置をとるべきことを命ずることができる。」と定めている。これは、無線設備についてはその「所有者又は占有者」が適切に、維持管理するよう期待する趣旨を含んでいると解される。

（注②）運用上の規定の受命者

電波法の運用の章では、「無線局は免許状に記載された何々を超えて運用してはならない」といった類の規定が多く存在するが、こうした場合の規定の受命者は、無線局ということになる。しかし、無線局は法的に人格を有しないから、この規定の実質的な受命者は、無線局の免許人等、無線設備の操作を行う者及びその無線局の運用に関係するすべての者であるといえる。

（注③）無線局の免許人等は、当該無線局を他人に使用させることができなかったが、平成19年及び平成20年の法改正により、非常時等一定の場合には、自己以外の者に運用させることができることとなった（法70の７～70の９）。

制度の内容は後述するが、この場合においても免許人等は、当該無線局の運用が適正に行われるよう、当該自己以外の者に対し、必要かつ適切な監督を行わなければならないこととされ（法70の７Ⅲ、70の８Ⅱ、70の９Ⅱ）、無線局の適正運用に対する免許人等の責任はなお存続している。同時に無線局を直接運用する免許人等以外の者についても不適法運用に対する制裁措置の対象とされる等適正運用への責任が問われる制度となっている（法70の７Ⅳ、70の８Ⅲ、70の９Ⅲ）。

６－２　免許状等記載事項の遵守

無線局は、一定の基準及び条件の範囲内において運用することを認められたものである。その基準及び条件のうち、基本的に重要な事項は免許状等（免許状又は登録状）に記載されている。したがって、無線局の運用はまず第一に免許状等に記載されているところに従って行わなければならない。

1　無線局の目的、通信の相手方及び通信事項

無線局の目的とは、無線局を開設及び運用する目的のことであって、当該無線局の基本的性格を表しているものである。また、通信の相手方及び通信事項は、無線局の目的を補充するもので、これも当該無線局の基本的性格を形成するものの一つである。

電波法では、無線局は、免許状に記載された目的又は通信の相手方若しくは通信事項（特定地上基幹放送局については放送事項）の範囲を超えて運用してはならないと規定している（法52）。これは、無線通信の一般原則に従うとともに電気通信役務との限界を明らかにして、電波利用社会の秩序の維持を図ろうとする趣旨にほかならない（注①）。

しかし、上記の原則に対し、人命、財貨の保全、社会の安寧秩序の維持、その他一般国民の福利に重大な関係をもつ通信に限って、例外として、免許状に記載されている目的、通信の相手方、通信事項の範囲を超えて運用すること、すなわち、目的外使用を認めている。

目的外使用を認められる通信は、次のとおりである（法52ただし書、施37）。

(1)　遭難通信

遭難通信というのは、船舶又は航空機が重大かつ急迫の危険に陥った場合に遭難信号（注②）を前置する方法その他総務省令で定める方法（注③）により行う無線通信である（法52、施36の２Ⅰ）。

無線局は、遭難信号又は総務省令で定める方法により行われる遭難通信を受信したときは、遭難通信を妨害するおそれのある電波の発射を直ちに中止しなければならず、また、海岸局等（海岸局、海岸地球局、船舶局及び船舶地球局をいう。）は、遭難通信を受信したときは、他の一切の無線通信に優先して、直ちにこれに応答し、かつ、遭難している船舶又は航空機を救助するため最も便宜な位置にある無線局に対して通報する等、救助

の通信に関し最善の措置をとることが義務づけられている（法66）。航空局等（航空局、航空地球局、航空機局及び航空機地球局をいう。）についても同様である（法70の６Ⅱ）。

⑵　緊急通信

緊急通信というのは、船舶又は航空機が重大かつ急迫の危険に陥るおそれがある場合その他緊急の事態が発生した場合に緊急信号（注④）を前置する方法その他総務省令で定める方法（注③）により行う無線通信で、遭難通信に次ぐ優先度をもつものである（法52、施36の２Ⅱ、法67）。

したがって、海岸局等は、遭難通信に次ぐ優先順位をもって緊急通信を取り扱わなければならず、また、緊急信号又は総務省令で定める方法により行われる緊急通信を受信したときは、遭難通信を行う場合を除き、その通信が自局に関係のないことを確認するまでの間（モールス無線電信又は無線電話による緊急信号を受信した場合には少なくとも３分間）継続してその緊急通信を受信することが義務づけられている（法67、運93）。航空局等についても同様である（法70の6Ⅱ）。

⑶　安全通信

安全通信というのは、船舶又は航空機の航行に対する重大な危険を予防するために安全信号（注⑤）を前置する方法その他総務省令で定める方法（注③）により行う無線通信である（法52、施36の2Ⅲ）。

海岸局等は、速やかに、かつ、確実に安全通信を取り扱わなければならず、また、安全信号又は総務省令で定める方法により行われる安全通信を受信したときは、その通信が自局に関係ないことを確認するまで、その安全通信を受信することが義務づけられている（法68）。航空局等については、この義務は無い（法70の6Ⅱ）。

⑷　非常通信

非常通信というのは、地震、台風、洪水、津波、雪害、火災、暴動その他非常の事態が発生し、又は発生するおそれがある場合において、有線通信を利用することができないか又はこれを利用することが著しく困難であるときに人命の救助、災害の救援、交通通信の確保又は秩序の維持のために行われる無線通信である（法52）（注⑥）。

⑸　放送の受信（注⑦）

⑹　その他総務省令で定める通信

総務省令で定めるものとして、三十数項目にわたって目的外使用が認められているが、その主なものをあげれば、次のとおりである（施37）。

なお、この場合、無線機器の試験又は調整をするために行う通信を除いては、その運用は、原則として、船舶局についてはその船舶の航行中、航空機局についてはその航空機の航行中又は航行の準備中（離発着に際し、滑走路その他の地域で移動又は停止中の状態をいう。）に限られる。

ア　無線機器の試験又は調整をするために行う通信

イ　医事通報（航行中の船舶内における傷病者の医療手当に関する通報をいう。）に関する通信

ウ　港則法又は海上交通安全法の規定に基づき行う海上保安庁の無線局と船舶局との間の通信

エ　海上保安庁の海上移動業務又は航空移動業務の無線局とその他の海上移動業務又は航空移動業務の無線局との間（海岸局と航空局との間を除く。）で行う海上保安業務に関し急を要する通信

オ　気象の照会又は時刻の照合のために行う海岸局と船舶局との間若しくは船舶局相互間又は航空局と航空機局との間若しくは航空機局相互間の通信

カ　方位を測定するために行う海岸局と船舶局との間若しくは船舶局相互間又は航空局と航空機局との間若しくは航空機局相互間の通信

キ　国又は地方公共団体の飛行場管制塔の航空局と当該飛行場内を移動する陸上移動局又は携帯局との間で行う飛行場の交通の整理その他飛行場内の取締りに関する通信

ク　電波の規正に関する通信

ケ　非常の場合の無線通信の訓練のために行う通信

コ　水防法第27条第２項、消防組織法第41条、災害救助法第11条、気象業務法第15条又は災害対策基本法第57条又は第79条（大規模地震対策

特別措置法第20条又は第26条第１項において準用する場合を含む。）の規定による通信

サ　治安維持の業務をつかさどる行政機関の無線局相互間に行う治安維持に関し急を要する通信であって、総務大臣が別に告示するもの

シ　人命の救助又は人の生命、身体若しくは財産に重大な危害を及ぼす犯罪の捜査若しくはこれらの犯罪の現行犯人若しくは被疑者の逮捕に関し急を要する通信（他の電気通信系統によっては当該通信の目的を達することが困難である場合に限る。）

ス　第１号包括免許人が総務大臣の許可（法103の６）に基づき運用する実験等無線局と当該第１号包括免許人の包括免許に係る特定無線局の通信の相手方である無線局との間で行う通信

以上のような目的外通信を行う場合を除き、免許状に記載された目的、通信の相手方、通信事項（特定地上基幹放送局については放送事項）の範囲を超えて運用した場合は、罰則が定められており（法110㈤「１年以下の懲役又は100万円以下の罰金」、法114）、また、行政処分の対象ともなる（法76）。

（注①）電気通信役務と専用通信

「電気通信役務」というのは、電気通信設備を用いて他人の通信を媒介し、その他電気通信設備を他人の通信の用に供することであるから（電気通信事業法２㈢）、他人の依頼に応じて、他人の通信内容のものでも取り扱うことができる。これに対し、一般の無線局の場合は、国、地方公共団体、法人、団体、私人等が、自らの通信目的のために開設するもので、この場合は通常「専用通信」といわれる。したがって、専用通信の場合は、目的、通信の相手方、通信事項において、自己の通信目的達成上必要最少限の範囲に制限されているものである。

（注②）遭難信号

国際電気通信連合の無線通信規則に規定されている略符号又は略語で、無線電信の場合は「$\overline{\text{SOS}}$」、無線電話の場合は「メーデー」（MAYDAY=仏語の M'aider のように発音する。）が用いられる。このほか、わが国の電波法では、「遭難」も使えるように規定されている（運76、別表４）。

（注③）総務省令で定める方法

遭難信号、緊急信号及び安全信号は、無線電信又は無線電話の通信において使用されるものであるが、無線電信又は無線電話以外のデジタル選択呼出装置、船舶地球局の無線設備、遭難自動通報設備、航空機用救命無線機等の設備により、遭難通信、緊

急通信又は安全通信に関する情報を送信する方法として、電波法施行規則第36条の2及び別図1～12に定められている。

(注④) 緊急信号

国際電気通信連合の無線通信規則に規定されている略符号又は略語で、無線電信の場合は「XXX」、無線電話の場合は「パン　パン」(PAN =仏語の Panne のように発音する。) が用いられる。このほか、わが国の電波法では、「緊急」も使えるように規定されている (運90の3、別表4)。

(注⑤) 安全信号

国際電気通信連合の無線通信規則に規定されている略符号又は略語で、無線電信の場合は「TTT」、無線電話の場合は「セキュリテ」(SECURITE=仏語のSecuriteのように発音する。) が用いられる。このほか、わが国の電波法では、「警報」も使えるように規定されている (運96、別表4)。

(注⑥) 非常通信

遭難通信、緊急通信及び安全通信は国際的な制度であって、船舶又は航空機を対象とし、これらの救難をはじめ保安のための、極めて公益性の強い通信である。これに対し非常通信は、陸、海、空を問わず、あらゆる場合を対象とし、天災・地変その他の非常の事態に際し、人命の救助その他の公益性の高い通信を行うものである。

(注⑦) 放送の受信

「受信」のみを目的とする無線設備は無線局の範囲外であるから (法2㈤)、その運用が問題となることはないが、無線局が、その受信設備を用いて、放送の受信を行うことは、形式上、無線局の運用として規律されるものとなるので、ここで除外したものである。

2　無線設備の設置場所、識別信号、電波の型式及び周波数

無線局を運用する場合においては、無線設備の設置場所 (移動する無線局の場合は移動範囲)、識別信号、電波の型式及び周波数は、免許状等に記載されたところによらなければならない (法53)。

ただし、遭難通信の場合は、船舶又は航空機が重大かつ急迫の危険に陥った場合 (すなわち、即時の救助を必要としている場合) であるから、人命、財貨の保全にあらゆる手段を尽くす意味において、この制限は除外されている (法53ただし書)。

なお、本件違反行為には罰則が定められており (法110 ㈤「1年以下の懲役又は100万円以下の罰金」、法114)、また、行政処分の対象となる (法76)。

3　空中線電力

無線局を運用する場合、空中線電力は、次の各号によらなければならない（法54）。

(1)　免許状等に記載されたものの範囲内であること。

(2)　通信を行うため必要最小のものであること。

ここで、免許状等に記載されている空中線電力は、指定空中線電力であって、その意義は、一般の無線局については、送信に際して使用できる最大の値の空中線電力を示し、基幹放送局、電気通信業務を行うことを目的として開設する無線呼出局及び無線標識局については、送信に際して使用しなければならない単一の値の空中線電力を示している（免10の3）。

したがって、一般の無線局は、免許状等に記載された空中線電力の値の範囲内でなるべく小さな値の電力によらなければならない。また、基幹放送局、無線呼出局及び無線標識局は、免許状に記載された空中線電力の値で運用しなければならない（ただし、許容偏差内であればよい。）。

また、必要最小限の電力という判断は、その通信目的達成上の必要最小限の意味であるから、空界状況又は通信範囲等に応じて、通信の都度個々に判断すべきものであって、実際は、運用者の判断によることとなるものである。

上記の原則に対し、遭難通信の場合は、船舶又は航空機が重大かつ急迫の危険に陥った場合であるから、人命、財貨の保全にあらゆる手段を尽す意味においてこの制限は除外されている（法54ただし書）。

なお、(1)の免許状等に記載されたものの範囲内であることの条件（法54(一)）に違反した場合については、罰則が定められており（法110(五)「1年以下の懲役又は100万円以下の罰金」、法114）、また、行政処分の対象となる（法76）。

4　運用許容時間

無線局は、免許状に記載された運用許容時間内でなければ、運用してはならない（法55）。

ただし、次に掲げる通信については、その重要性又は特殊性を考慮して、運用許容時間を超えて運用することが認められている（法55ただし書）。

⑴　遭難通信

⑵　緊急通信

⑶　安全通信

⑷　非常通信

⑸　放送の受信

⑹　施行規則第37条で定める通信（前記6－2の1の⑹参照）

なお、本件違反行為には罰則が用意されており（法110 ㈤「1年以下の懲役又は100万円以下の罰金」、法114）、また、行政処分の対象となる（法76）。

6－3　混信等の防止

1　混信の意義

混信というのは、他の無線局の正常な業務の運行を妨害する電波の発射、輻射又は誘導をいう（施2（六十四））。この発射、輻射又は誘導は、通常は無線通信業務により発生するものに限定され、電気機器、送配電線あるいは高周波利用設備などによるものと区別されている。後者によって発生する妨害電波は、一般に雑音といわれている。

2　混信等妨害を与えない義務

無線局は、他の無線局又は電波天文業務（注①）の用に供する受信設備その他の総務省令で定める受信設備（無線局のものを除く。）で総務大臣が指定するもの（注②）にその運用を阻害するような混信その他の妨害を与えないように運用しなければならない（法56Ⅰ）。

ただし、遭難通信、緊急通信、安全通信及び非常通信を行う場合は、これらの通信の公共性と重要性に鑑み、この混信等防止の義務から除外されている（法56Ⅰただし書）。

なお、混信の防止に関しては、上記の直接的な規定のほかに、混信防止に関係のある技術条件及び運用上の規律が多く定められている。

（注①）電波天文業務

電波天文業務とは、宇宙から発する電波の受信を基礎とする天文学のための無線通信業務をいう。電波天文業務は、①自然現象である太陽電波を受信して、太陽の温度を調べたり黒点の状況を調査すること、②宇宙において電波を発する天体、すなわち「電波星」の位置及び性質を研究すること、③月などの比較的地球に近い天体を地上から発した電波によって探査することなど電波を利用して天体の研究調査を行う業務である。この業務のための受信設備は電波法の定義上無線局に入らないが、有害な混信から守るため、1963年の無線通信規則の改正に対応して、混信妨害からの保護の対象とされたものである。

(注②) 混信等妨害の保護を受ける指定受信設備

電波天文業務の用に供する受信設備その他の総務省令で定める受信設備として、総務大臣の指定に係るものの範囲は、次のとおりである。ただし、移動するものは除かれる（施50の2)。

(1) 電波天文業務の用に供する受信設備

(2) 宇宙無線通信の電波の受信を行う受信設備

この混信等妨害の保護を受けるための指定は、当該指定に係る受信設備を設置している者の申請により行う（法56Ⅱ)。

総務大臣は、当該受信設備の指定をしたときは、受信の業務の種別、その受信設備を設置している者の氏名又は名称、設置場所、受信しようとする電波の型式及び周波数等を公示（告示による。）しなければならない（法56Ⅲ、施50の6)。

なお、この保護を受ける電波は、この業務に専用又は優先的に分配された周波数とされている（施50の3Ⅰ)。

6－4 擬似空中線回路の使用

無線局は、①無線設備の機器の試験又は調整を行うために運用するとき及び②実験等無線局を運用するときは、なるべく擬似空中線回路を使用しなければならない（法57)。

擬似空中線回路というのは、実際の空中線と等価の抵抗、インダクタンス及び容量を有する回路で、供給エネルギーを電波として輻射させず、回路内で熱として消費せしめるものである。このように擬似空中線回路は、実際の空中線を使用しないで、すなわち、電波を外部に出さないで、機器の試験等の目的を達しうるので、空間の混雑の緩和及び混信防止の観点からは極めて有効なものである。

6－5　通信の秘密の保護

1　憲法上の通信の秘密の保護

憲法第21条第2項には「検閲は、これをしてはならない。通信の秘密は、これを侵してはならない。」と明示の条文をもって通信の秘密の保護が定められている。

通信の秘密というのは、その通信の特定性ないし個別性及び内容が他に知られないことをいうのであって、信書の秘密の外に、電信、電話、無線電信、無線電話その他一切の通信の秘密を含むものである。憲法でこれを保護している趣旨は、同条第1項の表現の自由の保障との関連において、①通信という特定者向け表現行為の自由を保障する、及び②対世界的表現行為の前提としての自由な意思形成に通信が寄与することを保障する、ということであり、併せて、通信の秘密の保護が私生活の秘密ないしプライバシーの権利の保護の一環をなすものであるためと説明されている。特に無線通信は、空界を通路とする電波を利用するものであるだけに、他人に知られやすい弱点を有するものであるから、その保障には特に留意されなければならない。したがって、電波法においては、憲法の規定を受けて、無線通信の秘密の保護に関する特別の規定を設けている（法59）。

なお、憲法に規定する通信の秘密の保護の規定は、基本的人権の一つであるとはいっても、絶対的不可侵を要求しているものではなく、公共の福祉との調和を図るために、除外例を作る余地があると解釈されている。電波法の場合も全く同様の法理によるべきであるから、本条の適用に当たっては、濫用にわたらないよう解釈されなければならない。

2　電波法上の通信の秘密の保護

(1)　無線通信の秘密の保護

電波法には「何人も法律に別段の定めがある場合を除くほか、特定の相手方に対して行われる無線通信（電気通信事業法第4条第1項又は第164条第3項の通信であるものを除く。）を傍受してその存在若しくは内容を漏らし、又はこれを窃用してはならない。」と規定されている（法59）。

この規定の遵守は、無線従事者等の通信実務担当者は勿論、免許人等の関係者をはじめ、国民全体に対して要求されるものである。また、この通信の秘密の保護の規定から外されるのは、法律に別段の定めがある場合であるが、これに該当するものとして、犯罪捜査の場合の司法官憲による通信書類の押収等の規定がある。

保護の対象となる通信は、特定の相手方に対して行われる無線通信である。すなわち、送信者と受信者が特定されていて、その間に特定性又は個別性が存する通信である。したがって、一般に公開性を有するラジオやテレビジョン放送については、秘密保護の対象とはならない。また、ここで電気通信事業法第４条第１項又は第164条第３項の通信の場合（注①）を除外しているが、これは電気通信事業者の電気通信業務の取扱に係る秘密の保護については同法に規定があるので、重複適用を避けるための措置である。

次に、秘密を侵すことになるものとして具体的に禁止している行為は、傍受して存在若しくは内容を漏らすこと、及び窃用することである。これらの意味については、概ね次のように解されている。

⑴ 「傍受」とは、積極的意思をもって、自己に宛てられていない無線通信を受信することである。無線通信は、通常の場合無線設備のダイヤル操作によって何人でも受信しうるものであるが、積極的意思をもって受信すれば、その時点で傍受したものと解される（注②）。

⑵ 「存在」とは、その通信の個別性を識別しうる情報を含んだものである必要がある（具体的には、その周波数、電波の型式、入感時間、電信電話の別等）。また、「内容」とは、その通信が伝達しようとしている意思の認識である。

⑶ 「漏らし」とは、他人に積極的に告げる場合のほか他人の知りうる状態に置くことである。

⑷ 「窃用」とは、無線通信の秘密（存在又は内容）を発信者又は受信者の意思に反して自己又は第三者の利益のために利用することである（注③）。

この電波法第59条の秘密保護の規定に違反した者には、「無線局の取扱中に係る無線通信の秘密（注④）を漏らし、又は窃用した者は、1年以下の懲役又は50万円以下の罰金に処する。」（法109Ⅰ）という罰則が設けられているが、無線通信の業務に従事する者については、一般の場合に比し刑が加重されている（一般の場合は、1年以下の懲役又は50万円以下の罰金、業務に従事する者の場合は、2年以下の懲役又は100万円以下の罰金）（法109Ⅱ）。

⑵　暗号通信に係る罰則

平成16年の電波法改正で通信の秘密に関する罰則が追加された（法109条の2）。本条では新たに「暗号通信」という概念を設定し、「通信の当事者（当該通信を媒介する者であって、その内容を復元する権限を有するものを含む。）以外の者がその内容を復元できないようにするための措置が行われた無線通信」と定義した上で、「当該暗号通信の秘密を漏らし、又は窃用する目的で、その内容を復元」することを対象に、一般の場合と業務に従事する者の場合に分けて上記と同じ罰を規定している（ただし、未遂罪も罰することとしている。）。

近年無線LAN等の普及が進展する中で、それらによる通信のセキュリティを確保することがますます重要になってきており、いわゆるサイバー犯罪への対応の必要性を指摘する声が強まっているが、国際的にも「サイバー犯罪に関する条約」が策定され、発効している。同条約は、コンピューター・データの非公開送信の傍受を国内法上の犯罪と位置付けることを求めているが、現行の第109条では「秘密を漏らし、又は窃用した」段階で罰則が適用されるに過ぎず不十分であるため、その前段階の行為である暗号通信の内容復元自体を対象とする罰則を創設し、条約の趣旨を実現しようとするものである。

なお、本第109条の2と第59条の関係であるが、いずれも通信の秘密の保護を目的とする点では共通であるものの、暗号通信の復元それ自体は傍受、存在・内容の漏洩、窃用といった行為とは別のものであり（注⑤）、第109条の2に該当する行為があったとしてもそれだけで第59条違反になるものではない。したがって罰則は適用になっても無線局の運用停止等の行政処分の対象にはならないということも起こりうることになる。

(注①) 電気通信事業法抜粋

第4条　電気通信事業者の取扱中に係る通信の秘密は、侵してはならない。

2　電気通信事業に従事する者は、在職中電気通信事業者の取扱中に係る通信に関して知り得た他人の秘密を守らなければならない。その職を退いた後においても、同様とする。

第164条　この法律の規定は、次に掲げる電気通信事業については、適用しない。

一　専ら一の者に電気通信役務（当該一の者が電気通信事業者であるときは、当該一の者の電気通信事業の用に供する電気通信役務を除く。）を提供する電気通信事業

二　省略

三　省略

2　省略

3　第1項の規定にかかわらず、第3条及び第4条の規定は同項各号に掲げる電気通信事業を営む者の取扱中に係る通信について、第157条の2の規定は第3号事業を営む者について、それぞれ適用する。

4　省略

5　省略

第179条　電気通信事業者の取扱中に係る通信（第164条第3項に規定する通信を含む。）の秘密を侵した者は、2年以下の懲役又は100万円以下の罰金に処する。

2　電気通信事業に従事する者が前項の行為をしたときは、3年以下の懲役又は200万円以下の罰金に処する。

3　前2項の未遂罪は、罰する。

(注②) 傍受の解釈

「傍受」しただけで本条の不作為義務の成立要件に該当するかどうかについては、判例等によって解釈は確立されていない。国際電気通信連合では、「公衆の一般的利用を目的としない無線通信を許可なしで傍受することを禁止し、かつ、それを防止するために必要な措置をとること」を主管庁に要求しており（無線通信規則17. 1 ～17. 3)、国内法でも傍受禁止について積極的に解すべきであるという所論があるが、現行の電波法第59条についてこれを積極的に解するのは、文理上困難ではないかと思われる。なお、電波法第109条の罰則が適用されるのは、秘密を漏らし、又は窃用に至った段階であることが明白である。

(注③) 窃用の解釈

「窃用」の解釈に関して、警察無線を傍受できる無線設備を自己の自動車に設置し、この無線機で、警察無線を傍受し、検問のあることを知って、スピードを制限速度に

落して、検問を通過した事実は、電波法第109条の窃用に該当するとして、有罪の認定をした判例がある（昭55.11.29、最高裁第一小法廷決定）。

（注④）通信の秘密の解釈

下級審の判例であるが、他者の無線LAN通信を傍受して、使われている暗号鍵（WEP鍵）を割り出し、その鍵を使って自らの機器を当該無線LANシステムのアクセスポイントに認証、接続させ、いわゆる「なりすまし通信」を行った事例につき、「WEP鍵は、それ事体無線通信の内容として送受信されるものではなく、あくまで暗号文を解いて平文を知るための情報であり、その利用は平文を知るための手段・方法に過ぎない」として、WEP鍵はそもそも電波法第109条第１項にいう「無線通信の秘密」には当たらないとの判断を示したものがある（平成29.4.27東京地判）。

（注⑤）暗号通信の復元と傍受等との関係

第109条の２第１項に「暗号通信を傍受した者……、その内容を復元したときは」と規定されていることから、復元は傍受に含まれない（別概念である）といえる。また、同項に「秘密を漏らし、又は窃用する目的で、その内容を復元したときは」と規定されていることから、復元は漏洩や窃用に含まれないといえる。

6－6　時計及び書類の備付け

無線局には、正確な時計及び無線業務日誌その他総務省令で定める書類を備え付けておかなければならない。ただし、総務省令で定める無線局については、これらの全部又は一部の備付けの省略が認められている（法60、施38Ⅰ、38の2、38の3）。

1　時　計

共通の空間を利用し、確実、かつ、能率的な通信が要求される無線通信の運用に当たっては、通信時刻及び通信時間の正確さを保持することは極めて重要であって、無線局には正確な時計を備え付けておかなければならない（法60）（注①）。

さらに、無線局に備え付けた時計は、時刻の正確性を維持するために、その時刻を毎日１回以上中央標準時又は協定世界時（注②）に照合しておかなければならない（運3）。

（注①）時計の備付けの省略

次の無線局については、時計の備付けを省略することができるとされている（施38の２、昭和35年郵政省告示第1017号）。

⑴　地上基幹放送局、地上基幹放送試験局、海岸局、航空局、船舶局、航空機局、無線航行陸上局、無線標識局、海岸地球局、航空地球局、船舶地球局、航空機地球局（航空機の安全運航又は正常運航に関する通信を行うものに限る。）、衛星基幹放送局、衛星基幹放送試験局、非常局、基幹放送を行う実用化試験局、標準周波数局及び特別業務の局以外の無線局

⑵　無人方式の無線設備の局

⑶　登録局

（注②）協定世界時（UTC）の意義

「協定世界時」とは、世界で共通に使用される標準時で、標準電波により通報されている。その時刻秒信号間隔は、原子標準から発生した1秒で刻み、その時刻を世界時（地球自転時）に対し、0.9秒以内に保つように、必要があれば１秒のステップ調整（うるう秒）を行う時系である。

2　無線業務日誌

無線業務日誌は、時計とともに無線局に備え付けておかなければならない（法60）（注）。その記入等は、概ね次によることになっている。

⑴　無線業務日誌には、毎日、無線従事者の氏名、資格、服務方法並びに通信のたびごとに通信の開始及び終了時刻、相手局の識別信号、自局及び相手局の使用電波の型式、周波数、使用した空中線電力、通信事項、通信状態、重要通信の取扱い措置等、その他必要事項を無線局の種別及び運用の形態に応じて、それぞれ記載しなければならない（施40）。ただし、総務大臣又は総合通信局長が特に必要がないと認めた場合は、記載事項の一部を省略することが認められる（施40Ⅰただし書）。

⑵　無線業務日誌の記載については、電磁的方法により記録することもできる。ただし、この場合においては、必要に応じて、記録内容を電子計算機その他の機器を用いて直ちに作成、表示及び書面への印刷ができなければならない（施43の５Ⅰ）。

また、一部の事項については、音声により記録することもできる。この場合においては、記録内容を必要に応じて電子計算機その他の機器を用いて再生できなければならない（施43の５Ⅱ）。

⑶　使用を終った無線業務日誌は、使用を終った日から２年間保存しなければならない（施40Ⅳ）。

（注）　無線業務日誌の備付けの省略

次の無線局については、無線業務日誌の備付けを省略することができることとされている（施38の2、昭和35年郵政省告示第1017号）。

(1)　地上基幹放送局、地上基幹放送試験局、海岸局、航空局、船舶局、航空機局、無線航行陸上局、無線標識局、海岸地球局、航空地球局、船舶地球局、航空機地球局（航空機の安全運航又は正常運航に関する通信を行うものに限る。）、衛星基幹放送局、衛星基幹放送試験局、非常局及び基幹放送を行う実用化試験局以外の局

(2)　義務船舶局以外の船舶局であって、特定船舶局が設置することができる無線設備及びH3E電波又はJ3E電波26.1MHzを超え28MHz以下の周波数を使用する空中線電力25ワット以下の無線設備以外の無線設備を設置していない船舶局

(3)　登録局

3　その他の書類

無線局には、上記の時計及び無線業務日誌のほかに、無線局の種別に応じて次に掲げるような業務書類を備え付けておかなければならない（施38Ⅰ）。

(1)　免許状

(2)　無線局に係る申請書又は届出書の添付書類の写し（注①）

(3)　その他の書類

(3)としては、例えば船舶局では、その種類に応じ無線従事者選解任届の写し、船舶局の局名録及び海上移動業務識別の割当表、海岸局及び特別業務の局の局名録等の備付けが要求されている。

なお、包括免許に係る特定無線局については、包括免許人の事務所に免許状（特定無線局の種別によっては、免許状及び電波法第27条の6第3項の届出書の写し）のみを備え付けておけばよく（施38Ⅶ）、また登録局については、(1)〜(3)の代わりに登録状を備え付けることとされている（施38Ⅸ）。

(2)及び(3)の業務書類のうち一定のものは、電磁的方法により備え付けることもできる（施38Ⅵ）（注②）。

（注①） 無線局に係る申請書及び届出書の添付書類の写し

この写しは、総務大臣又は総合通信局長が提出書類の写しであることを証明したものとする（施38 I 注 1）。

（注②） 電磁的方法により備え付ける場合の規定の概要

電子申請等により、次の書類に係る電磁的記録を提出した無線局については、総務省の使用に係る電子計算機に備えられたファイルに記録された当該書類に係る電磁的記録を必要に応じて直ちに表示することができる方法（この方法が困難又は不合理である無線局にあっては別に告示する方法（注③））をもって当該書類（又はその写し）の備付けとすることができる（施38Ⅵ）。

⑴ 無線局に係る申請書又は届書の添付書類

⑵ 無線従事者選解任届

⑶ 無線局の現状を示す書類

（注③） 注②の方法が困難又は不合理である無線局についての別に告示する方法（平成21年総務省告示第323号）

⑴ 添付書類等に係る電磁的記録の写しであることを総務省が証明した書面を備え付けておく方法

⑵ 免許人等（代理人による申請の場合は、代理人を含む。）が添付書類等に係る電磁的記録を印刷した書面を備え付けておく方法

⑶ 免許人等（代理人による申請の場合は、代理人を含む。）が添付書類等に係る電磁的記録を電磁的方法により記録し、その記録を直ちに表示することができる電子計算機その他の機器を備え付けておく方法

⑷ ⑴から⑶までに掲げる方法に準ずる方法であって、無線局の数、設置場所その他の条件に照らして管理上合理性があると認められる方法

4 免許状の掲示等

船舶局、無線航行移動局又は船舶地球局にあっては、免許状は、主たる送信装置のある場所の見やすい箇所に掲げておかなければならない。ただし、掲示を困難とするものは、その掲示を要しない（施38Ⅱ）。

また、遭難自動通報局（携帯用位置指示無線標識のみを設置するものに限る。）、船上通信局、陸上移動局、携帯局、無線標定移動局、携帯移動地球局、陸上を移動する地球局であって停止中にのみ運用を行うもの又は移動する実験試験局（宇宙物体に開設するものを除く。）、アマチュア局（人工衛星に開設するものを除く。）、簡易無線局若しくは気象援助局の場合は、その無線設備の常置場所（VSAT地球局にあっては、当該VSAT地球局の

送信の制御を行う他の一の地球局の無線設備の設置場所）に免許状を備え付けなければならない（施38Ⅲ）。

5　備付け場所等の特例

無線局の実態に応じ、特別の場合には、業務書類等について備付け場所の特例を認め、あるいは、時計、業務書類等について２以上の無線局での共用を認める等の措置が講じられている（施38の３、昭和35年郵政省告示第1017号）。

6－7　無線局の通信方法等

1　通信方法統一の必要性

無線局を運用するに当たり、無線局の呼出し及び応答その他の通信方法について統一を図ることは、無線局の能率的な運用を確保する上できわめて重要なことである。特に、全世界が同じシステム上で共通の周波数等を使用し運用している宇宙通信業務、海上移動業務、航空移動業務等の分野においては、必要不可欠である。

このため、国際電気通信連合等の国際機関においては、条約、規則その他の取決めで、世界共通システムに参加する無線局が従うべき統一した通信方法を定めている。

電波法令においては、これらの国際的な通信方法に準拠するとともに、国内通信のための我が国独自の通信方法を加え、次に述べる様々な通信に対応した通信方法が定められている（法61、運全般）。

2　無線通信の原則

次の規定は、国際的な通信方法の基準を定めた無線通信規則の「混信」（ＲＲ15）及び「局の識別」（ＲＲ19）の規定を受けて、無線通信を行うに際して守るべき原則を定めたものである（運10）。

もっとも、無線通信規則の規定では、⑶の識別信号の伝送については、技術の現状に照らし、一部の無線方式（例えば、無線測位、無線中継及び宇宙通信）においては、必ずしも可能ではないとしている。

⑴　必要のない無線通信は、行ってはならない。

(2) 無線通信に使用する用語は、できる限り簡潔でなければならない。

(3) 無線通信を行うときは、自局の識別信号を付して、その出所を明らかにしなければならない。

(4) 無線通信は、正確に行うものとし、通信上の誤りを知ったときは、直ちに訂正しなければならない。

3 一般通信の方法

(1) 業務用語等の使用

無線通信を簡潔にそして正確に行うためには、これに使用する業務用語等を定める必要がある。また、ひとたび業務用語として定められたものは、その定められた意義で定められた手続どおりに使用するのでなければその目的を達成することができない。

ア モールス無線通信には、無線局運用規則別表第1号に掲げるモールス符号を用いなければならない（運12、別表1）。

イ 無線電信（デジタル選択呼出通信及び狭帯域直接印刷電信通信を除く。）による通信の業務用語には、無線局運用規則に定める略語又は符号（略符号という。）を使用し、この略符号と同意義の他の語辞を使用してはならない。

ただし、固定業務（航空に係るものを除く。）においては、別に告示される略符号を使用することができる（運13Ⅰ、Ⅱ、別表2）。

ウ 無線電話による通信の業務用語には、無線局運用規則に定める略語を使用し、この略語と同意義の他の語辞を使用してはならない（運14条Ⅰ、Ⅱ、別表4）。

なお、無線電話通信には、無線電信通信の略符号も使用できる。ただし、「QRT」、「QUM」、「QUZ」、「$\overline{\text{DDD}}$」、「$\overline{\text{SOS}}$」、「TTT」、及び「XXX」を除く（$\overline{\text{DDD}}$、$\overline{\text{SOS}}$のように文字の上に線を付した略符号は、その全部を1符号として送信するモールス符号とする（運別表2）。）

(2) 送信速度等

ア 無線電話通信

(ア) 通報の送信は、語辞を区切り、かつ、明瞭に発音して行なわなければならない（運16Ⅰ）。

(イ)　遭難通信、緊急通信又は安全通信に係る通報の送信速度は、受信者が筆記できる程度のものでなければならない（運16Ⅱ）。

イ　無線電信通信

(ア)　手送りによる通報の送信速度の標準は、1 分間について次のとおりとする（運15Ⅰ）。

和文75字、欧文暗語16語、欧文普通語20語

(イ)　(ア)の送信速度は、空間の状態及び受信者の技倆、その他相手局の受信状態に応じて調節しなければならない（運15Ⅱ）。

(ウ)　遭難通信、緊急通信又は安全通信に係る手送りによる通報の送信速度は、(ア)にかかわらず、原則として、1 分間について和文70字、欧文16語を超えてはならない（運15Ⅲ）。

(3)　電波発射前の措置

無線局は、相手局を呼び出そうとするときは、電波を発射する前に、受信機を最良の感度に調整し、自局の発射しようとする電波の周波数その他必要と認める周波数によって聴守し、他の通信に混信を与えないことを確かめなければならない（運19の２Ⅰ）。他の通信に混信を与えるおそれがあるときは、その通信が終了した後でなければ呼出しをしてはならない（運19の２Ⅱ）。ただし、遭難通信、緊急通信、安全通信及び非常の場合の無線通信を行う場合並びに海上移動業務以外の業務で他の通信に混信を与えないことが確実である電波によって通信を行う場合は、このような措置を執らなくてもよい（運19の２Ⅰ）。

(4)　連絡設定の方法

ア　呼出し

(ア)　呼出しの方法

呼出しは、次の事項（以下「呼出事項」という。）を順次送信して行う（運18、20Ⅰ、58の11Ⅰ）。

a　無線電話の場合

①　相手局の呼出名称（又は呼出符号）　　3 回以下

② こちらは　1回

③ 自局の呼出名称（又は呼出符号）　3回以下

b 無線電信の場合

① 相手局の呼出符号

3回（海上移動業務にあっては2回）以下

② DE　1回

③ 自局の呼出符号

3回（海上移動業務にあっては2回）以下

c 海上移動業務については、a、bに引き続き順次送信すべき事項が別途定められている（運20Ⅱ）。

(イ) 呼出しの反復及び再開

a 海上移動業務における呼出しは、1分間以上（無線電話の場合は2分間）の間隔をおいて2回反復することができる。また、呼出しを反復しても応答がないときは、少なくとも3分間の間隔をおかなければ、呼出しを再開してはならない（運18、21Ⅰ、58の11Ⅰ）。

b 海上移動業務及び航空移動業務における呼出し以外の呼出しの反復及び再開は、できる限りaに準じて行うものとする（運21Ⅱ）。航空移動業務における呼出しの反復については、別途特則がある（運154の3）。

(ウ) 呼出しの中止

無線局は、自局の呼出しが他の既に行われている通信に混信を与える旨の通知を受けたときは、直ちにその呼出しを中止しなければならない（運22Ⅰ）。

上記の通知をする無線局は、その通知をするに際し、分で表す概略の待つべき時間を示さなければならない（運22Ⅱ）。

イ 応答

(ア) 無線局は、自局に対する呼出しを受信したときは、直ちに応答しなければならない（運23Ⅰ）。

(イ)　応答の方法

呼出しに対する応答は、次の事項（以下「応答事項」という。）を順次送信して行う（運18Ⅰ、23Ⅱ、58の11Ⅱ）。

a　無線電話の場合

① 相手局の呼出名称（又は呼出符号）　3回以下
② こちらは　1回
③ 自局の呼出名称（又は呼出符号）　3回以下

b　無線電信の場合

① 相手局の呼出符号
　3回（海上移動業務にあっては2回）以下
② DE　1回
③ 自局の呼出符号　1回

応答に際して、直ちに通報を受信しようとするときは、応答事項の次に、

「どうぞ」（無線電話の場合）

「K」（無線電信の場合）

を送信する。ただし、直ちに通報を受信することができない事由があるときは、この事項の代わりに、

「……分間（分で表す概略の待つべき時間）お待ちください」（無線電話の場合）

「$\overline{\text{AS}}$……（分で表す概略の待つべき時間）」（無線電信の場合）

を送信する。この場合、概略の待つべき時間が10分以上のときは、その理由を簡単に送信しなければならない（運23Ⅲ）。

(ウ)　受信状態の通知

応答する場合に、受信するのに特に必要があるときは、自局の呼出名称（又は呼出符号）の次に、次の事項を送信する（運23Ⅳ）。

a　無線電話の場合

「感度」及び強度を表す数字又は「明瞭度」及び明瞭度を表す数字

b　無線電信の場合

「QSA」及び強度を表わす数字又は「QRK」及び明瞭度を表わす数字

なお、強度又は明瞭度を表す数字は、1から5まであり、それぞれ数字の表す意義については、無線局運用規則別表第2号のQ符号の項に定められている。

(エ)　通報の有無の通知

呼出し又は応答の際に、相手局に送信すべき通報の有無を知らせる必要があるときは、呼出事項又は応答事項の次に、次の事項を送信する（運24Ⅰ）。

a　無線電話の場合

「通報があります」(送信すべき通報がある場合)

「通報はありません」(送信すべき通報がない場合)

b　無線電信の場合

「QTC」(送信すべき通報がある場合)

「QRU」(送信すべき通報がない場合)

この場合、送信すべき通報の通数を知らせようとするときは、

「通報が……（通数を表す数字）通あります」(無線電話の場合)

「QTC……（通数を表す数字）」(無線電信の場合)

を送信する（運24Ⅱ）。

(5)　不確実な呼出しに対する応答

ア　無線局は、自局に対する呼出しであることが確実でない呼出しを受信したときは、その呼出しが反復され、かつ、自局に対する呼出しであることが確実に判明するまで応答してはならない（運26Ⅰ）。

イ　自局に対する呼出しを受信したが、呼出局の呼出符号（又は呼出名称）が不確実であるときは、応答事項のうち相手局の呼出符号（又は呼出名称）の代わりに、

「誰かこちらを呼びましたか」（無線電話の場合）

「QRZ ？」（無線電信の場合）

を使用して、直ちに応答しなければならない（運26Ⅱ）。

⑹　周波数の変更方法

ア　呼出し又は応答の際の周波数の変更

㋐　混信の防止その他の事情によって通常通信電波以外の電波を用いようとするときは、呼出し又は応答の際に呼出事項又は応答事項の次に、次の事項を順次送信してこのことを通知する。ただし、用いようとする電波の周波数があらかじめ定められているときは、その電波の周波数の送信を省略することができる（運27）。

a　無線電話の場合

「こちらは…（周波数）に変更します」又は「そちらは…（周波数）に変えてください」　1回

b　無線電信の場合

①　QSW 又は QSU　1回
②　用いようとする電波の周波数　1回
③　？（「QSU」を送信したときに限る。）　1回

㋑　㋐の通知に同意するときは、応答事項の次に、次の事項を順次送信する（運28Ⅰ）。

a　無線電話の場合

①　「こちらは…（周波数）を聴取します」　1回
②　「どうぞ」（直ちに通報を受信しようとする場合に限る。）　1回

b　無線電信の場合

①　QSX　1回
②　K（直ちに通報を受信しようとする場合に限る。）　1回

㋒　㋑の場合において、相手局の用いようとする電波の周波数によっては受信ができないか又は困難であるときは、上記の事項に代えて、次の事項を順次送信し、相手局の同意を得た後「どうぞ」（無線電信の場合は「K」）を送信する（運28Ⅱ）。

a　無線電話の場合

「そちらは…（周波数）に変えてください」　1回

b　無線電信の場合

① QSU　1回

② 相手局の用いようとする電波の周波数の代わりに他の受信できる電波の周波数　1回

イ　通信中の周波数の変更

(ア) 通信中において、混信の防止その他の必要により使用電波の型式又は周波数の変更を要求しようとするときは、次の事項を順次送信して行う（運34）。

a　無線電話の場合

「そちらは…（周波数）に変えてください」　1回

又は「こちらは…（周波数）に変更しましょうか」　1回

b　無線電信の場合

① QSU、QSW 又は QSY　1回

② 変更によって使用しようとする周波数（又は型式及び周波数）（用いようとする周波数があらかじめ定められているときは省略することができる。）　1回

③ ？（「QSW」を送信したときに限る。）　1回

(イ) (ア)の要求を受けた無線局は、これに応じようとするときは、次の事項を送信し、直ちに周波数（又は型式及び周波数）を変更しなければならない（運35）。

a　無線電話の場合

「了解」及び通信状態等により必要と認めるときは「こちらは…（周波数）に変更します」

b　無線電信の場合

「R」（通信状態等により必要と認められるときは「QSW」及び変更によって使用しようとする周波数）

(7) 通報の送信方法

ア　通報の送信方法

呼出しに対して応答を受けたときは、相手局が「お待ちください」（無線電話の場合）又は「$\overline{\text{A S}}$」（無線電信の場合）を送信した場合及び呼出しに使用した電波以外の電波に変更する場合を除き、直ちに通報の送信を開始する（運29Ⅰ）。

通報の送信は、次に掲げる事項を順次送信して行う。ただし、呼出しに使用した電波と同一の電波により送信する場合は、無線電話及び無線電信のいずれの場合もそれぞれ、aからcまでに掲げる事項の送信を省略することができる（運29Ⅱ）。

(ア) 無線電話の場合

a	相手局の呼出名称（又は呼出符号）	1回
b	こちらは	1回
c	自局の呼出名称（又は呼出符号）	1回
d	通報	
e	どうぞ	1回

(イ) 無線電信の場合

a	相手局の呼出符号	1回
b	DE	1回
c	自局の呼出符号	1回
d	通報	
e	K	1回

通報の送信は、「おわり」（無線電話の場合）又は「$\overline{\text{ラタ}}$」（和文）若しくは「$\overline{\text{AR}}$」（欧文）（無線電信の場合）をもって終わるものとする（運29Ⅲ）。

また、海上移動業務以外の業務における無線電信通信において、特に必要があるときは、(イ)のdの前に、「HR」又は、「AHR」（2通目からの通報の前に使用）を送信することができる（運29Ⅳ）。

イ　長時間の送信

無線局は、長時間継続して通報を送信するときは、30分（アマチュア局にあっては10分）ごとを標準として適当に、無線電話の場合は「こちらは」及び自局の呼出名称（又は呼出符号）、無線電信の場合は「DE」及び自局の呼出符号を送信しなければならない（運30）。

ウ　誤った送信の訂正

送信中において誤った送信をしたことを知ったときは、次に掲げる略符号を前置して、正しく送信した適当の語字から更に送信しなければならない（運31）。

「訂正」　（無線電話の場合）

「ラタ」(和文)「HH」(欧文)　（無線電信の場合）

エ　通報の反復

(ア)　相手局に対し通報の反復を求めようとするときは、「反復」（無線電話の場合）又は「RPT」（無線電信の場合）の次に反復する箇所を示すものとする（運32）。

(イ)　送信した通報を反復して送信するときは、1字若しくは1語ごとに反復する場合又は略符号を反復する場合を除いて、その通報の各通ごと又は1連続ごとに「反復」（無線電話の場合）又は「RPT」（無線電信の場合）を前置するものとする（運33）。

(8)　通報の送信の終了

通報の送信を終了し、他に送信すべき通報がないことを通知しようとするときは、送信した通報に続いて、次の事項を順次送信するものとする（運36）。

ア　無線電話の場合

(ア)　「こちらは、そちらに送信するものがありません」　1回

(イ)　「どうぞ」　1回

イ　無線電信の場合

(ア)　NIL　1回

(イ)　K　1回

⑼　受信証

通報を確実に受信したときは、次の事項を順次送信するものとする（運37Ⅰ）。

ア　無線電話の場合

㈠	相手局の呼出名称（又は呼出符号）	1回
㈡	こちらは	1回
㈢	自局の呼出名称（又は呼出符号）	1回
㈣	「了解」又は「OK」	1回
㈤	最後に受信した通報の番号	1回

イ　無線電信の場合

㈠	相手局の呼出符号	1回
㈡	DE	1回
㈢	自局の呼出符号	1回
㈣	R	1回
㈤	最後に受信した通報の番号	1回

国内通信を行う場合においては、ア及びイの㈤に掲げる事項の送信に代えてそれぞれ受信した通報の通数を示す数字 1 回を送信することができる（運37Ⅱ）。

海上移動業務以外の業務においては、ア及びイの㈠から㈢までに掲げる事項の送信を省略することができる（運37Ⅲ）。

⑽　通信の終了

通信が終了したときは、「さようなら」（無線電話の場合）又は「$\overline{\text{VA}}$」（無線電信の場合）を送信するものとする。ただし、海上移動業務以外の業務では、これを省略することができる（運38、18Ⅱ）。

⑾　通信方法の特例

無線局運用規則に規定する無線通信の方法は、無線通信の発達の経緯もあるが、モールス無線電信、無線電話、デジタル選択呼出装置等についてのものである。

無線通信技術の進歩発達に伴い、電波の効率的な利用に資する様々な通信方式のシステムが実用化されている。

これらの新しいシステムの通信方法が無線局運用規則の規定によることが著しく困難であるか不合理である場合は、別に告示する方法によることができるとされている（運18の2）。

多重無線設備の無線局、無人方式の無線設備の無線局、同時送受話方式による無線局（海上移動業務若しくは航空移動業務の無線局を除く。）で26.175MHz以上の周波数の電波を使用するもの（携帯電話等）等について告示されている（昭和37年郵政省告示第361号）。

4　試験電波の発射方法

無線局は、無線機器の試験又は調整のため電波の発射を必要とするときは、次の手続によって行わなければならない（運39）。

(1)　発射する前に自局の発射しようとする電波の周波数及びその他必要と認める周波数によって聴守し、他の無線局の通信に混信を与えないことを確かめなければならない。

(2)　聴守を行って確かめた後、次の符号を順次送信し、更に1分間聴守を行い、他の無線局から停止の請求がない場合に限り、「VVV」の連続及び自局の呼出符号1回を送信しなければならない。この場合において「VVV」の連続及び自局の呼出符号の送信は、10秒間を超えてはならない。

ア	EX	3回
イ	DE	1回
ウ	自局の呼出符号	3回

(3)　試験又は調整中は、しばしばその電波の周波数により聴守を行い、他の無線局から停止の要求がないかどうかを確かめなければならない。

(4)　「VVV」の連続及び自局の呼出符号の送信は、海上移動業務以外の業務の無線局にあっては、必要があるときは、10秒間を超えることができる。これは、海上移動業務の通信にあっては、多数の局が共通の電波を使用するため混信のおそれが多いが、その他の場合は、原則的に専用波を使用する（共用する場合には技術上、運用上の特別の措置が講じられる。）ので、混信等はさほどなく、かつ、設備及び通信の実態から、短時間の調整が困難な場合があるからである。

(5) 無線電話の場合には、無線電信用略符号に代えて、次のような無線電話用略語を用いなければならない（運14 I、別表4）。

	（無線電信の場合）	（無線電話の場合）
ア	EX	ただいま試験中
イ	DE	こちらは
ウ	自局の呼出符号	自局の呼出名称（又は呼出符号）
エ	VVV	本日は晴天なり

(6) 無線設備の機器の試験又は調整のための電波の発射が、他の既に行われている通信に混信を与える旨の通知を受けたときは、直ちにその発射を中止しなければならない（運22 I）。

6－8　無線設備の機能の維持

1　周波数の測定

(1) 電波法第31条の規定により周波数測定装置を備え付けた無線局は、できる限りしばしば自局の発射する電波の周波数を測定しなければならない（運4 I）。

(2) (1)の無線局は、相手方の無線局の送信設備の使用電波の周波数を測定することとなっている無線局であるときは、できる限りしばしばそれらの周波数を測定しなければならない（運4 I）。

(3) 当該送信設備の無線局の免許人が別に備え付けた電波法第31条に規定する周波数測定装置をもってその使用電波の周波数を随時測定し得る無線局は、その周波数測定装置により、できる限りしばしば当該送信設備の発射する電波の周波数を測定しなければならない（運4 II）。

(4) 周波数の測定の結果、その偏差が許容値を超えるときは、直ちに調整して許容値内に保たなければならない（運4 III）。

(5) 周波数測定装置を備えた無線局は、その周波数測定装置を常時電波法第31条に規定する確度を保つように較正しておかなければならない

（運4Ⅳ）。

⑹　発射電波の周波数の偏差を測定したときは、その結果及び許容偏差を超える偏差があるときは、その措置の内容を無線業務日誌に記載しなければならない（施40Ⅰ）。

2　電源用蓄電池の充電

⑴　義務船舶局等の無線設備の補助電源用蓄電池は、その船舶の航行中は、毎日十分に充電しておかなければならない（運5Ⅰ）。

⑵　義務船舶局の双方向無線電話の電源用蓄電池は、その船舶の航行中は、常に十分に充電しておかなければならない（運5Ⅱ）。

3　義務船舶局等の無線設備の機能試験等

⑴　義務船舶局の無線設備（デジタル選択呼出装置による通信を行うものに限る。）は、その船舶の航行中毎日 1 回以上、当該無線設備の試験機能を用いて、その機能を確かめておかなければならない（運6Ⅰ）。

⑵　電波法第35条第 1 項の予備設備を備えている義務船舶局等においては、毎月 1 回以上、総務大臣が別に告示する方法により、その機能を確かめておかなければならない（運6Ⅱ）。

⑶　デジタル選択呼出専用受信機を備えている義務船舶局においては、その船舶の航行中毎日 1 回以上、当該受信機の試験機能を用いて、その機能を確かめておかなければならない（運 6Ⅲ）。

⑷　高機能グループ呼出受信機（電波法施行規則第28条第 7 項に規定する船舶地球局の無線設備を含む。）を備えている義務船舶局においては、その船舶の航行中毎日 1 回以上、当該受信機の試験機能を用いて、その機能を確かめておかなければならない（運6Ⅳ）。

⑸　双方向無線電話を備えている義務船舶局においては、その船舶の航行中毎月 1 回以上当該無線設備によって通信連絡を行い、その機能を確かめておかなければならない（運7）。

⑹　義務船舶局等においては、これらの無線設備の機能を確かめた結果、その機能に異状があると認めたときは、その旨を船舶の責任者に通知しなければならない（運8）。

(7)　(1)〜(5)の無線設備の機能試験の結果の詳細については、無線業務日誌にこれを記載しなければならない（施40Ⅱ）。

4　遭難自動通報設備等の機能試験

(1)　遭難自動通報局（携帯用位置指示無線標識のみを設置するものを除く。）の無線設備及びその他の無線局の遭難自動通報設備については、1年以内の期間ごとに、別に告示する方法によりその機能を確かめておかなければならない（運8の2、平成4年郵政省告示第142号）。

(2)　免許人は、機能試験を行ったときは、その実施の日及び試験の結果に関する記録を作成し、当該試験をした日から2年間、これを保存しなければならない（施38の4）。

5　非常局の無線設備の機能試験

非常局は、1週間に1回以上通信連絡を行い、その無線設備の機能を確かめておかなければならない。ただし、総合通信局長においてその必要がないと認めた場合は、この限りでない（運9）。

6　義務航空機局の無線設備の機能試験

(1)　義務航空機局においては、その航空機の飛行前にその無線設備が完全に動作できる状態にあるかどうかを確かめなければならない（運9の2）。

(2)　義務航空機局においては、1,000時間使用するたびごとに1回以上、その送信装置の出力及び変調度並びに受信装置の感度及び選択度について無線設備規則に規定する性能を維持しているかどうかを試験しなければならない（運9の3）。

6－9　各無線局の運用

電波法令では、これまでに述べた無線局の運用に関する規定の他、各無線局の無線通信業務の形態に対応して詳細な規定を設けている。

ここでは、主な無線局についてその内容を説明する。

1　海上移動業務等の無線局の運用

海上移動業務の局は、海運事業又は漁業等に必要な通信のほか、海上における人命及び財貨の保全のための通信を行うことを目的としている。したがって、ある局が救助を求める通信を発信したときには、常に他の局が確実にそれを受信し、救助に関し必要な措置を執ることができるような運用の体制になければならない。

このために海上移動業務の局は、常時運用し、一定の電波で聴守を行い、一定の手続により遭難通信、緊急通信、安全通信等を行うことが必要である。これが海上移動業務の局の運用の特色であり、その運用について特別の規定がなされている理由である。

統一された遭難安全システムとしては、全世界的な海上遭難安全システム（GMDSS）(注①) が、1999年2月1日から完全実施され、電波法令においても、このシステムの実施のため、遭難安全システムに関する規定の整備が行われている。

(1) 船舶局の運用（入港中運用等の禁止）

船舶局の運用は、その船舶の航行中 (注②) に限られる。ただし、次の場合は、その船舶が航行中以外でも運用することができる (法62Ⅰ、運40)。

ア　受信装置のみを運用するとき

イ　遭難通信、緊急通信、安全通信、非常通信、放送の受信、無線機器の試験又は調整のための通信等無線局の目的外使用が許される通信を行うとき

ウ　無線通信によらなければ他に陸上との連絡手段がない場合であって、急を要する通報を海岸局に送信する場合

エ　総務大臣又は総合通信局長が行う無線局の検査に際してその運用を必要とする場合

オ　26.175MHzを超え470MHz以下の周波数の電波により通信を行う場合

カ　その他総務大臣が別に告示する場合

(2) 船舶自動識別装置等の常時動作

船舶自動識別装置 (注③) 又は船舶長距離識別追跡装置 (注④) を備えなければならない義務船舶局は、当該船舶局のある船舶の航行中常時、これらの装置を動作させなければならない。ただし、次の場合は、この限りで

ない（運40の2Ⅰ）。

ア　航行情報の保護を規定する国際的な取決め、規則又は基準がある場合

イ　船舶の責任者が当該船舶の安全の確保に関し、航行情報を秘匿する必要があると特に認める場合

イにより船舶長距離識別追跡装置の動作を停止する時間は、必要最小限でなければならず、停止した場合は、その装置を備える船舶の責任者は、遅滞なくその旨を海上保安庁に通報しなければならない（運40の2Ⅱ、Ⅲ）。

⑶　海岸局の指示に従う義務

海岸局は、船舶局から自局の運用に妨害を受けたときは、妨害している船舶局に対して、その妨害を除去するために必要な措置をとることを求めることができる（法62Ⅱ）。

船舶局は、海岸局と通信を行う場合において、通信の順序若しくは時刻又は使用電波の型式若しくは周波数について、海岸局から指示を受けたときは、その指示に従わなければならない（法62Ⅲ）。

⑷　海岸局等の運用

ア　海岸局及び海岸地球局は、常時運用しなければならない（法63）。ただし、次の㋐～㋒の一に該当する海岸局であって、総務大臣がその運用の時期及び運用義務時間を指定したものは、常時運用しなくてもよい（運45Ⅰ）。

㋐　電気通信業務を取り扱わない海岸局

㋑　閉局中は隣接海岸局によってその業務が代行されることとなっている海岸局

㋒　季節的に運用する海岸局

上記の常時運用しなくてもよい海岸局及びその運用義務時間並びに㋑の海岸局の業務を代行する海岸局は、総務大臣が告示することとなっている（運45Ⅲ）。

イ　船位通報に関する通信を取り扱う海岸局等の運用

船位通報（注⑤）に関する通信を取り扱う海岸局並びに海上安全情

報の送信を行う海岸局及び海岸地球局の運用に関する次の事項は、告示されている（運46、昭和60年郵政省告示第753号、平成７年郵政省告示第43号）。

(ア) 識別信号

(イ) 使用電波の型式及び周波数

(ウ) 運用する時間その他必要と認める事項

(5) 聴守義務

遭難通信、緊急通信及び安全通信の効果的な実施を確保するため、海上移動業務及び海上移動衛星業務の無線局に対し、次のとおり聴守義務が課されている。

ア 次の表の左欄に掲げる無線局で総務省令で定めるものは、中欄の周波数を右欄に定める時間中聴守しなければならない。ただし、総務省令で定める場合（運44）は、この限りでない（法65）。

無　線　局	周　波　数	聴守する時間
1　デジタル選択呼出装置を施設している船舶局及び海岸局	総務省令で定める周波数	常　時
2　船舶地球局及び海岸地球局	総務省令で定める周波数	常　時
3　船舶局	156.65MHz、156.8MHz及び総務省令で定める周波数	総務省令で定める時間中
4　海岸局	総務省令で定める周波数	運用義務時間中

イ 上表の総務省令で定める無線局並びに周波数及び時間は、次のとおりである（運42～43の２）。

無線局（法65）	総務省令で定める無線局（運42）	聴守しなければならない周波数（運43の2）	聴守義務時間
1　デジタル選択呼出装置を施設している船舶局及び海岸局	F1B電波2,187.5kHz、4,207.5kHz、6,312kHz、8,414.5kHz、12,577kHz若しくは16,804.5kHz又はF2B電波156.525MHzの指定を受けている無線局	次の周波数のうち当該無線局が指定を受けている周波数 1　F1B電波2,187.5kHz 2　F1B電波8,414.5kHz	常時（法65）

		3　F1B電波4,207.5kHz、6,312kHz、12,577kHz及び16,804.5kHz（船舶局の場合にあっては、これらの電波のうち、時刻、季節、地理的位置等に応じ、適当な海岸局と通信を行うため適切な一の周波数とする。） 4　F2B電波156.525MHz	
2　船舶地球局及び海岸地球局	総務大臣が別に告示する周波数の指定を受けている船舶地球局及び海岸地球局（平5郵政省告示302号）	総務大臣が別に告示する周波数（平5郵政省告示302号）	常時（法65）
3　船舶局	1　F3E電波156.65MHz又は156.8MHzの指定を受けている船舶局（旅客船又は総トン数300トン以上の船舶であって、国際航海に従事するものの船舶局に限る。）	F3E電波156.65MHz又は156.8MHz（法65）	特定海域（注⑥）及び特定港の区域（注⑦）を航行中常時（運43）
	2　ナブテックス受信機を備える船舶局	F1B電波424kHz又は518kHz	F1B電波424kHz又は518kHzで海上安全情報を送信する無線局の通信圏の中にあるとき常時（運43）
	3　高機能グループ呼出受信機を備える船舶局	G1D電波1,530MHzから1,545MHzまでの5kHz間隔の周波数のうち、高機能グループ呼出しの回線設定を行うための周波数	常時（運43条）
4　海岸局	F3E電波156.8MHzの指定を受けている海岸局	F3E電波156.8MHz	運用義務時間中常時（法65）

ウ　この聴守義務が免除される場合（法65ただし書）は、次のとおりである（運44）。

(ア)　船舶地球局にあっては、無線設備の緊急の修理を行う場合又は現に通信を行っている場合であって、聴守することができないとき。

(イ)　船舶局にあっては、次に掲げる場合

a　無線設備の緊急の修理を行う場合又は現に通信を行っている場合であって、聴守することができないとき。

b　156.65MHz又は156.8MHzの聴守については、当該周波数の電波の指定を受けていない場合

(ウ)　海岸局については、現に通信を行っている場合

エ　以上のほか、一定の船舶局については、できる限り聴守すべき周波数が定められている。

(ア)　F3E電波156.65 MHz又は156.8 MHzの指定を受けている船舶局（旅客船又は総トン数300トン以上の船舶であって、国際航海に従事するものの船舶局に限る。）は、特定海域及び特定港の区域以外の海域を航行中においても、できる限り常時、F3E電波156.8MHzを聴守するものとする（運44の２Ⅰ）。

(イ)　次の表の左欄に掲げる船舶局は、中欄に掲げる時間中、右欄に掲げる周波数をできる限り聴守するものとする（運44の２Ⅱ）。

船　舶　局	時　　間	周　波　数
1　F3E電波156.65 MHzの指定を受けている船舶局（旅客船又は総トン数300トン以上の船舶であって、国際航海に従事するものの船舶局並びにF3E電波156.8MHzの指定を受けている船舶局であって156.65 MHz及び156.8 MHzの周波数の電波を同時に聴守することができないものを除く。）	その船舶が特定海域及び特定港の区域を航行中常時	F3E 電波 156.65MHz
2　F3E 電波 156.8MHz の指定を受けている船舶局（旅客船又は総トン数 300 トン以上の船舶であって、国際航海に従事するものの船舶局を除く。）	その船舶の航行中常時	F3E 電波 156.8 MHz

3　ナブテックス受信機を備える船舶局（義務船舶局としてナブテックス受信機を備えるものを除く。）	その船舶がF1B電波424 kHz又は518 kHzで海上安全情報を送信する無線局の通信圏の中にあるとき常時	F1B電波424 kHz又は518 kHz
4　高機能グループ呼出受信機を備える船舶局（義務船舶局として高機能グループ呼出受信機を備えるものを除く。）	常時	G1D電波1,530MHzから1,545MHzまでの5kHz間隔又はQ7W電波1,621.395833 MHzから1,625.979167MHzまでの41.667 kHz間隔の周波数のうち、高機能グループ呼出しの回線設定を行うための周波数

(ウ)　500kHzの指定を受けている船舶局は、その船舶の航行中、なるべく当該周波数で聴守を行うものとする（運44の２Ⅲ）。

(エ)　F3E電波156.6 MHzの指定を受けている海岸局は、現にF3E電波156.8MHzにより遭難通信、緊急通信又は安全通信が行われているときは、できる限り、F3E電波 156.6MHzで聴守を行うものとする（運44の２Ⅳ）。

(6)　通信の優先順位

海上移動業務及び海上移動衛星業務における通信の優先順位は、次のとおりである（運55Ⅰ）。

(1)　遭難通信
(2)　緊急通信
(3)　安全通信
(4)　その他の通信

海上移動業務において取り扱う非常の場合の無線通信は、緊急の度に応じ、緊急通信に次いでその順位を適宜に選ぶことができる（運55Ⅱ）。

(7)　機器の調整のための通信

海岸局又は船舶局は、他の船舶局から無線設備の機器の調整のための通信を求められたときは、支障のない限り、これに応じなければならない（法69）。

⑻ 閉局の制限

ア 船舶局及び常時運用しない海岸局は、次の通信の終了前に閉局してはならない（運41、45Ⅱ）。

㋐ 遭難通信、緊急通信、安全通信及び非常の場合の無線通信（これらの通信が遠方で行われている場合等であって、自局に関係がないと認めるものを除く）。

㋑ 通信可能の範囲内にある海岸局及び船舶局から受信し又はこれに送信するすべての通報の送受のための通信（空間の状態その他の事情によって、その通信を継続することができない場合のものを除く）。

イ 入港によって閉局しようとする船舶局は、入港前に必要な通信をできる限り処理しなければならない（運50）。

⑼ 通信の方法

海上移動業務においては、先に述べたとおり、海上における人命及び財貨の保全を確保するため、統一された全世界的な海上遭難安全システム（ＧＭＤＳＳ）が実施されている。このシステムを円滑に実施するための無線局の通信方法については、国際電気通信連合において無線通信規則で詳細な規定を定め、各国に対して、これを遵守するため必要な措置を執ることを義務付けている。

これを受け我が国においては、電波法令で海上移動業務特有の通信方法を定めており、これらの規定は、実際に海上移動業務に従事する場合、是非習得しておく必要がある重要な規定であるが、ここでは紙面の都合で、一部既述した関係を含め、項目と関連する法令の条項のみを示す。

海上移動業務の無線局の通信方法に関する規定

ア 周波数等の使用区別（運56、57）

イ 周波数等の使用制限（運58）

ウ デジタル選択呼出装置を使用して行う通信の方法（運58の４～58の６）

エ　狭帯域直接印刷電信による通信の方法（運58の８、58の９）
オ　通信可能の範囲内にあるすべての無線局にあてる通信の方法（運59）
カ　通信可能の範囲内にある２以上の特定の無線局にあてる通信の方法（運60）
キ　船名による呼出しの方法（運68）
ク　医事に関する通信の方法（運67、運70の２Ⅱ）
ケ　遭難通信
　(ア)　船舶の責任者の命令を必要とする遭難通信（運71）
　(イ)　遭難信号の前置（運82の３）
　(ウ)　遭難通信の特則
　　a　他の一切の通信に優先して取り扱うこと（法66Ⅰ、運55）
　　b　免許状に記載された目的等の範囲を超えて通信ができること（法52〜55）
　　c　他の無線局等に混信その他の妨害を与えても通信ができること（法56）
　　d　船舶が航行中でなくても通信ができること（法62）
　(エ)　遭難通信に使用する周波数等（運70の２Ⅰ）
　(オ)　遭難警報等の送信
　　a　遭難警報、警急信号及び注意信号の送信（運73、73の２、75）
　　b　遭難呼出し及び遭難通報の送信（運75の２、76、77、81）
　　c　他の無線局の遭難警報の中継の送信（運78）
　　d　遭難自動通報設備の通報の送信（運78の２）
　(カ)　遭難警報等に対する応答
　　a　遭難警報に対する応答（運81の８）
　　b　遭難通報に対する応答（運82、82の２）
　(キ)　遭難通信の宰領（運83）
　(ク)　遭難通信に妨害を与える通信の停止要求（運85）
　(ケ)　沈黙の解除、遭難通信の終了（運89）
　(コ)　遭難通信実施中における他の周波数等での一般通信の実施（運90）

(サ) 遭難通信実施中の緊急通信又は安全通信実施の予告（運90の２）

(シ) 遭難通信を受信した無線局のとるべき措置

a 救助の通信に関し最善の措置をとること（法66Ⅰ、運72）

b 遭難通信を妨害するおそれのある電波の発射を中止すること（法66Ⅱ）

c 遭難通信を受信した海岸局等のとるべき措置（運81の３～81の７）

コ 緊急通信

(ア) 緊急通信の特則

a 遭難通信に次ぐ優先順位で取り扱うこと（法67Ⅰ、運55Ⅰ）

b 免許状に記載された目的等の範囲を超えて通信ができること（法52～55）

c 他の無線局（遭難通信を行っているものを除く。）等に混信その他の妨害を与えても通信ができること（法56）

d 船舶が航行中でなくても通信ができること（法62）

(イ) 緊急通信に使用する周波数等（運70の２Ⅰ）

(ウ) 緊急通報の告知の送信又は緊急呼出しにおける責任者の命令（運71）

(エ) デジタル選択呼出装置による緊急通報の告知及び緊急通報の送信（運90の３）

(オ) 緊急呼出しの送信（運91、73Ⅰ、73の２）

(カ) 各局あて緊急呼出し及び緊急通報の送信（運92）

(キ) 緊急通信を受信した場合の措置（法67、運93）

(ク) 緊急通信の取消（運94）

サ 安全通信

(ア) 安全通信の特則

a 遭難通信及び緊急通信に次ぐ優先順位で取り扱うこと（運55Ⅰ）

b 免許状に記載された目的等の範囲を超えて通信ができること（法52～55）

c 他の無線局（遭難通信及び緊急通信を行っているものを除く。）

等に混信その他の妨害を与えても通信ができること（法56）

d　船舶が航行中でなくても通信ができること（法62）

(イ)　安全通信に使用する周波数等（運70の２）

(ウ)　デジタル選択呼出装置による安全通報の告知及び安全通報の送信（運94の２）

(エ)　安全呼出しの送信（運96）

(オ)　安全通報の再送信等（運97、98）

(カ)　安全通信を受信した場合の措置（法68、運99）

シ　漁業通信（注⑧）

(ア)　漁業局の通信時間（運102）

(イ)　当番局（運103）

(ウ)　当番局の一括呼出しに対する応答及び順序通信（運103の２）

(エ)　漁船に対する周知事項の通信（運105、106）

（注①）GMDSS（Global Maritime Distress and Safety System）

国際海事機関（IMO：International Maritime Organization）においては、海上における遭難安全システムについて、最近の衛星通信、デジタル技術等を利用したものに改めるため、1988年に1974年の海上人命安全条約を改正する会議を開催し、新たに全世界的な海上遭難安全システム（GMDSS）を導入することとした。

このGMDSSは、1974年の海上人命安全条約で定めた中波、中短波及び超短波の周波数を使用する至近距離の地上通信系に加えて導入されることとなった①衛星を利用した船舶と陸上救助機関との双方向通信、②陸上の救助調整本部による遭難通信の宰領及び遭難警報の中継、③航行警報、気象警報をはじめとする航海の安全に関する情報の放送、④衛星を利用した遭難自動通報等を実現する全世界的な海上遭難安全システムである。

設備面でも、従来の手送りによるモールス無線電信装置に代わり、デジタル選択呼出（DSC：Digital Selective Calling）を付加した無線設備、狭帯域直接印刷電信装置（NBDP：Narrow Band Direct Printing Equipment）、インマルサット船舶地球局の無線設備、衛星EPIRB等の最近の技術が導入され、自動化が図られている。

（注②）船舶の航行中

「船舶の航行中」とは、船舶が水上にある場合であって、停泊し、又は陸岸に係留されていないときをいい、「船舶の入港中」とは、これ以外のときすなわち船舶が水上にある場合であって、停泊し、又は陸岸に係留されているとき及びドック等により船舶が陸揚げされているときをいう。なお、ここにいう停泊とは、防波堤又はこれに準ずる外郭施設の内側におけるびょう泊（船舶が泊地に投びょうしていることをいう。）及び停留（船舶が陸岸以外の係留施設に係留され、又は停止していることをいう。）を指すものである。

（注③）船舶自動識別装置

次に掲げるものをいう（施２Ⅰ（三十七の四））。

⑴　船舶局、海岸局又は船舶地球局の無線設備であって、船舶の船名その他の船舶を識別する情報、位置、針路、速度その他の自動的に更新される情報であって航行の安全に関する情報及び目的地、目的地への到着予定時刻その他の手動で更新される情報であって運航に関する情報を船舶局相互間、船舶局と海岸局との間、船舶局と人工衛星局との間又は船舶地球局と人工衛星局との間において自動的に送受信する機能を有するもの

⑵　海岸局の無線設備であって、航路標識（航路標識法第１条第２項の航路標識をいう。）の種別、名称、位置その他情報を自動的に送信する機能を有するもの

（注④）船舶長距離識別追跡装置

海上保安庁に対して自船の識別及び位置（その取得日時を含む。）に係る情報を自動的に伝送できることその他総務大臣が別に告示する要件を満たす機器をいう（施28Ⅵ）。

（注⑤）船位通報

遭難船舶、遭難航空機又は遭難者の救助又は捜索に資するために国又は外国の行政機関が収集する船舶の位置に関する通報であって、当該行政機関と当該船舶との間に発受するものをいう（施37㈢）。

（注⑥）特定海域（海上交通安全法１Ⅱ）

東京湾、伊勢湾及び瀬戸内海のうち、次に掲げる海域以外の海域

①　港則法に基づく港の区域

②　港湾法に規定する港湾区域

③　漁港の区域内の海域

④　漁船以外の船舶が通常航行していない海域

（注⑦）特定港の区域（港則法３Ⅱ）

きっ水の深い船舶が出入できる港又は外国船舶が常時出入する港であって政令で定めるもの

（注⑧）漁業通信

漁業用の海岸局（漁業の指導監督用のものを除く。）と漁船の船舶局（漁業の指導監督用のものを除く。）との間及び漁船の船舶局相互間において行う漁業に関する無線通信をいう（運２Ⅰ）。

2　固定業務、陸上移動業務及び携帯移動業務の無線局、簡易無線局並びに非常局の運用

(1)　自動機通信における呼出し

自動機（自動的にモールス符号を送信又は受信するものをいう（運31(二))。）による通信における呼出事項の送信は、相手局が容易に聴取することができる速度によって行う。この送信は、応答を受けるまで繰り返すことができる（運125の2）。

また、自動機による通信において連絡を維持するため必要があるときは、次の事項を繰り返し送信する。この場合において、自局の呼出符号に引き続き必要と認める略符号を送信することができる（運126）。

ア　V又はE　　適宜の回数
イ　DE　　1回
ウ　自局の呼出符号　　3回以下

(2)　呼出し又は応答の簡易化

空中線電力50ワット以下の無線設備を使用して呼出し又は応答を行う場合において、確実に連絡の設定ができると認められるときは、次による方法で呼出し及び応答を行うことができる（運126の2Ⅰ）。

この方法により呼出し及び応答を行う無線局は、その通信中少なくとも1回以上自局の呼出名称（又は呼出符号）を送信しなければならない（運126の2Ⅱ）。

ア　呼出し

「こちらは」（無線電信の場合は「DE」）及び自局の呼出名称（又は「呼出符号」）を省略して、

相手局の呼出名称（又は呼出符号）　　3回以下

イ　応答

相手局の呼出名称（又は呼出符号）を省略して、

(ア)　「こちらは」(無線電信の場合は「DE」)　　1回
(イ)　自局の呼出名称（又は呼出符号）　　3回以下

⑶ 呼出符号の使用の特例

空中線電力50ワット以下の無線電話を使用する無線局で別に告示されるものについては、連絡の設定が容易であり、かつ、混同のおそれがないと認められる場合には、別に定められるところにより簡略した符号又は名称を総務大臣に届け出たうえ、当該符号又は名称を呼出符号又は呼出名称に代えて使用することができる（運126の３）。

この適用を受ける無線局としては、デジタルMCA陸上移動通信を行うデジタル指令局及び陸上移動局等並びに消防救急業務に係る指令業務及び管制業務を複数の消防本部で共同運営するために置かれる消防指令施設（指令センター）を通信所とする消防用基地局等及びこれらの基地局等と通信を行う無線局がある（昭和58年郵政省告示第401号、平成19年総務省告示第468号）。

⑷ 一括呼出等の方法

免許状に記載された通信の相手方である無線局を一括して呼び出そうとするときは、次の事項を順次送信する（運127）。

ア	各局（無線電信の場合は「CQ」）	３回
イ	「こちらは」（無線電信の場合は「DE」）	１回
ウ	自局の呼出名称（又は呼出符号）	３回以下
エ	「どうぞ」（無線電信の場合は「K」）	１回

この他、特定局あて一括呼出し（運127の３）、各局あて同報（運127の４）及び特定局あて同報（運128）の通信方法が定められている。

⑸ 簡易無線局の通信時間

簡易無線局においては、１回の通信時間は、５分を超えてはならないものとし、１回の通信を終了した後においては、１分以上経過した後でなければ再び通信を行ってはならない。ただし、遭難通信、緊急通信、安全通信及び非常の場合の無線通信を行う場合及び時間的又は場所的理由により他に通信を行う無線局のないことが確実である場合は、この限りでない（運128の２）。

⑹　非常の場合の無線通信

ア　非常の場合の無線通信の意義及び区別

非常の場合の無線通信とは、地震、台風、洪水、津波、雪害、火災、暴動その他非常の事態が発生し、又は発生するおそれがある場合において、人命の救助、災害の救援、交通通信の確保又は秩序の維持のために行う無線通信である。この通信には次の三とおりの区別があるが、その通信の実施等は、三つとも同様に扱うものとされている。

㋐　総務大臣が無線局に命じて行わせる非常の場合の無線通信（法74Ⅰ）（総務大臣の命令権については、7－2の4で後述する。）。

㋑　無線局の目的等の範囲を超え、免許人の意思によって行う非常通信。ただし、この場合は有線通信を利用することができないか又は著しく困難であるときに限られる（法52ただし書㈣）。

㋒　非常局がその目的として行う非常の場合の無線通信。非常局というのは、非常通信業務のみを行うことを目的として開設された無線局である（施4Ⅰ（二十一））。

イ　通信の方法

非常の場合の無線通信の方法については、無線局運用規則の第129条から第137条までにおいて規定しているが、この場合「法第74条第1項に規定する通信」としているものが多い。これについては準用規定（運137）もあって、上記アの㋐のみに限定するものではなく、㋒までのすべての場合に共通する規定と解されている。

この通信方法の概要は、次のとおりである。

㋐　送信順位

非常の場合の通報の送信の優先順位は、次のとおりである。なお、同順位の内容のものであるときは、受付順又は受信順に従って送信しなければならない（運129）。

a　人命の救助に関する通報

b　天災の予報に関する通報（主要河川の水位に関する通報を含む。）

c　秩序維持のために必要な緊急措置に関する通報

d　遭難者救援に関する通報（日本赤十字社の本社及び支社相互間に発受するものを含む。）

e　電信電話回線の復旧のための緊急を要する通報

f　鉄道線路の復旧、道路の修理、罹災者の輸送、救済物資の緊急輸送等のために必要な通報

g　非常災害地の救援に関し、次の機関相互間に発受する緊急な通報

①　中央防災会議並びに緊急災害対策本部及び特定災害対策本部

②　地方防災会議等

③　災害対策本部

h　電力設備の修理復旧に関する通報

i　その他の通報

(イ)　使用電波

A1A電波4,630kHzは、連絡を設定する場合に使用するものとし、連絡設定後の通信は、通常使用する電波によるものとする。ただし、通常使用する電波では通信ができないか又は著しく困難な場合は、連絡設定後の通信に、このA1A電波4,630kHz を使用することができる（運130）。

なお、A1A電波4,630kHzを有しない無線局は、免許状に記載された電波の型式及び周波数を使用する（法53）。

(ウ)　前置符号

連絡を設定するための呼出し又は応答は、「$\overline{\text{OSO}}$」(非常符号) を3回前置して行うものとする（運131）(注)。

(エ)　取扱いの停止

非常通信の取扱いを開始した後、有線通信の状態が復旧した場合は、速やかにその取扱いを停止しなければならない（運136）。

この「取扱いの停止」については、上記アの(イ)の非常通信（法52ただし書(四)）の場合に適用されるものである。

なお、上記の他、$\overline{\text{OSO}}$を受信した場合の措置（運132）、一括呼出し等（運133）、A1A電波 4,630kHzの聴守（運134）、通報の送信方法（運135）、訓練のための通信（運135の2）等について定めている。

（注）非常符号
無線電話による通信においては、「$\overline{\text{OSO}}$」に代えて「非常」を使用する（運14、18、別表4）。
また、訓練のための通信の場合は、「クンレン」を使用する（運135の2）。

3　地上基幹放送局及び地上一般放送局の運用

以下の地上基幹放送局の運用の方法等については、地上基幹放送試験局、衛星基幹放送局及び衛星基幹放送試験局に対してもそのまま適用されるものである（運2の3）。

(1)　呼出符号の放送

ア　地上基幹放送局及び地上一般放送局は、放送の開始及び終了に際しては、自局の呼出符号又は呼出名称（国際放送を行う地上基幹放送局にあっては、周波数及び送信方向を、テレビジョン放送を行う地上基幹放送局及びエリア放送を行う地上一般放送局にあっては、呼出符号又は呼出名称を表す文字による視覚の手段を併せて）を放送しなければならない。ただし、これを放送することが困難であるか又は不合理である地上基幹放送局若しくは地上一般放送局であって、別に総務大臣が告示するものについては、放送しなくてもよい（運138Ⅰ）（注①）。

イ　地上基幹放送局及び地上一般放送局は、放送している時間中は、毎時1回以上自局の呼出符号又は呼出名称（国際放送を行う地上基幹放送局にあっては、周波数及び送信方向を、テレビジョン放送を行う地上基幹放送局及びエリア放送を行う地上一般放送局にあっては、呼出符号又は呼出名称を表す文字による視覚の手段を併せて）を放送しなければならない。ただし、アの義務を負わない地上基幹放送局若しくは地上一般放送局の場合又は放送の効果を妨げるおそれのある場合は、放送しなくてもよい（運138Ⅱ）。

ウ　上記イの場合、国際放送を行う場合を除くほか、自局であることを容易に識別することができる方法をもって自局の呼出符号又は呼出名称に代えることができる（運138Ⅲ）。

(2)　災害の場合の放送の義務

放送は広域にわたり、迅速かつ同時に不特定多数の人々に対して、あまねく情報を伝達できるメディアとしての優れた特性があり、これが過去の災害において大きな成果を挙げてきたところである。このような放送のもつ社会的役割にかんがみ、基幹放送事業者に対しては、「暴風、豪雨、洪水、地震、大規模な火事その他による災害が発生し、又は発生するおそれがある場合には、その発生を予防し、又はその被害を軽減するために役立つ放送をするようにしなければならない」と放送法に規定し、災害の場合の放送を義務づけている（放108）。

(3)　緊急警報信号の送信

ア　緊急警報信号システムの概要

放送による災害情報の伝達は、放送終了後の深夜とか、日中でも放送が視聴されていない場合には、情報の伝達ができない場合が想定される。このため災害に関する放送の受信をより確実にし、放送の効用を高めるために緊急警報信号のシステムが導入されている。

緊急警報信号システムは、災害に関する放送の受信を補助するものであって、受信者が特定の機能をもつ受信機（緊急警報受信機）を用意し、予め待受受信の状態に正しくセットしておけば、ラジオ放送やテレビジョン放送による災害に関する放送の前に緊急警報信号（開始信号）を送ることにより、受信機から自動的に警報音を発生し、引き続いて行われる放送を受信できるものである。また、災害に関する放送が終了した後で、緊急警報信号（終了信号）を送ることによって、受信機をもとの状態（待受状態）に復帰させる機能を有するものである。

なお、緊急警報信号は、誤動作のないこと及び正確で明瞭に作動し、送信することが肝要であるので、緊急警報信号の発生装置の技術条件として、変調の方式、マーク及びスペースの周波数、位相、伝送速度、歪率等についての技術条件が別に定めてある（設9の3）。

イ　緊急警報信号の使用

(ア)　地上基幹放送局及び地上一般放送局は、次の場合において、災害の発生の予防又は被害の軽減に役立つため必要があると認めるときは、緊急警報信号（第1種開始信号、第2種開始信号、終了信号）（注②）を前置して放送することができる（運138の2Ⅰ）。

a　大規模地震対策特別措置法により警戒宣言が発せられたことを放送する場合　　第1種開始信号

b　災害対策基本法により都道府県知事又は市町村長から求められた放送を行う場合　　第1種開始信号

c　気象業務法による津波警報又は津波特別警報が発せられたことを放送する場合　　第2種開始信号

(イ)　地上基幹放送局は、緊急警報信号を前置して放送したときは、速やかに終了信号を送らなければならない（運138の2Ⅱ）。

(ウ)　緊急警報信号は、上記の(ア)及び(イ)の場合以外は使用してはならない（運138の2Ⅲ）。

ウ　地域符号の使用区分

緊急警報信号を使用する場合、放送の対象をどの地域にするかということは、極めて重要なことである。したがってこの対象地域を分別するために、緊急警報信号の受信地域を一定の地域とするために地域符号を定めてある。地域符号には、地域共通符号、広域符号、県域符号があり、放送される災害情報に応じて使用されることになっている。

その使用区分は、次のとおりである（運138の3）。

区　　　分	使用する地域符号
（ア）大規模地震対策と区別措置法により警戒宣言が発せられたことを放送する場合	地域共通符号（注③）、広域符号（注④）、又は県域符号（注⑤）のうち必要と認めるもの
（イ）気象業務法による津波警報又は津波特別警報が発せられたことを放送する場合	

（ウ）災害対策基本法により都道府県知事又は市長村長から求められたことを放送する場合	広域符号又は県域符号のうち必要と認めるもの

エ　受信機の機能確認のための終了信号の送信

(ア)　地上基幹放送局及び地上一般放送局は、緊急警報受信機の機能を確認することができるように、前記イの(ウ)にかかわらず、試験信号として終了信号を送ることができる（運139の2Ⅰ）。

(イ)　上記の試験信号として終了信号を送るときは、その前後に受信機の機能の確認のためのものである旨放送しなければならない（運139の2Ⅱ）。

(4)　試験電波の発射方法

地上基幹放送局及び地上一般放送局の無線機器の試験又は調整のため電波の発射を必要とするときは、次の手続によって行わなければならない（運139）。

ア　発射する前に自局の発射しようとする電波の周波数及びその他必要と認める周波数によって聴守し、他の無線局の通信に混信を与えないことを確かめた後でなければ、その試験電波を発射してはならない（この点は、一般の無線局の場合と同様である）。

イ　地上基幹放送局及び地上一般放送局は、試験電波を発射したときは、その電波の発射の直後及びその発射中10分ごとを標準として、試験電波である旨及び「こちらは（外国語を使用するときは、これに相当する語）」を前置した自局の呼出符号又は呼出名称（テレビジョン放送を行う地上基幹放送局及びエリア放送を行う地上一般放送局は、呼出符号又は呼出名称を表わす文字による視覚の手段をあわせて）を放送しなければならない。

ウ　地上基幹放送局及び地上一般放送局が試験又は調整のために送信する音響又は映像は、当該試験又は調整のために必要な範囲内のものでなければならない。

エ　地上基幹放送局及び地上一般放送局において試験電波を発射すると

きは、レコード又は低周波発振器による音声出力によってその電波を変調することができる。

⑸　混信の防止

エリア放送を行う地上一般放送局にあっては、自局の発射する電波が他の無線局の運用又は放送の受信に支障を与え、又は与えるおそれがあるときは、速やかに当該周波数による電波の発射を中止しなければならない（運139の３）。

（注①）呼出符号等の送出を省略できる地上基幹放送局及び地上一般放送局

呼出符号又は呼出名称の放送を省略できる地上基幹放送局及び地上一般放送局として現在告示されているものは、同一免許人に属し、かつ、同一の種類の放送を行う一の地上基幹放送局の放送番組を同時に中継して放送する地上基幹放送局（いわゆる「サテライト局」）、エリア放送を行う地上一般放送局等４種類である（昭和34年郵政省告示第509号）。

（注②）　緊急警報信号の意義及び区別等

⑴「緊急警報信号」とは、災害に関する放送の受信の補助のために伝送する信号であって、第１種開始信号、第２種開始信号又は終了信号をいう（施２（八十四の二））。

⑵「第１種開始信号」とは、待受状態にあるすべての受信機を作動させるために伝送する信号をいう（施２（八十四の三））。

⑶「第２種開始信号」とは、特別の待受状態にある受信機のみを作動させるために伝送する信号をいう（施２（八十四の四））。

津波警報の場合を第２種開始信号としたのは、津波に関する情報の必要性の程度は、地理的な関係によるものであるから、山地や内陸部の受信者にとっては、受信するかどうかを選択できるようにしたものである。

⑷「終了信号」とは、第1種開始信号又は第2種開始信号の受信によって動作状態にある受信機を当該緊急警報信号を受信する前の状態（即ち待受状態）に復させるために伝送する信号をいう（施２（八十四の五））。

⑸　緊急警報信号は、可聴周波数から成るものであり、ラジオ放送（中波、短波、超短波）、テレビジョン放送又は超短波音声多重放送の音声信号伝送路を利用して送られる。この結果として特別の機能を有しない従来の受信機でも注意を喚起する警報音としての効果を併せ持つことになる。

（注③）　地域共通符号

信号の受信地域を地上基幹放送局の放送区域及び地上一般放送局の業務区域の全域とするための符号であり、できるだけ広域に災害情報を伝えたい場合に使用される。

また、この符号は全国 1 種類の符号であるので、中継によって極めて広い地域をカバーでき、津波警報の場合などに有効である。

(注④) 広域符号

信号の受信地域を一定の広域圏内とするための符号である。現在の放送対象地域を考慮して、関東広域圏、中京広域圏、近畿広域圏、島根・鳥取圏、岡山・香川圏の 5 種類の符号を設けている。

(注⑤) 県域符号

我が国の地上基幹放送は、基本的には、放送対象地域を県域としているので、最も基本的な地域符号である。この符号は、信号の受信地域を各都道府県の区域内とするための符号であり、47種類を設けている。都道府県知事等の要請による場合など、送出が多いものと考えられる。

4 特別業務の局等の運用

(1) 携帯無線通信等を抑止する無線局の運用

次のとおりとされている(運140の2)。

ア 通信を抑止することにより緊急通報、災害発生時における連絡その他の緊急時の通信が行えないことを十分認識し、緊急時においては直ちに運用を停止し、又は通信を抑止する範囲内にいる者に必要な情報の伝達その他の必要な措置を講じなければならない。

イ 通信を抑止する時間は、必要最小限でなければならない。

ウ 通信を抑止する範囲及び時間において、当該範囲内にいる者に対して、通信ができない旨の表示その他の周知を十分に行わなければならない。

エ 通信の抑止を目的としない範囲に抑止の効果が及んでいないことを定期的に確認するとともに、通信の抑止を目的としない範囲に抑止の効果が及んでいると判明した場合は、直ちに無線局の運用を停止しなければならない。

(2) その他の特別業務の局及び標準周波数局の運用

電波の発射又は通信を行う時刻、電波の発射又は通信の送信方法等が告示されている(運140、昭和59年郵政省告示第677号等)。

5　航空移動業務等の無線局の運用

航空移動業務の局は、航空運送事業、航空機使用事業等に必要な通信のほか、航空機の航行の安全を図るための通信を行うことを目的としている。したがって、この目的を達成するために運用義務時間を定めたり、聴守する電波を定める等特別の規定が設けられている。

⑴　航空機局の運用

航空機局の運用は、その航空機の航行中及び航行の準備中に限られる。ただし、次の場合には、その航空機が航行中又は航行の準備中以外でも運用することができる（法70の2Ⅰ、施37、運142）。

ア　受信装置のみを運用するとき。

イ　遭難通信、緊急通信、安全通信、非常通信、放送の受信又は無線機器の試験若しくは調整のための通信を行うとき。

ウ　無線通信によらなければ他に連絡手段がない場合であって、急を要する通報を航空移動業務の無線局に送信するとき。

エ　総務大臣又は総合通信局長が行う無線局の検査に際してその運用を必要とするとき。

⑵　航空局の指示に従う義務

ア　航空局又は海岸局は、航空機局から自局の運用に妨害を受けたときは、妨害している航空機局に対して、その妨害を除去するために必要な措置をとることを求めることができる（法70の2Ⅱ）。

イ　航空機局は、航空局と通信を行う場合において、通信の順序若しくは時刻又は使用電波の型式若しくは周波数について、航空局から指示を受けたときは、その指示に従わなければならない（法70の2Ⅲ）。

⑶　運用義務時間

ア　義務航空機局及び航空機地球局の場合

㈠　義務航空機局の運用義務時間は、その航空機の航行中常時とする（法70の3Ⅰ、運143Ⅰ）。

㈡　航空機地球局の運用義務時間は、次のとおりである（法70の3Ⅰ、運143Ⅱ）。

a　航空機の安全運航又は正常運航に関する通信を行うものについては、その航空機が別に告示される区域（注①）を航行中常時

b　それ以外のものについては、運用可能な時間

イ　航空局及び航空地球局の場合

航空局及び航空地球局（陸上に開設する無線局であって、人工衛星局の中継により航空機地球局と無線通信を行うものをいう。）は、常時運用しなければならない。ただし、別に告示される場合（注②）は、この限りでない（法70の３Ⅱ、運144Ⅰ、Ⅱ）。

⑷　聴守義務

ア　航空局、航空地球局及び航空機地球局の場合

航空局、航空地球局及び航空機地球局は、その運用義務時間中は、航空局にあっては電波の型式A3E又はJ3Eにより、航空地球局にあっては電波の型式G1D又はG7Wにより、航空機地球局にあっては電波の型式G1D、G7D、G7W、D7W又はQ7Wにより、それぞれ別に告示された周波数で聴守しなければならない（法70の４、運146Ⅰ、Ⅱ）。

イ　義務航空機局の場合

義務航空機局は、その運用義務時間中は、電波の型式A3E又はJ3Eにより、次に掲げる周波数で聴守しなければならない（法70の４、運146Ⅲ）。

㈠　航行中の航空機の義務航空機局にあっては、121.5MHz及び当該航空機が航行する区域の責任航空局（当該航空機の航空交通管制に関する通信について責任を有する航空局をいう。）が指示する周波数

㈡　航空法第96条の２（航空交通情報入手のための連絡）第２項の規定の適用を受ける航空機の義務航空機局にあっては、交通情報航空局（注③）が指示する周波数

ウ　聴守を要しない場合

航空局、義務航空機局、航空地球局及び航空機地球局が聴守を要しない場合は、次のとおりである（法70の４、運147）。

㈠　航空局については、現に通信を行っている場合で聴守することができないとき。

㈡　義務航空機局については、責任航空局又は交通情報航空局がその指示した周波数の電波の聴守の中止を認めたとき、又はやむを得ない事情によりイの121.5MHzの電波の聴守をすることができないとき。

㈢　航空地球局については、航空機の安全運航又は正常運航に関する通信を取り扱っていない場合

㈣　航空機地球局については、次の場合

a　航空機の安全運航又は正常運航に関する通信を取り扱っている場合は、現に通信を行っている場合で聴守することができないとき。

b　航空機の安全運航又は正常運航に関する通信を取り扱っていない場合

⑸　通信の優先順位

航空移動業務及び航空移動衛星業務における通信の優先順位は、次の順序による（運150Ⅰ、Ⅲ、別表12）。

ア　遭難通信

イ　緊急通信

ウ　無線方向探知に関する通信

エ　航空機の安全運航に関する通信

オ　気象通報に関する通信（エに掲げるものを除く。）

カ　航空機の正常運航に関する通信

キ　アからカまでの通信以外の通信

なお、ノータム（航空施設、航空業務、航空方式又は航空機の航行上の障害に関する事項で、航空機の運行関係者に迅速に通知すべきものを内容とする通報をいう。）に関する通信は、緊急の度に応じ、緊急通信に次いでその順位を適宜に選ぶことができる（運150Ⅱ）。

⑹ 航空機局の通信連絡等

ア　航空機局は、その航空機の航行中は、責任航空局又は交通情報航空局（ただし、航空交通管制に関する通信を取り扱う航空局で他に適当なものがあるときは、その航空局）と連絡しなければならない（法70の5、運149Ⅰ）。

なお、責任航空局に対する連絡は、やむを得ない事情があるときは、他の航空機局を経由して行うことができる（運149Ⅱ）。

また、交通情報航空局に対する連絡は、やむを得ない事情があるときは、これを要しない（運149Ⅲ）。

イ　義務航空機局は、その運用を中止しようとするときは、アの航空局に対し、その旨及び再開の予定時刻を通知しなければならない。その予定時刻を変更しようとするときも、同様とする（運148Ⅰ）。

また、義務航空機局は、その運用を再開したときは、アの航空局にその旨を通知しなければならない（運148Ⅱ）。

⑺ 無線設備等保守規程の認定等

航空機局等の定期検査は、従前、7－4で述べるとおり、総務省令で定める時期ごとに、国の職員が臨局して行う検査、又は登録検査等事業者が無線設備等の点検を行い、免許人から提出された当該点検の結果を記載した書類に基づいて総務省が検査の判定を行う検査の一部省略の方法により実施されてきている。

総務省は、平成25年から、航空機局の定期検査等に関する評価会を開催して、①航空機局等の無線設備の信頼性等に関するデータの収集・評価、②航空機局の検査制度に関する国際的動向の調査、③航空機局等の検査制度及び管理・検査の在り方等について検討を行った。

その検討結果を受け、また、航空運送事業者が認可を受けた整備規程に基づいて航空機の整備を行い、その安全性の担保を図っている航空法の制度との連携も考慮の上、航空機局等の新たな監督手法として、無線設備等保守規程の認定等に関する制度を創設するため、平成29年5月に電波法改正が行われ、平成30年8月に施行された。

無線設備等保守規程の制度の概要は、次のとおりである。

ア　航空機局等（航空機局又は航空機地球局（電気通信業務を行うことを目的とするものを除く。）をいう。）の免許人は、総務省令で定めるところにより、当該航空機局等に係る無線局の基準適合性（無線設備、無線従事者の資格及び員数、時計及び書類が電波法の規定にそれぞれ違反していないことをいう。）を確保するための無線設備等の点検その他の保守に関する無線設備等保守規程を作成し、これを総務大臣に提出して、その認定を受けることができる（法70の５の２Ⅰ）。

イ　総務大臣は、アの認定の申請があった場合において、その申請に係る無線設備等保守規程が次の各号のいずれにも適合していると認めるときは、認定をするものとする（法70の５の２Ⅱ）。

⑺　航空機等の定期検査の時期を勘案して総務省令で定める時期（注④）ごとに、その申請に係る航空機局等に係る無線局の基準適合性を確認するものであること。

⑴　その申請に係る航空機局等に係る無線局の基準適合性を確保するために十分なものであること。

ウ　アの認定を受けた者（「認定免許人」という。）は、認定を受けた無線設備等保守規程を変更しようとするときは、総務大臣の認定を受けなければならない。ただし、総務省令で定める軽微な変更については、認定は要しないが、変更後遅滞なく、その旨を総務大臣に届け出なければならない（法70の５の２Ⅲ、Ⅴ、施40の３）。

エ　認定免許人は、毎年、総務省令で定めるところにより、認定を受けた無線設備等保守規程に従って行う当該認定に係る航空機局等の無線設備等の点検その他の保守の実施状況について総務大臣に報告しなければならない（法70の５の２Ⅵ、施40の４）。

オ　認定免許人が開設しているアの認定に係る航空機局等については、定期検査に関する電波法第73条第1項の規定は、適用しない（法70の５の２Ⅹ）。

カ　上記の規定に違反した者については、次のとおり罰則が定められている。

(ア) エの報告をせず、又は虚偽の報告をしたときは、6月以下の懲役又は30万円以下の罰金（法111(一)、法114）。

(イ) 認定免許人に係る航空機局等のある航空機について、航空機の所有権の移転その他の理由により、航空機を運行する者に変更があった場合において、その届出をしなかったときは、30万円以下の過料（法116(三)）。

(ウ) ウの届出をせず、又は虚偽の届出をしたときは、30万円以下の過料（法116（二十四））。

また、これらの場合は、行政処分の対象ともなる（法76）。

キ 無線設備等保守規程の認定の手続の詳細は、無線局免許手続規則第５章の２に定められている（注⑤）。

(8) 機器の調整のための通信

航空局又は航空機局は、他の航空機局から無線設備の機器の調整のための通信を求められたときは、支障のない限り、これに応じなければならない（法70の６）。

(9) 海上移動業務の通信方法の準用

海上移動業務の通信方法に関する規定は、航空機局が海上移動業務の無線局との間に海上移動業務に使用する電波によって通信する場合に準用する（運151）。

(10) 呼出し等の簡略化

航空移動業務の無線電話通信においては、無線局運用規則で定める通信方法のうち、呼出し、応答、通報の送信、試験電波の発射等においては、「こちらは　１回」の送信は省略するものとする（運154の２）。

（注①）航空機地球局がその航行中常時運用することを要する区域

航空機地球局の開設される航空機が水平飛行を行っている状態において、当該航空機地球局のアンテナ仰角が、国際移動通信衛星機構が監督する法人が太平洋上空に開設する人工衛星局又は国土交通省が開設する人工衛星局に対して５度以上となる区域（平成16年総務省告示第286号）

(注②)　航空局及び航空地球局が常時運用することを要しない場合

(1)　航空交通管制に関する通信を取り扱わない航空局の場合

(2)　航空交通管制に関する事務が一定の時間行われないことになっている航空交通管制の機関に属する航空局の場合

(3)　航空機の安全運航又は正常運航に関する通信を行っていない航空地球局の場合（平成16年総務省告示第176号）

(注③)　交通情報航空局

航空法施行規則第202条の4の規定による航空交通情報の提供に関する通信を行う航空局をいう（運146Ⅲ）。

(注④)　基準適合性の確認間隔

航空機局については事項により1年〜5年、航空機地球局については2年と定められている（施40の2）。

(注⑤)　無線設備等保守規程の認定の手続

(1)　無線設備等保守規程の認定を受けるときは、①無線設備等の点検・保守を行う無線局の免許番号・航空機名、②点検・保守を行う施設の概要、組織の概要、③点検・保守の信頼性管理の目標値又は管理値、実施方法、間隔、④点検・保守に関する品質管理の概要、技術的情報の維持・管理の概要、信頼性管理における分析と処置対策の概要を記載した無線設備等保守管理規程1通と写し2通を申請書に添付して総務大臣に提出する（免25の26Ⅰ）。

(2)　認定されると無線設備等保守認定書が交付される（免25の29Ⅰ）。それに変更が生じた場合は総務大臣に提出して訂正を受けなければならない（免25の29Ⅱ）。

(3)　無線設備等保守規程を廃止したときは、①認定免許人の氏名・住所、②認定の番号、③無線局の免許の番号及び航空機名、④廃止年月日等を記載した届出書を提出しなければならず（免25の31）、また、無線局を廃止したときも同様の届出をすることとなっている（免25の32）。さらに、無線設備等保守規程を廃止したとき又は認定の取消しを受けたときは、無線設備等保守規程認定書を返納する義務が規定されている（免25の33）。

(4)　無線設備等保守規程認定申請書等の様式は、無線局免許手続規則別表第8号の3〜6で定められている。

6　アマチュア無線局の運用

(1)　アマチュア無線局の暗語使用の禁止

アマチュア無線局の行う通信には、暗語を使用してはならない（法58）。

暗語というのは、通信内容を第三者にわからないようにするため、通信当事者間で定めた仕方により、通信内容を秘匿したものをいうのであるが、アマチュア無線局においては、開設の目的に照らし、その通信内容を秘匿する必要がなく、通信秩序の維持のための必要性から暗語の使用を禁止している（注）。

なお、アマチュア局については、設備面からも、「アマチュア局の送信装置は、通信に秘匿性を与える機能を有してはならない。」と定めている（設18Ⅱ）。

(2) アマチュア局の運用の特則

アマチュア局とは、アマチュア業務を行う局であり、アマチュア業務とは、「金銭上の利益のためでなく、もっぱら個人的な無線技術の興味によって行う自己訓練、通信及び技術的研究の業務」と定義されている（施3(十五)）。

そして、この業務用として、広い範囲の周波数帯で様々な電波の型式の使用が許されている。

電波法令では、このアマチュア局間の通信を円滑に実施するため、また、他の業務用無線局の運用等に支障を与えないよう、特に次のような運用上の制限を設けている。

ア　アマチュア局においては、その発射の占有する周波数帯幅に含まれているいかなるエネルギーの発射も、その局が動作することを許された周波数帯から逸脱してはならない（運257）。

イ　アマチュア局は、自局の発射する電波が他の無線局の運用又は放送の受信に支障を与え、若しくは与えるおそれがあるときは、すみやかに当該周波数による電波の発射を中止しなければならない。ただし、遭難通信、緊急通信、安全通信及び非常の場合の無線通信を行う場合は、この限りでない（運258）。

ウ　アマチュア業務に使用する電波の型式及び周波数の使用区別は、告示されているところによるものとする（運258の2）。

エ　アマチュア局の送信する通報は、他人の依頼によるものであってはならない（運259）。

オ　アマチュア局の無線設備の操作を行う者は、免許人（免許人が社団である場合は、その構成員）以外の者であってはならない（運260）。

（注）　電波法第58条の改正

令和元年5月の電波法改正により暗語使用禁止の対象から実験等無線局が除かれ、対象はアマチュア無線局のみとなった。電波利用の進展に伴い、携帯電話等新たな無線システムの開発・導入に当たり実験等無線局の活用が幅広く必要とされているが、そのようなシステムには秘匿通信を必要とするものも多く、アマチュア無線局と並んで実験等無線局にまで暗語の使用を禁止する合理性が失われたことが改正の理由と考えられる。

7　宇宙無線通信の業務の無線局の運用

宇宙無線通信の業務の無線局の運用における混信の防止として、次のとおり定められている。

(1)　移動しない地球局等に関するもの

ア　対地静止衛星に開設する人工衛星局以外の人工衛星局（非静止衛星に開設する人工衛星局）及び当該人工衛星局と通信を行う地球局は、その発射する電波が対地静止衛星に開設する人工衛星局と固定地点の地球局との間で行う無線通信又は対地静止衛星に開設する衛星基幹放送局の放送の受信に混信を与えるときは、当該混信を除去するために必要な措置を執らなければならない（運262 Ⅰ）。

イ　対地静止衛星に開設する人工衛星局と対地静止衛星の軌道と異なる軌道の他の人工衛星局との間で行われる無線通信であって、当該他の人工衛星局と地球の地表面との最短距離が対地静止衛星に開設する人工衛星局と地球の地表面との最短距離を超える場合にあっては、対地静止衛星に開設する人工衛星局の送信空中線の最大輻射の方向と当該人工衛星局と対地静止衛星の軌道上の任意の点とを結ぶ直線との間でなす角度が15度以下とならないよう運用しなければならない（運262 Ⅱ）。

ウ　12.2GHzを超え、12.44GHz以下の周波数の電波を受信する無線設備規則第54条の3第1項において無線設備の条件が定められている地球局（陸上に開設する2以上の地球局（移動するものであって、停止中にのみ運用するものに限る。）のうち、その送信の制御を行う他の1の地球局（制御地球局）と通信系を構成し、かつ、空中線の絶対利得が50デシベル以下の送信空中線を有するものの無線設備で、14.0GHzを超え14.4GHz以下の周波数の電波を送信し、12.2GHzを超え12.75GHz以下の周波数の電波を受信するもの）が受信する電波の周波数の制御を行う地球局は12.2GHzを超え12.44GHz以下の周波数の電波を使用する固定局からの混信を回避するため、当該電波を受信する地球局の受信周波数を適切に選択しなければならない（運262 Ⅲ）。

⑵ **携帯移動地球局に関するもの**

次の携帯移動地球局について、混信の防止に関してとるべき措置、運用条件等が規定されている（運262の2、運262の3、運262の4）。

ア　高度600km以下の軌道を利用する非静止衛星に開設する人工衛星局の中継により携帯移動衛星通信を行う携帯移動衛星地球局及び陸上に開設する2以上の地球局のうち、高度600km以下の軌道を利用する非静止衛星に開設する人工衛星局及び制御地球局と通信系を構成するもの

イ　海上において電気通信業務を行うことを目的として開設する携帯移動地球局（本邦の排他的経済水域を超えて航海を行う船舶において使用するものに限る。）であって、制御携帯基地地球局（当該携帯移動地球局の制御を行う携帯基地地球局）からの制御を受けて携帯基地地球局又は携帯移動地球局と通信を行うもの

ウ　回転翼航空機に搭載して電気通信業務を行うことを目的として開設する携帯移動地球局であって、制御携帯基地地球局からの制御を受けて携帯基地地球局又は携帯移動地球局と通信を行うもの

8　特定実験試験局の運用

特定実験試験局は、その発射する電波の周波数と同一の周波数を使用する他の実験試験局の運用を阻害するような混信を与え、又は与えるおそれがあるときは、両局の免許人相互間において運用に関する調整を行い、混信等の除去のために必要な措置を執らなければならず（運263 Ⅰ）、実験試験局以外の無線局の運用を阻害するような混信を与え、又は与えるおそれ

があるときは、混信等の除去のために必要な措置を執らなければならない（運263Ⅱ）。無線局の開設予定者との間についても同じである（運263Ⅲ）。

6－10　無線局の運用の特例

無線局は、免許人等が自ら運用するのが電波法上の大原則であるが、従前から免許人の事業の下請け等の極めて限られた場合に免許人等以外の者が運用することが認められることがあった。ただし、この場合は免許人等と運用者の特別な関係に着目して、免許人等が自ら運用しているものとみなされたものであり、正面から無線局の他人使用が認められたわけではなかった。

平成19年の法改正により、「運用」の章に新たに「無線局の運用の特例」の節が設けられ、限定的ではあるが、無線局の他人使用が正面から認められるようになり、社会のニーズを反映した一層柔軟な電波利用制度が実現した。平成20年の法改正では、この範囲が更に拡大されている。

制度の概要は、以下のとおりである。

1　特例が認められる場合

無線局の他人使用が認められるのは、社会的にその必要性が極めて強いか、又は電波秩序に悪影響を及ぼす可能性が極めて低い場合であり、具体的には次の３ケースである（法70の７Ⅰ、70の８Ⅰ、70の９Ⅰ）。

⑴　専ら簡易な操作（注①）によって運用される無線局について、地震、台風、洪水、津波、雪害、火災、暴動その他非常の事態が発生し、又は発生するおそれがある場合において、人命の救助、災害の救援、交通通信の確保又は秩序の維持のために必要な通信を行うとき

⑵　電気通信業務を行うことを目的として開設する無線局（無線設備の設置場所、空中線電力等を勘案して、簡易な操作で運用することにより他の無線局の運用を阻害する混信その他の妨害を与えないように運用することができるものとして総務省令で定めるもの（施41の２の３により、フェムトセル基地局及び特定陸上移動中継局）に限る。）について、免許人以外の者による運用（簡易な操作によるものに限る。）

が電波の能率的な利用に資するものである場合（注②）

(3) 登録局について、電波の能率的な利用に資するものであり、かつ、他の無線局の運用に混信その他の妨害を与えるおそれがないと登録人が認める場合

この特例が認められるのは無線局の免許等が効力を有する間であり、また、(1)のケースを除き、免許等の相対的欠格事由を有する者に運用させることは認められない。

（注①） 簡易な操作

電波法第39条第１項の簡易な操作をいう。すなわち、相応の無線従事者の資格を持たなくても、また、主任無線従事者の監督を受けなくても、行うことができる無線設備の操作のことで、具体的には電波法施行規則第33条で定められている。

（注②） (2)で想定されるケース

高層ビル、マンション、住宅内、地下街等免許人の立入りが困難な場所での携帯電話の不感エリアの解消を図るため、ビル管理者、再販事業者、一般利用者等がフェムトセル方式の超小型基地局を運用するようなケースが想定されている。

２ 免許人等の義務

自己以外の者に無線局を運用させた免許人等は、遅滞なく、その「自己以外の者」（１(1)のケースでは「非常時運用人」と呼ばれる。ここでは他のケースと合わせて「運用人」という。）の氏名又は名称、運用の期間等の一定事項を総務大臣に届け出なければならない（法70の７Ⅱ、70の８Ⅱ、70の９Ⅱ、免31の２～31の４）。この違反に対しては罰則がある（法116（二十三））。また、免許人等は、無線局の運用が適正に行われるよう、運用人に対し、必要かつ適切な監督を行わなければならない（法70の７Ⅲ、70の８Ⅱ、70の９Ⅱ、施41の2～41の２の５）。

３ 運用人の責任

免許人等に対して求められる非常の場合の通信体制の整備に対する協力（法74の２Ⅱ）、免許人等に課される電波法令等に違反した場合の制裁（無線局の運用停止等）（法76Ⅰ）、免許人等からの無線局に関する報告の徴収権（法81）等の規定は、運用人に準用される（法70の７Ⅳ、70の８Ⅲ、Ⅳ、70の９

Ⅲ、Ⅳ、施行令4、5、6）。また、1(3)のケースは運用が簡易な操作に限られないことから、無線従事者の選解任の届出等（法39Ⅳ、Ⅶ、51）の規定も準用される。運用人に対しても電波秩序の担い手として応分の責任を求めるものであり、免許人等の名義の下での事実上の他人使用に止まっていたこれまでの例と大きく異なる点である。

第７章

監　　督

７－１　総　説

１　監督の意義

監督という語を広義に解すれば、行政庁が行政の客体に対し、その行為の合法性又は合目的性を監視し、必要に応じて指示、命令等をするという意になるのであるが、ここでいう監督とは免許可行為との関連において、国が行政目的達成のために必要な限度において一方的に命令し、受命者に服従させる関係をいうものである。すなわち、国は、電波法に掲げる行政目的達成のためには、一定の点検、検査等の行為のほか、非違行為発生の場合には、その弊害を速やかに電波の利用社会から排除するとともに、予防、制裁の実効をあげるような具体的措置を執る権限と責任を有するものであり、また受命者（免許人、無線従事者その他の無線局関係者等）は、行政庁の命令に対し従うことが要求される。

なお、後述の特定周波数変更対策業務や特定周波数終了対策業務は、周波数有効利用の推進という大きな行政目的の達成のための国の行為という点で従来の監督行為と軌を一にするが、業務の具体的な内容は「給付金の支給その他の必要な援助」という支援的奨励的な行為であり、命令服従関係を構成する従来の監督行為とは著しく異なる。このようなものまで「監督」という概念に含めることが適当かどうかは、本来十分な検討が必要であると思われる。

２　監督の態様

総務大臣の行う監督を、その原因別に分類すると、①公益上の必要に基づく命令、②不適法な運用に対する監督、③一般的監督の三つに分類される。その態様を概観すれば、次のとおりである。

(1)　公益上の必要に基づく命令（免許人の責任となる事由のない場合）又は援助

ア　周波数、空中線電力等の変更命令

イ　特定周波数変更対策業務

ウ　特定周波数終了対策業務

エ　非常の場合の無線通信の実施命令

(2)　不適法な運用に対する監督（免許人の責任となる事由がある場合）

ア　技術基準適合命令

イ　臨時の電波発射停止

ウ　無線局の免許内容の制限及び運用停止

エ　無線局の免許取消し

オ　免許を要しない無線局及び受信設備に対する電波障害除去の措置命令

カ　無線従事者の免許取消し及び従業停止

(3)　一般的監督（電波法令の施行を確保するための監督）

ア　無線局に対する検査

イ　無線局関係事項報告徴収

ウ　電波の監視

7－2　公益上の必要に基づく命令又は援助

1　周波数及び空中線電力の指定並びに人工衛星局の無線設備の設置場所の変更命令と補償義務

(1)　総務大臣の変更の命令

無線局の周波数及び空中線電力や無線設備の設置場所は、免許と同時に免許状に記載されて運用上の基準となっているものであるが（法53、54）、公益的見地から、たとえ免許の有効期間中であっても、周波数若しくは空中線電力又は人工衛星局の無線設備の設置場所の変更を必要とする場合が生ずることがある。この場合、免許人の自発的意思に期待していたのでは、行政目的は達成されなくなるので、総務大臣は、これらの変更を命じることができる（法71Ⅰ）。

しかしながら、この変更の命令によって無線局の存在の意義を失うことになっては、免許を与えた趣旨に反するし、また免許の安定性を欠くことになるので、変更を命じることができる範囲が決められている。

⑵　変更命令の範囲等

ア　変更命令を行えるのは、電波の規整（周波数の配分上の調整）（注①）その他放置できない公益上の必要がある場合に限られる。何が公益上の必要かは、個々の場合の判断による。

イ　変更命令を行えるのは、当該無線局の目的の遂行に支障を及ぼさない範囲内に限られる。何が無線局の目的の遂行に支障を及ぼさない範囲であるかは、具体の場合に応じ判断すべきである。

ウ　変更命令を行えるのは、周波数及び空中線電力並びに人工衛星局の無線設備の設置場所の変更の場合に限られる。

エ　電波の型式、識別信号、運用許容時間等は、総務大臣の変更命令によって変更することは許されず、どうしても変更を必要とする場合は、免許人の自発的申請を待つか、免許の有効期間が満了した時の再免許時に変更するほかに途はない。

変更命令が行われた事例としては、過去に国際電気通信条約上の周波数の配分計画の改定に伴う国内周波数の指定変更、放送用周波数拡大に伴う周波数整理のための指定変更等がある。

オ　人工衛星局の無線設備の設置場所はその軌道又は位置をいうが（法6Ⅰ㈣）、その変更を命ずることができることとしているのは、割当周波数及び軌道位置に関する国際的取極めに基づく規整が必要となることが考えられるからである。

⑶　変更命令に伴う無線設備の変更の工事等

変更命令によって、無線設備の変更の工事が必要となる場合があるが、その場合は、別途電波法第17条による無線設備の変更の工事の申請を行って許可を得ることが必要である。

なお、この設備変更に伴う変更検査が行われることは、一般の場合と同様であるが（法18）、この場合は、行政庁の変更命令に起因するものであるから変更検査手数料は、徴収されない（手数料令4Ⅰ）。

⑷　国の損失補償義務

ア　国は、前述の周波数若しくは空中線電力の指定の変更又は人工衛星局の無線設備の設置場所の変更の命令によって生じた損失を当該免許人に対して補償しなければならない（法71Ⅱ）。この補償は、一般に損失補償といわれるものであって、当該無線局の周波数等を変更することは、免許人に余分の経済負担を課することとなるから、その責に基づかない事由によるときは、その損失を補償することが必要とされる（注②）。

イ　補償の範囲は、アの変更命令によって通常生ずべき損失とされている（法71Ⅲ）。ここにいう通常生ずべき損失とは、変更命令との間に相当の因果関係が認められる損失である。すなわち、当該変更によって現実に生じた損失のうち、変更命令が直接の原因でない特有の損失（注③）を除き、かかる変更があれば一般に生ずるであろうと認められる損失のみを指すのである（民法416）。

ウ　補償時期、その他の手続については電波法上規定はないが、通常事後補償が原則であり、損失補償申請書を行政庁に提出して行われる。

エ　補償金額に不服がある者は、補償金額決定の通知を受けた日から 6 か月以内に、訴えをもってその増額を請求することができる（法71Ⅳ）。その場合の被告は国である（法71Ⅴ）。出訴期間は、補償金額の決定の通知を受けた日から 6 か月以内と定められているので、6 か月を経過したときは、当該決定の補償金額は実質的確定力を生じ、行政庁も免許人も共にその決定に拘束される。なお、以上の補償金支払請求権を免許人において放棄することは自由である。

⑸　人工衛星局の措置報告

人工衛星局の無線設備の設置場所の変更の命令を受けた免許人は、その命令に係る措置を講じたときは、速やかにその旨を総務大臣に報告しなければならない（法71Ⅵ）。

なお、この報告をするときは、措置を講じた無線局の免許番号及び講じた措置の具体的内容を記載した文書を添付しなければならない（施42）。

（注①）規整と規正

「規整」が周波数の配分上の調整を意味しているのに対し、「規正」は電波の質の是正を意味し、電波法令上では両者を使い分けしている。

（注②）損失補償の意義

一般に損失補償というのは、公権力の適法な行使に基づき、特定の者に損失を与えた場合にこれを償うことをいうのであるが、適法行為による損失である点において、違法行為に基づく損害賠償とその性質を異にする。また、一般の補助金が行政上の目的に基づいて交付される現金的給付であって、通常定率又は定額で交付され、事業の損益と厳密に対応しないのに対し、損失補償は、損失が生じた場合に、その損失の額を限って交付するものとされている点において、一般の補助金と異なる。

（注③）特有の損失

当該変更命令と直接の関連を有せず、免許人側の特別の事情に因って生じた損失をいう。ただし、この場合でも当事者がその事情を予見し、又は予見することが可能であると認められるときは、相当因果関係にあるものとして措置されることが可能であろう。ただし、その挙証責任は、免許人側にあるものと解されている。

2　特定周波数変更対策業務

⑴　概説

総務大臣は、一定の要件に該当する周波数割当計画又は基幹放送用周波数使用計画（「周波数割当計画等」という。）の変更を行う場合において、電波の適正な利用の確保を図るため必要があると認めるときは、予算の範囲内で、周波数又は空中線電力の変更に係る無線設備の変更をしようとする免許人その他の無線設備の設置者に対して、当該工事に要する費用に充てるための給付金の支給その他必要な援助（「特定周波数変更対策業務」という。）を行うことができる。

この場合の一定の要件とは次のものをいう。

ア　特定の無線局区分（無線通信の態様、無線局の目的及び無線設備についての電波法第３章で定める技術基準を基準として総務省令で定める無線局の区分をいう。）の周波数使用に関する条件として周波数割当計画等の変更の公示の日から起算して10年を超えない範囲内で周波数の使用の期限を定めるとともに当該無線局区分（「旧割当区分」という。）に割り当てることが可能である周波数（「割当変更周波数」という。）を旧割当区分以外の無線局区分にも割り当てることとするものであること。

イ　割当変更周波数の割当てを受けることができる無線局区分のうち旧割当区分以外のもの（「新割当区分」という。）に旧割当区分と無線通信の態様及び無線局の目的が同一である無線局区分（「同一目的区分」という。）があるときは、割当変更周波数に占める同一目的区分に割り当てることが可能である周波数の割合が、4分の3以下であること。

ウ　新割当区分の無線局のうち周波数割当計画等の変更の公示と併せて総務大臣が公示するもの（「特定新規開設局」という。）の免許申請に対して、当該周波数割当計画等の変更の公示の日から起算して5年以内に割当変更周波数を割り当てることを可能とするものであること。この場合において、当該周波数割当計画等の変更の公示の際現に割当変更周波数の割当てを受けている旧割当区分の無線局（「既開設局」という。）が特定新規開設局にその運用を阻害するような混信その他の妨害を与えないようにするため、あらかじめ、既開設局の周波数又は空中線電力の変更（既開設局の目的の遂行に支障を及ぼさない範囲内の変更に限り、周波数の変更にあっては割当周波数範囲内の変更に限る。）をすることが可能なものであること。（法71の2Ⅰ）

なお、アの総務省令で定める無線局の区分としては、①無線通信の態様が固定業務である無線局であって、無線局の目的が電気通信業務用であるもの、②無線通信の態様が固定業務である無線局であって、無線局の目的が公共業務用であるもの、③無線通信の態様が固定業務である無線局であって、無線局の目的が放送事業用であるもの等62のものを定めている（変更対策4）（注）。

⑵　指定周波数変更対策機関

総務大臣は、その指定する者（「指定周波数変更対策機関」という。）に、特定周波数変更対策業務を行わせることができる（法71の3）。

指定周波数変更対策機関は、特定周波数変更対策業務を行う周波数割当計画等の変更ごとに1を限り指定することとされている。

指定周波数変更対策機関に対する監督規定は、本法における他の指定機関の場合とほぼ同様である。

指定周波数変更対策機関が特定周波数変更対策業務に係る給付金の支給を行うのは、次のいずれかに該当する場合である。

ア　(1)アの周波数又は空中線電力の変更（すなわち、特定新規開設局の周波数を確保する上で必要となる既開設局の周波数又は空中線電力の変更）をしようとする無線局の免許人が当該無線局の周波数又は空中線電力の変更に必要な無線設備の変更の工事をしようとすること。

イ　アの周波数若しくは空中線電力の変更又は当該変更に伴い連鎖的に生じる周波数若しくは空中線電力の変更が無線局の運用を阻害することのないようにするため、無線設備の変更の工事をする必要のある免許人が当該無線局の無線設備の変更の工事をしようとすること。すなわちアに伴い更に既開設局の無線設備の変更の工事が必要となる免許人が当該既開設局の無線設備の変更の工事をしようとすること。

ウ　ア又はイの周波数又は空中線電力の変更が受信設備（特定周波数変更対策業務を行う周波数割当計画の変更ごとに総務大臣が指定するものに限る。）の運用を阻害することのないようにするため、当該受信設備の設置者がその運用の確保に必要な受信設備の変更の工事をしようとすること（法71の3Ⅳ、変更対策6の2）。

(3)　給付金の交付の決定を受けた免許人の義務等

特定周波数変更対策業務に係る給付金の交付の決定を受けた免許人は、遅滞なく、周波数又は空中線電力の変更を申請しなければならないこととし、給付金の交付の決定を受けた免許人に対する周波数又は空中線電力の変更の申請を義務付けている（法71の4Ⅰ）。

なお、特定周波数変更対策業務に係る給付金等には、電波利用料が財源として充てられる（法103の2Ⅳ(七)）。

（注）無線局の区分

特定周波数変更対策業務が実施された例として、地上基幹テレビジョン放送がある。すなわち、地上基幹テレビジョン放送のデジタル化に当たり、①アナログ放送が10年以内に停波すること、②デジタル放送が使用する周波数は、アナログ放送が使用している周波数の４分の３以下になること、③デジタル放送への周波数の割当てが５年以内に可能となることを内容とする放送用周波数使用計画（現在の基幹放送用周波数使用計画）の変更が行われており、その変更は⑴ア～ウの要件に該当している。

３　特定周波数終了対策業務

⑴　概説

総務大臣は、その公示する無線局（以下「特定公示局」（注）という。）の円滑な開設を図るため、電波利用状況調査の評価の結果に基づき周波数割当計画を変更して、当該周波数割当計画の変更の公示の日から起算して５年（当該周波数割当計画の変更が免許人等に及ぼす経済的な影響を勘案して特に必要のあると認める場合には、10年。以下「基準期間」という。）に満たない範囲内で当該特定公示局に係る無線局区分以外の無線局区分に割り当てることが可能である周波数の一部又は全部について周波数の使用の期限（以下「旧割当期限」という。）を定める場合において、予算の範囲内で、旧割当期限が定められたことにより当該旧割当期限の満了までに無線局の周波数の指定の変更を申請し又は無線局を廃止しようとする免許人等に対して、基準期間に満たない範囲内で旧割当期限が定められたことにより当該免許人等に通常生ずる費用として総務省令で定めるものに充てるための給付金の支給その他の必要な援助を行うことができる。この援助が特定周波数終了対策業務と呼ばれる（法71の２Ⅱ）。

なお、この「免許人等に通常生ずる費用」としては、①無線設備等の旧割当期限の満了の日の価額（ただし、当該旧割当期限に係る周波数割当計画の変更の公示の日から起算して10年を経過する日において当該無線設備等の耐用年数が経過しない場合には、当該日における価額を差し引いた額）及び②その無線設備等の撤去費用等に係る旧割当期限の満了の日から起算して基準期間が経過する日までの期間に応ずる利子に相当する額とすることと定められている（変更対策27）。

⑵　登録周波数終了対策機関

総務大臣は、その登録を受けた者（「登録周波数終了対策機関」という。）に、特定周波数終了対策業務の全部又は一部を行わせることができる（法71条の３の２Ⅰ）。指定周波数変更対策機関のような数の制限は無く、総務大臣は、申請が一定の要件に適合しているときは登録をしなければならないこととされる（法71の３の２Ⅲ、Ⅳ）。登録の有効期間は３年で、更新も可能である（法71の３の２Ⅶ、施行令７）。本機関については、登録検査等事業者、登録証明機関等に関する制度が広く準用されている（法71の３の２Ⅴ、Ⅺ）。

登録周波数終了対策機関が行う特定周波数終了対策業務に係る給付金の支給については、次のように定められている（法第71の３の２Ⅺ、法71の３Ⅳ、変更対策31の２）。

ア　給付金の支給条件

㋐　基準期間が５年の場合

無線局に係る指定の変更を申請し、又は無線局を廃止しようとすること。

㋑　基準期間が10年の場合

無線局（建築物等と一体として設置されているもの）を廃止しようとすること。

イ　給付金の支給額

㋐　基準期間が５年の場合

⑴の「免許人等に通常生ずる費用」に相当する額

㋑　基準期間が10年の場合

⑴の「免許人等に通常要する費用」の①に相当する額（建築物等に係るものに限る。）

具体的な金額の算定方法については総務省令に定めがある（変更対策別表）。

⑶　給付金の交付の決定を受けた免許人等の義務等

交付の決定を受けた免許人等は、遅滞なく、周波数の指定の変更（登録人にあっては、周波数の変更登録）を申請し、又は無線局を廃止しなければならない（法71の4Ⅱ）。

なお、特定周波数終了対策業務に係る給付金等には、電波利用料が財源として充てられる（法103の2Ⅳ(八)）。

（注）特定公示局

現在、次のとおり公示されている。

4,900MHzを超え5,000MHz以下の周波数の電波を使用する陸上移動業務を行う無線局（電波法施行規則第6条第4項第8号に規定する5GHz帯無線アクセスシステムの無線設備を使用するものに限る。）であって、その無線設備の設置場所（移動する無線局にあっては移動範囲）が、茨城県、栃木県、群馬県、埼玉県、千葉県、東京都、神奈川県、山梨県、岐阜県、静岡県、愛知県、三重県、滋賀県、京都府、大阪府、兵庫県、奈良県又は和歌山県であるもの（平成16年総務省告示第622号）。

4　非常の場合の通信及び実費の弁償

(1)　目的及び範囲

総務大臣は、地震、台風、洪水、津波、雪害、火災、暴動その他非常の事態が発生し又は発生するおそれがある場合においては、人命の救助、災害の救援、交通通信の確保又は秩序の維持のために必要な通信を無線局に行わせることができる（法74Ⅰ）。

この場合、天災、人災等の非常の場合が列記してあるが、更に「その他の非常の事態」の場合、また現に発生している場合及びその発生するおそれのある場合をも考慮して万全が期してある。ただし、免許人に負担を及ぼすものであるから、命令することができる通信は極めて公共性の強いものに限定されている。なお、「非常の事態」の具体例としては、警察法第71条の緊急事態の布告、自衛隊法第76条の防衛出動、同法第78条及び同法第81条の治安出動、同法第104条の電気通信設備の利用要請の場合等が想定される。しかしながら、このような国家非常事態的な重大な場合に限定されるものでなく、広く災害救助の場合等も含まれる。

なお、この命令に違反した者には罰則があり、また行政処分の対象となる（「1年以下の懲役又は100万円以下の罰金」法110(九)、法114、法76)。

⑵ 国の実費弁償義務

総務大臣が上記の非常の場合の通信を行わせた場合は、国はその通信に要した実費を弁償しなければならない（法74Ⅱ）。

これは、本命令が、人的公用負担（一定義務の完成のための労務の徴収）の意味を有し、労力を出捐せしめ、特定人に財政上の特別の負担を負わしめるものであるから、私有財産を正当な保障の下に、公共のために用いる場合に該当するものと解される（憲法29Ⅲ）。ところで、実費弁償は、実際に要した費用の弁償であるが「完全補償」ではないからその具体的問題としては、事実上、前述の電波法第71条の損失補償の場合の措置と同様の結果になるものと解される。なお、電波法第52条の非常通信の場合は、免許人の自発的意思に基づくものであって、行政庁の命令によるものではないから、実費弁償の観念は生じないことになる。

⑶ 非常の場合の通信体制の整備

非常の事態は、予期せざるときに発生するのが常であり、かつ、その通信方法等についても、日常の通信系によらない場合その他不慣れな通信を行うことがあるから、普段の準備が必要である。よって、電波法では、総務大臣は、非常の場合の通信の円滑な実施を確保するため必要な体制を整備するため、非常の場合における通信計画の作成、通信訓練の実施その他の必要な措置を講じておかなければならないとし、また総務大臣は、上記の措置を講じようとするとき、免許人等及び免許人等以外の無線局運用人の協力を求めることができるとされている（法74の２、70の７～70の９）。なお、非常の場合の通信の訓練は、目的外通信として認められている（法52㈥、施37（二十五））（注）。

（注）非常通信協議会

非常の場合の通信体制の整備には関係機関及び取扱者の深い理解と十分な協力が必要であって、このためには、緊急事態に対応できる組織を確立して、平素から、非常通信計画、訓練通信実施計画などを十分検討して、策定しておくことが必要であるので、中央、地方及び府県に、関係団体から成るそれぞれの地区の非常通信協議会が結成されて、活発な活動をつづけている。

5　その他の措置

⑴　指定無線局数の削減

総務大臣は、特定無線局（電波法第27条の２第１号に掲げる移動するものに限る。）について、その包括免許の有効期間中において同時に開設されていることとなる特定無線局の数の最大のものが当該包括免許に係る指定無線局数を著しく下回ることが確実であると認めるに足りる相当な理由があるときは、その指定無線局数を削減することができる。この場合、総務大臣は、併せて包括免許の周波数の指定を変更する（法76の２）。

⑵　登録局の新規開設の禁止等

総務大臣は、登録局のうち特定の周波数の電波を使用するものが著しく多数であり、かつ、その周波数の電波を使用する登録局が更に増加することにより他の無線局の運用に重大な影響を与えるおそれがある場合として総務省令で定める場合（注）において必要があると認めるときは、その周波数の電波を使用している登録局の登録人に対し、その影響を防止するため必要な限度において、登録に係る無線局を新たに開設することを禁止し、又は当該登録人が開設している登録局の運用を制限することができる（法76の２の２）。また、登録人以外の当該登録局の運用人に対しては、当該登録局の運用を制限することができる（法70の７Ⅳ、70の９Ⅲ、施行令４、６Ⅱ）。

⑶　周波数使用期限後に開設している無線局の免許の取消し等

総務大臣は、上記１による場合のほか、電波の有効利用の程度の評価（２－３の12参照）の結果に基づき周波数割当計画を変更して特定の無線局区分に割り当てることが可能な周波数について使用の期限を定めたときは、その期限の到来後に、その周波数の電波を使用している無線局の周波数の指定を変更し（登録局の場合は周波数の変更を命じ）、又はその周波数の電波を使用している無線局の免許等を取り消すことができる（法76の３Ⅰ）。この場合、国はこれらの処分によって生じた損失を補償しなければならない（法76の３Ⅱ）。

３の特定周波数終了対策業務の項で述べたように、周波数割当計画において特定の周波数帯の用途を変更し、免許人等にその周波数帯からの退出を求める場合は特定周波数終了対策業務の対象となるが、これは免許人等から周波数の指定変更申請が行われたり、無線局の廃止の意向が示されたりすることが前提となる。本項の制度は、免許人等がそのような状況にない場合に、周波数割当計画変更の実効を確保する観点から導入されたものである。

免許等の取消しの手続と効果は、下記7－3の4の(2)で述べるところと同様であるが、取消しが非違行為等に起因するものではないので、他の無線局に係る免許等の拒否理由となることはない。

(注) 総務省令で定める場合

5.2GHz帯高出力データ通信システムの基地局及び陸上移動中継局が増加することにより人工衛星局の運用に影響を与えるおそれがあると認められ、かつ、総務大臣が告示する条件に適合する場合とされる（施42の2）。

7－3　不適法な運用に対する監督

無線局は、常に法令に適合した適正な運用が要求されることは当然であるが、時には免許人等の故意又は過失により不適法な運用が行われることがある。この場合、免許人等の責に帰すべき事由があるときは、総務大臣は、行政目的達成上必要な措置をとる権限を留保している。

1　技術基準適合命令

総務大臣は、無線設備が電波法第3章に定める技術基準に適合していないと認めるときは、当該無線設備を使用する無線局の免許人等に対し、その技術基準に適合するように当該無線設備の修理その他の必要な措置をとるべきことを命ずることができる（法71の5）。

そもそも無線局に使用される無線設備は、電波法第3章の技術基準に適合しているべきものであり、このことは無線局開設に当たっての工事設計の審査・落成後の検査や開設後一定の期間ごとに行われる定期検査等で確認される制度になっている。また、型式検定、技術基準適合証明等の制度も、これを担保しようとするものである。しかし、これらの制度によっても無線設備の技術基準適合性がすべての瞬間について保障されるわけではなく、現実には技術基準に適合しない事態が生じる可能性がある。近年、行政による検査の簡素化、省略や不要化が大幅に進んでいることも、そのような可能性を想起させる。

無線設備が技術基準に適合しないことによって引き起こされる事態が電波秩序を乱すものである場合については、電波の発射停止命令、無線局の運用停止命令等の制度が用意されているが、そうでない場合（たとえば携帯電話端末が発熱する等の場合）や、そうであっても電波の発射停止命令等の措置が監督手段として過大又は不適当な場合もあると考えられる。

技術基準適合命令の制度は、これらのことを想定して創設されたもので、「無線設備の修理その他の必要な措置」としては、たとえば技術基準に不適合な無線設備の回収、補助電源や予備設備の備付け等が考えられよう。

2　臨時の電波の発射停止

(1)　電波の発射停止の意義

総務大臣は、無線局の発射する電波の質が、電波法第28条に定めるところに適合しないと認めるときは、当該無線局に対して、臨時に電波の発射の停止を命ずることができる（法72 I）。

これは、発射する電波の質が不良であるときは、他の正常な通信に有害な混信を与えることが多いので、電波利用社会における障害の排除を目的とし、かつ、急迫の障害の除去を意図しているものであって、電波の質の正常化がねらいである。したがって、この発射停止命令は、臨時に行われるものであって、電波の質が正常化されたときは、停止命令は解除される。

この電波発射の停止を命じうる場合は、電波の質が電波法第28条に定めるところ、すなわち、電波の周波数の許容偏差（設5）、占有周波数帯幅の許容値（設6）、スプリアス発射又は不要発射の強度の許容値（設7）に適合しない場合に限られるが、その場合において、総務大臣は、無線局の発射する電波のすべてにわたって発射停止を命ずるというのではなく、不適合の周波数の電波に対して行われるものである。また、個々の場合の不適合の度合、その他、実害の程度を考慮して判断し、段階的に措置される場合もある。

(2)　発射停止の命令から解除までの手続

ア　免許人等は、(1)の発射停止命令を受けたときは、その不良電波の改善の措置をし、その発射する電波の質が法の定めるところに適合するに至ったときは、その旨を総務大臣に申し出て、総務大臣の点検を受けなければならない。この場合、免許人等が不良電波改善の措置を怠るときは、発射停止命令は解除されず、その不利益は免許人等自身が受忍しなければならない。

イ　総務大臣は、上記の申出を受けたときは、その無線局に電波を試験的に発射させなければならないものとされており（法72Ⅱ）、その試験的に発射した電波について測定を行い（通常の場合、総務省の電波監視機関がこれを担当する。）、その電波の質が電波法第28条に基づく総務省令に定めるところに適合しているときは、直ちに前記の停止命令を解除しなければならない（法72Ⅲ）。

ウ　総務大臣は、臨時の電波の発射の停止を命じたとき及びアにより改善措置を行い電波の質の条件に適合するに至った旨の申出を受けたときは、職員を無線局に派遣して、検査（臨時検査）させることができる（7－4の3参照）（法73Ⅴ）。

エ　(1)の電波の発射停止の命令を受けた無線局の設備について、停止命令が解除されないのに運用した者には罰則が定められており（法110(八)「1年以下の懲役又は100万円以下の罰金」、法114）、また、行政処分の対象ともなる（法76）。

3　無線局の運用停止及び免許等の内容の制限

(1)　概説

総務大臣は、免許人等又は免許人等以外の無線局の運用人が、電波法、放送法若しくはこれらの法律に基づく命令又はこれらに基づく処分に違反したときは、3月以内の期間を定めて無線局の運用の停止を命じ、又は期間を定めて運用許容時間、周波数若しくは空中線電力を制限することができる（法76Ⅰ、70の7～70の9）（注①）。処分には運用停止処分と使用制限処分の2種類があるが、違反行為に対し、いずれの処分が適用されるかは、総務大臣の裁量に任されている。

また、総務大臣は、包括免許人又は包括登録人がこの法律、放送法若しくはこれらの法律に基づく命令又はこれらに基づく処分に違反したときは、3月以内の期間を定めて、その包括免許又は包括登録（電波法第27条の29の登録をいう。）に係る無線局の新たな開設を禁止することができる（法76Ⅱ）。

さらに、総務大臣は、登録人が電波法の技術基準に適合しない無線設備を使用することにより他の登録局の運用に悪影響を及ぼすおそれがあるとき、その他登録局の運用が適正を欠くため電波の能率的な利用を阻害するおそれが著しいときは、3月以内の期間を定めて、その登録に係る無線局の運用の停止を命じ、運用許容時間、周波数若しくは空中線電力を制限し、又は新たな開設を禁止することができ（法76Ⅲ）、登録人以外の無線局運用人が登録局について同様の事態を招いたときは、当該登録局の運用の停止を命じ、又は運用許容時間、周波数若しくは空中線電力を制限することができる（法70の7Ⅳ、70の9Ⅲ、Ⅳ、施行令4、6Ⅱ）。

⑵ 運用停止

無線局の運用停止とは、当該無線局の全機能の停止をいうのであるが、運用停止の期間は3か月を超えてはならず、また期間を明確に定めて行われる。どの程度の期間とするかは、違反の情状によって定まり、その判定は総務大臣の裁量に任されている。

⑶ 使用制限

運用停止のほかに、運用許容時間、周波数又は空中線電力について期間を定めて使用の制限をすることがあるが、前述の運用停止が当該局の全機能の停止であるのに対し、この場合は部分的休止、すなわち使用制限である。この使用制限をする期間については、何か月以内といったような限度の定めはないが、処分に当たっては制限する期間を具体的に定めて行われる。この場合の具体的使用制限期間の設定が総務大臣の裁量に任されていることは、運用の停止の場合と同様である。

⑷　手続及び罰則

総務大臣は、上記の運用停止、使用制限等の処分をしたときは、理由を記載した文書を免許人等に送付しなければならない（法77）。

上記の運用停止や使用制限の処分を受けていながらその無線局を運用した者には、罰則が定められており（運用停止違反の場合（法110㈧「1年以下の懲役又は100万円以下の罰金」、運用制限違反の場合（法112㈣）「50万円以下の罰金」、法114）さらに、無線局の免許取消しの原因ともなる（法76Ⅳ㈢）（注②、③）。

（注①）検査判定と運用停止処分

定期検査（法73Ⅰ）及び臨時検査（法73Ⅴ）の結果、検査不合格の判定を受けて運用の停止を受ける場合、あるいは検査合格であっても「不可」に該当する部分について使用制限を受ける場合の法的根拠も、理論上本条に求められるところである。したがって、電波法第76条自体の適用の場合は主として制裁的処分の性質を有し、かつ、非違行為の予防的効果を規定しているものということができる。

（注②）予備免許中の無線局の運用

電波法第76条の規定が、予備免許を受けた者に適用があるかどうかについては、明確な規定はないが、予備免許を受けた者には適用がないものと解すべきである。

予備免許中の運用は、落成後の検査受検準備のための試験電波の発射等正当な行為として特に許された場合を除き、許されないものであるから、その期間中の法令違反の事実に対して、運用停止等の処分を考えることは、観念上妥当でない。もちろん、予備免許中に法令が許容しない場合において運用に至ったときは、不法開設（法4、27の18違反）をもって論ぜられるが、その他の場合（例えば、試験電波の発射方法等の違反）は、おおむね落成後の検査において是正を行う程度に止めるものと解すべきである。

（注③）刑事判決の行政処分の効力に及ぼす影響

電波法上の法令違反事件については、その情状により、本条による行政処分を行うと同時に、電波法上の罰則適用等について司法機関に対し告発等を行う場合が相当に存するが、行政庁の処分の効力は、刑事事件の判決によって直ちに影響を受けるものではないとされている。したがって、刑事事件の判決を待たずして、本件行政処分を行うことは可能である。というのは、行政処分は、これを取り消し得べき権限を有する者によって正当に取り消される場合の外は、その効力を争う所定の争訟手続によってのみ取り消されるものであって、これが取り消されるまでは、その効力をくつがえし得ないのであるが、判決は、いわゆる国家刑罰権の行使に関するものであって、上述の争訟手続とは全くその性質を異にするものであるからである。もっとも、その行政処分と司法処分が相違するときは、行政庁みずから、その行政処分の適否を再検討し、もし違反事実が存在しないことが是認されるような例の場合は、自律的にその行政処分を取り消すこと等の措置ができるし、更に一歩進んで、むしろ積極的に司法処分に合致するごとき措置を執ることが妥当である。

4　無線局の免許等の取消し

免許の取消しというのは、一度有効な行政行為として成立した免許の処分の効力を、その後における新しい事実の発生に基づいて、又は免許の処分に欠陥（瑕疵）があることを理由として、失わせる行政庁の行為である(注)。

しかし、行政庁が免許等の処分を自由に取り消すことができるものとするならば、免許人の法的安定性が著しく害されることにもなるので、行政処分の公正、適正を期するためには、その取消しの理由は明確でなければならない。したがって、電波法は、取消し原因について、次のように明確にしている。

⑴　免許の取消しの原因

ア　免許人（包括免許人を除く。）の非違行為に基づく取消し

総務大臣は、免許人（包括免許人を除く。）が次の㋐～㋔の一に該当するときは、その免許を取り消すことができる（相対的取消事由）(法76Ⅳ)。

㋐　正当な理由がないのに、無線局の運用を引き続き６月以上休止したとき。

正当な理由がないのに、無線局の運用を休止するということは、電波の有効な利用を怠ることであり、否定されるべきものである。免許を受けたという優先的地位の上に眠るものであってはならないとする思想に基づくものということができる。

㋑　不正な手段により、無線局の免許若しくは電波法第17条の変更の許可を受け、又は同法第19条による指定の変更を行わせたとき。

免許、許可又は指定の変更等を受けた者が、不正な手段によって受けたことが発覚したときは、取消しによる是正の途が設けられて

いるものである。ただし、不正な手段によるものであっても、すでに多大な投資等を行い、不都合なく運営している場合その他の事情等もあるので、絶対的に取り消すものとはされていない。

㈢　無線局の運用停止命令又は使用制限に従わないとき。

無線局の運用停止命令又は使用制限の処分は、それ自体当該免許人が法令に違反したときに行われるものであるが、その処分を受けても、なお、反省の気配がなく、これらの処分に従わないときは、もはや電波利用社会より排除する外に方法がない場合もあるので、無線局の免許の取消しができるようにされている。

㈣　免許人が電波法第５条第３項第１号に該当するに至ったとき。

これに該当する者は、「電波法又は放送法に規定する罪を犯し、罰金以上の刑に処せられ、その執行を終わり、又は、その執行を受けることがなくなった日から２年を経過しない者」をいうのであるが、こうした者から無線局の免許の申請があったとき、相対的欠格事由により免許を与えないことができる。これに対応して、免許を付与された後において、非違行為によって、上記の者に該当するに至ったときは、総務大臣の裁量で取消しができるとされている。

㈤　特定地上基幹放送局の免許人が電波法第7条第2項第4号ロに適合しなくなったとき。

電波法第７条第２項第４号ロは、特定地上基幹放送局の免許を受けようとする者が放送法第93条第１項第４号に掲げる要件に適合することを求めている。この要件とは基幹放送の業務を行おうとする者が、原則として①基幹放送事業者、②①に対して支配関係を有する者、③①又は②がある者に対して支配関係を有する場合におけるその者、のいずれにも該当しないことを求めているもので、いわゆるマスメディア集中排除原則のことである。したがって、この項目は、特定地上基幹放送局の免許人がマスメディア集中排除原則に違反することとなった場合に免許が取り消されうることを示している。

イ　包括免許人の非違行為に基づく取消し

総務大臣は、包括免許人が次の各号の一に該当するときは、その免許を取消すことができる（法76Ⅴ）。

⑺　包括免許の付与の際指定した運用開始の期限までに特定無線局の運用を全く開始しないとき。

⑴　正当な理由がないのに、その包括免許に係る全ての特定無線局の運用を引き続き6月以上休止したとき。

⑼　不正な手段により、包括免許若しくは電波法第27条の8第1項の許可を受け、又は同法第27条の9による指定の変更を行わせたとき。

㈤　無線局の運用停止命令若しくは使用制限又は包括免許に係る無線局の新たな開設の禁止に従わないとき。

㈥　包括免許人が電波法第5条第3項第1号に該当するに至ったとき。

ウ　無線局の登録の取消し

総務大臣は、登録人がいずれかに該当するときは、その登録を取り消すことができる（法76Ⅵ）。

⑺　不正な手段により登録又は変更登録を受けたとき。

⑴　運用停止命令、登録効力停止措置等に従わないとき。

⑼　登録人が電波法第5条第3項第1号に該当するに至ったとき。

取消し手続、取消しに伴う効果等については、免許の場合と同様である。

エ　電気通信業務用無線局の免許の取消し

総務大臣は、電気通信業務を行うことを目的とする無線局の免許人等が次の各号のいずれかに該当するときは、その免許等を取り消すことができる（法76Ⅶ）。

⑺　電気通信事業法第12条第1項の規定により、同法第9条の登録を拒否されたとき。

⑴　電気通信事業法第13条第3項において準用する同法第12条第1項の

規定により、同法第13条の第1項の変更登録を拒否されたとき（当該変更登録が無線局に関する事項の変更に係る場合に限る。）。

(ウ)　電気通信事業法第15条の規定により、同法第9条の登録を抹消されたとき。

平成27年の電気通信事業法の改正により、電気通信事業の登録更新の制度が設けられる等電気通信事業の登録に関する制度の整備が図られたが、これを受けて、電気通信事業の登録が拒否されたり、抹消された場合には電気通信事業を遂行するために開設される電気通信業務用無線局の免許も取り消されることを明定したものである。

オ　取消しの対象となる無線局等

以上列記した取消し原因に該当する場合には、総務大臣は無線局の免許等を取消すことができるが、加えて、当該免許人等であった者が受けている他の無線局の免許等又は特定無線局の開設計画若しくは無線設備等保守規程の認定をも取り消すことができることとされている（法76Ⅷ）。この処分は、違反等のあった無線局に対して行うというよりも、その免許人等に対する対人的制裁であるからである。

カ　免許人の人格的欠格に基づく取消し

総務大臣は、免許人が電波法第５条第１項、第２項及び第４項の規定により免許を受けることができない者となったとき又は地上基幹放送の業務を行う認定基幹放送事業者の認定がその効力を失ったときは、当該免許を受けることができない者となった免許人の免許又は当該地上基幹放送の業務に用いられる無線局の免許を取り消さなければならない（法75）。

無線局の免許の絶対的欠格事由（外国性の排除及び基幹放送をする無線局についての基幹放送の性格からする特則）は、免許を与えられた後においても維持されるべき性質の要件である。しかも、絶対的不適格性を示すものであるので、総務大臣に裁量の余地がなく、義務として取り消さなければならない。

ただし、総務大臣は、免許人が法第５条（欠格事由）第４項（第３

号に該当する場合に限る。）の規定により免許を受けることができない者となった場合において、同項第３号に該当することとなった状況その他の事情を勘案して必要があると認めるときは、当該免許人の免許の有効期間の残存期間内に限り、期間を定めてその免許を取り消さないことができることとされている（法75Ⅱ）。これは、地上基幹放送事業者に対し間接外資出資規制の導入が行われた（２－２の４参照）ことにより、地上基幹放送事業者自らの責めに帰すことのできない事由により外資規制違反となることが想定されることを考慮したものである。

なお、免許を受けた無線局の免許人に対し、電波法第５条の規定は適用されないから、その欠格事由に該当することによって、当該免許が当然に失効するものではなく、別個の取消し処分を行わなければならない。

(2)　免許取消し手続及び失効後の措置

ア　取消し手続

取消しについては、電波法第75条の人格的欠格に基づく場合は、総務大臣に裁量の余地はなく義務的なものであるから、格別の問題はないが、同法第76条第４項、第５項又は第７項による場合は、総務大臣の裁量に任されているのであるから、その判定の妥当性において十分配慮がなされなければならない。

元来、免許の取消しは、免許を受けている者の自由を剥奪する処分であるから、その理由が明確にされるべきであり、またその手続も慎重でなければならない。電波法では、取消し処分を受ける者の利益を保護し、取消し処分が公正に行われることを確保する手段として、総務大臣が、この取消し処分をしようとするときは、総務省に置かれる電波監理審議会に諮問して、その議決を尊重して措置しなければならないものとされている（法99の11Ⅰ㈢）。

なお、総務大臣が免許の取消し処分をしたときは、理由を記載した文書を免許人に送付することを要する（法77）。

イ　取消しに伴う効果

無線局の免許の取消しが行われると、無線局の免許はその効力を失う。したがって、免許を取り消された後、当該無線局を運用すれば不法開設となり（法4違反）、罰則が適用される（「1年以下の懲役又は100万円以下の罰金」法110㈠㈡、114）。また、その後、再び無線局の免許の申請をしたとしても、その取消しを受けた日から2年を経過しない者には、総務大臣は免許を与えないことができること（法5Ⅲ㈡）及び特に基幹放送（衛星基幹放送等一定のものを除く。）をする無線局の場合は、免許は与えられないことになっている（法5Ⅳ㈠）。

なお、免許の取消しが行われたときは、免許はその効力を失うものであるから、免許人であった者は、1か月以内にその免許状を返納しなければならないし（法24）（未返納の場合の罰則、「30万円以下の過料」法116㈢）、遅滞なく空中線の撤去その他の総務省令で定める電波の発射を防止するために必要な措置を講じなければならない（法78）（講じない場合の罰則「30万円以下の罰金」法113(二十一)）。

（注）取消し

講学上「取消し」とは、行政行為の成立に瑕疵があることを理由としてその法律上の効力を失わしめ、既往に遡って初めからその行為がなされなかったのと同様の状態に復せしめることをいい、これに対して、何ら瑕疵がなくして成立した行政行為について、その後になって、その効力を将来に存続せしめ得ない新たな事情が発生したために、将来に向かってその行為の効力を失わしめることは「撤回」と呼んで区別しているが、実定法上はこの「撤回」をも含めて「取消し」と呼ぶことが多い。

なお、「既往に遡って初めからその行為がなされなかったのと同様の状態に復せしめる」といっても、現実にはその行為を前提に新たな法律秩序が出来上がっていて、この原則を貫くことにより第三者に不測の損害を生じさせる場合が多いと考えられる。このような場合には、講学上の「取消し」であっても効果は既往に遡らないものと解釈すべきとされる。無線局の免許の取消については、講学上の「撤回」に当たる場合が大部分であろうが、仮に講学上の「取消し」に当たる場合があったとしても、その効果は将来に向かってのみ発生すると解すべき例が一般であろう。

5　免許を要しない無線局及び受信設備に対する監督

(1)　免許を要しない無線局等の監督の意義

総務大臣は、免許を要しない無線局の無線設備の発する電波又は受信設備が副次的に発する電波又は高周波電流が、他の無線設備の機能に継続的かつ重大な障害を与えるときは、その設備の所有者又は占有者に対して、その障害を除去するために必要な措置をとるべきことを命ずることができる（法82Ⅰ）。これは、電波利用分野における無線通信の妨害除去のための特別措置である。

これらの無線設備は、設備が劣悪だったり、又は運用如何により、あるいは場所的に、あるいは時間的に他の無線設備の機能に障害を与える場合がありうる。このため電波利用社会の秩序維持のために監督をすることができるようにされている。

⑵　障害除去のための措置命令

障害による妨害の保護の対象となるのは、他のすべての無線設備である。ここで「受信設備」及び「他の無線設備」の中には、いずれもラジオ受信機やテレビ受像機が含まれるものであるから、ラジオ受信機やテレビ受像機が、他に妨害を与えるときは、妨害源として障害除去措置の規制の対象となると同時に、他から妨害を受けるときは、その妨害からの保護の対象ともなるのである。なお、ここにいう「高周波電流」とは、その基準は明確ではないが、一応10キロヘルツ以上のものが問題となろう。

障害除去のための措置がとられるのは、継続的かつ重大な障害の場合である。「継続的かつ重大な障害」とは、障害の度合、すなわち、措置を要する限界を示すものであるが、それは通信の目的及び効果を失わしめるほどの社会通念上放任できない障害である場合と解すべきであろう。

この障害除去措置の受命者は、「所有者又は占有者」である。所有者とは、所有権（目的物に対する包括的な支配権、すなわち目的物を自由に使用、収益、処分する権利）を有する者をいい、占有者とは、自己のためにする意思で目的物を所持する状態にある者をいう。

その障害を除去するために命ずる措置は、障害の態様によって、それぞれ異なる。なお、その措置命令に違反した者には罰則が定められている（法113（二十四）「30万円以下の罰金」、法114）。

(3)　立入検査

総務大臣は、以上の措置をとるべきことを命じた場合において、特に必要があると認めるときは、放送の受信を目的とする受信設備の場合を除き、その職員を当該設備のある場所に派遣して、その設備を検査させることができる（法82Ⅱ）。

この立入検査は、上記の措置を命じて、なお障害の除去ができない場合のごとく、特に必要があると認める場合に限られる。すなわち、この立入検査は、障害除去の措置を命じたときに行うものであって、かつ、その障害除去の目的の範囲内に限られる。

ここで、放送の受信を目的とする受信設備、すなわち、ラジオ受信機及びテレビ受像機等については、立入検査は認められていない。というのは、国民一般に広く普及しているこれら設備の設置場所に立入検査を認めることは、憲法第35条に規定する住居不可侵の原則との対比において問題を生ずるおそれなしとしないので、万全を期したものと解される。

更に、立入検査に際しては、電波法第39条の９第２項及び第３項の規定が準用されているが（法82Ⅲ）、これは検査職員の権限行使に対する規律として、検査職員の身分を示す証票の携帯及び提示義務の規定並びに当該検査を犯罪捜査のためと解してはならないという規定を準用しているのであって、検査の本質上両者に差異はないから、当然の措置であるということができる。なお、本件検査を拒み、妨げ、又は忌避した者には罰則がある（法111「６月以下の懲役又は30万円以下の罰金」、法114）。

6　無線従事者の免許の取消し及び従業停止

(1)　無線従事者に対する制裁の意義等

無線従事者は、電波に関する知識技能を有するものとして、総務大臣から免許を与えられた者であるから、無線局に関する専門家として常に法令に適合する運用を行わなければならない。また、主任無線従事者の監督の下に無資格者が操作する場合は、その監督の職務を忠実に実行しなければならない。このため、総務大臣は、無線従事者に法令違反その他非違行為があったときは、制裁処分を行うことができることとされている（法79Ⅰ）。

ここで、①無線従事者の非違行為に対し、処分をなすかどうか、②その処分をなす場合において、免許の取消し処分とするか、従業停止処分とするか、③従業停止処分とする場合において、いかなる期間を定めるかについては、すべて総務大臣の裁量に任せられている。

⑵　免許の取消し又は従業停止処分の原因

総務大臣は、無線従事者が下記の一に該当するときは、その免許を取消し又は 3 か月以内の期間を定めてその業務に従事することを停止することができる（法79 I）。

ア　電波法又は電波法に基づく命令又はこれらに基づく処分に違反したとき。

イ　不正な手段により無線従事者の免許を受けたとき。

ウ　無線従事者の免許を受けた後、著しい心身の欠陥が生じ、無線従事者たるに適しない者となったとき（法42 ㊂）。

⑶　免許の取消し及び従業停止処分の手続及び効果

ア　免許の取消し手続

無線従事者の免許の取消しは、資格を剥奪する処分であるから、極めて重大である。したがって、取消し処分が公正に行われることを確保するための手段として、総務大臣が、この処分をしようとするときは、総務省に置かれる電波監理審議会に諮問して、その議決を尊重して措置しなければならない。この手続は、無線局の免許の取消しの場合と同様である（法99の11 I ㊂）。

なお、総務大臣は、無線従事者の免許の取消し、又は従業停止の処分をしたときは、理由を記載した文書を本人に送付しなければならない（法79Ⅲ）。

イ　取消し処分の効果

㋐　無線従事者の免許の取消しが行われると、無線従事者の免許は当然にその効力を失う。したがって、無線従事者の免許の取消しを受けた者が、無線設備の操作を行えば、無資格操作として罰則が適用される（法113（十八）「30万円以下の罰金」、法114）。

⑴　無線従事者の免許取消しの処分を受けたときは、無線従事者であった者は、その処分を受けた日から10日以内にその免許証を総務大臣又は総合通信局長に返納しなければならない（従51Ⅰ）。

⑵　その後再び無線従事者の免許の申請をしたとしても、その免許の取消しを受けた日から２年を経過しない者には、総務大臣は免許を与えないことができる（法42㈡）。

ウ　従業停止処分の効果

従業停止の処分を受けた者が停止期間中に無線設備の操作を行ったときは、罰則が適用される（法113（二十二）「30万円以下の罰金」、法114）。また従業停止の処分違反であるから、免許の取消しの原因になり得る（法79Ⅰ㈠）。

7－4　一般的監督

1　無線局の検査

(1)　検査の分類

電波法上の検査を検査目的に基づいて分類すれば、次のとおりである。

ア　無線局に対する検査

⑺　落成後の検査（新設検査）	法10
⑴　変更検査	法18
⑵　定期検査	法73Ⅰ
⑶　臨時検査	法73Ⅴ
⑷　免許を要しない無線局の検査	法82Ⅱ

イ　無線局以外のものに対する検査

⑺　受信設備の検査	法82Ⅱ
⑴　許可を要する高周波利用設備の検査（注①）	法100Ⅴ

上記の無線局に対する検査のうち、落成後の検査（新設検査）及び変更検査は、いずれも免許又は許可の行政処分に付随するもので、本章にいう監督とは区別されるべきものであるから、ここでは説明を行わない。

⑵ 検査の目的及び効果

一般的監督のための検査は、別に述べる電波監視とともに、無線局の一般的、恒常的監督のうち、最も重要かつ代表的な監督方法であって、それは、定期的に行うものと臨時的に行うものとがある。いずれも、その主たる目的は、法令の執行確保にある。

検査は、原則としては現場における実証であるが、検査のための電波を発射させ、これを遠隔測定して実証・確認する方法や、検査の一部を省略する規定の適用によって書類確認の方法がとられることもある。これらは、無線局として法令に適合しているべきとされているものを、現実に確かめる手段として設けられた制度であって、法令の執行確保を実証的に把握しようとするものである（注②）。

検査に伴って、いろいろの効果が生ずる。しかし、これらの効果は検査の判定から直接生ずるものではなく、別の法条による効果である。例えば、定期検査及び臨時検査の不合格に伴う運用停止、使用制限等の処分は、電波法第76条第１項による効果である。

（注①）許可を要しない高周波利用設備と検査

許可を要しない高周波利用設備についても電波法第82条第1項の規定が準用されており（法101）、免許を要しない無線局や受信設備と同様、障害除去の措置命令はできるが、第82条第２項の規定は準用されていないので、検査はできない。

（注②）検査の法的性質

検査のうち、判定を行うために無線局の人的、物的設備を検査する行為は事実行為であるが、検査の判定は、講学上の「準法律行為的行政行為」のうちの「確認」に該当するものと解されている。

また、検査において、検査基準に適合していないことを具体的に免許人に指摘する行為は「指示」と呼ばれているが、この指示は「準法律行為的行政行為」であり、法律的効果を伴うものであるから、判定と同様に電波法第83条の審査請求の対象たりうるものと解されている。この場合、指示によって生ずる免許人の遵守義務又は原状回復義務は、指示そのものから生ずるのではなく、法令違反としての効果である。

なお、検査結果の判定は、公の権威をもって確認し、宣言するものであるから、電波法第83条の審査請求に関する法定期間の経過により、形式的確定力を生じて、行政行為の相手方より、もはや、その効力を争い得ないものとなり、また、同時に、本件判定が確認的性質を有する行為であるところから、実質的確定力を生じて、行政庁みずから、その自由な取消し、又は変更の制限を受けることとなるものと解されている。

2　定期検査

⑴　定期検査の目的及び意義

検査権者である総務大臣は、総務省令で定める時期ごとに、あらかじめ通知する期日に、その職員を無線局（総務省令で定めるものを除く。）に派遣して、その無線設備、無線従事者の資格及び員数並びに備付けを要する時計及び書類について検査することになっている（法73Ⅰ）。この場合、その無線局の発射する電波の質又は空中線電力に係る無線設備の事項以外の検査を行う必要がないと認める無線局については、職員を無線局に派遣せず、その無線局に電波の発射を命じ、電波監視機能を使って遠隔地における測定のみによって検査を行うことがあるとされている（法73Ⅰただし書）。これらの検査を定期検査という。

定期検査の目的は、当該無線局が免許を受けた際に、審査及び検査された条件が、その後持続されているかどうかを点検するところにあるのである。したがって、後述の臨時検査の場合のように、特別の案件があって検査を行うものとは異なり、案件の有無にかかわらず、定期的に行われる性質のものである。

⑵　定期検査の実施

ア　定期検査の実施時期

定期検査は、総務省令で定める時期ごとに行われるが、この時期ごととは或る定期検査から次の定期検査までの期間のことであって、いわば定期検査の周期であり、また頻度ということでもある。

この実施時期については、無線局の免許（再免許を除く。）の日（包括免許に係る特定無線局にあっては、開設した日）以後最初に行う定期検査の時期は、総務大臣又は総合通信局長が指定した時期とし（施41の3）、その後の時期については、無線局の重要性等を考慮し、無線局の種別及び業務内容等に応じて定めてある。区分した無線局の種別ごとに、それぞれ1年、2年、3年、5年等と定められており、前の検査からこの期間を経過した日の前後３か月を超えない範囲が事実上の定期検査の時期となる（施41の4、別表5）。

ただし、免許人の事業又は無線局の運用等の事情によっては所定の時期に定期検査を受けることができない場合が生ずることがある。このような場合には、免許人の申出により、適当と認めるときは、総務大臣又は総合通信局長が定期検査の時期を別に定めることができる（施41の４ただし書）。

イ　検査の期日

定期検査は、アの時期がきた無線局について、免許人にあらかじめ検査を行う期日を通知してから行われる。ここで期日というのは、時期が定期検査を行う周期の意味であるのに対し、検査を実施する具体的な日取りのことである。

ウ　定期検査手数料等

定期検査を受ける者は、法定の手数料を、一定の方式に従い、納付しなければならない（法103Ⅰ(二十一)、手数料令19）。

また、定期検査を拒み、妨げ、又は忌避した者には、罰則がある（法111「６月以下の懲役又は30万円以下の罰金」、法114）。

エ　検査結果

定期検査が実施されたとき（電波法第73条第4項の規定により検査の一部が省略されたときを含む。）は、当該検査の結果に関する事項が無線局検査結果通知書により総務大臣又は総合通信局長から免許人等に通知される（旋39Ⅰ、別表４）。

免許人等は、検査の結果について総務大臣又は総合通信局長から指示を受け相当な措置をしたときは、速やかにその措置の内容を総務大臣又は総合通信局長に報告しなければならない（旋39Ⅲ）。

検査の結果、法令違反の状況にあるときは不合格となるが、このときは通例、運用停止処分（処分の理論的根拠は電波法第76条である。）が行われる。その場合、免許人において不合格箇所を補正して申し出れば、臨時検査が実施され、合格すれば、運用再開が認められる。

(3)　定期検査を実施しない無線局

ア　別に総務省令（施41の2の6）で定める無線局については、定期検査を全く実施しない（法73Ⅰ）。この定期検査を行わない無線局は、開設の目的、無線局管理の状況等からして定期検査を行う必要性が低いと認められたもので、次の無線局が定められている。

(ア)　単一通信路の固定局及び多重通信路の固定局のうち、700MHz帯高度道路交通システムのもの、実数零点単側波帯変調方式のもの、狭帯域デジタル通信方式のもの又は60MHz帯の周波数の電波を使用する市町村デジタル防災無線通信を行うもの

(イ)　地上基幹放送局であって、次に掲げるもの

a　受信障害対策中継放送（超短波放送（デジタル放送を除く。）に係るものに限る。）を行うものであって、空中線電力が0.25ワット以下のもの

b　470MHzを超え710MHz以下の周波数の電波を使用するテレビジョン放送を行うものであって、空中線電力が0.5ワット以下のもの

(ウ)　地上基幹放送試験局

(エ)　地上一般放送局（エリア放送を行うものに限る。）

(オ)　基地局（空中線電力が1ワット以下のものに限る。）

(カ)　携帯基地局（空中線電力が1ワット以下のものに限る。）

(キ)　無線呼出局（電気通信業務を行う空中線電力1ワットを超えるものを除く。）

(ク)　陸上移動中継局（空中線電力が1ワット以下のものに限る。）

(ケ)　船舶局であって、次のいずれかの無線設備のみを設置するもの

a　F2B電波又はF3E電波156MHzから157.45MHzまでの周波数を使用する空中線電力5ワット以下の携帯して使用するための無線設備

b　簡易型船舶自動識別装置（aと併せて設置する場合を含む。）

c　a又はb及び(セ)のレーダー

(コ)　遭難自動通報局であって、携帯用位置指示無線標識のみを設置するもの

(サ)　船上通信局

(シ)　陸上移動局

(ス)　携帯局

(セ)　無線航行移動局（総務大臣が別に告示するレーダーのみのものに限る。）

(ソ)　無線標定陸上局（426.0MHz、10.525GHz、13.4125GHz、24.2GHz又は、35.98GHzの電波を使用するものに限る。）

(タ)　無線標定移動局

(チ)　VSAT地球局

(ツ)　船舶地球局（簡易型船舶自動識別装置のみを設置するものに限る。）

(テ)　航空機地球局（航空機の安全運航又は正常運航に関する通信を行わないものに限る。）

(ト)　携帯移動地球局

(ナ)　実験試験局

(ニ)　実用化試験局（基幹放送を行うものであって人工衛星に開設するものを除く。）

(ヌ)　アマチュア局

(ネ)　簡易無線局

(ノ)　構内無線局

(ハ)　気象援助局

(ヒ)　特別業務の局（道路交通情報通信を行う無線局及びアマチュア局に対する広報を送信する無線局に限る。）

なお、定期検査を実施しない無線局でも電波法の施行を確保するため特に必要があるときは、後述の臨時検査を行うことができる。

イ　無線局のある船舶又は航空機が定期検査の時期に外国地間を航行中の場合は、その時期を延期し、又は省略されることがある（法73Ⅱ）。

⑷　民間能力を活用した定期検査の全部省略及び一部省略

無線局の検査への民間能力の活用については、総務大臣の登録を受けた者（登録検査等事業者及び登録外国点検事業者）が、無線設備等の点検を行い、免許人から当該点検の結果を記載した書類の提出があったときは、検査の一部を省略できることとされている。この制度は定期検査のみならず、落成後の検査及び変更検査においても広く活用されている。

さらに、登録検査等事業者が無線設備等の検査を行い、免許人から当該無線局の無線設備等の検査結果が法令の規定に違反していない旨を記載した証明書の提出があったときは、定期検査の全部を省略する制度も設けられている。

これらの制度による定期検査の全部省略及び一部省略の規定の概要は、次のとおりである。

ア　検査の全部省略

総務大臣は、無線局（人の生命又は身体の安全の確保のためその適正な運用の確保が必要な無線局として総務省令で定めるもの（注①）を除く。）の免許人から、総務大臣が通知した定期検査の実施期日の１か月前までに、当該無線局の無線設備等について登録検査等事業者（無線設備の点検の事業のみを行う者を除く。）が、総務省令で定めるところ（注②）により検査を行い、当該無線局の無線設備がその工事設計に合致しており、かつ、その無線従事者の資格及び員数並びに時計及び書類が電波法の該当規定に違反していない旨を記載した証明書（検査結果証明書）の提出があったときは、検査を省略することができる（法73Ⅲ）。

具体的には、免許人から提出された検査実施報告書及びこれに添付された検査結果証明書が適正なものであって、かつ、検査（点検である部分に限る。）を行った日から起算して３か月以内に提出された場合は、検査が省略される（施41の５、別表5の２）。

イ　検査の一部省略

㋐　総務大臣は、定期検査を受けようとする無線局の免許人から、あらかじめ通知した検査期日の１か月前までに、下記の「無線設備等の点検実施報告書」の提出があったときは、検査の一部を省略することができる（法73Ⅳ）。ただし、人の生命又は身体の安全の確保のためその適正な運用の確保が必要な無線局として総務省令で定める無線局（注①の無線局に同じ）で、国が開設するものは除かれる（検査19Ⅲ）。

(イ) 検査の一部の省略を受けようとする免許人は、検査を受けようとする無線局の無線設備等について、登録検査等事業者又は登録外国点検事業者により、総務省令で定めるところによる点検を受け、その点検の結果を記載した書類を提出する。

この提出書類は、「無線設備等の点検実施報告書」といい、様式が総務省令で定められている。なお、この報告書には、登録検査等事業者等が作成した点検結果通知書を添付しなければならない（施41の６、別表第5号の３）。

(ウ) 免許人から提出された「無線設備等の点検実施報告書」が適正なものであって、かつ、点検を実施した日から起算して３か月以内に提出されたものである場合は、検査の一部が省略される（施41の６）。即ち、国による実地検査が省略され、書面審査による検査の判定が行われる。

（注①）定期検査の全部省略の対象とならない無線局

次のいずれかに該当する無線局である（検査15）。

1　電波法第103条の２第14項各号に掲げる者が専ら当該各号に定める事務の用に供することを目的として開設する無線局その他これらに類するものとして電波法施行令第12条各号に掲げる無線局（電波利用料制度が適用されない無線局）

2　電波法第103条の２第13項第１号及び２号に掲げる無線局（電波利用料が半額となる無線局）

3　基幹放送局

4　船舶局（旅客船のものに限る。）

5　航空機局

6　地球局（一般放送及び衛星基幹放送の業務の用に供するものに限る。）

7　航空機地球局
8　船舶地球局（旅客船及び1の無線局を開設する船舶のものに限る。）
9　人工衛星局（一般放送の業務の用に供するものに限る。）
10　衛星基幹放送局
11　以上のほか、無線局の目的及び利用方法を勘案して、総務大臣が別に告示する無線局

（注②）登録検査等事業者による検査の実施要領

検査の実施項目及び実施方法について、総務省令による定めがある（検査16、17、別表5）。

3　臨時検査

(1)　臨時検査の意義

一般的監督として、総務大臣は、所定の時期ごとに定期検査を行うが、その他一定の事由があるときは、臨時に検査を行うことがある（法73Ⅴ）。臨時検査の目的、検査対象等は、定期検査の場合とほぼ同様であるが、臨時検査を行う期日は、あらかじめ通知しなくてもよい点が異なる。

(2)　臨時検査の実施

臨時検査を行うことがあるのは、次の場合である（法73Ⅴ）。

ア　電波法第71条の5の無線設備の修理その他の必要な措置をとるべきことを命じたとき。

イ　電波法第72条第1項の臨時の電波の発射の停止を命じたとき。

ウ　イの電波の発射停止命令に対して、免許人が措置をして、法令に適合するに至った旨の申出があったとき。

エ　無線局のある船舶又は航空機が外国へ出港しようとするとき。

オ　その他電波法の施行を確保するために特に必要があるとき。

なお、臨時検査は、職員を無線局に派遣して実施されるのが原則であるが、エ及びオの場合において、当該無線局の発射する電波の質又は空中線電力に係る無線設備の事項についてのみ検査を行えば足りると認められる場合は、電波監視機能を使って遠隔地における測定のみによって、検査を行うことがある（法73Ⅵ）。

⑶　臨時検査の結果等

臨時検査の結果、合格すれば、従来どおり運用を継続することが認められ、検査不合格となれば、運用停止処分が行われることがある等のことは、定期検査の場合と同様である。なお、手数料は、臨時検査の場合は不要である。

また、臨時検査を拒み、妨げ、又は忌避した者には、定期検査の場合と同様に罰則が定められている（法111「６月以下の懲役又は30万円以下の罰金」、法114）。

4　検査職員に対する規律

ア　行政庁の職員が、監督上の必要から、無線設備の設置場所に立入り、検査をすることは、これを受忍しなければならない者にとって、相当大きな権利、自由の制限あるいは侵害になることであるから、これらの権限を行使する検査職員に対しても、十分規律が守られなければならない。

そもそも、憲法第35条は、「何人も、その住居、書類及び所持品について、侵入、捜索及び押収を受けることのない権利は、第33条（現行犯逮捕及び令状による逮捕）の場合を除いては、正当な理由に基いて発せられ、且つ、捜索する場所及び押収する物を明示する令状がなければ、侵されない。」と規定している。

ところで、この憲法の規定は、刑事手続きに関するものであって、行政上の監督のために行われる立入検査には一応関係ないものと一般に解されている。したがって、通常の行政機関の職員に対し、令状なしに立入りの権限を付与することは、違憲ではなく一般に認められているが、その権限は、あくまでその立入りの目的が犯罪捜査と関連がない場合、すなわち、単に法令の目的を確保するための指導、行政取締等にのみ許されるのである。電波法第73条第７項（法39の９Ⅲを準用）の規定にも「定期検査及び臨時検査は、犯罪捜査のために認められたものと解釈してはならない。」と規定しているが、これは上記の趣旨を明らかにしたもので、念のための規定であるということができる。

イ　立入り検査の結果、犯罪事実が判明することもあろうが、犯罪捜査を行う積極的意思が認められない限り格別問題とはならない。しかし、この場合、職務を行うことにより犯罪事実を発見したものとして、公務員として告発の義務が課せられている（刑事訴訟法239Ⅱ）。

ウ　立入りは、私人に対する権利、自由の制限であるから、これを行う者が、権限ある職員であることが明確となるようにする必要がある。電波法第73条第7項（法39の9Ⅱを準用）は、無線局に立ち入り、検査する職員は、その身分を示す証票を携帯し（注）、かつ、関係人の請求があるときは、これを提示しなければならない旨規定している。

エ　電波法第4条違反（不法開設）容疑者の摘発のごとく、犯罪捜査のため、刑事手続として立入りを行う場合にあっては、刑事訴訟法等の規定により裁判官の令状（逮捕令状、捜査令状、押収令状等）を要すると共に、司法関係官と同行することとなる。

オ　以上のことについては、電波法第82条の免許を要しない無線局及び受信設備に対する立入り検査等の場合も同様である。

なお、電波法第10条の落成後の検査及び同法第18条の変更検査の場合は、予備免許を受けた者又は免許人の要請によって行われる検査であるから、強制立入りの観念は存在しない。

カ　本件立入り検査の性質は、いわゆる間接強制であって、相手方が拒否した場合に、その抵抗を排除してまでも、立入り検査を行う権限（すなわち、直接強制の権限）を与えるものではないと通常解されている。したがって、相手方が拒否すれば強行できないが、その拒否の情状が、検査を拒み、妨げ、又は忌避に当たる場合は、電波法の罰則により、また、検査職員の職務執行に対して暴行又は脅迫を加えた場合に当たるときは、刑法第95条の公務執行妨害罪（「3年以下の懲役若しくは禁錮又は50万円以下の罰金」）により、措置されることとなる。

（注）身分を示す証票の携帯

身分を示す証票の携帯と犯罪の成立との関係について、判例によると、検査職員であることに争いがなかった場合は、証票の携帯がなくても、検査はなしうるものとされ（昭26.8高松高判）、また、検査職員が証票を携帯していなかったとしても、検査を受ける側において、右証票の不携帯を理由として、これに対して暴行又は脅迫を加えた場合は、公務執行妨害罪の成立を妨げないものとしている（昭27. 3.28、最高裁第二小法廷判決）。

5　無線局関係事項の報告の徴収

一般に行政庁は、一定の事務を執行する場合において、法令の執行を確保し、又は行政の公正適切な運用を図る目的で、その事務に関係のある個々の私人から報告を徴することとするのが通常である。

電波法上においても、総務大臣は一定の事項について、報告を徴する旨の規定を法律に設け（法80、81、81の２、なお法26の２Ⅴについては２－３の12で前述）、あるいは法律に基づく施行命令として省令をもって報告について規定している。

(1)　特定事項の報告

無線局の免許人等は、次に掲げる場合は、総務省令の定める手続により、総務大臣に報告しなければならない（法80）。

ア　遭難通信、緊急通信、安全通信又は非常通信を行ったとき（免許人等以外の無線局運用人が行ったときを含む。）。

イ　電波法又は電波法に基づく命令の規定に違反して運用した無線局を認めたとき。

ウ　無線局が外国において、あらかじめ総務大臣が告示した以外の運用の制限をされたとき。

以上の事項は、電波法があらかじめ予定し、特定している事項であって、この列記事項に該当する事項が発生したときは、免許人等には、自動的に報告義務が生じ、できる限り速やかに文書によって総務大臣又は総合通信局長に報告しなければならない（施42の４）。

ところで、アの通信は、電波法第52条に掲げる、いわゆる緊急非常の場合であって、行政庁においては、当該通信の発動の時期、運用方法、その他について、監督的立場から知る必要があるものである。したがって、この通信を行ったときは、無線業務日誌に、その都度、その通信の概要及びこれに対する措置の内容を記載することとなっており（施40)、ほぼその内容と同様のものを、報告しなければならない（注)。

なお、アのカッコ内は、平成19年及び20年の電波法改正により、免許人等が無線局を自己以外の者に運用させる可能性が生じたことから、それらの者によって遭難通信等が行われた場合についても免許人等に報告義務を課したものである。

イは、複雑な構成内容をもつ電波の利用分野においては、法規による一次的規制のみでは、十分な秩序を保ち難い点も存するので、電波の利用者たる免許人等の協力を得て、行政目的を更に効果的に達成しようとしているものである。ここで、法令に違反して運用した無線局とは、電波法第4条違反の不法開設局のほか、運用方法その他一切の運用について違反した無線局をいう。

また、この報告に必要な資料の収集に際し、電波法第59条（秘密の保護）との関係が生ずるが、同条にいう「法律に別段の定めがある場合」に該当するものとは解し難いから、電波法第59条に違反しない限度において、この報告に必要な資料収集を行うべきものであると解される。

ウは、日本の無線局が外国領域内において、あらかじめ総務大臣が告示した以外の運用制限をされたときに報告を求めるものである。これは、外国の領域内においては、当然、当該外国法に従わなければならないが、無線通信のごとき国際性を有するものについては、行政庁としてもかかる事実を十分把握して、相互主義の観点に立って、わが国の無線通信政策等にも反映せしめる必要があるからである。

⑵　不特定事項の報告

⑴の場合は、特定事項の報告について、あらかじめ電波法に規定しているものであるが、この他にも報告を徴する必要の生ずることがある。そこで別に、総務大臣は、無線通信の秩序の維持、その他無線局の適正な運用を確保するために必要があると認めるときは、免許人等に対し、無線局に関し報告を求めることができることとしている（法81)。この場合、免許人等は総務大臣より報告を求められてから初めて報告義務が生ずる。

また、ここでいう、必要があるときに報告を求めることができるということの意図するところを定形化して、定期的に報告を徴するものとしたものに、次のようなものがある。

ア　船舶関係事項及び航空機関係事項（電波法第６条第３項～第６項に規定する事項を指す。）の変更の場合の届出（施43Ⅰ）

イ　遭難自動通報局、無線航行移動局、船舶地球局又は航空機地球局の船舶又は航空機の所有者、主たる停泊港（又は定置場）の変更の届出（施43Ⅱ）

ウ　移動する無線局（上記のアに係る無線局及びイに掲げる無線局を除く。）の無線設備の常置場所変更及び包括免許人の事務所変更の届出（施43Ⅲ）

エ　基幹放送局の事業計画の変更、事業収支の結果の届出（施43の２）

オ　社団であるアマチュア局の定款及び理事の変更の届出（施43Ⅳ）

なお、無線従事者については、通例的な報告の義務はない。ただ船舶局無線従事者証明を受けている者に対しては、必要に応じ報告を求めることができる（法81の２Ⅰ）。また、総務大臣は、この証明について疑義があるときは、証明の効力を確認するための書類の提出を求めることができる（法81の２Ⅱ、施43の４）。

（注）遭難通信、緊急通信又は安全通信の報告

遭難通信及び緊急通信にあっては、当該通信を発信したとき又は遭難通信を宰領したときに限り、安全通信にあっては、総務大臣が別に告示する簡易な手続により、当該通報の発信に関し、すみやかに文書によって報告することとされている（施42の４）。

６　電波の監視

電波利用の秩序を維持するために電波を監視し及び規正する業務を行う電波監視機関が全国12か所に配置されている。これらの機関は、発射されている多くの電波を昼夜を通じて監視し、規定に違反する電波を捕捉してその無線局を摘発し、規正している。また、それが外国の無線局であると

きは国際電気通信連合憲章の規定に基づきこれを所属国に通告している。この業務を行うものは、国際電波監視局の地位を有するもので、関東総合通信局の電波監理部がこれを担当している。

これらの電波監視機関の行う主な事務は、概ね次のとおりである。

なお、これらの機関は総合通信局に所属しているが、電波の監視の所轄は、総合通信局の管轄区域にかかわらず、全国とされている（総務省組織令138Ⅱ、総務省組織規則272）。

ア　電波の監視及び電波の質の是正並びに不法に開設された無線局及び不法に開設された高周波利用設備の探査に関すること。

イ　無線局（高周波利用設備を含む。）の電波の発射の停止に関すること。

ウ　電波の質等の検査に関すること。

エ　陸上に開設する無線局のうち総合通信基盤局が別に定めるものの検査に関すること（無線局の開設及び変更の許可に関するものを除く。）。

オ　電波が無線設備その他のものに及ぼす影響による被害の防止又は軽減に関すること。

カ　委託による無線局（高周波利用設備を含む。）の周波数の測定に関すること。

キ　国際電波監視機関との連絡（方位の測定及び人工衛星の軌道又は位置の測定並びにこれらに附帯する事項に関するものに限る。）に関すること（関東総合通信局に限る。）。

第8章
審査請求及び訴訟並びに電波監理審議会

1　審査請求の意義

審査請求とは、行政庁の違法又は不当な処分その他公権力の行使にあたる行為（作為又は不作為）があった場合に、これに不服ある者が救済を求める手段として設けられた行政上の争訟（注①）制度であって、行政庁の一方的な権力の行使について反省させ、行政の適正な運営を確保しようとするものである。

行政救済制度の基本法は行政不服審査法（注②）であり、電波法上の審査請求関係の規定は、同法に対し特別法の関係にある（注③）。

電波法上の審査請求は、他の行政救済制度に比し、強く後述の準司法的機能が与えられた結果として、口頭審理、反対尋問制度、審理の公開その他証拠調べの諸制度並びに行政機関の事実認定に終局性を与えようとする実質的証拠の法理の導入等種々の特色をもっている。

審査請求が行われると、本案審理の可否を決する形式的審査がされるが、この審査に際し、いかなる条件を満たしていれば、適法に提出されたものとして本案審理に入るものとすべきであるかとする審査要件を適法要件という（注④）。

（注①）争訟

法律関係の存在又は形成に関し争いがある場合に、公の権威をもって、これに裁断を与える行為を争訟という。行政上の争訟という場合、広義には裁判所が裁断する行政事件訴訟も含まれるが、ここでは行政庁が裁断する行政争訟を指している。

（注②）行政不服審査法（第1条　目的等）

1　この法律は、行政庁の違法又は不当な処分その他公権力の行使に当たる行為に関し、国民が簡易迅速かつ公正な手続の下で広く行政庁に対する不服申立てをすることができるための制度を定めるところにより、国民の権利利益の救済を図るとともに、行政の適正な運営を確保することを目的とする。

2　行政庁の処分その他公権力の行使に当たる行為（以下単に「処分」という。）に関する不服申立てについては、他の法律に特別の定めがある場合を除くほか、この法律の定めるところによる。

(注③) 特別法と一般法

適用の対象である事物、人又は地域が特別なものに限られている法を特別法という。これに対して、このような制限がなく、一般に適用される法を一般法という。

一つの法律関係について、一般法と特別法が併存しているときは、まず、特別法を適用し、第二次的に一般法を適用するのが原則である。これを特別法優位の原則という。

(注④) 審査請求の適法要件

電波法上の審査請求の適法要件としては、次のようなものが挙げられる。

イ 審査請求が電波法第83条の規定により行われること。

ロ 審査請求の対象である総務大臣の処分が存在すること。

ハ 不服の処分が電波法又はこれに基づく命令の規定に基づく処分であること。

ニ 審査請求人が処分によって直接に権利又は利益の侵害を受けたことを不服とするものであること。

ホ 審査請求が総務大臣に対し提起されること。

ヘ 審査請求が法定の期間内に行われること。

ト 審査請求書の形式が適法であること。

2 総務大臣の処分に対する審査請求

(1) 審査請求の方式

電波法又はこれに基づく命令の規定による総務大臣の処分についての審査請求は、審査請求書正副2通を提出しなければならない(法83)。

(2) 審査請求の受理又は却下

行政庁に提起された審査請求は、形式的審査を受け、適法要件を満たしているときは、本案審理に入るべきものとして受理され、適法要件を満たしていないときは却下される(注①)。

(3) 審査請求の本案審理

審査請求が適法であるとして受理されたときは、総務大臣は遅滞なくこれを電波監理審議会に付議しなければならず(法85)、電波監理審議会は当該審査請求が受理された日から30日以内に審理を開始しなければならない(法86)。

(4)　審理の開始及び議決

ア　審理は、電波監理審議会が事案を指定して指名する審理官が主宰する。ただし、事案が特に重要である場合において、電波監理審議会が審理を主宰すべき委員を指名したときは、この限りでない（法87）。

イ　審理の開始は、審査請求人に対し、審理官（アの但書の場合はその委員。以下同じ。）の名をもって事案の要旨、審理の期日及び場所並びに出頭を求める旨記載した審理開始通知書を送付して行う（法88Ⅰ）。

　またこれらを公告するとともに、その旨を知れている利害関係者に通知しなければならない（法88Ⅱ）。

ウ　利害関係者は、審理官の許可を得て、参加人として当該審理に参加することができる（法89Ⅰ）。

エ　電波監理審議会は、審理の結果に基づく調書及び審理官の意見に基づき、事案についての裁決案を議決しなければならない（法93の4）。

(5)　審査請求についての裁決

総務大臣は、電波監理審議会の議決の日から７日以内に、その議決により審査請求について裁決を行う（法94Ⅰ）。裁決書には、電波監理審議会が認定した事実を示さなければならない（法94Ⅱ）。

総務大臣は、裁決をしたときは、裁決書の謄本を審査請求人及び利害関係者である参加人に送付しなければならない（法94Ⅲ、行政不服審査法51）。

(6)　訴訟

審査請求人は、上記の総務大臣の決定に対してさらに不服がある場合は、その決定の取消しの訴を提起することができる（注②）。

この訴は、電波監理審議会の審理が第１審の裁判手続に準ずるような準司法的手続きによっているので、審級を省略して東京高等裁判所の専属管轄となる。かつ、電波監理審議会が適法に認定した事実は、これを立証する実質的な証拠があるときは、裁判所を拘束することとなる。なお、その実質的証拠の有無は、裁判所が判断する（法96の２～99）（注③）。

（注①）　却下

　一般に却下とは、請求が法令上許されない事項についてなされ、あるいはその手続が法令に違反しているとの理由で、実体的内容に触れずに、いわゆる門前払いをすることをいう。これに対し、手続上は適法であるが、実体的に理由がないということで、排斥することを棄却という。行政不服審査法に、「処分についての審査請求が法定の期間経過後にされたものである場合その他不適法である場合には、審査庁は、裁決で、当該審査請求を却下する。」（45Ⅰ）とあり、「処分についての審査請求が理由がないときは、審査庁は、裁決で、当該審査請求を棄却する。」（45Ⅱ）とあるのは、その例である。

電波法第85条において「審査請求を却下する場合を除き、遅滞なく、これを電波監理審議会の議に付さなければならない。」と明文で定められていることから、ここでは適法要件を満たした審査請求でない限り受け付けない（却下する）という考え方が明白に打ち出されている。これは、「申請書が事務所に到達したときは遅滞なく審査を開始しなければならず、形式上の要件に適合しない申請については、速やかに、申請をした者に対し当該申請の補正を求め、又は当該申請により求められた許認可等を拒否しなければならない。」という行政手続法（第７条）の立場とは異なり、「他人の行為を有効なものとして受領する行為」という従来の受理概念が前提となっていると考えられる。したがって、電波法第86条の「電波監理審議会は、……審査請求が受理された日から30日以内に審理を開始しなければならない。」という規定における「受理」についても、「適法要件を満たしていて却下されないことが明らかになり、本案審査に入るべきものとして受け入れられること」と解すべきであり、単に「到達したものを受け取る」意味で理解すべき電波法７条の「受理」（２－３の３注①参照）とは異なる。

（注②）　電波法令の規定による総務大臣の処分に不服があっても、審査請求の手続を経ずにいきなり訴訟を提起することはできない。

（注③）　準司法的機能

電波監理審議会には、準司法的機能が付与されている。これは、行政機関が争訟の裁決、決定等裁判所の行う司法作用に準ずる作用を行う機能をいう。その手続きとして、当事者の口頭の意見陳述、証拠の提出、記録の作成等の採用により、可及的に裁判手続きに近づけ、司法作用に準ずる機能を持たせようというものである。これは主としてアメリカ行政法上に発達した概念で、戦後わが国にも導入された。準司法的機能の効果として、第１審の審級省略、実質的証拠の法理等が通常認められる。

3　総合通信局長の処分に対する審査請求

電波法に規定する総務大臣の権限のうち、その一部については、総合通信局長に委任されている。この委任に基づいてした処分に対しては、総務大臣に対し審査請求をし、さらに訴訟の途が開かれているが、この場合の審査請求及び訴訟については、上記の審査請求及び訴訟に関する諸規定が準用され、全く同一の手続きによるものとされている（法104の３Ⅱ）。

４　指定試験機関が行った処分に係る審査請求

試験事務を行う指定試験機関は、国の事務を代行する機関で、その処分は、事実上、国の処分と等質である。したがって、この処分に不服あるものは、総務大臣に対し審査請求をし、さらに、訴訟の途が開かれている（法104の４Ⅰ）。

この場合についても上記の審査請求及び訴訟に関する諸規定が準用され、全く同一の手続きによって行われる。

また、指定機関は上記の他に、電波有効利用促進センター、指定講習機関等があるが、これらについてはその業務内容からして、審査請求を必要とする場合は生じない。

５　電波監理審議会

⑴　設置の経緯

昭和25年に電波法が施行されたとき、併せて放送法と電波監理委員会設置法が施行され（これらは電波三法と呼ばれる）、この電波監理委員会設置法に基づいて電波行政の主体として総理府に電波監理委員会が設置された。電波法施行前、無線電信法下における電波行政の主体は逓信省であったが、昭和24年に同省が郵政省と電気通信省に分割され、電気通信省に設置された電波庁がそれを継承した。その後わずか１年で電波監理委員会が取って代わったことになる。

電波監理委員会は名前のとおり合議制の行政機関であった。現在ではこのようなものは公正取引委員会、国家公安委員会などわずかのものが存在するに過ぎないが、戦後間もないこの時期には米国の影響もあって多くの行政委員会が誕生した。一般に複数の委員によって構成される委員会は、公平、客観的、かつ慎重な意思決定が期待できるとされるが、国民の言論表現活動と密接に関わる電波行政については、その点が特に求められるとして、行政主体として適性が評価されたものと考えられる。

しかし、電波監理委員会はわずか２年後の昭和27年に廃止された。同時に電気通信省は日本電信電話公社となり、電波行政は郵政省に引き継がれた。戦後多数誕生した合議制の行政機関が多く整理されていく過程の中であったが、その際は大臣をトップとする独任制の行政機関に比べて、責任体制が不明確であるとか、意思決定のスピードが遅いとかの点が指摘された。

電波監理委員会が廃止され、電波行政の主体が郵政省となった際に、併せて同省に電波監理審議会が設置された。これは、独任制行政機関のメリットを発揮させつつも、従来の合議制行政機関のメリットの喪失を最小限にしようとする狙いで行われた、いわば電波監理委員会廃止の代償措置というべきものである。国民の言論表現活動と密接に関わる行政分野であることを重視し、時の政治権力からの独立性を極力確保しようという試みであった。したがって、電波監理審議会については、行政部内に多数存在する一般の審議会にくらべ、委員の選任に両議院の同意を必要としたり、行政訴訟の第一審的な機能を負わせる等特殊な位置づけ、性格を持たせている。

(2) 目的と組織

電波監理審議会は、電波及び放送（注①）に関する事務の公平かつ能率的な運営を図り、電波法及び放送法の規定によりその権限に属させられた事項を処理するため、総務省に置かれる（法99の２）。上記のとおり、発足当時は郵政省に置かれたが、平成13年に郵政省が総務省に移行した際、電波監理審議会も総務省の機関となったものである。

電波監理審議会は電波法により設置されるが、その所掌は電波法のみならず、放送法の分野にも及ぶ（放177～180）。

電波監理委員会は、委員５人をもって組織され、会長は委員の互選によって選任される（法99条の2の2Ⅰ、Ⅱ）。会長を含む３人以上の委員の出席がなければ、会議を開き、議決することができないとされる（法99の10）。

(3) 委員

電波監理審議会の委員は、公共の福祉に関し公正な判断をすることができ、広い経験と知識を有する者のうちから、両議院の同意を得て、総務大臣が任命する（法99の３Ⅰ）。

委員の選任を両議院の同意にかけるのは電波監理委員会に関する制度を踏襲している。両議院同意要件は、他の若干の委員会、審議会等についてもみられるが、いずれも行政部のみの裁量で委員を選任するのではなく、国民の代表によって構成される両議院の意思を選任過程に反映させる必要があると考えられているものである。電波監理審議会についても、電波行政の遂行が国民の言論表現活動に影響しかねないことを重視した結果であるといえ、さらに、その行政主体を委員会から独任制行政機関に移された経緯を踏まえれば、その意義が積極的に評価される。

ただし、委員の任期（法99の5Ⅰにより３年）が満了し、又は欠員を生じた場合において、国会の閉会又は衆議院の解散のため両議院の同意を得ることができないときは、任命後最初の国会において両議院の同意を得ることを条件に、両議院の同意なしに委員を任命することが認められている（法99の３Ⅱ）。任命後この同意が得られない場合は、当然に退職となる（法99の６）。

また、次のいずれかに該当する者は、委員となることができないこととし（法99の３Ⅲ）、一定の反社会性のある者及び電波・放送行政に強い利害関係がある者を委員から排除している。総務大臣は、既に委員である者が次のいずれかに該当するに至ったときは、罷免しなければならないし（法99の７）、委員であった者は、退職後１年間は次のウ及びエの職に就いてはならないとされる（法99の９）。

ア　禁錮以上の刑に処せられた者

イ　国家公務員として懲戒免職の処分を受け、当該処分の日から２年を経過しない者

ウ　放送事業者、認定放送持株会社、有料放送管理事業者、電気通信事業者（電気通信回線設備を設置する者に限る。）、無線設備の機器の製造業者若しくは販売業者又はこれらの者が法人であるときはその役員（これと同等以上の職権又は支配力を有する者を含む。）若しくはその

法人の議決権の10分の１以上を有する者（任命の日以前１年前においてこれらに該当した者を含む。）

エ　ウに掲げる事業者の団体の役員（任命の日以前１年においてこれらに該当したものを含む。）

委員については、国家公務員法の服務に関する規程の一部（96条、98～102条、105条）が準用されている（法99の4）。

⑷　必要的諮問事項

総務大臣は、次のア～オの事項については、電波監理審議会に諮問しなければならないとされている（法99の11Ⅰ）。ただし、ウの事項を除き、電波監理審議会が軽微なものと認めるものについては、諮問をせずに措置することが認められている（法99の11Ⅱ）。また、電波監理審議会は、これらの事項に関し、総務大臣に対して必要な勧告をすることができる（法99の13Ⅰ）。総務大臣は、この勧告を受けたときは、その内容を公表しなければならない（法99の13Ⅱ）。

ア　総務省令の制定又は改廃

電波法の規定には内容の一部を総務省令に委任しているものがあるが、これらの総務省令の制定や改廃である。具体的には、免許等を要しない無線局の範囲を定めるもの（法４㈠～㈢、４の２Ⅰ～Ⅲ）、呼出符号又は呼出名称の指定の方法を定めるもの（法４の３）、無線局の免許申請期間を定めるもの（法6Ⅷ）などその数は極めて多い。

ただし、電波法に基づく総務省令であっても、その制定や改廃が必要的諮問事項とされていないものがある。例えば、運用開始の日を総務大臣に届けることを要しない無線局を定めるもの（法16）、無線設備の設置場所の変更又は無線設備の変更の工事のうち変更検査を要しないものを定めるもの（法18）などである。国民の権利に対する制約的要素を持たず、単に義務を緩和するだけのもの、国民の権利義務に大きく影響しない範囲で届出、報告等の手続きを定めるものなどがこれに該当する。

イ　基幹放送用周波数使用計画の制定又は変更、周波数割当計画の作成又は変更、電波の有効利用の程度の評価、特定基地局の開設指針の制定又は変更及び特定周波数終了対策業務に係る特定公示局の決定又は変更

ウ　次の(ア)～(オ)の処分の取消し並びに指定試験機関、指定周波数変更対策機関又は指定較正機関の役員、試験員又は構成員の解任の命令、特定無線局に係る指定無線局数の削減及び周波数の指定の変更、登録に係る無線局の開設の禁止若しくは登録局の運用の制限、周波数の使用の期限の到来後においてその周波数の電波を使用している無線局の周波数の指定の変更、登録局の周波数の変更の命令

(ア)　特定基地局の開設計画の認定

(イ)　指定講習機関、指定試験機関、指定周波数変更対策機関、電波有効利用促進センター又は指定較正機関の指定

(ウ)　無線設備等保守規程の認定

(エ)　無線局の免許及び登録（一部のものを除く）

(オ)　無線従事者の免許及び船舶局無線従事者証明

エ　無線局の免許（地上基幹放送をする無線局の再免許に限る。）、予備免許、工事設計変更の許可、目的、放送事項若しくは基幹放送の業務に用いられる電気通信設備の変更の許可、包括免許、特定無線局の目的の変更の許可、特定基地局の開設計画の認定、指定講習機関の指定、指定試験機関の指定、無線設備等保守規程の認定、電波の規整その他公益上の必要に基づく周波数等の指定の変更若しくは登録局の周波数等若しくは人工衛星局の無線設備の設置場所の変更の命令、指定周波数変更対策機関の指定、電搬障害防止区域の指定、電波有効利用促進センターの指定又は指定較正機関の指定

オ　申出に係る技術基準を策定し、又は変更する必要がないと認める場合におけるその旨の申出人への通知

(5)　意見の聴取

電波監理審議会は、前記(4)のウの事項について諮問を受けた場合には、意見の聴取を行わなければならない（法99の12Ⅰ）（注②）。また、それ以外

の事項について諮問を受けた場合において必要と認めるときは、意見の聴取を行うことができる（法99の12Ⅱ）。法文にはただ「意見」とあるが、誰の意見かは下記のとおりケースにより様々である。

意見の聴取の開始は、原則審理官（後述(6)参照）の名をもって、事案の要旨並びに意見の聴取の期日及び場所を広告して行うこととされている。ただし、当該事案が特定の者に対して処分をしようとするものであるときは、当該特定の者に対し、事案の要旨、意見の聴取の期日及び場所並びに出頭を求める旨を記載した意見聴取開始通知書を送付して行うものとされる（法99の12Ⅲ）。この場合も、事案の要旨並びに意見の聴取の期日及び場所の公告は必要となる（法99の12Ⅳ）。

意見の聴取（行政手続法の「不利益処分」(注③) に係るものを除く。）においては、当該事案に利害関係を有する者は、審理官の許可を得て、意見の聴取の期日に出頭して意見を述べることができる（法99の12Ⅴ）。一方、不利益処分に係るものにおいては、電波法第89条及び行政手続法第18条の規定が準用され（法99の12Ⅵ）、利害関係者は、審理官の許可を得て意見を述べることができるほか、審理官は、必要があると認めるときは、利害関係者に対し意見を述べることを求めることができ、不利益処分の当事者及び当該不利益処分がされた場合に自己の利益を害されることとなる参加人は、一定期間、総務大臣に対し、当該事実についてした調査の結果に係る調書その他の当該不利益処分の原因となる事実を証する資料の閲覧を求めることができることとされている。

このほか、意見の聴取の手続については、審査請求が付議された場合の電波監理審議会における審理手続の規定（法87、90～90の3及び96）が準用される（99の12Ⅵ）。

意見の聴取を行った事案については、電波監理審議会は、審理官が作成する調書及び意見書に基づき答申を議決することになっている（法99の12Ⅶ）。

(6) 審理官

電波監理審議会には、電波法及び放送法に規定する審査請求の審理又は(5)及び放送法第178条の意見の聴取の手続を主宰する５人以内の審理官が置かれる（法99の14Ⅰ、Ⅱ）。審理官は、電波監理審議会の議決を経て、総務大臣によって任命される（法99の14Ⅲ）。

（注①）放送の意義

ここで「放送」とは「放送法第2条第1号に規定する放送」である（法99の12）。すなわち「公衆によって直接受信されることを目的とする電気通信の送信（他人の電気通信設備を用いて行われるものを含む。）」と定義される。電波法において「放送」は「公衆によって直接受信されることを目的とする無線通信の送信」と定義されており（法5Ⅳ）、それとは違っている。すなわち、有線電気通信によるものも含む等範囲が広くなっている。

（注②）意見聴取を要する事項の減少

本条は平成22年に改正されており、それ以前は法第99条の11第１項第１号による諮問、すなわち総務省令の制定又は改廃に係る諮問の場合にも意見の聴取を行わなければならないとされていた。しかしながら、行政手続法において、このような場合に意見を求めるべきことが定められていることから、それに加えて電波法においても義務づけておく意味が薄れ、加えてスピーディな省令制定改廃の実現にも役立つことから、義務付けの対象から除かれるに至った。

なお、電波監理審議会が特に必要と認めれば、同条第２項により、意見聴取を行うことになる。

（注③）不利益処分

行政庁が、法令に基づき、特定の者を名あて人として、直接これに義務を課し、又はその権利を制限する処分をいう。ただし、次のいずれかに該当するものを除く（行政手続法２(四)）。

ア　事実上の行為及び事実上の行為をするに当たりその範囲・時期等を明らかにするため法令上必要とされている手続としての処分

イ　申請により求められた許認可等を拒否する処分その他申請に基づき当該申請をした者を名あて人としてされる処分

ウ　名あて人となるべき者の同意の下にすることとされている処分

エ　許認可等の効力を失わせる処分であって、当該許認可等の基礎となった事実が消滅した旨の届出があったことを理由としてされるもの

第9章

雑　　則

9－1　高周波利用設備の規律

1　高周波利用設備の区分

高周波利用設備とは、通信、医療、工業等の目的のため高周波電流のエネルギーを利用している設備で、次のように区分できる。

(1)　通信設備

ア　電力線搬送通信設備（注①）

イ　誘導式通信設備（注②）

(2)　通信設備以外の設備

ア　医療用設備

イ　工業用加熱設備

ウ　各種設備

これらの設備は、本来、電波を空間に発射することを目的とするものではないが、高周波電流を使用するために、ともすると漏洩する電波が空間に輻射され、その漏洩電波が混信又は雑音として他の無線通信を妨害するおそれがある。したがって、電波法では、無線通信に妨害を与えるおそれのある一定の周波数又は電力を使用する高周波利用設備については、許可制度を採用している。

(注①)　電力線搬送通信設備

電力線に10kHz以上の高周波電流を重畳して通信を行う設備をいう（施44 I㈠）。

この設備の代表的なものとして、電力会社等において、電力の伝送に使用する送電線路又は配電線路に高周波電流を通じて、給電指令（電話）、遠隔測定、遠隔制御等を行う有線通信設備がある。

(注②)　誘導式通信設備

線路に10kHz以上の高周波電流を流すことにより発生する誘導電波を使用して通信を行う設備をいう（施44 I㈡）。

2　許可を要する高周波利用設備の範囲

次に掲げる高周波利用設備を設置しようとする者は、その設置について、総務大臣の許可を受けなければならない（法100）（注①）。

⑴　通信設備

電線路に10kHz以上の高周波電流を通ずる電信、電話その他の通信設備については、総務大臣の許可が必要である。ただし、次に掲げる設備については許可を要しない（法100 Ⅰ㈠、施44 Ⅰ）。

ア　ケーブル搬送設備

イ　平衡2線式裸線搬送設備（注②）

ウ　電力線搬送通信設備であって、次に掲げるもの

㈠　定格電圧600ボルト以下及び定格周波数50Hz若しくは60Hzの単相交流若しくは三相交流を通ずる電力線を使用するもの又は直流を通ずる電力線を使用するもの（鋼船（鋼製の船舶をいう。）内で使用するものに限る。）であって、その型式について総務大臣の指定を受けたもの

なお、この型式の指定は、次に掲げる区分ごとに行う（施44 Ⅱ）。

a　10kHz～450kHzの周波数の搬送波を使用するもの（定格電圧100ボルト又は200ボルト及び定格周波数50Hz又は60Hzの単相交流を通ずる電力線を使用するものに限る。）

(a)　搬送式インターホン（注③）

(b)　一般搬送式デジタル伝送装置（注④）

(c)　特別搬送式デジタル伝送装置（注⑤）

b　2MHz～30MHzの周波数の搬送波により信号を送信し、及び受信するもの（広帯域電力線搬送通信設備）（注⑥）

(a)　屋内（鋼船内を含む。）及び総務大臣が別に告示する場合においてのみ使用するもの（屋内広帯域電力線搬送通信設備）

(b)　コンセントに直接接続される屋外の電力線又はこの電力線の状態と同様の電力線を使用し、かつ、屋内の電力線を使用する広帯域電力線搬送通信設備

(イ)　受信のみを目的とするもの

エ　誘導式通信設備であって、次に掲げるもの

(ア)　線路から λ ／2 π（λ は搬送波の波長をメートルで表したものとし、π は円周率とする。）の距離における電界強度が毎メートル15 マイクロボルト以下のもの

(イ)　誘導式読み書き通信設備（注⑦）であって、その設備から３メートルの距離における電界強度が毎メートル500 マイクロボルト以下のもの

(ウ)　誘導式読み書き通信設備であって、その型式について総務大臣の指定を受けたもの

(2)　通信設備以外の設備

通信設備以外の設備であって、10kHz 以上の高周波電流を利用するもののうち、次に掲げる設備を設置しようとするときは、総務大臣の許可が必要である（法 100 Ⅰ(二)、施 45)。

ア　医療用設備（施 45(一))

高周波のエネルギーを発生させて、そのエネルギーを医療のために用いるものであって、50 ワットを超える高周波出力を使用するもの。

イ　工業用加熱設備（施 45(二))

高周波のエネルギーを発生させて、そのエネルギーを木材及び合板の乾燥、繭の乾燥、金属の熔融、金属の加熱、真空管の排気等工業生産のために用いるものであって、50 ワットを超える高周波出力を使用するもの。

ウ　各種設備（施 45(三))

高周波エネルギーを直接負荷に与え又は加熱若しくは電離等の目的に用いる設備であって、50 ワットを超える高周波出力を使用するもの。ただし、次のものは許可を要しない。

(ア)　総務大臣が型式について指定した超音波洗浄機、超音波加工機、超音波ウエルダー、電磁誘導加熱を利用した文書複写印刷機、無電極放電ランプ（注⑧)、一般用非接触電力伝送装置及び電気自動車用

非接触電力伝送装置（注⑨）

(イ) 製造業者又は輸入業者が総務省令で定める条件に適合する旨の型式確認を行った電子レンジ及び電磁誘導加熱式調理器

(3) 型式指定及び型式確認の手続

高周波利用設備の設置の許可が不要となるための総務大臣の型式の指定については、「指定の申請」（施46）、「指定」（施46の2）、「変更の承認」（施46の3）、「表示」（施46の4）、「指定の取消し」（施46の5）、「資料の提出等」（施46の6）及び「公示」（施46の6の2）の各項目にわたり、電波法施行規則に詳細に規定されている。

また、電子レンジ及び電子誘導加熱式調理器の設置の許可が不要となるための製造業者等による型式確認については、「型式の確認」（施46の7）、「届出等」（施46の8）、「条件不適合等の場合の措置」（施46の9）、「資料の提出等」（施46の10）及び「公示」（施46の11）の各項目にわたり、電波法施行規則に詳細に規定されている。

（注①） 免許と許可

無線局の開設には免許の語が、高周波利用設備の設置には許可の語が使用されているが、これらの用語は、いずれも、法令上による行為の一般的な制限禁止を解除し、適法にこれをなしうるようにする行政行為であり、講学上の理論としては差異はない。

なお、国に対する場合は、免許も許可も承認と読み替えることになっている（法104 Ⅱ）。

（注②） 平衡2線式裸線搬送設備

通信線路に絶縁を施さない電線を使用している搬送式多重電話設備で、通信回線相互間の妨害防止のため、有線電気通信設備令では通信回路の構成について平衡2線式であること及び平衡度等についての規定を置いている。

（注③） 搬送式インターホン

電力線搬送通信設備であって、屋内配電線路を利用して音声信号を送信し及び受信するものである（施44 Ⅱ(一)(1)）。

（注④⑤） 搬送式デジタル伝送装置

搬送式デジタル伝送装置は、電力線搬送通信設備であって、デジタル信号を送信し、及び受信するものである。この装置は、一般搬送式デジタル伝送装置と特別搬送式デジタル伝送装置の別があるが、前者は、40デシベル以上の減衰量を有するブロッキングフィルタにより他の通信設備に混信を与えないような措置が講じられた電力線又は他への分岐がない電力線を使用するものをいい、後者の特別搬送式は、使用する電力線に制限がないものをいう（施44 Ⅱ㈠⑵⑶）。

(注⑥) 広帯域電力線搬送通信設備

広帯域電力線搬送通信設備は、一般の需要に応じた電気の供給に係る分電盤であって、一般配電事業者が維持し、及び運用する電線路と直接に電気的に接続され引込口において設置されるものから負荷側又は鋼船内に設置された配電盤から負荷側において2MHzから30MHzまでの周波数の搬送波により信号を送信し、及び受信する電力線搬送通信設備をいう（施44 Ⅱ㈡）。

この設備による通信（PLC：Power Line Communication）は、LANケーブルの代わりに、家庭内にある電気配線とコンセントを利用することでインターネットが使用できる特徴をもっている。

使用する搬送波の周波数が主に短波帯であるため、従来からの短波通信との共存を考慮し、次のような基準を設けている（施46の2 Ⅰ㈣）。

⑴　搬送波の周波数が2MHz～30MHzの範囲にあり、かつ、変調方式がスペクトル拡散方式のものは、拡散範囲が2MHz～30MHzの間にあるものであること。

⑵　伝導妨害波の電流及び電圧並びに放射妨害波の電界強度が一定レベル以下であること。

⑶　屋内広帯域電力線搬送通信設備にあっては、筐体の見やすい箇所に、その装置による通信は屋内においてのみ可能である旨が表示されていること。

⑷　広帯域電力線搬送通信設備以外の機能を有する設備にあっては、広帯域電力搬送通信設備の機能のみを容易に停止することが可能であること。

⑸　その他

(注⑦) 誘導式読み書き通信設備

誘導式通信設備の一であって、13.56MHzの周波数の誘導電波を使用して記録媒体の情報を読み書きする設備をいう（施44 Ⅰ㈡）。

この設備はいわゆるワイヤレスカードシステムであり、従来、13.56MHzの周波数の電波を使用する無線局として監理されていたが、平成14年9月19日の施行規則等の改正により、誘導電波を使用して通信を行う高周波利用設備としてとらえ直すこととされた。

(注⑧) 無電極放電ランプ

電磁誘導の原理を応用したランプで、高周波の電流により電磁波を発生させることでガラス管内部の蛍光体を発光させるものである。

(注⑨)　電気自動車用非接触電力伝送装置

電気自動車に搭載された蓄電池に対して給電できる非接触型の設備であって、鉄道のレールから5メートル以上離れた位置に設置するものをいう（施45㊂）。

3　設置の申請及び許可

高周波利用設備の設置について許可の申請があったときは、総務大臣は、別に定めるところによる電波の質、安全施設、その他の技術基準に適合するか及び使用周波数が他の通信（総務大臣が公示する場所において行う電波の監視を含む。）に妨害を与えないかについて審査し、これらに適合するときは、許可しなければならない（法100 Ⅱ）。

なお、無線局のように許可を受ける者の人格等の制約はない。

4　許可後の規制

許可を受けた高周波利用設備については、その秩序維持のため、次の規定が設けられている。

⑴　許可の承継

許可を受けた高周波利用設備を譲り渡したときや、許可を受けた者について相続、合併又は分割（当該設備を承継させるものに限る。）があったときは、設備を譲り受けた者又は相続人、合併後存続する法人、合併により設立された法人又は分割により当該設備を承継した法人は、許可を受けた者の地位を承継する（法100 Ⅲ）。その場合、地位を承継した者は、遅滞なくその事実を証する書面を添えてその旨を総務大臣に届け出なければならない（法100 Ⅳ）。

⑵　無線局関係の規定の準用

次の事項について無線局関係の規定が準用される（法100 Ⅴ）。

①　許可状（法14 Ⅰ Ⅱ）　②　変更等の許可（法17）
③　許可状の訂正（法21）　④　設備の廃止、失効（法22、23）
⑤　許可状の返納（法24）　⑥　電波の質（法28）
⑦　安全施設（法30）　⑧　技術基準（法38）
⑨　設備の技術基準の策定等の申出（法38の2）
⑩　技術基準適合命令（法71の5）
⑪　臨時の使用の停止処分（法72）

⑫　臨時検査（検査職員の規律を含む。）（法 73 Ⅴ Ⅶ）

⑬　許可の取消し、使用停止、使用制限処分（法 76、77）

⑭　報告の徴収（法 81）

⑶　罰　則

高周波利用設備の規制に関する義務違反及び悪質な通信の発信等に対しては、無線局の場合と同様に罰則が設けられている（法 106 Ⅰ、107、108、110㈣、㈦、㈧、116（二十四））。

9－2　無線設備の機能の保護

1　無線設備及び一定規模以上の高周波利用設備以外の設備に対する規制

空間を通路とする無線通信は、あらゆる分野からの混信その他の電気的妨害を受け易い立場にあるので、十分保護されなければならない。電波法においては、この点を配慮して、まず第1に、無線局相互間における妨害排除について規律を行うほか、第2に、免許等を要しない無線局及び受信設備に対し、障害除去のための規律を設け（法 82）、第3に、一定の規模以上の高周波利用設備は許可制又は型式指定を受けた設備の使用を要件とし、無線局に準ずる規律を加え、第4に、およそ電気接点があって切換え等をするものは、その際生ずる火花が付近の無線設備に雑音となって妨害することとなるので、これら電気器具その他一切の妨害源となる設備に対し、障害除去のための規律を設けている（法 101）。

このうち第1、第2及び第3については既述したので、ここでは第4の場合について述べることにする。

⑴　規制の対象

ここで規制の対象となるものは、無線設備に該当しない一切の設備であるが、具体的には、概ね次のようなものがある。

ア　許可を要しない高周波利用設備

イ　高周波利用設備以外の一切の電気的設備（すなわち、自動車の点火栓、トロリー、X線装置、送配電線、有線電気通信設備、蛍光灯、電気バリカン、その他家庭電化器具等）

⑵ 規制の内容

保護を受けるのは一切の無線設備であり、規制を受けるのはあらゆる設備である。多くは上記のような電気的設備であるが、これらが副次的に発する電波又は高周波電流が無線設備の機能に継続的、かつ、重大な障害を与えるときは、総務大臣はその設備の所有者又は占有者に対し、その障害を除去するために必要な措置をとるべきことを命ずることができる（法101）。この場合、措置命令を発するだけであって、立入り検査は行われない。

なお、この障害除去の措置の命令に違反した者に対しては、罰則が定められている（「30万円以下の罰金」（法113（二十四））。

2 総務大臣の施設した無線方位測定装置のための建造物等の規制

⑴ 無線方位測定装置の保護

総務省の行う電波監視業務のうち、特に不法無線局の探査や、混信の排除等のためには、問題となる電波発射源の方位を測定することが必要不可欠である。この方位測定は、きわめて高い精度が要求されるものであるので、方位測定に影響を与える地形等について勘案するほか、電波を乱すおそれのある物件から保護することが必要である。

⑵ 建造物、工作物等の届出

総務大臣の施設した無線方位測定装置の設置場所から1キロメートル以内の地域に、電波を乱すおそれのある建造物又は工作物であって、次に掲げるものを建設しようとする者は、あらかじめ総務大臣にその旨を届け出なければならない（法102Ⅰ）（施51）。

ア 無線方位測定装置の設置場所から1キロメートル以内の地域に建設しようとする次に掲げるもの（施51㈠）。

㋐ 送信空中線及び受信空中線（放送受信用の小型のもの及びこれに準ずるものを除く。）

㋑ 架空線及び架空ケーブル（電力用、通信用、電気鉄道用その他これらに準ずるものを含む。）

㋒ 建物（木造、石造、コンクリート造その他の構造のものを含む。）

但し、高さが無線方位測定装置の設置場所における仰角２度未満のものを除く。

㈤　次に掲げるもの。但し、高さが無線方位測定装置の設置場所における仰角２度未満のものを除く。

㈠　鉄造、石造及び木造の塔及び柱並びにこれらの支持物件

㈡　煙突

㈢　避雷針

㈥　鉄道、軌道及び索道

イ　無線方位測定装置の設置場所から500メートル以内の地域に相当の距離にわたって埋設する水道管、ガス管、電力用ケーブル、通信用ケーブルその他これらに準ずる埋設物件（施51㈡）。

⑶　無線方位測定装置の設置場所

この無線方位測定装置の設置場所は公示されている（法102Ⅱ）。

3　重要無線通信の伝搬障害防止のための高層建築物等の規制

⑴　高層建築物等による電波伝搬障害

周波数の高い極超短波（UHF）以上の周波数帯による無線通信回線は、有線通信に劣らない安定性と、大容量通信の能力を持つことによる経済性があり、また、広帯域を必要とするテレビ伝送に適する等いろいろの利点があるため、電気通信業務をはじめ、公共性の高い重要回線に広く利用されている。これらの周波数帯は波長が短いため、見通し距離内しか伝搬しない特性をもっているので、見通し可能な概ね50km程度の地点に中継所を設けて回線を構成しているが、その通路に当たるところに、山岳や高い建物等の障害物があれば、それに遮られて電波伝搬が障害を受けることとなる。

我が国では、大中都市をはじめ広く建築物・工作物の高層化が進んでおり、このためマイクロ回線の伝搬障害が発生しやすい状況となっている。重要無線回線を故意に破壊し、機能障害を与えた者に対しては罰則が設けられているが（法108の2）、善意無過失による建築物等による機能障害については、土地所有権に基礎をおく財産権の行使と、重要無線通信のもつ高

い公共性との調和を何処に求めるかというきわめて困難な問題がある。

電波法においては、以上の事情を考慮して、重要無線通信の確保のために伝搬障害防止区域を指定し、指定区域内の高層建築物について届出の義務を課し、総務省が伝搬障害の有無について判定を行い、障害ありと認めた場合は、関係者間で障害防止のための協議を行わしめ、場合によっては総務大臣が必要なあっせんを行う等の規定を設けて、両者間の円満な解決を図ることを期待している。

(2) 伝搬障害防止区域の指定

ア　電波法において伝搬障害防止の保護の対象としているのは、重要無線通信に限られている。重要無線通信とは、890メガヘルツ以上の周波数の電波による特定の固定地点間の無線通信であって、次に掲げる通信内容の無線通信である（法102の2Ⅰ）。

(ア) 電気通信業務の用に供する無線局の無線設備による無線通信

(イ) 放送の業務の用に供する無線局の無線設備による無線通信

(ウ) 人命若しくは財産の保護又は治安の維持の用に供する無線設備による無線通信

(エ) 気象業務の用に供する無線設備による無線通信

(オ) 電気事業に係る電気の供給の業務の用に供する無線設備による無線通信

(カ) 鉄道事業に係る列車の運行の業務の用に供する無線設備による無線通信

イ　総務大臣は上記の重要無線通信の電波伝搬路における当該電波の伝搬障害を防止して、通信の確保を図るために必要があるときは、その必要の範囲内において、当該電波伝搬路の地上投影面に沿い、その中心線と認められる線の両側それぞれ100m以内の区域を伝搬障害防止区域として指定することができるものとされ（法102の2Ⅰ）、現に全国の各主要都市について指定が行われている（法102の2Ⅱ、施行令8）。そして、伝搬障害防止区域を表示した図面を総務省及び関係地方公共団体の事務所に備え付けて、一般の縦覧に供している（法102の2Ⅲ、施行令9）。

(3)　指定区域内の高層建築物等に対する規制

ア　高層建築物等の届出の義務

伝搬障害防止区域内において、次に掲げるような高層建築物等を建設しようとする場合は、建築主は、工事着工前に、敷地の位置、高さ、高層部分（地表高31mを超える部分）の形状、構造及び主要材料、その他必要な事項を書面により総務大臣に届け出なければならない（法102の3Ⅰ）。

(ア)　地表高31mを超える高層建築物等の新築

(イ)　工作物の増築又は移築で、その工事後において地表高31mを超える高層建築物等となるもの。

(ウ)　地表高31mを超える高層建築物等の増築、移築、改築、修繕又は模様替え。

また、建築主が上記の届出をしないで、工事に着工したことを知ったときは、総務大臣は直ちに、期限を定めて、総務大臣に届け出るべき旨を命じなければならない（法102の4Ⅰ）。

なお、最初の届出をせず又は虚偽の届出をした者には罰則があり（「30万円以下の罰金」法113（二十五））、さらに、届出がないので届け出るべき旨を命じてもなお届出をせず又は虚偽の届出をした者にも罰則がある（「50万円以下の罰金」法112㈥）。

イ　伝搬障害の有無の判定及び通知

総務大臣は、前述の工事に関する届出について検討した結果、障害原因となるかどうかを判定し、届出のあった日から3週間以内に、障害がない場合はその旨を、また、障害がある場合は、障害原因部分及び理由を付した文書により、建築主に通知しなければならない（法102の5Ⅰ、Ⅱ）。また、同時に、必要事項を無線局の免許人及び工事の請負人にも通知しなければならない（法102の5Ⅲ）。

ウ　障害原因となる高層部分の工事の制限

イにおいて障害がある旨の通知を受けた建築主は、エの協議が調ったとき等一定の場合を除き、その通知を受けた日から２年間（注）は、その障害原因部分の工事を禁じられる（法 102 の６）。

エ　その他、建築主と障害防止区域に係る重要無線通信の無線局の免許人との間の障害防止のための協議及び総務大臣のあっせん（法102の７）、建築主の義務違反等の場合の措置（法102の８）等について定めてある。

オ　総務大臣は、この伝搬障害防止に関する規定を施行するために、特に必要があるときは、その必要範囲内において、建築主から、工事の計画又は実施に関する事項で必要と認められるものの報告を徴することができることになっているが（法102の９）、これに対し、報告せず又は虚偽の報告をした者には罰則がある（「30万円以下の罰金」法113（二十六））。

(4)　総務大臣及び国土交通大臣の協力

この障害防止の措置は、重要無線通信を確保するためのものであるが、この規制を受ける対象は建築物等であり国土交通大臣の所管に係るものである。このため総務大臣及び国土交通大臣は、前記各事項の実施に関し、相互に協力するものとするという特別の規定が設けてある（法 102 の 10）。

（注）工事制限期間

この期間は、従来、電気通信業務用無線通信に係る伝搬障害の場合は３年間とされていたが、近年における無線設備の小型化による移設の容易化、高層建築物の工期の短縮化等の状況を考慮し、平成 16 年の法改正により、２年間に統一された。

9－3　不法無線局対策

1　不法無線局の態様及び対策

(1)　不法無線局とは、総務大臣の免許等を受けないで開設した無線局（開設に当たり免許等が不要の無線局を除く。）のことをいい、通常このような無線局から発射される電波を不法電波と呼んでいる。

不法無線局の代表的なものは、不法アマチュア局、不法特定船舶局等であるが、最近の電波利用の拡大に伴ってこれらの他にも様々な態様のものが存在している。

こうした不法無線局は、電波法令に定められた技術基準に適合しない無線設備で、電波法令の規定を無視した高い出力を使用したり、違法な運用をしたりしているものが多く、その結果、テレビ・ラジオの受信に障害を与えたり、警察無線、消防無線、防災無線等の国民の生命、財産を守るための大切な役割を果たしている無線通信に混信妨害を与えたりしている。

限りある資源である電波の有効利用を図るには、これらの不法無線局を一掃する必要がある。

(2)　不法無線局を一掃するために、総務省は、全国的に不法電波の探査システム（DEURAS：Detect Unlicensed Radio Stations）(注)を整備して監視及び探査に当たるとともに、警察署や海上保安署との共同取締りを実施して容疑者の摘発を行っている。

制度面でも、以下に述べるように、基準不適合設備の製造業者等の規制及び指定無線設備の免許情報告知制度といった法的措置を定めている。

(注)　ＤＥＵＲＡＳ

全国に設置されたセンサ局を各総合通信局に設置されたセンタ局から遠隔操作して、不法無線局などの所在を特定するための最新の電波監視システムを「ＤＥＵＲＡＳ（デューラス）」と呼んでいる。

2　基準不適合設備の製造業者等の規制

不法無線局を根絶できない大きな原因に、一部の製造業者や改造業者が、違法な無線設備を製造したり、正規の無線設備を改造したりして市販していることがある。

電波法では、電波法に定める技術基準に適合しない設計に基づいて製造されたり改造されたりした無線設備を「基準不適合設備」(注①)と呼び、この基準不適合設備の製造販売を規制している。

基準不適合設備に対する規制は、当初は当該設備の製造業者及び販売業者を規制の対象としていたが、平成27年の法改正において、新たに輸入業者を規制の対象に加えるとともに、これらの者に対し、「無線通信の秩序の維持に資するため、基準不適合設備の製造、輸入又は販売をすることのないよう努めなければならない。」との努力義務を課した（法102の11Ⅰ）。

また、既に制度化されていた総務大臣の勧告についても、その要件を改めるほか、当該勧告に従わずその旨を公表された後も措置を講じない者に対する命令の規定を設けた。

さらに令和2年の法改正において、基準不適合設備が他の無線局の運用を著しく阻害するような妨害を与えた場合に加えて、基準不適合設備を使用する無線局が開設されたならば、そのような妨害を与えるおそれがある場合も勧告の対象とするとともに、勧告を受けた者が従わない場合に勧告に係る措置を講ずるよう命令できる場合を拡大した。

⑴ 製造業者等に対する勧告

総務大臣は、基準不適合設備が広く販売されることにより、それを使用する無線局が他の無線局の運用に重大な悪影響を与えるおそれがあると認めるときは、無線通信の秩序を維持するために必要な限度において当該基準不適合設備の製造業者、輸入業者又は販売業者に対し、その事態を除去するために必要な措置を講ずべきことを勧告することができる（法102の11 Ⅱ）（注②）。

⑵ 勧告に応じない場合の対策

ア　総務大臣は、前記⑴の勧告を行った場合において、その勧告を受けた者が勧告に従わないときは、その旨を公表することができる（法102の11Ⅲ）。この公表は、官報によるほか新聞等を利用し、内容として業者の住所、氏名又は名称、基準不適合設備の商品名、型式、勧告の内容等にわたることができるので、相当な社会的制裁を与えることになる。

イ　総務大臣は、上記の勧告を受けた者が、その勧告に従わなかった旨を公表された後において、なお、正当な理由がなくてその勧告に係る措置を講じなかった場合において、その運用に重大な悪影響を与えられるおそれがあると認められる無線局が重要無線通信を行う無線局その他のその適正な運用の確保が必要な無線局として総務省令で定めるもの（注③）であるときは、無線通信の秩序維持を図るために必要な限度において、当該勧告を受けた者に対し、その勧告に係る措置を講ずべきことを命ずることができる（法102の11Ⅳ）。

なお、総務大臣は、(1)の勧告又は(2)の命令をしようとするときは、経済産業大臣の同意を得なければならない（法102の11Ⅴ）。

(3)　報告の徴収

総務大臣は、(1)及び(2)の制度の施行に必要な限度において、基準不適合設備の製造業者又は販売業者から報告を徴することができる（法102の12）。

この報告は、例えば、基準不適合設備がどのような事情で出回ったかということから、製造販売台数、販売先、販売方法等にわたることができ、この報告によって勧告すべきかどうか、勧告後においては公表すべきかどうか、どの程度の勧告にするか等を判断することとなる。

報告を求められた場合において、報告をしない者又は虚偽の報告をした者には罰則がある（「30万円以下の罰金」法113（二十八））。

なお、勧告をするときは、前述のとおり経済産業大臣の同意を得なければならないが、ここの報告を徴する段階では、総務大臣の判断のみでこれを行うことができる。ただし、(1)及び(2)の制度の施行に必要な限度という制約を受ける。

（注①）　基準不適合設備

次の(1)又は(2)の場合において、それぞれに定める設計と同一の、又は類似の設計であって電波法に定める技術基準に適合しないものに基づき製造され、又は改造された無線設備をいう（法102の11Ⅱ）。

(1)　無線局が他の無線局の運用を著しく阻害するような混信その他の妨害を与えた場合において、その妨害が同技術基準に適合しない設計に基づき製造、改造された無線設備を使用したことにより生じたと認めるとき　当該無線設備に係る設計

(2)　無線設備が同技術基準に適合しない設計に基づき製造・改造されたものと認められる場合において、それを使用する無線局が開設されたならば、当該無線局が他の無線局の運用を著しく阻害するような混信その他の妨害を与えるおそれがあると認めるとき　当該無線設備にかかる設計

「基準不適合設備」の概念は従来存在したが、令和2年の法改正により(2)の要件が加わり、現実の妨害が生じていなくてもそのおそれがあれば規制できるよう概念が拡張された。

（注②）　基準不適合設備の製造業者・輸入業者・販売業者に対する措置

この規制の対象は、不法に電波を利用した者に対するものでなく、いわばその原因

を作ったと認める者に対する措置である。したがって勧告することができる場合については基準不適合設備とはいえ、厳しい条件を設けて慎重を期してある。なおアメリカ等ではこのような不良設備は、販売を禁止する強制命令を発することができるといわれるが、これに比べると弱い感がある。しかし、この制度は、製造業者等に対し直接社会的自覚を促すもので、従来の電波法体制からすれば画期的なものといえる。

勧告の内容については別に定めはないが、販売の中止、回収、修理などが考えられる。

(注③) 適正な運用の確保が必要な無線局

次のものが定められている（施 51 の 2）

ア　電気通信業務の用に供する無線局

イ　放送の業務の用に供する無線局

ウ　人命若しくは財産の保護又は治安の維持の用に供する無線局

エ　気象業務の用に供する無線局

オ　電気事業に係る電気の供給の業務の用に供する無線局

カ　鉄道事業に係る列車の運行の業務の用に供する無線局

キ　ア～カのほか、公共の利益のための業務の用に供する無線局であって、混信その他の妨害を与えられることにより当該業務の遂行に支障を生ずるおそれがあるもの

3　指定無線設備に係る要免許告知の制度

(1)　特定周波数無線設備の指定

ア　不法無線局のうち、特定の範囲の周波数の電波を使用するもの（これを「特定不法開設局」という）が多くなっている。そこで総務大臣は、これが著しく多数であると認める場合であって、その特定の範囲の周波数の電波を使用する無線設備（これを「特定周波数無線設備」という。）が広く販売されているため、特定不法開設局の数を減少させることが容易でないと認めるときは、総務省令でその特定周波数無線設備を指定することができる（法102の13Ⅰ、施51の2の2）。この指定及び次の(2)アの告知等によって、特定不法開設局の発生防止が図られている。

イ　アの指定については、その必要がなくなったときは、総務大臣はその指定を解除しなければならない（法102の13Ⅱ）。

ウ　この措置は販売事業に関連があるので、アの総務省令を制定又は改廃するときは、総務大臣は経済産業大臣に協議しなければならない

（法102の13Ⅲ）。

⑵　指定無線設備小売業者の販売時の措置

ア　総務省令で指定された特定周波数無線設備（これを「指定無線設備」という。）の小売業者（これを「指定無線設備小売業者」という。）は、指定無線設備を販売するときは、契約を締結するまでの間に、相手方に対し、この設備を使用して無線局を開設するときは無線局の免許を要する旨を告げ、又は総務省令で定める方法により、これを示さなければならない（法102の14Ⅰ）。

イ　指定無線設備小売業者は、指定無線設備を販売する契約を締結したときは、遅滞なく、次に掲げる事項を総務省令で定めるところにより記載した書面を購入者に交付しなければならない（法102の14Ⅱ）。

㋐　アにより告げ、又は示さなければならない事項

㋑　無線局の免許がないのに、指定無線設備を使用して無線局を開設した者は、電波法に定める刑（１年以下の懲役又は100万円以下の罰金）に処せられること。

㋒　指定無線設備を使用する無線局の免許の申請書を提出すべき官署の名称及び所在地

⑶　指定無線設備小売業者に対する指示

ア　総務大臣は、指定無線設備小売業者が⑵の定めに違反した場合において、特定不法開設局の開設を助長して無線通信の秩序の維持を妨げることとなると認めるときは、その指定無線設備小売業者に対し、必要な措置を講ずべきことを指示することができる（法102の15Ⅰ）。

イ　総務大臣は、アの指示をしようとするときは、経済産業大臣の同意を得なければならない（法102の15Ⅱ）。

⑷　報告及び立入検査

総務大臣は、必要な限度において、指定無線設備小売業者から、その業務に関し報告を徴し、又はその職員に、指定無線設備小売業者の事務所に立ち入り、指定無線設備、帳簿、書類その他の物件を検査させることができる（法102の16）。

9－4　電波有効利用促進センター

1　電波利用の相談的業務及び電波有効利用促進センター

無線局を開設しようとする場合、まず使用可能な周波数及び無線設備の設置予定場所周辺における混信問題が大きな懸案事項となる。ところが無線局を開設しようとする者にとって、高密度の電波利用の中で、これに関する詳細、かつ必要な資料のないことが多い。また、これを個々に緻密に調査、検討することは極めて困難であり、無線局の免許の申請に至らないという事態も生ずることになる。そこで、電波の有効かつ適正な利用に寄与する目的で、いわば電波利用の相談的業務を行うことが制度化され、電波の有効かつ適正な利用に寄与することを目的とする一般社団法人又は一般財団法人（5－3の5の（注）参照）の申請により総務大臣が指定する電波有効利用促進センター（以下、「指定センター」という。）（注）がこれを担当することとされた（法102の17Ⅰ）。

（注）　電波有効利用促進センター

(1)　電波利用の相談的業務は、電波行政上の付帯的な事務として、従来も時宜に応じ、事実上は実施されていた。しかし電波の利用方法の高度化及び利用者の高密度化に対応し、電波の有効かつ適正な利用を図るために、昭和62年6月、電波法に新たに規定が設けられ、電波有効利用促進センター制度が発足したものである。

(2)　この業務及び指定センターの指定は、法に明文の根拠を有するものであって公共性が高く、指定センターの指定の条件及びこれの規律監督は、他の指定機関の場合とほとんど同様に厳しいものとなっている。

(3)　指定センターとしては、現在、一般社団法人「電波産業会」が指定を受けている。

2　指定センターの業務

指定センターの行う業務は、概ね次のとおりである（法102の17Ⅱ）。

(1)　混信に関する調査その他の無線局の開設又は無線局に関する事項の変更に際して必要とする事項について、照会及び相談に応ずること。

(2)　他の無線局と同一の周波数の電波を使用する無線局を当該他の無線局に混信その他の妨害を与えないように運用するに際して必要とされる事項について、照会に応ずること（注）。

(3)　電波に関する条約を適切に実施するために行う無線局の周波数の指定の変更に関する事項、電波の能率的な利用に著しく資する設備に関する事項、その他電波の有効かつ適正な利用に寄与する事項について、情報の収集及び提供を行うこと。

(4)　電波の利用に関する調査及び研究を行うこと。

(5)　電波の有効かつ適正な利用について啓発活動を行うこと。

(注)　電波利用の進展等に伴い、新たなシステムの導入に当たって周波数再編等による専用の周波数の確保が困難となってきていることから、複数の無線局に同一の周波数を割り当て、相互の運用調整により混信等を回避することとせざるを得ない状況が生じている。このような実態を踏まえ、令和２年の法改正においてこの業務が追加された。

3　指定センターに対する総務大臣の援助

総務大臣は、指定センターに対し、前２の(1)及び(2)の業務の実施に必要な無線局に関する情報の提供又は指導及び助言を行うことができる（法102の17Ⅳ）。

9－5　手数料

1　手数料の意義

手数料とは、国、公共団体等が他人のために行う公の役務に対し、その費用を償うため、又は報償として徴収する料金をいう。電波法にあっても、国が無線局免許申請を処理したり、無線局の落成後の検査を行う等様々な役務を提供することを予定していることから、そのための費用を手数料として徴収する制度を設けている。

2　手数料の徴収

次に掲げる者は、政令（電波法関係手数料令）の定めるところにより、実費を勘案して政令（電波法関係手数料令）で定める額の手数料を納めることとされている（法103）。

(1)　無線局の免許を申請する者（法６関係）

(2)　落成後の検査を受ける者（法10関係）

⑶　変更の検査を受ける者（総務大臣から電波法第71条第１項又は76条の３第１項の規定により周波数等の指定変更を受けたことにより、無線設備の変更の工事の許可を受けた者を除く。）（法18関係）

⑷　検査等事業者の登録の更新を申請する者（法24の２の２Ⅰ関係）

⑸　無線局に関する情報の提供を受ける者（法25Ⅱ関係）

⑹　特定無線局の免許を申請する者（法27の３関係）

⑺　開設計画の認定を申請する者（法27の13Ⅰ関係）

⑻　無線局の登録を申請する者（法27の18Ⅰ関係）

⑼　無線局の包括登録を申請する者（法27の29Ⅰ関係）

⑽　無線設備の機器の型式についての検定を受ける者（法37関係）

⑾　登録証明機関の登録の更新を申請する者（法38の４Ⅰ関係）

⑿　技術基準適合証明を求める者（法38の18Ⅰ関係）

⒀　工事設計認証を求める者（法38の24Ⅲ関係）

⒁　修理業者の登録を申請する者（法38の39Ⅰ関係）

⒂　修理業者に係る変更登録を申請する者（法38の42Ⅰ関係）

⒃　主任無線従事者の講習を受ける者（法39Ⅶ関係）

⒄　無線従事者国家試験を受ける者（法41関係）

⒅　無線従事者の免許を申請する者（法41関係）

⒆　船舶局無線従事者証明を申請する者（法48の２Ⅰ関係）

⒇　総務大臣が行う船舶無線従事者証明の申請者に対して行う義務船舶局等の無線設備の操作又はその監督に関する訓練（新規訓練）を受ける者（法48の２Ⅱ㈠関係）

(21)　総務大臣が行う船舶無線従事者証明の申請者に対して行う義務船舶局等の無線設備の操作又はその監督に関する訓練（再訓練）を受ける者（法48の３㈠関係）

(22)　免許状、登録状、登録証、免許証又は船舶局無線従事者証明書の再交付を申請する者

(23)　無線設備等保守規程の認定を申請する者（法70の5の2関係）

(24)　無線局の定期検査を受ける者（法73Ⅰ関係）

(25) 測定器等の較正（指定較正機関が行うものを除く。）を受ける者（法102の18Ⅰ関係）

3　手数料の納付先

手数料の納付先は、原則として国であるが、指定講習機関が行う講習を受ける者にあっては当該指定講習機関、指定試験機関がその実施に関する事務を行う無線従事者国家試験を受ける者にあっては当該指定試験機関、国立研究開発法人情報通信研究機構が行う較正を受ける者にあっては当該機構に納めることとなっており、これにより、指定講習機関、指定試験機関又は機構に納められた手数料は、当該指定講習機関、当該指定試験機関又は当該機構の収入となる（法103Ⅰ Ⅲ関係）。

4　手数料の納付方法

手数料の納付は、申請又は届出の書類に手数料の額に相当する収入印紙を貼って納めることとされているが、電子情報処理組織を使用して申請等をする場合は、手数料に係る納付情報により納めることとなっている（手数料令22、施51の9の2）。

5　免許状等の送付に要する費用

法の規定による申請又は届出をする者が、申請又は届出に対する処分に関する書類の送付を希望するときは、総務大臣又は総合通信局長に送付に要する費用を納めなければならない。この場合の納付手段は郵便切手又は信書便の料金支払いのための証票とされている（施51の9の3）。

6　手数料の免除

(1) 次の通信を行う無線局として総務大臣が認めるものであって、臨時に開設するものについては、2の(1)、(2)、(6)、(8)又は(9)に係る手数料を納めることを要しない（法103Ⅱ）（平成26年の電波法改正により認められたもの）。

ア　地震、台風、洪水、津波、雪害、火災、暴動その他非常の事態（以下「地震等」という。）が発生し、又は発生するおそれがある場合において専ら人命の救助、災害の救援、交通通信の確保若しくは秩序の維持のために必要な通信

イ　電波法102条の2第1項各号に掲げる無線通信（重要無線通信）を

行う無線局のうち、当該地震等による被害の発生を防止し、又は軽減するために必要な通信

(2) 国及び政令（施行令15）で定める独立行政法人については手数料の納付が免除されている（法104Ⅰ）。

9－6 電波利用料

1 電波利用料制度の意義

無線局が適正に維持・運営されるためには、無線局に関する情報が行政によって適切に把握・管理されるとともに、免許を受けない不法無線局や無線局の違法運用が排除されなくてはならない。併せて電波のより能率的な利用に関する技術の開発やその成果を踏まえての無線設備の技術基準の向上、その他時宜に応じた総務大臣の施策（事務）が必要である。

そこで総務大臣は、無線局全体の受益を直接の目的として、次の2の施策を講じることにしている。それには経費がかかるが、この経費を「電波利用共益費用」といい、この財源に充てるために、これらの施策によって利益を受けることとなる無線局の免許人等（注）が納付すべき金銭を電波利用料という（法103の2Ⅳ）。

なお、政府は、少なくとも3年ごとに、本制度の施行状況について電波利用料の適正性の確保の観点から検討を加え、必要があると認めるときは、その結果に基づいて所要の措置を講ずるものとされている（法附則14）。

（注）電波利用料の納付義務者

従来電波利用料の納付義務を負う者は無線局の「免許人」に限られていたが、平成16年の法改正で無線局の登録制度が創設されたことに伴って「登録人」がこれに加わり、さらに、特定周波数終了対策業務の関係で一部免許等不要局の「開設者」や「無線設備に技術基準に係る表示を付した者」にまで拡大している。

2 電波利用料による施策

電波利用料を財源とする施策は、次のとおりである（法103の2Ⅳ、附則15、16）。

(1) 電波の監視及び規正並びに不法無線局の探査

⑵　全無線局について、免許等に関する事項を電子情報処理組織によって記録する総合無線局管理ファイルの作成及び管理

⑶　周波数を効率的に利用する技術、周波数の共同利用を促進する技術又は高い周波数への移行を促進する技術としておおむね5年以内に開発すべき技術に関する無線設備の技術基準の策定に向けた研究開発並びに既に開発されている周波数を効率的に利用する技術、周波数の共同利用を促進する技術又は高い周波数への移行を促進する技術を用いた無線設備について無線設備の技術基準を策定するために行う国際機関及び外国の行政機関その他の外国の関係機関との連絡調整、試験並びにその結果の分析

⑷　電波の人体等への影響に関する調査

⑸　標準電波の発射

⑹　電波の伝わり方について、観測を行い、予報及び異常に関する警報を送信し、並びにその他の通報をする事務並びに当該事務に関連して必要な技術の調査、研究及び開発を行う事務（注①）

⑺　特定周波数変更対策業務（7－2の2参照）

⑻　特定周波数終了対策業務（7－2の3参照）

⑼　現に設置されている人命又は財産の保護の用に供する無線設備による無線通信について、当該無線設備が用いる技術の内容、当該無線設備が使用する周波数の電波の利用状況、当該無線通信の利用に対する需要の動向その他の事情を勘案して電波の能率的な利用に資する技術を用いた無線設備により行われるようにするため必要があると認められる場合における当該技術を用いた人命又は財産の保護の用に供する無線設備（当該無線設備と一体として設置される総務省令で定める附属設備並びに当該無線設備及び当該附属設備を設置するために必要な工作物を含む。）の整備のための補助金の交付（注②）

⑽　⑼に掲げるもののほか、電波の能率的な利用に資する技術を用いて行われる無線通信を利用することが困難な地域において必要最小の空中線電力による当該無線通信の利用を可能とするために行われる次に

掲げる設備（当該設備と一体として設置される総務省令で定める附属設備並びに当該設備及び当該附属設備を設置するために必要な工作物を含む。）の整備のための補助金の交付その他の必要な援助

ア　当該無線通信の業務の用に供する無線局の無線設備及び当該無線局の開設に必要な伝送路設備

イ　当該無線通信の受信を可能とする伝送路設備

⑾　⑼及び⑽に掲げるもののほか、電波の能率的な利用に資する技術を用いて行われる無線通信を利用することが困難なトンネルその他の環境において当該無線通信の利用を可能とするために行われる設備の整備のための補助金の交付

⑿　電波の能率的な利用を確保し、又は電波の人体等への悪影響を防止するために行う周波数の使用又は人体等の防護に関するリテラシーの向上のための活動に対する必要な援助

⒀　テレビジョン放送（人工衛星局により行われるものを除く。）を受信することのできる受信設備を設置している者（地上デジタル放送（注③）を受信することのできる受信設備を設置している者を除く。）のうち、経済的困難その他の事由により地上デジタル放送の受信が困難な者に対して地上デジタル放送の受信に必要な設備の整備のために行う補助金の交付その他の援助（注④）

⒁　地上基幹放送（音声その他の音響のみを送信するものに限る。）を直接受信することが困難な地域において必要最小の空中線電力による当該地上基幹放送の受信を可能とするために行われる中継局その他の設備（当該設備と一体として設置される総務省令で定める附属設備並びに当該設備及び当該附属設備を設置するために必要な工作物を含む。）の整備のための補助金の交付（注⑤）

⒂　大規模な自然災害が発生した場合においても、地上基幹放送又は移動受信用地上基幹放送の業務に用いられる電気通信設備の損壊又は故障により当該業務に著しい支障を及ぼさないようにするために行われる当該電気通信設備（当該電気通信設備と一体として設置される総務

省令で定める附属設備並びに当該電気通信設備及び当該附属設備を設置するために必要な工作物を含む。）の整備（放送法第111条第1項の総務省令で定める技術基準又は同法第121条第1項の総務省令で定める技術基準に適合させるために行われるものを除く。）のための補助金の交付（注⑥）

⒃　令和4年3月31日までの間、平成29年5月の改正電波法の施行の日（平成29年5月12日）の前日（「基準日」）において設置されているアに掲げる衛星基幹放送の受信を目的とする受信設備（基準日において法第3章に定める技術基準に適合していないものを除き、増幅器及び配線並びに分配器、接続子その他の配線のために必要な器具に限る。）であって、イに掲げる衛星基幹放送の電波を受けるための空中線を接続した場合に当該技術基準に適合しないこととなるものについて、当該技術基準に適合させるために行われる改修のための補助金の交付その他の必要な援助（注⑦）

ア　基準日において行われている衛星基幹放送であって、基準日の翌日以降引き続き行われるもの（実験等無線局を用いて行われるものを除く。）

イ　基準日の翌日以後にアに掲げる衛星基幹放送と同時に行われる衛星基幹放送であって、アに掲げる衛星基幹放送に使用される電波と周波数が同一で、かつ、電界の回転の方向が反対である電波を使用して行われるもの

⒄　電波利用料に係る制度の企画又は立案その他⑴～⒃に掲げる事務に附帯する事務

これら施策の内容は、電波利用料制度創設以来次第に拡大してきている。

（注①）⑹について

近年、太陽フレア等による電波伝搬の異常が発生しており、電波伝搬を観測・分析し、伝搬異常の発生の把握や予測を行う重要性が高まっているため、令和元年の電波法改正により追加された。

（注②）⑼について

当面防災行政無線、消防救急無線のデジタル化の促進が施策として想定されている。

（注③）　地上デジタル放送

「デジタル信号によるテレビジョン放送（人工衛星局により行われるものを除く。）のうち、静止し、又は移動する事物の瞬間的影像及びこれに伴う音声その他の音響を送る放送」と定義されている（法附則15）。

（注④）⒀について

平成21年の電波法改正でこの施策が追加された。ただし「当分の間」の施策ということから、附則に追加する形で措置されている（附則15）。

我が国では地上テレビジョン放送のデジタル化がほとんどの地域で平成23年７月に、残された岩手、宮城、福島の３県についても平成24年３月にそれぞれ完了したが、生活保護受給などでNHK受信料が全額免除になっている世帯及び世帯全員が市町村民税非課税の措置を受けている世帯に対し、デジタル化された地上テレビジョン放送の受信に係る支援（簡易チューナーの無償給付、アンテナ改修など）が行われ、その財源として電波利用料が使われている。

（注⑤）⒁について

平成26年の電波法改正でこの施策が追加された。ただし「当分の間」の施策ということから、附則に追加する形で措置されている（法附則15）。ラジオ放送は、多くの者に一斉に情報を伝達することができ、災害時に輻輳が発生しないことや受信機が乾電池で作動する等、災害時における情報提供手段として重要であることから、ラジオ放送の難聴解消のための小電力のFM中継局整備に対する支援を使途するものである。

（注⑥）⒂について

令和元年の電波法改正によりこの施策が追加された。ただし、「当分の間」の施策ということから附則に追加される形で措置されている。

大規模な自然災害の発生に備えて、停電対策、予備設備整備等の停波防止対策を講じることにより、当該地域において必要な情報を確実に伝達することができるよう、地上基幹放送又は移動受信用地上基幹放送用の電気通信設備等の整備を支援するものである。

（注⑦）⒃について

平成29年の電波法改正においてこの施策が追加された。平成32年３月31日までの施策ということから附則に追加する形で措置されたが、対象設備の整備状況等から、令和２年の法改正により、この期限は令和４年３月31日まで延長された。

衛星放送による４Ｋ・８Ｋ放送の開始に伴い、新たに左旋円偏波を使用する放送が行われることにより、一部の受信設備において空中線を接続した場合に技術基準に適合しなくなり電波の漏洩が発生するおそれがあるため、その改修のため補助金を交付するものである。

3　電波利用料の額及び納付の方法

(1)　電波利用料の額

ア　基本的考え方

電波利用料の額は、無線局を9区分した上で、各区分を使用周波数帯、使用周波数幅、空中線電力、設置場所等の観点から細分し、それぞれについて年額で定められている（法103の2Ⅰ、別表6）。ただし、包括免許人又は包括登録人の納入する電波利用料の額については、特則がある（法103の2Ⅴ、Ⅵ）（注①）。

当初電波利用料の額は、無線局を業務形態や局種の観点から9区分し、それぞれの区分に応じ一律に定められていたが、平成17年の電波法改正では考え方を変え、その無線局に係る前記各種属性をも勘案して定めることとした。すなわち、電波の経済的価値というべきものを料額に反映させるようにしたもので、具体的には、人気が高く利用が集中する周波数帯を使う場合はそうでない場合よりも高く、広い帯域を占有する場合や大きい空中線電力を使用する場合はそうでない場合よりも高く、無線局が密集する地域に開設する場合はそうではない場合よりも高く料額を設定している。このような考え方をとることより、免許人等においてより効率的に電波を使おうというインセンティブが生じることを期待しているもので、電波に対するニーズが飛躍的に増大している昨今の情勢を踏まえた方策といえる。

イ　広域使用電波に係る電波利用料

アに加えて、広域使用電波に係る電波利用料が存在する。広域使用電波とは、広域開設無線局（広範囲の地域において同一の者により相当数開設される無線局をいう。）に使用させることを目的として一定の区域を単位として総務大臣が指定する周波数（6,000MHz以下のものに限る。）の電波をいうのであるが、この広域使用電波を使用する広域開設無線局の免許人は別途、広域使用電波の使用区域、周波数の幅（メガヘルツで表した数値）及び当該電波の使用区分により算定した電波利用料を負担すべきこととされる（法103の2Ⅱ、別表7、別表8）。

多くの無線局のニーズを一定の周波数幅の中で賄えば、それだけ割安になると見ることができるから、無線局数比例の電波利用料を低く抑えるとともに広域使用電波に係る電波利用料の比重を高めることにより、やはり電波の効率的利用へのインセンティブを高めることにつながると考えられる。

広域使用電波の制度は平成17年の電波法改正で「広域専用電波」として創設されたが、近年における携帯無線通信等に係る周波数需要の増大や無線技術の進展に伴う帯域共用の可能性の増大にかんがみ、令和元年の電波法改正により「専用」を「使用」に改めるとともに、周波数の上限も3,000MHzから6,000MHzに引き上げたものである。

ウ　電波利用料の上限

広域使用電波を使用する第1号包括免許人（広域開設無線局の免許人であるものに限る。）の電波利用料負担額については上限が設けられている。

広域使用電波を使用する第1号包括免許人が支払うべき電波利用料は、使用する電波の周波数の幅に応じて算定される部分と無線局数（端末数）に応じて算定される部分から構成されるが、後者について、同等の機能を有する無線局の区分（施51の10の2の2）ごとに算定される金額に上限が設けられている。

これは、平成26年の電波法改正によって導入された制度で、携帯電話やそれを利用するスマートメーター、さらにM2M等の無線システムが対象として想定されている。これらの無線システムは現代社会のICTインフラを構築する上で重要なものであるが、使用される無線局の数が極めて多く、局数比例部分の電波利用料の額が膨大となりかねないので、免許人の負担を軽減し、無線システムの普及を促進することを狙いとして本制度が導入された。

なお、この上限額の決定に当たっても当該無線システムが使用する広域使用電波の周波数の幅が勘案されることになっている（法103の2Ⅶ、Ⅷ）。

エ　特定周波数変更対策業務等に係る特例

特定周波数変更対策業務及び特定周波数終了対策業務に関る無線局の免許人等に適用される電波利用料については、特例が定められている（注②、③）。

⑵　納付の方法

無線局の免許人等（包括免許人又は包括登録人（以下「包括免許人等」という。）を除く。）は、無線局の免許の日から30日以内（翌年以降は免許等の日に応当する日から30日以内）に、上記の電波利用料を、総務省から送付される納入告知書により納付しなければならない（包括免許人等については注①⑴参照。）（法103の２Ⅰ）。翌年の応当日以後の期間に係る電波利用料の前納や、免許人の預金口座又は貯金口座からの口座振替による納入の方法も認められている（法103の２ⅩⅧ、ⅩⅩⅢ及びⅩⅩⅣ）。

いずれの方法についても、事前に所定の事項を記載した書面により、総合通信局長に申し出を行う必要がある（施51の10の６～51の11、51の11の２の10～51の11の７）。

また、コンビニエンスストア等での納付を可能とするため、一定の要件を満たす者に納付を委託する規定及び関連の制度が整備されている（法103の２ⅩⅩⅤ～ⅩⅩⅩⅠ）（注④）。

さらに、平成26年の電波法改正により、広域使用電波を使用する免許人について、その申請により電波利用料を延納させることができることとされた（法103の２ⅩⅨ）。電波利用料は１年分を予め一括払いするのが原則であるが、申請が承認されれば、年４回に分けて分納することができる（施51の11の２～51の11の２の５）。

（注①）包括免許人等の納付する電波利用料

包括免許人等の納付する電波利用料については、額及び納付方法に関し、一般無線局の場合とは異なる規定が設けられている（法103の２Ⅴ～Ⅷ、施51の10）。その概要は、次のとおりである。

なお、広域使用電波のユーザについて、別途使用する周波数の幅に応じた「定額部分」が存在することは前述のとおりである（法103の2Ⅱ）。

(1) 第1号包括免許人は、包括免許の日の属する月の末日（翌年以降は包括免許の日に応当する日の属する月の末日）現在において開設している特定無線局の数（以下「開設無線局数」という。）を、その翌月の15日までに総務大臣に届け出て、その届出が受理された日から30日以内に、370円（広域使用電波を使用する広域開設無線局を通信の相手方とする無線局については、170円）に開設無線局数を乗じて得た金額（年額）を、電波利用料として納付しなければならない。

なお、免許の日又は応答する日の翌月以降の月の末日現在の開設無線局数が既に届け出ている開設無線局数を超えたときは、その超えた月の翌月の15日までに届け出て、届出の受理された日から30日以内に、超えた局数に係る電波利用料（年額の月割額）を納付しなければならない（開設無線局数に関する届出をせず、又は虚偽の届出をした者は、過料に処せられる（法116(二十八))。平成17年の法改正においては、携帯電話事業におけるシステムのグレードアップ等の際に特定無線局の数が増加しつつあるシステムと減少しつつあるシステムが併存する事態が生じること等を考慮し、このような場合における局数の調整を可能とした。

(2) 第2号包括免許人は、包括免許の属する月の末日（翌年以降は包括免許の日に応答する日の属する月の末日）から起算して45日以内に、電波法別表6で無線局の区分に応じて定める金額に開設無線局数を乗じて得た金額（年額）を、電波利用料として納付しなければならない。

なお、免許の日又は応答する日の翌月以降の月の末日現在開設している特定無線局数が開設無線局数を超えたときは、超えた月の月末から起算して45日以内に、超えた局数に係る電波利用料（年額の月割額）を納付しなければならない。

(3) 包括登録人は、登録の日の属する月の末日（翌年以降は登録の日に応答する日の属する月の末日）から45日以内に、400円（移動しない無線局については別に定める額（法別表9））に開設登録局数を乗じて得た金額（年額）を、電波利用料として納付しなければならない。

なお、登録の日又は応答する日の翌月以降の月の末日現在の開設登録局数がその局数を超えたときは、45日以内に、超えた局数に係る電波利用料（年額の月割額）を納付しなければならない。

(注②) 特定周波数変更対策業務関係の特例

特定周波数変更対策業務に係る既開設局の免許人に適用される額は、当該業務が実施される期間内の各年度においては、通常の電波利用料の金額に、当該業務に要する費用の総額の一定割合を勘案し、既開設局が使用する周波数及び空中線電力に応じて政令で定める金額を加算した金額となる（法103の2 Ⅸ)。特定周波数変更対策業務が電波利用料を財源として行われることから、無線局免許人間の公平性を確保するために導入された措置である。

(注③) 特定周波数終了対策業務関係の特例

(1) 特定公示局の免許人等に適用される電波利用料の料額は、旧割当期限の満了から10年以内で政令で定める期間を経過する日までの間は、通常の電波利用料の金額に、当該免許人に係る特定周波数終了対策業務に要すると見込まれる費用の２分１に相当する額及び当該期間内に開設されると見込まれる特定公示局の数を勘案し、無線局の種別、周波数及び空中線電力に応じて政令で定められる金額を加算した金額となる（法103の２Ⅹ）。

これは、周波数割当計画の変更の結果退出を余儀なくされる既存利用者には損失が発生し、それを補償するために特定周波数終了対策業務が行われるところ、新規参入者には逆にそのために電波が利用できるというメリットが生じるのであるから、それらの者に重く補償財源を負担させることが公平であるとの考えに基づくものであり、⑵以下についても同様である。

⑵　免許人が特定周波数終了対策業務に係る認定計画に従って特定基地局を最初に開設する場合における当該特定基地局（当該特定基地局が包括免許に係るものである場合にあっては、当該包括免許に係る他の特定基地局を含む。）に係る電波利用料の料額は、旧割当期限の満了から５年以内で政令で定める期間を経過する日までの間は、通常の電波利用料の金額に、当該免許人に係る特定周波数終了対策業務に要すると見込まれる費用の２分の１に相当する額を勘案して当該特定基地局が使用することができる周波数及びその使用区域に応じて政令で定める金額と、当該政令で定める金額未満の範囲内で当該認定計画が特定基地局の円滑な開設に寄与する程度を勘案して算定した金額とを合算した金額を加算した金額となる（法103の２Ⅺ）。

⑶　特定周波数終了対策業務に係る特定公示局が法第４条第３号の無線局のみである場合における当該特定公示局（以下「特定免許等不要局」という。）のうち電気通信業務等の用に供する無線局に専ら使用される無線設備を使用するものを開設した者は、旧割当期限の満了から10年以内で政令で定める期間を経過する日までの間は、毎年開設している当該無線局の数等を総務大臣に届け出て、電波利用料として当該特定周波数終了対策業務に要すると見込まれる費用の２分の１に相当する額等を勘案して政令で定める金額にその年に開設している特定免許等不要局の数を乗じて得た金額を国に納めなければならないこととなる(法103の２Ⅻ)。

⑷　特定免許等不要局に使用される無線設備（電気通信業務等の用に供する無線局に専ら使用されるものを除く。）に、旧割当期限の満了から10年以内で政令で定める期間を経過する日までの間に技術基準に係る表示を付した者（以下「表示者」という。）は、毎年１年間に表示を付した無線設備の数等を届け出て、電波利用料として当該特定周波数終了対策業務に要すると見込まれる費用の２分の１に相当する額等を勘案して政令で定める金額に、当該１年間に表示を付した無線設備の数を乗じて得た金額を国に納めなければならないこととなる（法103の２ⅩⅢ）。

⑸　表示者は総務大臣の承認を受けて、⑷により納付すべき電波利用料の見込み額を予納することができることとされ、その予納した見込み額の還付について所要

の規定が設けられている（法103の２XX～XXⅣ）。

(注④)　電波利用料納付委託制度

概要は、次のとおりである。

⑴　本制度の利用は納付しようとする電波利用料の額が総務省令（施51の11の８）で定める金額（30万円）以下である場合に限られる。

⑵　電波利用料を納付しようとする者が納付受託者（コンビニエンスストア等）に支払ったときに電波利用料の納付があったものとみなされる。

⑶　納付受託者となるためには、政令で定める次の要件（施行令13）に該当する者として総務大臣の指定を受けなければならない。

ア　納付受託者として、納付事務を行うことが電波利用料の徴収の確保及び電波利用料の納付に係る便益の増進に寄与すると認められること。

イ　納付事務を適正かつ確実に遂行するに足りる経理的及び技術的な基礎を有するものとして総務省令（施51の11の９）で定める基準を満たしていること。

⑷　総務大臣は、納付受託者の指定をしたときは、その名称、住所、事務所の所在地等を公示する。

⑸　納付受託者は電波利用料相当金額の支払いを受けたときは、遅滞なく、その旨及び支払いを受けた年月日を総務大臣に報告するとともに、総務省令で定める日までに電波利用料として納付しなければならない。

⑹　その他納付受託者の帳簿備付け、記載、保存義務、総務大臣の報告徴収権及び立入検査権、納付受託者の指定の取消し等について規定が整備されている（施51の11の８～51の11の18）。

4　電波利用料の減免

⑴　電波利用料の免除

次の無線局に係る免許人等（当該無線局が特定免許等不要局であるときは、それを開設した者）については、電波利用料が免除される。

ア　外国で取得した船舶又は航空機の特例の無線局（この船舶又は航空機が日本国内の目的地に到着した場合は、免許は効力を失う。）（法27）（２－６の３参照）

イ　９－５の６（手数料の免除）⑴の無線局

ウ　次の㋐～㋛に掲げる者が専らそれぞれに掲げる事務の用に供することを目的として開設する無線局その他これらに類するものとして政令(注)で定める無線局

㋐　警察庁　警察法第２条第１項に規定する責務を遂行するために行

う事務

(イ)　消防庁又は地方公共団体　消防組織法第１条に規定する任務を遂行するために行う事務

(ウ)　法務省　刑事収容施設及び被収容者等の処遇に関する法律第３条に規定する刑事施設、少年院法第３条に規定する少年院、少年鑑別所法第３条に規定する少年鑑別所及び婦人補導院法第１条第１項に規定する婦人補導院の管理運営に関する事務

(エ)　出入国管理庁　出入国管理及び難民認定法第16条の３の２第２項に規定する事務

(オ)　公安調査庁　公安調査庁設置法第４条に規定する事務

(カ)　厚生労働省　麻薬及び向精神薬取締法第54条第５項に規定する職務を遂行するために行う事務

(キ)　国土交通省　航空法第96条第１項の規定による指示に関する事務

(ク)　気象庁　気象業務法第23条に規定する警報に関する事務

(ケ)　海上保安庁　海上保安庁法第２条第１項に規定する任務を遂行するために行う事務

(コ)　防衛省　自衛隊法第３条に規定する任務を遂行するために行う事務

(サ)　国の機関、地方公共団体又は水防法第２条第２項に規定する水防管理団体　水防事務（イに定めるものを除く。）

(シ)　国の機関　災害対策基本法第３条第１項に規定する責務を遂行するために行う事務（(ア)～(サ)に定めるものを除く。）

(2)　電波利用料の減額

①(1)ウ(ア)～(シ)に掲げる者がそれぞれに掲げる事務の用に供することを目的として開設する無線局（(1)の対象となるものを除く。）、②地方公共団体が開設する無線局であって、地域防災計画の定めるところに従い防災上必要な通信を行うことを目的とするもの（(1)の対象となるものを除く。）及び③周波数割当計画において無線局の使用する電波の周波数の使用の期限が定められている場合（特定周波数変更対策業務の規定の適用がある場合

を除く。）において当該無線局を２年以内に廃止することについて総務大臣の確認を受けた無線局については、電波利用料の額が２分の１に減額される（法103の２ＸＶ）。

(3) 減免措置の不適用

(1)又は(2)の対象となる無線局（(1)については国の機関等が開設する無線局又は(1)ウの政令で定める無線局に限り、(2)については(2)③の無線局を除く。）が、電波の能率的な利用に資する技術を用いた無線設備を使用していないと認められるもの（その無線設備が使用する周波数の電波に関する需要の動向その他の事情を勘案して当該技術を用いた無線設備の導入を促進する必要性が低いと認められるものを除く。）として政令で定めるものであるときは、減免の措置は講じられない。（法103の２ＸⅣ、ＸＶ）。

これは、第５世代移動通信システムの普及の進展等周波数事情が更にひっ迫する状況の下、公共用無線局においても、より電波の能率的な利用に資する技術を用いた無線設備の導入による周波数利用効率の向上が促進される必要があることから、令和元年の電波法改正において措置されたものである。

（注）政令で定める無線局は、次のとおり（施令12）

(1) 気象庁が気象業務法第23条に規定する警報に関する事務の用に供することを目的として開設する無線局（専ら当該事務の用に供することを目的として開設するものを除く。）であって、人工衛星の無線局であるもの及び当該人工衛星の無線局を通信の相手方とするもの

(2) 内閣官房が開設する無線局であって、内閣官房組織令第４条の３第２項第１号に規定する情報収集衛星の無線局であるもの及び当該情報収集衛星の無線局を通信の相手方とするもの並びにこれらの無線局の適切な運用を確保するために必要な通信を行うもの

(3) 内閣府が開設する無線局であって、測位の用に供するための信号を送信することを主たる目的とする人工衛星の無線局であるもの及び当該人工衛星の無線局を通信の相手方とするもの（災害対策基本法第３条第１項に規定する責務を遂行するために行う事務の用に供することを目的として開設するものを除く。）

５ 電波利用料を納めない者に対する督促

電波利用料を納めない者に対して総務大臣が行う督促に関する規定は、

次のとおりである（法103の2 XXXXII〜XXXXIV）。

(1) 総務大臣は、電波利用料を納めない者があるときは、督促状（様式：施別表15号）によって、期限を指定して督促しなければならない。

(2) 督促を受けた者がその指定期限までにその督促に係る電波利用料及び延滞金を納めないときは、国税滞納処分の例により、これを処分する。この場合における電波利用料及び延滞金の先取特権の順位は、国税及び地方税に次ぐものとする。

(3) 督促をしたときは、その督促に係る電波利用料の額につき年14.5パーセントの割合で延滞金を徴収する。ただし、やむを得ない事情があると認められるとき、その他総務省令（注）で定めるときは、この限りでない。

（注）延滞金が免除されるのは、次の場合である（施51の14）。

① 督促に係る電波利用料の額が千円未満であるとき。

② 計算した遅延金の額が百円未満であるとき。

9－7　特定基地局開設料の使途

特定基地局開設料（2－3の2(6)参照）の使途については、次のとおり定められている（法103の4）。

(1) 政府は、特定基地局開設料の収入見込額に相当する金額を、電波を使用する高度情報通信ネットワークの整備を促進するために必要な施策、当該高度情報通信ネットワークを通じて流通する多様かつ大量の情報の活用による高い付加価値の創出を促進するために必要な施策及び当該付加価値が社会の諸問題の解決に活用されることを促進するために必要な施策の実施に要する経費（電波利用共益費用に該当するものを除く。）に充てるものとする。

(2) (1)の金額の算出は、各年度において、その年度の予算金額によるものとする。

9－8　外国の無線局

1　船舶又は航空機に開設した外国の無線局

我が国に来航する船舶又は航空機に開設した外国の無線局については、電波法は次のとおり定めている（法103の５）。

⑴　第２章（無線局の免許等）及び第４章（無線従事者）の規定は、適用しない。

⑵　次に掲げる通信を行う場合に限り、運用することができる。

ア　電波法第52条各号の通信（6－2の１参照）

イ　電気通信業務を行うことを目的とする無線局との間の通信

ウ　航行の安全に関する通信（イに掲げるものを除く。）

2　特定無線局と通信の相手方を同じくする外国の無線局等

我が国に入国する外国人は非常に多くなっており、それらの外国人が持ち込む無線設備を使用して無線局を開設する場合の扱いについては、電波法第４条の２に規定されている（2－1の3⑶参照）。

それらの無線局を含む外国の無線局の運用等については、次のとおり定められている（法103の６）。

⑴　第１号包括免許人は、電波法の第２章（無線局の免許等）、第３章（無線設備）及び第４章（無線従事者）の規定にかかわらず、総務大臣の許可を受けて、本邦内においてその包括免許に係る特定無線局と通信の相手方を同じくし、当該通信の相手方である無線局からの電波を受けることによって自動的に選択される周波数の電波のみを発射する次に掲げる無線局を運用することができる（法103の６Ⅰ）。

ア　外国の無線局（当該許可に係る外国の無線局の無線設備を使用して開設する無線局を含み、イの無線局を除く。）

イ　実験等無線局

この許可の申請があったときは、総務大臣は、当該申請に係る無線局の無線設備が第３章に定める技術基準に相当する技術基準に適合していると認めるときは、これを許可しなければならない（法103の６Ⅱ）。

⑵　さらに、第１号包括免許人の包括免許がその効力を失ったときは、

当該第１号包括免許人が受けていた⑴の許可は、その効力を失う、第１号包括免許人が⑴の許可を受けたときは、当該許可に係る無線局を当該第１号包括免許人がその包括免許に基づき開設した特定無線局とみなして、電波法第５章（運用）及び第６章（監督）の規定を適用する等の制度が用意されている（法103の６Ⅲ、Ⅳ）。

第10章

罰　　則

10－1　総　　説

1　罰則の意義及び効果

罰則とは、もともと、ある法律上の義務の違反があった場合に、その違反者に対し、それ相当の刑罰又は過料が加えられることを予告し、その威嚇的作用によって心理的に圧迫を加え、それによってその義務違反を一般的に予防するとともに、現実にその義務違反が行われた場合には、予定された刑罰又は過料に処するとするものである（注）。すなわち、電波法は「電波の公平且つ能率的な利用を確保することによって、公共の福祉を増進する」ことを目的としており、この目的達成のために、一般国民に対し「何々をしなければならない。」（作為義務）や「何々をしてはならない。」（不作為義務）という義務を課し、この義務の履行を期待しているのであるが、それが履行されない場合は、電波法の行政目的の達成も不可能となるので、これら義務の履行を罰則をもって確保しているものである。

一般に、義務の強要の程度には、公共の福祉との関連において、おのずから大小の差があり、義務違反に対する行政処分とか社会一般から寄せられる非難など、罰則以外の手段又は作用によって十分にその履行が確保されることが予想されるものと、公共の福祉の維持増進のためには、罰則による威嚇という手段を講じてでもその履行を確保しなければならないものとの二通りあり、罰則に掲げられている義務は、電波法上きわめて重要な事項であるということができる。

（注）林修三・吉国一郎・角田禮次郎「例解立法技術」(p.407)

2　罰則の種類

(1)　自然犯と法定犯

法令において、いかなる行為が犯罪として処罰されるかという犯罪成立の要件を「犯罪の構成要件」といっている。これは、ある作為又は不作為を犯罪として処罰しようとするときは、犯罪の構成要件としてその作為又は不作為を記述し、また、その行為が一定の時期、場所あるいは条件のもとに行われ、又はその行為によって一定の結果が発生した場合にその行為者を処罰しようとする場合には、犯罪の構成要件として、その作為、不作為のほかに、その時期、場所、条件、結果の発生をも表示しているものである。

犯罪の構成要件には、法令の罰則自体の中に表示されるものと、実体規定（すなわち、本則）の中に一定の作為、不作為の義務を課する旨の定めがおかれて、罰則にはその義務に違反した者又はその義務に違反して一定の行為をした者に対して一定の刑を科するという形で表示されるものとがある。前者は通常、いわゆる自然犯（刑事犯ともいう。）の表示に用いられ、後者は通常、いわゆる法定犯（行政犯ともいう。）の表示に用いられる。

ここで、自然犯というのは、行為自体が、法令の規定を待つまでもなく社会的に悪いとされる犯罪であって、法令は特にその行為の禁止を規定するまでもなく、単にその行為を処罰する旨の規定を設けられるのに対し、法定犯は行為それ自体に社会的に悪とされるわけではないが、法令が特に行政目的を達成するために必要と認めて課した作為又は不作為の義務に違反するが故に犯罪とされるのであって、法令によって課せられた義務が前提となり、それに違反することが犯罪となるのであるから、まず実体規定（本則）において作為又は不作為の義務を命ずる規定を設け、その後で、罰則においてその義務違反に対して刑罰を科する旨の規定を設けるのが通常である。しかし現実の法令では、必ずしも上記の区別が厳重に守られているわけでなく、電波法の場合も、その点は必ずしも明確にされていない分野がある（注）。

(2) 行政刑罰と行政上の秩序罰

違反行為の性質上、重要な義務違反である場合、すなわち、その違反の性質上直接に社会の法益を侵害するものに対しては刑罰が科せられる。行政法の分野では、行政刑罰といわれるもので、原則として刑法による規律の観念が導入される。これに対し、比較的軽微な義務違反であり、間接的に社会秩序を乱す結果となるような場合は行政上の秩序罰が考慮される。これは、行政上の法律秩序を維持するために、法令による義務違反者に対し制裁を科するとか、行政上の不作為義務についての強制執行の手段をとるというような内容のもので、行政刑罰と区別されている。以上の両者を総称し、行政上の義務違反に対し、制裁として科せられる罰を行政罰と呼ぶ。

(注)林修三・吉国一郎・角田禮次郎「例解立法技術」(p.417 ～ p.419)

3　行政刑罰に対する刑法総則の適用

電波法の罰則のうち、行政上の秩序罰(法115、116)を除いた部分は、行政刑罰の一種であるが、刑罰に関する一般規定である刑法総則の規定は、原則として、この行政刑罰の分野にも適用されるものである(刑法８)。

ここでは、刑法総則の規定のうち、特に行政刑罰の適用に関係のある分野について説明する。

(1)　刑の種類と軽重

主刑は、死刑、懲役、禁錮、罰金、拘留、科料であり、附加刑として没収がある(刑法９)。主刑の軽重は、上記の順によるが、無期禁錮と有期懲役とでは無期禁錮が重く、有期禁錮の長期が有期懲役の長期の２倍を超えるときは、有期禁錮が重いものとせられる(刑法10Ⅰ)。

電波法の罰則では、死刑、拘留、科料に該当する罪はなく、現実に存在する刑罰は、懲役、禁錮、罰金の３種である。

(2)　刑の長期、短期、多額、寡額

法定刑においては、「何年以上何年以下」というように懲役、禁錮等においては、若干の幅を持たせるのが普通であるが、この場合最上限の刑期は「刑の長期」といわれ、最下限の刑期を「刑の短期」といわれる。同様に、罰金等の場合に額に幅がある場合は、最上限の額を「刑の多額」といわれ、最下限の額を「刑の寡額」といわれる(刑法10Ⅱ)(注①)。

これらは、同種の刑の軽重を定める場合及び立法技術上に効果をもつものである。

⑶　故意と過失

すでに述べたように、刑法総則の規定は、刑法以外の法令で刑を定めた場合にも適用されるから（刑法8）、「罪を犯す意思がない行為は、罰しない。ただし、法律に特別の規定がある場合は、この限りでない。」という刑法第38条第1項の規定は、原則として、特別法に定める罰則にも適用があり、これによって、いかなる法令の罪についても、過失犯は、特別の規定（すなわち、「過失により」とか「重大な過失により」とか、過失犯を罰するという明文の規定）がなければ、犯罪として罰せられないことになる。しかし、特殊の行政上の義務について、法文上に直接過失犯を罰するという明文規定がなくても、法律全体の趣旨又は事案の本質にかんがみ、その旨の規定がある場合と同じように解釈すべきであるとした最高裁判所の判例があることは、注目すべきであろう。

電波法には、過失犯を罰するという明文規定をもつ条項はない。したがって過失犯の適用の可否が問題となるが、これは個々の案件について判断さるべきもので、過失犯に関する裁判の事例がなく、したがって現在では判例的に確立されていない。

⑷　未遂罪

犯罪は、通常既遂を以って論ぜられる。既遂というのは、犯罪の実行に着手してその目的を遂げたもの、すなわち犯罪の構成要件が完全に実現せられたものである。しかし、ある種の犯罪においては、未遂も論ぜられる場合がある。

未遂とは、犯罪の実行に着手して遂げないものをいう。刑法第44条には、「未遂を罰する場合は、各本条で定める。」とあるから、ある罪について未遂を罰するためには、各本条にその旨を規定しなければならない。その場合の未遂罪の刑は、当然に刑法第43条によって、既遂罪の法定刑に任意的減軽（中止未遂には必要的刑の減免）を加えたものとなるのである。

電波法の罰則中には、未遂を罰する規定が3箇条ある。すなわち、遭難通信の不取扱、遅延、妨害に対する罪（法105Ⅲ）、重要通信の機能に障害を与え、通信の妨害をした者に対する罪（法108の2Ⅱ）及び秘密漏洩・窃用目的で暗号通信の内容復元をした者に対する罪（法109の2Ⅳ）である。それ以外の規定では、未遂が罰せられることはないのである。

(5)　両罰規定

法令の罰則には、ある犯罪が行われた場合に、行為者本人のほかにその行為者と一定の関係にある他人（法人を含めて）に対しても刑を科する旨の規定が設けられている場合が多い。この規定を一般に両罰規定といっている。

電波法にも、これに該当するものとして第114条がある。同条では、「法人の代表者又は法人若しくは人の代理人、使用人その他の従事者が、その法人又は人の業務に関し、次の各号に掲げる規定の違反行為をしたときは、行為者を罰するほか、その法人に対して当該各号に定める罰金刑を、その人に対して各本条の罰金刑を科する。」と規定した上で、次の２号を掲げている。

ア　第110条（第11号及び第12号に係る部分に限る。）　１億円以下の罰金刑

イ　第110条（第11号及び第12号に係る部分を除く。）、第110条の２又は第111条から第113条まで　各本条の罰金刑

そもそも、こういう両罰規定が設けられるのは、一般の罰則規定は、行為者本人を処罰する意味を持つものであるということに基づいている。すなわち、ある法人が、違反行為を犯した場合に、本条の罰則規定をうけて処罰されるのは、その法人自体ではなくて、その法人で実際の業務遂行の責任の地位にある取締役とか幹部の職員等である。社会的、経済的にみれば、その事業を営んでいるのは法人であるが、伝統的な刑法理論としては、法人には犯罪能力がないという考え方で、特別の規定を設けない限り、この場合に処罰されるのは、自然人である行為者と解釈されているのである。

しかし、この場合行為者を処罰するのみでは、この罰則の本来の目的を達せられない。すなわち、実際にその違反行為によって利益を受けているのは法人等自体であるから、行政目的を達成するために、法人等に対しても刑を科することが必要と考えられるに至った。そこで、上記のような特

別の罰則規定を設けて、行為者を処罰するほか、連坐的に、その行為者によって代表される法人、あるいは行為者がその代理人、使用人となっている法人等に対しても罰金刑を科することとされたのである。

しかし、連坐的に刑が科せられるのは、犯罪が人（自然人）又は法人の業務に関して行われた場合に限られており、連坐的にその人又は法人に科せられる刑は、罰金その他の財産刑に限られている。これは、法人の場合は、本質的に懲役刑や禁錮刑等の体刑は科し得ないわけであり、自然人の場合は、不可能ではないが、連坐的に体刑まで科すことは、行き過ぎであると考えられているからである（注②）。

（注①） 刑の長期・短期、罰金の多額・寡額

「刑法上の懲役及び禁錮」には、それぞれ無期と有期があり、有期の懲役及び禁錮の場合は、1月以上20年以下とされ、これを加重する場合は30年に至ることができ、これを軽減するときは、1月未満に下げることができるものとされている（刑法12～14）。ところで、例えば、電波法第105条の遭難通信不取扱の罪では、「1年以上の有期懲役に処する」とあるが、これは、刑の短期の限界を示しているもので、刑法にいう短期1月を、ここでは短期1年にあげているのであり、刑の長期については、電波法に定めはないから、当然に刑法の規定により、法定刑としては20年まで、刑を加重する場合は30年に至ることができることを意味するものである。

また罰金の寡額については、一般的な規定として刑法第15条によって「罰金は1万円以上とする。但し、これを軽減する場合においては、1万円未満に下げることができる」と定められている。また、罰金の多額については、刑法にも罰金等臨時措置法にも一般的規定がないので、個々の法律の各本条で定められることになっている。したがって、例えば、電波法第110条の場合「100万円以下の罰金」とあるが、これは、刑の多額は100万円を限界とし、刑の寡額は、通常1万円まで、軽減する場合には1万円未満に下げることもできることを意味するものである。

（注②） 林修三・吉国一郎・角田禮次郎「例解立法技術」（p.463 ～ p.465）

4 過　料

過料というのは、法令によって科せられる金銭罰のうち、刑罰である罰金や科料と区別して、行政上の秩序罰等として科せられるものである。

過料は、①特別権力関係における懲戒の手段としての懲戒罰、②行政上

の義務、特に不作為義務についての強制執行の手段として科せられる執行罰、③法律秩序を維持するために法令による義務の違反者に対して制裁として科せられる秩序罰の３種類に分類される。

このうち、現行法令に定められている過料の大部分は③の秩序罰としての過料であって、電波法の場合（法115、116）もこれに該当する。過料は刑ではないから、刑法総則の規定も適用されず、したがって犯意、未遂、減免等の問題も全く適用がないから、もっぱら個々具体の問題について理論的に考える外はないことになっている。また、過料に処し、及びその過料を執行する手続については刑事訴訟法は適用されず非訟事件手続法の規定によることになっている。（非訟事件手続法161～164）（注①②）。

（注①）林修三・吉国一郎・角田禮次郎「例解立法技術」（p.472～p.476）

（注②）過料に関する手続

⑴　過料事件は、原則として、過料に処せらるべき者の所在地の地方裁判所の管轄となる（非訟161）。

⑵　過料事件の裁判は、検察官の命令で執行する（非訟163）。

⑶　過料事件は犯罪人名簿に登録されず、かつ、未完納であっても、労役場留置は行われない。

10－2　罰則の区別及び刑罰の内容

1　電波法の刑の種類

前述のとおり刑法上の刑の種類には、死刑、懲役（無期・有期）、禁錮（無期・有期）、罰金、拘留、科料があるが、電波法の罰則における刑の区別は、懲役（有期）、禁錮（有期）、罰金の３種であり、このほかに行政上の秩序罰としての過料がある。

また、未遂罪も罰せられる場合及び両罰規定により行為者以外の者が罰せられる場合も定めてある。

2　罰則を適用される行為及び法定刑

電波法に違反して罰則を適用される行為及びその刑の内容の詳細については、各章の法令内容の説明の際、該当する行為についての記述を加えてあるので、この項においては、以下に全般的な概要をとりまとめておく。

	罰則に該当する行為	法定刑	根拠条文
1	遭難通信の不取扱い、遅延 未遂罪も罰せられる。	1年以上の有期懲役	法105Ⅰ、Ⅲ
2	遭難通信の取扱い妨害 未遂罪も罰せられる。	1年以上の有期懲役	法105Ⅱ、Ⅲ
3	虚偽の通信 自己若しくは他人に利益を与え、又は他人に損害を加える目的で、無線設備又は高周波利用通信設備によって虚偽の通信を発した者	3年以下の懲役又は150万円以下の罰金	法106Ⅰ
4	虚偽の遭難通信 船舶遭難、航空機遭難の事実がないのに遭難通信を発した者	3月以上10年以下の懲役	法106Ⅱ
5	政府を暴力で破壊することを主張する通信 無線設備又は高周波利用通信設備によって日本国憲法又はその下に成立した政府を暴力で破壊することを主張する通信を発した者	5年以下の懲役又は禁こ	法107
6	わいせつな通信 無線設備又は高周波利用通信設備によってわいせつな通信を発した者	2年以下の懲役又は100万円以下の罰金	法108
7	公共的重要無線設備の機能に障害を与えて通信を妨害 電気通信業務又は放送の業務の用に供する無線局の無線設備、人命若しくは財産の保護、治安の維持、気象業務、電気事業に係る電気の供給業務、鉄道事業に係る列車運行の業務の用に供する無線設備を損壊し、これに物品を接触し、その他その無線設備の機能に障害を与えて通信を妨害した者 未遂罪も罰せられる。	5年以下の懲役又は250万円以下の罰金	法108の2Ⅰ、Ⅱ
8	無線通信の秘密の漏洩又は窃用	1年以下の懲役又は50万円以下の罰金	法109Ⅰ
9	無線通信の業務に従事する者の秘密の漏洩又は窃用	2年以下の懲役又は100万円以下の罰金	法109Ⅱ
10	秘密漏洩・窃用目的による暗号通信の内容の復元 未遂罪も罰せられる。 刑法第4条の2（条約による国外犯）の	1年以下の懲役又は50万円以下の罰金	法109条の2Ⅰ

	例に従う。		
11	無線通信の業務に従事する者が、10の罪を犯したとき（その業務に関し暗号通信を傍受し、又は受信した場合） 未遂罪も罰せられる。 刑法第４条の２（条約による国外犯）の例に従う。	２年以下の懲役又は100万円以下の罰金	法109条の2Ⅱ
12	指定機関の役職員の秘密漏洩	１年以下の懲役又は50万円以下の罰金	法109の３
13	免許又は登録がない無線局の開設	１年以下の懲役又は100万円以下の罰金	法110㈠
14	免許又は登録がない無線局の運用（法の規定により免許人等以外の者がするものを除く。）	１年以下の懲役又は100万円以下の罰金	法110㈡
15	指定無線局数を超える特定無線局の開設	１年以下の懲役又は100万円以下の罰金	法110㈢
16	無許可の高周波利用設備の運用	１年以下の懲役又は100万円以下の罰金	法110㈣
17	免許状の記載事項に違反する運用	１年以下の懲役又は100万円以下の罰金	法110㈤
18	変更検査を受けない（合格しない）無線設備の運用	１年以下の懲役又は100万円以下の罰金	法110㈥
19	無線設備又は高周波利用通信設備の技術基準適合命令違反	１年以下の懲役又は100万円以下の罰金	法110㈦
20	電波発射停止、運用停止違反	１年以下の懲役又は100万円以下の罰金	法110㈧
21	非常の場合の通信命令違反	１年以下の懲役又は100万円以下の罰金	法110㈨
22	無線局の新規開設禁止違反	１年以下の懲役又は100万円以下の罰金	法110㈩
23	特定無線設備の妨害等防止命令違反	１年以下の懲役又は100万円以下の罰金	法110（十一）
24	認定取扱業者の表示禁止違反	１年以下の懲役又は100万円以下の罰金	法110（十二）
25	登録検査等事業者又は登録証明機関の業務停止命令違反等	１年以下の懲役又は50万円以下の罰金	法110の２㈠
26	伝搬障害のための工事制限違反	１年以下の懲役又は50万円以下の罰金	法110の２㈡
27	伝搬障害の無届着工停止命令違反	１年以下の懲役又は	法110の２㈢

		50万円以下の罰金	
28	指定機関の業務停止命令違反	1年以下の懲役又は50万円以下の罰金	法110の3
29	電波監理審議会委員の退職後の就職制限違反	1年以下の懲役又は50万円以下の罰金	法110の4
30	認定免許人による航空機局等の無線設備等の点検保守実施状況の報告義務違反、虚偽報告	6月以下の懲役又は30万円以下の罰金	法111㈠
31	無線局又は高周波利用通信設備の検査拒否等又は検査証明書の虚偽記載	6月以下の懲役又は30万円以下の罰金	法111㈡㈢
32	技術基準適合証明又は測定器等の較正の不正表示	50万円以下の罰金	法112㈠㈦
33	特別特定無線設備の修理の不正表示	50万円以下の罰金	法112㈡
34	航行中でない船舶局の運用	50万円以下の罰金	法112㈢
35	航行中でない航空機局の運用	50万円以下の罰金	法112㈣
36	無線局又は高周波利用通信設備の運用制限違反	50万円以下の罰金	法112㈤
37	伝搬障害の無届着工者に対する届出提出命令違反	50万円以下の罰金	法112㈥
38	虚偽の届出による実験等無線局の開設	30万円以下の罰金	法113㈠
39	実験等無線局の届出に係る変更届出義務違反等	30万円以下の罰金	法113㈡
40	登録検査等事業者の虚偽報告等	30万円以下の罰金	法113㈢
41	電波の有効利用状況等の報告を求められたのに報告をしない者	30万円以下の罰金	法113㈣
42	特定無線局の開設・変更届出義務違反	30万円以下の罰金	法113㈤
43	登録人の変更登録事項未申請違反	30万円以下の罰金	法113㈥
44	包括登録人の変更登録事項の未申請違反	30万円以下の罰金	法113㈦
45	包括登録人の無線局開設の未届又は虚偽の届出	30万円以下の罰金	法113㈧
46	包括登録人の変更届出事項未届又は虚偽の届出	30万円以下の罰金	法113㈨
47	登録証明機関の技術基準適合証明等実施の報告義務違反	30万円以下の罰金	法113㈩
48	登録証明機関等の帳簿保存義務違反等	30万円以下の罰金	法113(十一)
49	登録証明機関等の立入検査忌避等	30万円以下の罰金	法113(十二)
50	登録証明機関の無届け業務廃止等	30万円以下の罰金	法113(十三)
51	技術基準適合証明を受けた者又は登録修理業者の登録を受けた者の立入検査忌避等	30万円以下の罰金	法113(十四)

52　登録証明機関又は登録修理業者に対する物件提出命令違反	30万円以下の罰金	法113(十五)
53　技術基準適合自己確認に係る虚偽の届出	30万円以下の罰金	法113(十六)
54　技術基準適合自己確認届出業者の記録・作成保存義務違反	30万円以下の罰金	法113(十七)
55　無資格者の無線設備の操作	30万円以下の罰金	法113(十八)
56　主任無線従事者の選任又は解任届出義務違反	30万円以下の罰金	法113(十九)
57　特定周波数変更対策業務等に係る給付金の交付の決定を受けた者の報告義務違反	30万円以下の罰金	法113(二十)
58　電波発射防止措置義務違反	30万円以下の罰金	法113(二十一)
59　無線従事者の業務従事停止命令違反	30万円以下の罰金	法113(二十二)
60　船舶局無線従事者証明の効力の停止違反	30万円以下の罰金	法113(二十三)
61　免許を要しない無線局等に関する障害除去命令違反	30万円以下の罰金	法113(二十四)
62　伝搬障害の届出義務違反	30万円以下の罰金	法113(二十五)
63　伝搬障害報告義務違反	30万円以下の罰金	法113(二十六)
64　基準不適合設備に関する勧告に係る措置命令違反	30万円以下の罰金	法113(二十七)
65　基準不適合設備の製造業者等の報告義務違反	30万円以下の罰金	法113(二十八)
66　指定無線設備小売業者に対する指示違反	30万円以下の罰金	法113(二十九)
67　指定無線設備小売業者の報告義務違反	30万円以下の罰金	法113(三十)
68　指定機関の法定帳簿の備付・記載等違反	30万円以下の罰金	法113の2(一)
69　指定機関の報告懈怠及び検査忌避	30万円以下の罰金	法113の2(二)
70　指定機関の無許可の業務廃止	30万円以下の罰金	法113の2(三)
71　指定較正機関の無届出業務廃止等	30万円以下の罰金	法113の2(四)
72　両罰規定		
(1)　110条（九及び十に限る。）	1億円以下の罰金	法114
(2)　110条（九及び十を除く。）、110条の2又は111条から113条まで	各本条の罰金	
73　審理官の処分違反	30万円以下の過料	法115
74　実験等無線局の届出をした者の変更届出義務違反等	30万円以下の過料	法116(一)
75　届出をした実験等無線局に係る廃止届出義務違反	30万円以下の過料	法116(二)
76　免許人（予備免許を受けた者を含む。）、認定開設者又は認定免許人の地位の承継届出義務違反	30万円以下の過料	法116(三)

77	無線局又は高周波利用設備の廃止等の届出義務違反	30万円以下の過料	法116㈣
78	免許状又は許可状の返納違反	30万円以下の過料	法116㈤
79	登録検査等事業者の変更届出義務違反	30万円以下の過料	法116㈥
80	登録検査等事業者の承継届出義務違反	30万円以下の過料	法116㈦
81	登録検査等事業者の廃止届出義務違反	30万円以下の過料	法116㈧
82	登録証の返納義務違反	30万円以下の過料	法116㈨
83	無線局に関する情報の目的外利用	30万円以下の過料	法116㈩
84	特定無線局（第27条の２第２号のものに限る。）の廃止の届出義務違反	30万円以下の過料	法116(十一)
85	すべての特定無線局（第27条の２第１号のものに限る。）の廃止の届出義務違反	30万円以下の過料	法116(十二)
86	登録人の氏名等の変更又は登録人が行った軽微な変更に係る未届又は虚偽の届出	30万円以下の過料	法116(十三)
87	登録人の地位の承継未届	30万円以下の過料	法116(十四)
88	登録人の登録局の廃止未届	30万円以下の過料	法116(十五)
89	登録人の登録局の登録状未返納違反	30万円以下の過料	法116(十六)
90	包括登録人の氏名等の変更又は包括登録人が行った軽微な変更に係る未届又は虚偽の届出	30万円以下の過料	法116(十七)
91	登録証明機関の変更届義務違反	30万円以下の過料	法116(十八)
92	技術基準適合証明を受けた者の変更届出義務違反	30万円以下の過料	法116(十九)
93	登録証明機関の財務諸表虚偽記載等	30万円以下の過料	法116(二十)
94	技術基準自己確認変更届義務違反	30万円以下の過料	法116(二十一)
95	登録修理業者の変更登録事項の提出義務違反又は虚偽の届出	30万円以下の過料	法116(二十二)
96	登録修理業者の事業廃止の届出義務違反又は虚偽の届出	30万円以下の過料	法116(二十三)
97	認定免許人の無線設備等保守規程の軽微な変更の届出義務違反	30万円以下の過料	法116(二十四)
98	免許人等以外の者に無線局を運用させたときの届出義務違反	30万円以下の過料	法116(二十五)
99	高周波利用設備の許可の承継届出義務違反	30万円以下の過料	法116(二十六)
100	伝搬障害防止区域内において施工中の指定行為に係る建築主による工事計画の届出義務違反	30万円以下の過料	法116(二十七)
101	包括免許人等の開設無線局数届義務違反等	30万円以下の過料	法116(二十八)

〔付録〕

電　波　法

〔昭和25年５月２日法律第131号〕

令和３年12月10日　現在

目　次

第１章　総則

（目的）

第１条　この法律は、電波の公平且つ能率的な利用を確保することによつて、公共の福祉を増進することを目的とする。

（定義）

第２条　この法律及びこの法律に基づく命令の規定の解釈に関しては、次の定義に従うものとする。

一　「電波」とは、300万メガヘルツ以下の周波数の電磁波をいう。

二　「無線電信」とは、電波を利用して、符号を送り、又は受けるための通信設備をいう。

三　「無線電話」とは、電波を利用して、音声その他の音響を送り、又は受けるための通信設備をいう。

四　「無線設備」とは、無線電信、無線電話その他電波を送り、又は受けるための電気的設備をいう。

五　「無線局」とは、無線設備及び無線設備の操作を行う者の総体をいう。但し、受信（*）のみを目的とするものを含まない。

六　「無線従事者」とは、無線設備の操作又はその監督を行う者であつて、総務大臣の免許を受けたものをいう。

＊　施行規則第５条

（電波に関する条約）

第３条　電波に関し条約に別段の定があるときは、その規定による。

第２章　無線局の免許等

第１節　無線局の免許

（無線局の開設）

第４条　無線局を開設しようとする者は、総務大臣の免許を受けなければならない。ただし、次の各号に掲げる無線局については、この限りでない。

一　発射する電波が著しく微弱な無線局で総務省令（＊1）で定めるもの

二　26.9メガヘルツから27.2メガヘルツまでの周波数の電波を使用し、かつ、空中線電力が0.5ワット以下である無線局のうち総務省令（＊2）で定めるものであつて、第38条の７第１項（第38条の31第４項において準用する場合を含む。）、第38条の26（第38条の31第６項において準用する場合を含む。）若しくは第38条の35又は第38条の44第３項の規定により表示が付されている無線設備（第38条の23第１項（第38条の29、第38条の31第４項及び第６項並びに第38条の38において準用する場合を含む。）の規定により表示が付されていないものとみなされたものを除く。以下「適合表示無線設備」という。）のみを使用するもの

三　空中線電力が１ワット以下である無線局のうち総務省令（＊3）で定めるものであつて、第４条の３の規定により指定された呼出符号又は呼出名称を自動的に送信し、又は受信する機能その他総務省令（＊4）で定める機能を有することにより他の無線局にその運用を阻害するような混信その他の妨害を与えないように運用することができるもので、かつ、適合表示無線設備のみを使用するもの

四　第27条の18第１項の登録を受けて開設

する無線局（以下「登録局」という。）
　＊1　施行規則第6条第1項
　＊2　施行規則第6条第3項
　＊3　施行規則第6条第4項
　＊4　施行規則第6条の2、設備規則第9条の4

（次章に定める技術基準に相当する技術基準に適合している無線設備に係る特例）

第4条の2　本邦に入国する者が、自ら持ち込む無線設備（次章に定める技術基準に相当する技術基準として総務大臣が指定する技術基準に適合しているものに限る。）を使用して無線局（前条第3号の総務省令で定める無線局のうち、用途、周波数その他の条件を勘案して総務省令（＊1）で定めるものに限る。）を開設しようとするときは、当該無線設備は、適合表示無線設備でない場合であつても、同号の規定の適用については、当該者の入国の日から同日以後90日を超えない範囲内で総務省令（＊2）で定める期間を経過する日までの間に限り、適合表示無線設備とみなす。この場合において、当該無線設備については、同章の規定は、適用しない。

2　次章に定める技術基準に相当する技術基準として総務大臣が指定する技術基準に適合している無線設備を使用して実験等無線局（科学若しくは技術の発達のための実験、電波の利用の効率性に関する試験又は電波の利用の需要に関する調査に専用する無線局をいう。以下同じ。）（前条第3号の総務省令で定める無線局のうち、用途、周波数その他の条件を勘案して総務省令（＊3）で定めるものであるものに限る。）を開設しようとする者は、総務省令で定めるところにより、次に掲げる事項を総務大臣に届け出ることができる。ただし、この項の規定による届出（第2号及び第3号に掲げる事項を同じくするものに限る。）をしたことがある者については、この限りでない。

一　氏名又は名称及び住所並びに法人にあつては、その代表者の氏名
二　実験、試験又は調査の目的
三　無線設備の規格
四　無線設備の設置場所（移動する無線局にあつては、移動範囲）
五　運用開始の予定期日
六　その他総務省令で定める事項

3　前項の規定による届出があつたときは、当該届出に係る同項の実験等無線局に使用される同項の無線設備は、適合表示無線設備でない場合であつても、前条第3号の規定の適用については、当該届出の日から同日以後180日を超えない範囲内で総務省令（＊4）で定める期間を経過する日又は当該実験等無線局を廃止した日のいずれか早い日までの間に限り、適合表示無線設備とみなす。この場合において、当該無線設備については、次章の規定は適用せず、第82条の規定の適用については、同条第1項中「与える」とあるのは「与え、又はそのおそれがある」と、「その設備の所有者又は占有者」とあるのは「第4条の2第2項の規定による届出をした者」と、「を除去する」とあるのは「の除去又は発生の防止をする」と、同条第2項及び第3項中「前項」とあるのは「第4条の2第3項において読み替えて適用する前項」とする。

4　第2項の規定による届出をした者は、総務省令で定めるところにより、同項第1号に掲げる事項に変更があつたときは遅滞なく、同項第4号から第6号までに掲げる事項の変更（総務省令で定める軽微な変更を除く。）をしようとするときはあらかじめ、その旨を総務大臣に届け出なければならない。

5　第38条の20及び第38条の21第1項の規定は第2項の規定による届出をした者及び当該届出に係る無線設備について、第78条の規定は当該届出をした者が当該届出に係る実験等無線局を廃止したときについて準用する。この場合において、同条中「免許人等であつた」とあるのは、「第4条の2第2項の規定による届出をした」と読み替えるものとする。

6　第2項の規定による届出をした者は、当該届出に係る実験等無線局を廃止したときは、遅滞なく、その旨を総務大臣に届け出なければならない。

7　第1項及び第2項の規定による技術基準の指定は、告示（＊5）をもつて行わなければならない。
　＊1　施行規則第6条の2の3
　＊2　施行規則第6条の3第1項
　＊3　施行規則第6条の2の4
　＊4　施行規則第6条の3第2項
　＊5　告示令元第263号

（呼出符号又は呼出名称の指定）

第4条の3　総務大臣は、第4条第3号又は第4号に掲げる無線局に使用するための無線設備について、当該無線設備を使用する無線局の呼出符号又は呼出名称の指定を受けようとする者から申請があつたときは、総務省令（＊）で定めるところにより、呼出符号又は呼出名称の指定を行う。
　＊　施行規則第6条の2の2第2項

（欠格事由）

第5条　次の各号のいずれかに該当する者には、無線局の免許を与えない。

一　日本の国籍を有しない人

二　外国政府又はその代表者

三　外国の法人又は団体

四　法人又は団体であつて、前三号に掲げる者がその代表者であるもの又はこれらの者がその役員の３分の１以上若しくは議決権の３分の１以上を占めるもの。

2　前項の規定は、次に掲げる無線局については、適用しない。

一　実験等無線局

二　アマチュア無線局（個人的な興味によつて無線通信を行うために開設する無線局をいう。以下同じ。）

三　船舶の無線局（船舶に開設する無線局のうち、電気通信業務（電気通信事業法（昭和59年法律第86号）第２条第６号の電気通信業務をいう。以下同じ。）を行うことを目的とするもの以外のもの（実験等無線局及びアマチュア無線局を除く。）をいう。以下同じ。）であつて、船舶安全法（昭和８年法律第11号）第29条ノ７に規定する船舶に開設するもの

四　航空機の無線局（航空機に開設する無線局のうち、電気通信業務を行うことを目的とするもの以外のもの（実験等無線局及びアマチュア無線局を除く。）をいう。以下同じ。）であつて、航空法（昭和27年法律第231号）第127条ただし書の許可を受けて本邦内の各地間の航空の用に供される航空機に開設するもの

五　特定の固定地点間の無線通信を行う無線局（実験等無線局、アマチュア無線局、大使館、公使館又は領事館の公用に供するもの及び電気通信業務を行うことを目的とするものを除く。）

六　大使館、公使館又は領事館の公用に供する無線局（特定の固定地点間の無線通信を行うものに限る。）であつて、その国内において日本国政府又はその代表者が同種の無線局を開設することを認める国の政府又はその代表者の開設するもの

七　自動車その他の陸上を移動するものに開設し、若しくは携帯して使用するために開設する無線局又はこれらの無線局若しくは携帯して使用するための受信設備と通信を行うために陸上に開設する移動しない無線局（電気通信業務を行うことを目的とするものを除く。）

八　電気通信業務を行うことを目的として開設する無線局

九　電気通信業務を行うことを目的とする無線局の無線設備を搭載する人工衛星の位置、姿勢等を制御することを目的として陸上に開設する無線局

3　次の各号のいずれかに該当する者には、無線局の免許を与えないことができる。

一　この法律又は放送法（昭和25年法律第132号）に規定する罪を犯し罰金以上の刑に処せられ、その執行を終わり、又はその執行を受けることがなくなつた日から２年を経過しない者

二　第75条第１項又は第76条第４項（第４号を除く。）若しくは第５項（第５号を除く。）の規定により無線局の免許の取消しを受け、その取消しの日から２年を経過しない者

三　第27条の15第１項（第１号を除く。）又は第２項（第４号及び第５号を除く。）の規定により認定の取消しを受け、その取消しの日から２年を経過しない者

四　第76条第６項（第３号を除く。）の規定により第27条の18第１項の登録の取消しを受け、その取消しの日から２年を経過しない者

4　公衆によつて直接受信されることを目的とする無線通信の送信（第99条の２を除き、以下「放送」という。）であつて、第26条第２項第５号イに掲げる周波数（第７条第３項及び第４項において「基幹放送用割当可能周波数」という。）の電波を使用するもの（以下「基幹放送」という。）をする無線局（受信障害対策中継放送、衛星基幹放送（放送法第２条第13号の衛星基幹放送をいう。）及び移動受信用地上基幹放送（同条第14号の移動受信用地上基幹放送をいう。以下同じ。）をする無線局を除く。）については、第１項及び前項の規定にかかわらず、次の各号のいずれかに該当する者には、無線局の免許を与えない。

一　第１項第１号から第３号まで若しくは前項各号に掲げる者又は放送法第103条第１項若しくは第104条（第５号を除く。）の規定による認定の取消し若しくは同法第131条の規定により登録の取消しを受け、その取消しの日から２年を経過しない者

二　法人又は団体であつて、第１項第１号から第３号までに掲げる者が放送法第２条第31号の特定役員であるもの又はこれらの者がその議決権の５分の１以上を占めるもの

三　法人又は団体であつて、イに掲げる者により直接に占められる議決権の割合とこれらの者によりロに掲げる者を通じて間接に占められる議決権の割合として総務省令（＊1）で定める割合とを合計した割合がその議決権の５分の１以上を占め

るもの（前号に該当する場合を除く。）
イ　第１項第１号から第３号までに掲げる者
ロ　イに掲げる者により直接に占められる議決権の割合が総務省令（＊2）で定める割合以上である法人又は団体
四　法人又は団体であつて、その役員が前項各号のいずれかに該当する者であるもの

5　前項に規定する受信障害対策中継放送とは、相当範囲にわたる受信の障害が発生している地上基幹放送（放送法第２条第15号の地上基幹放送をいう。以下同じ。）及び当該地上基幹放送の電波に重畳して行う多重放送（同条第19号の多重放送をいう。以下同じ。）を受信し、そのすべての放送番組に変更を加えないで当該受信の障害が発生している区域において受信されることを目的として同時にその再放送をする基幹放送のうち、当該障害に係る地上基幹放送又は当該地上基幹放送の電波に重畳して行う多重放送をする無線局の免許を受けた者が行うもの以外のものをいう。

6　第27条の13第１項の認定を受けた者であつて第27条の12第１項に規定する開設指針に定める納付の期限までに同条第２項第５号に規定する特定基地局開設料を納付していないものには、当該特定基地局開設料が納付されるまでの間、同条第１項に規定する特定基地局の免許を与えないことができる。

＊1　施行規則第６条の３の２
＊2　施行規則第６条の３の３

（免許の申請）

第６条　無線局の免許を受けようとする者は、申請書に、次に掲げる事項を記載した書類を添えて、総務大臣に提出しなければならない。
一　目的（二以上の目的を有する無線局であつて、その目的に主たるものと従たるものの区別がある場合にあつては、その主従の区別を含む。）
二　開設を必要とする理由
三　通信の相手方及び通信事項
四　無線設備の設置場所（移動する無線局のうち、次のイ又はロに掲げるものについては、それぞれイ又はロに定める事項。第18条第１項を除き、以下同じ。）
イ　人工衛星の無線局（以下「人工衛星局」という。）　その人工衛星の軌道又は位置
ロ　人工衛星局、船舶の無線局（人工衛星局の中継によつてのみ無線通信を行うものを除く。第３項において同じ。）、船舶地球局（船舶に開設する無線局であつて、人工衛星局の中継によつてのみ無線通信を行うもの（実験等無線局及びアマチュア無線局を除く。）をいう。以下同じ。）、航空機の無線局（人工衛星局の中継によつてのみ無線通信を行うものを除く。第５項において同じ。）及び航空機地球局（航空機に開設する無線局であつて、人工衛星局の中継によつてのみ無線通信を行うもの（実験等無線局及びアマチュア無線局を除く。）をいう。以下同じ。）以外の無線局　移動範囲
五　電波の型式並びに希望する周波数の範囲及び空中線電力
六　希望する運用許容時間（運用することができる時間をいう。以下同じ。）
七　無線設備（第30条及び第32条の規定により備え付けなければならない設備を含む。次項第３号、第10条第１項、第12条、第17条、第18条、第24条の２第４項、第27条の13第２項第９号、第38条の２第１項、第70条の５の２第１項、第71条の５、第73条第１項ただし書、第３項及び第６項並びに第102条の18第１項において同じ。）の工事設計及び工事落成の予定期日
八　運用開始の予定期日
九　他の無線局の第14条第２項第２号の免許人又は第27条の23第１項の登録人（以下「免許人等」という。）との間で混信その他の妨害を防止するために必要な措置に関する契約を締結しているときは、その契約の内容

2　基幹放送局（基幹放送をする無線局をいい、当該基幹放送に加えて基幹放送以外の無線通信の送信をするものを含む。以下同じ。）の免許を受けようとする者は、前項の規定にかかわらず、申請書に、次に掲げる事項（自己の地上基幹放送の業務に用いる無線局（以下「特定地上基幹放送局」という。）の免許を受けようとする者にあつては次に掲げる事項及び放送事項、地上基幹放送の業務を行うことについて放送法第93条第１項の規定により認定を受けようとする者の当該業務に用いられる無線局の免許を受けようとする者にあつては次に掲げる事項及び当該認定を受けようとする者の氏名又は名称）を記載した書類を添えて、総務大臣に提出しなければならない。
一　目的
二　前項第２号から第９号まで（基幹放送のみをする無線局にあつては、第３号を除く。）に掲げる事項
三　無線設備の工事費及び無線局の運用費

の支弁方法
四　事業計画及び事業収支見積
五　放送区域
六　基幹放送の業務に用いられる電気通信設備（電気通信事業法第２条第２号の電気通信設備をいう。以下同じ。）の概要
3　船舶局（船舶の無線局のうち、無線設備が遭難自動通報設備又はレーダーのみのもの以外のものをいう。以下同じ。）の免許を受けようとする者は、第１項の書類に、同項に掲げる事項のほか、次に掲げる事項を併せて記載しなければならない。
一　その船舶に関する次に掲げる事項
イ　所有者
ロ　用途
ハ　総トン数
ニ　航行区域
ホ　主たる停泊港
ヘ　信号符字
ト　旅客船であるときは、旅客定員
チ　国際航海に従事する船舶であるときは、その旨
リ　船舶安全法第４条第１項ただし書の規定により無線電信又は無線電話の施設を免除された船舶であるときは、その旨
二　第35条の規定による措置をとらなければならない船舶局であるときは、そのとることとした措置
4　船舶地球局（電気通信業務を行うことを目的とするものを除く。）の免許を受けようとする者は、第１項の書類に、同項に掲げる事項のほか、その船舶に関する前項第１号イからチまでに掲げる事項を併せて記載しなければならない。
5　航空機局（航空機の無線局のうち、無線設備がレーダーのみのもの以外のものをいう。以下同じ。）の免許を受けようとする者は、第１項の書類に、同項に掲げる事項のほか、その航空機に関する次に掲げる事項を併せて記載しなければならない。
一　所有者
二　用途
三　型式
四　航行区域
五　定置場
六　登録記号
七　航空法第60条の規定により無線設備を設置しなければならない航空機であるときは、その旨
6　航空機地球局（電気通信業務を行うことを目的とするものを除く。）の免許を受けようとする者は、第１項の書類に、同項に掲げる事項のほか、その航空機に関する前項第１号から第６号までに掲げる事項を併せて記載しなければならない。
7　人工衛星局の免許を受けようとする者は、第１項又は第２項の書類に、これらの規定に掲げる事項のほか、その人工衛星の打上げ予定時期及び使用可能期間並びにその人工衛星局の目的を遂行できる人工衛星の位置の範囲を併せて記載しなければならない。
8　次に掲げる無線局（総務省令（＊1）で定めるものを除く。）であつて総務大臣が公示（＊2）する周波数を使用するものの免許の申請は、総務大臣が公示する期間内に行わなければならない。
一　電気通信業務を行うことを目的として陸上に開設する移動する無線局（一又は二以上の都道府県の区域の全部を含む区域をその移動範囲とするものに限る。）
二　電気通信業務を行うことを目的として陸上に開設する移動しない無線局であつて、前号に掲げる無線局を通信の相手方とするもの
三　電気通信業務を行うことを目的として開設する人工衛星局
四　基幹放送局
9　前項の期間は、１月を下らない範囲内で周波数ごとに定める期間とし、同項の規定による期間の公示は、免許を受ける無線局の無線設備の設置場所とすることができる区域の範囲その他免許の申請に資する事項を併せ行うものとする。
＊１　施行規則第６条の４
＊２　告示平24第426号

（申請の審査）
第７条　総務大臣は、前条第１項の申請書を受理したときは、遅滞なくその申請が次の各号のいずれにも適合しているかどうかを審査しなければならない。
一　工事設計が第３章に定める技術基準に適合すること。
二　周波数の割当てが可能であること。
三　主たる目的及び従たる目的を有する無線局にあつては、その従たる目的の遂行がその主たる目的の遂行に支障を及ぼすおそれがないこと。
四　前三号に掲げるもののほか、総務省令（＊1）で定める無線局（基幹放送局を除く。）の開設の根本的基準に合致すること。
2　総務大臣は、前条第２項の申請書を受理したときは、遅滞なくその申請が次の各号に適合しているかどうかを審査しなければならない。
一　工事設計が第３章に定める技術基準に適合すること及び基幹放送の業務に用いられる電気通信設備が放送法第121条第

１項の総務省令で定める技術基準に適合すること。
二　総務大臣が定める基幹放送用周波数使用計画（基幹放送局に使用させることのできる周波数及びその周波数の使用に関し必要な事項を定める計画をいう。以下同じ。）に基づき、周波数の割当てが可能であること。
三　当該業務を維持するに足りる経理的基礎及び技術的能力があること。
四　特定地上基幹放送局にあつては、次のいずれにも適合すること。
イ　基幹放送の業務に用いられる電気通信設備が放送法第111条第１項の総務省令で定める技術基準に適合すること。
ロ　免許を受けようとする者が放送法第93条第１項第５号に掲げる要件に該当すること。
ハ　その免許を与えることが放送法第91条第１項の基幹放送普及計画に適合することその他放送の普及及び健全な発達のために適切であること。
五　地上基幹放送の業務を行うことについて放送法第93条第１項の規定により認定を受けようとする者の当該業務に用いられる無線局にあつては、当該認定を受けようとする者が同項各号（第４号を除く。）に掲げる要件のいずれにも該当すること。
六　基幹放送に加えて基幹放送以外の無線通信の送信をする無線局にあつては、次のいずれにも適合すること。
イ　基幹放送以外の無線通信の送信について、周波数の割当てが可能であること。
ロ　基幹放送以外の無線通信の送信について、前項第４号の総務省令で定める無線局（基幹放送局を除く。）の開設の根本的基準に合致すること。
ハ　基幹放送以外の無線通信の送信をすることが適正かつ確実に基幹放送をすることに支障を及ぼすおそれがないものとして総務省令（＊2）で定める基準に合致すること。
七　前各号に掲げるもののほか、総務省令（＊3）で定める基幹放送局の開設の根本的基準に合致すること。
3　基幹放送用周波数使用計画（＊4）は、放送法第91条第１項の基幹放送普及計画に定める同条第２項第３号の放送系の数の目標（次項において「放送系の数の目標」という。）の達成に資することとなるように、基幹放送用割当可能周波数の範囲内で、混信の防止その他電波の公平かつ能率的な利用を確保するために必要な事項を勘案して定めるものとする。
4　総務大臣は、放送系の数の目標、基幹放送用割当可能周波数及び前項に規定する混信の防止その他電波の公平かつ能率的な利用を確保するために必要な事項の変更により必要があると認めるときは、基幹放送用周波数使用計画を変更することができる。
5　総務大臣は、基幹放送用周波数使用計画を定め、又は変更したときは、遅滞なく、これを公示しなければならない。
6　総務大臣は、申請の審査に際し、必要があると認めるときは、申請者に出頭又は資料の提出を求めることができる。

（告示昭61第395号）
＊1　無線局（基幹放送局を除く。）の開設の根本的基準
＊2　施行規則第６条の４の２
＊3　基幹放送局の開設の根本的基準
＊4　告示昭63第661号

（予備免許）
第８条　総務大臣は、前条の規定により審査した結果、その申請が同条第１項各号又は第２項各号に適合していると認めるときは、申請者に対し、次に掲げる事項を指定して、無線局の予備免許を与える。
一　工事落成の期限
二　電波の型式及び周波数
三　呼出符号（標識符号を含む。）、呼出名称その他の総務省令（＊）で定める識別信号（以下「識別信号」という。）
四　空中線電力
五　運用許容時間
2　総務大臣は、予備免許を受けた者から申請があつた場合において、相当と認めるときは、前項第１号の期限を延長することができる。

＊　施行規則第６条の５

（工事設計等の変更）
第９条　前条の予備免許を受けた者は、工事設計を変更しようとするときは、あらかじめ総務大臣の許可を受けなければならない。但し、総務省令（＊1）で定める軽微な事項については、この限りでない。
2　前項但書の事項について工事設計を変更したときは、遅滞なくその旨を総務大臣に届け出なければならない。
3　第１項の変更は、周波数、電波の型式又は空中線電力に変更を来すものであつてはならず、かつ、第７条第１項第１号又は第２項第１号の技術基準（第３章に定めるものに限る。）に合致するものでなければならない。
4　前条の予備免許を受けた者は、無線局の

目的、通信の相手方、通信事項、放送事項、放送区域、無線設備の設置場所又は基幹放送の業務に用いられる電気通信設備を変更しようとするときは、あらかじめ総務大臣の許可を受けなければならない。ただし、次に掲げる事項を内容とする無線局の目的の変更は、これを行うことができない。
一　基幹放送局以外の無線局が基幹放送をすることとすること。
二　基幹放送局が基幹放送をしないこととすること。
5　前項本文の規定にかかわらず、基幹放送の業務に用いられる電気通信設備の変更が総務省令（*2）で定める軽微な変更に該当するときは、その変更をした後遅滞なく、その旨を総務大臣に届け出ることをもつて足りる。
6　第5条第1項から第3項までの規定は、無線局の目的の変更に係る第4項の許可に準用する。
*1　施行規則第10条第1項
*2　施行規則第10条第3項

（落成後の検査）
第10条　第8条の予備免許を受けた者は、工事が落成したときは、その旨を総務大臣に届け出て、その無線設備、無線従事者の資格（第39条第3項に規定する主任無線従事者の要件、第48条の2第1項の船舶局無線従事者証明及び第50条第1項に規定する遭難通信責任者の要件に係るものを含む。第12条及び第73条第3項において同じ。）及び員数並びに時計及び書類（以下「無線設備等」という。）について検査を受けなければならない。
2　前項の検査は、同項の検査を受けようとする者が、当該検査を受けようとする無線設備等について第24条の2第1項又は第24条の13第1項の登録を受けた者が総務省令（*）で定めるところにより行つた当該登録に係る点検の結果を記載した書類を添えて前項の届出をした場合においては、その一部を省略することができる。
*　登録検査等事業者等規則第19条—第21条

（免許の拒否）
第11条　第8条第1項第1号の期限（同条第2項の規定による期限の延長があつたときは、その期限）経過後2週間以内に前条の規定による届出がないときは、総務大臣は、その無線局の免許を拒否しなければならない。

（免許の付与）
第12条　総務大臣は、第10条の規定による検査を行つた結果、その無線設備が第6条第1項第7号又は同条第2項第2号の工事設計（第9条第1項の規定による変更があつたときは、変更があつたもの）に合致し、かつ、その無線従事者の資格及び員数が第39条又は第39条の13、第40条及び第50条の規定に、その時計及び書類が第60条の規定にそれぞれ違反しないと認めるときは、遅滞なく申請者に対し免許を与えなければならない。

（免許の有効期間）
第13条　免許の有効期間は、免許の日から起算して5年を超えない範囲内において総務省令（*1）で定める。ただし、再免許を妨げない。
2　船舶安全法第4条（同法第29条ノ7の規定に基づく政令（*2）において準用する場合を含む。以下同じ。）の船舶の船舶局（以下「義務船舶局」という。）及び航空法第60条の規定により無線設備を設置しなければならない航空機の航空機局（以下「義務航空機局」という。）の免許の有効期間は、前項の規定にかかわらず、無期限とする。
*1　施行規則第7条—第9条
*2　船舶安全法施行令第1条

（多重放送をする無線局の免許の効力）
第13条の2　超短波放送（放送法第2条第17号の超短波放送をいう。）又はテレビジョン放送（同条第18号のテレビジョン放送をいう。以下同じ。）をする無線局の免許がその効力を失つたときは、その放送の電波に重畳して多重放送をする無線局の免許は、その効力を失う。

（免許状）
第14条　総務大臣は、免許を与えたときは、免許状を交付する。
2　免許状には、次に掲げる事項を記載しなければならない。
一　免許の年月日及び免許の番号
二　免許人（無線局の免許を受けた者をいう。以下同じ。）の氏名又は名称及び住所
三　無線局の種別
四　無線局の目的（主たる目的及び従たる目的を有する無線局にあつては、その主従の区別を含む。）
五　通信の相手方及び通信事項
六　無線設備の設置場所
七　免許の有効期間
八　識別信号

九　電波の型式及び周波数
十　空中線電力
十一　運用許容時間
3　基幹放送局の免許状には、前項の規定にかかわらず、次に掲げる事項を記載しなければならない。
一　前項各号（基幹放送のみをする無線局の免許状にあつては、第5号を除く。）に掲げる事項
二　放送区域
三　特定地上基幹放送局の免許状にあつては放送事項、認定基幹放送事業者（放送法第2条第21号の認定基幹放送事業者をいう。以下同じ。）の地上基幹放送の業務の用に供する無線局にあつてはその無線局に係る認定基幹放送事業者の氏名又は名称

（簡易な免許手続）
第15条　第13条第1項ただし書の再免許及び適合表示無線設備のみを使用する無線局その他総務省令（*）で定める無線局の免許については、第6条及び第8条から第12条までの規定にかかわらず、総務省令（*）で定める簡易な手続によることができる。
＊　免許規則第15条—第20条

（運用開始及び休止の届出）
第16条　免許人は、免許を受けたときは、遅滞なくその無線局の運用開始の期日を総務大臣に届け出なければならない。ただし、総務省令（*）で定める無線局については、この限りでない。
2　前項の規定により届け出た無線局の運用を1箇月以上休止するときは、免許人は、その休止期間を総務大臣に届け出なければならない。休止期間を変更するときも、同様とする。
＊　施行規則第10条の2

（変更等の許可）
第17条　免許人は、無線局の目的、通信の相手方、通信事項、放送事項、放送区域、無線設備の設置場所若しくは基幹放送の業務に用いられる電気通信設備を変更し、又は無線設備の変更の工事をしようとするときは、あらかじめ総務大臣の許可を受けなければならない。ただし、次に掲げる事項を内容とする無線局の目的の変更は、これを行うことができない。
一　基幹放送局以外の無線局が基幹放送をすることとすること。
二　基幹放送局が基幹放送をしないこととすること。
2　前項本文の規定にかかわらず、基幹放送の業務に用いられる電気通信設備の変更が総務省令（*）で定める軽微な変更に該当するときは、その変更をした後遅滞なく、その旨を総務大臣に届け出ることをもつて足りる。
3　第5条第1項から第3項までの規定は無線局の目的の変更に係る第1項の許可について、第9条第1項ただし書、第2項及び第3項の規定は第1項の規定により無線設備の変更の工事をする場合について、それぞれ準用する。
＊　施行規則第10条第3項

（変更検査）
第18条　前条第1項の規定により無線設備の設置場所の変更又は無線設備の変更の工事の許可を受けた免許人は、総務大臣の検査を受け、当該変更又は工事の結果が同条同項の許可の内容に適合していると認められた後でなければ、許可に係る無線設備を運用してはならない。ただし、総務省令（*1）で定める場合は、この限りでない。
2　前項の検査は、同項の検査を受けようとする者が、当該検査を受けようとする無線設備について第24条の2第1項又は第24条の13第1項の登録を受けた者が総務省令（*2）で定めるところにより行つた当該登録に係る点検の結果を記載した書類を総務大臣に提出した場合においては、その一部を省略することができる。
＊1　施行規則第10条の4
＊2　登録検査等事業者等規則第19条—第21条

（申請による周波数等の変更）
第19条　総務大臣は、免許人又は第8条の予備免許を受けた者が識別信号、電波の型式、周波数、空中線電力又は運用許容時間の指定の変更を申請した場合において、混信の除去その他特に必要があると認めるときは、その指定を変更することができる。

（免許の承継等）
第20条　免許人について相続があつたときは、その相続人は、免許人の地位を承継する。
2　免許人（第7項及び第8項に規定する無線局の免許人を除く。以下この項及び次項において同じ。）たる法人が合併又は分割（無線局をその用に供する事業の全部を承継させるものに限る。）をしたときは、合併後存続する法人若しくは合併により設立された法人又は分割により当該事業の全部を承継した法人は、総務大臣の許可を受けて免許人の地位を承継することができる。
3　免許人が無線局をその用に供する事業の

全部の譲渡しをしたときは、譲受人は、総務大臣の許可を受けて免許人の地位を承継することができる。
4　特定地上基幹放送局の免許人たる法人が分割をした場合において、分割により当該基幹放送局を承継し、これを分割により地上基幹放送の業務を承継した他の法人の業務の用に供する業務を行おうとする法人が総務大臣の許可を受けたときは、当該法人が当該特定地上基幹放送局の免許人から当該業務に係る基幹放送局の免許人の地位を承継したものとみなす。特定地上基幹放送局の免許人が当該基幹放送局を譲渡し、譲受人が当該基幹放送局を譲渡人の地上基幹放送の業務の用に供する業務を行おうとする場合において、当該譲受人が総務大臣の許可を受けたとき、又は特定地上基幹放送局の免許人が地上基幹放送の業務を譲渡し、その譲渡人が当該基幹放送局を譲受人の地上基幹放送の業務の用に供する業務を行おうとする場合において、当該譲渡人が総務大臣の許可を受けたときも、同様とする。
5　他の地上基幹放送の業務の用に供する基幹放送局の免許人が当該地上基幹放送の業務を行う認定基幹放送事業者と合併をし、又は当該地上基幹放送の業務を行う事業を譲り受けた場合において、合併後存続する法人若しくは合併により設立された法人又は譲受人が総務大臣の許可を受けたときは、当該法人又は譲受人が当該基幹放送局の免許人から特定地上基幹放送局の免許人の地位を承継したものとみなす。地上基幹放送の業務を行う認定基幹放送事業者が当該地上基幹放送の業務の用に供する基幹放送局を譲り受けた場合において、総務大臣の許可を受けたときも、同様とする。
6　第5条及び第7条の規定は、第2項から前項までの許可について準用する。
7　船舶局若しくは船舶地球局（電気通信業務を行うことを目的とするものを除く。）のある船舶又は無線設備が遭難自動通報設備若しくはレーダーのみの無線局のある船舶について、船舶の所有権の移転その他の理由により船舶を運行する者に変更があつたときは、変更後船舶を運行する者は、免許人の地位を承継する。
8　前項の規定は、航空機局若しくは航空機地球局（電気通信業務を行うことを目的とするものを除く。）のある航空機又は無線設備がレーダーのみの無線局のある航空機について準用する。
9　第1項及び前2項の規定により免許人の地位を承継した者は、遅滞なく、その事実を証する書面を添えてその旨を総務大臣に届け出なければならない。
10　前各項の規定は、第8条の予備免許を受けた者について準用する。

（免許状の訂正）
第21条　免許人は、免許状に記載した事項に変更を生じたときは、その免許状を総務大臣に提出し、訂正を受けなければならない。

（無線局の廃止）
第22条　免許人は、その無線局を廃止するときは、その旨を総務大臣に届け出なければならない。

第23条　免許人が無線局を廃止したときは、免許は、その効力を失う。

（免許状の返納）
第24条　免許がその効力を失つたときは、免許人であつた者は、1箇月以内にその免許状を返納しなければならない。

（検査等事業者の登録）
第24条の2　無線設備等の検査又は点検の事業を行う者は、総務大臣の登録を受けることができる。
2　前項の登録を受けようとする者は、総務省令（*1）で定めるところにより、次に掲げる事項を記載した申請書を総務大臣に提出しなければならない。
一　氏名又は名称及び住所並びに法人にあつては、その代表者の氏名
二　事務所の名称及び所在地
三　点検に用いる測定器その他の設備の概要
四　無線設備等の点検の事業のみを行う者にあつては、その旨
3　前項の申請書には、業務の実施の方法を定める書類その他総務省令（*2）で定める書類を添付しなければならない。
4　総務大臣は、第1項の登録を申請した者が次の各号（無線設備等の点検の事業のみを行う者にあつては、第1号、第2号及び第4号）のいずれにも適合しているときは、その登録をしなければならない。
一　別表第一に掲げる条件のいずれかに適合する知識経験を有する者が無線設備等の点検を行うものであること。
二　別表第二に掲げる測定器その他の設備であつて、次のいずれかに掲げる較正又は校正（以下この号、第38条の3第1項第2号及び第38条の8第2項において「較正等」という。）を受けたもの（その較正等を受けた日の属する月の翌月の1日から起算して1年（無線設備の点検を

行うのに優れた性能を有する測定器その他の設備として総務省令（＊3）で定める測定器その他の設備に該当するものにあつては、当該測定器その他の設備の区分に応じ、1年を超え3年を超えない範囲内で総務省令（＊3）で定める期間）以内のものに限る。）を使用して無線設備の点検を行うものであること。

イ　国立研究開発法人情報通信研究機構（以下「機構」という。）又は第102条の18第1項の指定較正機関が行う較正

ロ　計量法（平成4年法律第51号）第135条又は144条の規定に基づく校正

ハ　外国において行う較正であつて、機構又は第102条の18第1項の指定較正機関が行う較正に相当するもの

ニ　別表第三の下欄に掲げる測定器その他の設備であつて、イからハまでのいずれかに掲げる較正等を受けたものを用いて行う較正等

三　別表第四に掲げる条件のいずれかに適合する知識経験を有する者が無線設備等の検査（点検である部分を除く。）を行うものであること。

四　無線設備等の検査又は点検を適正に行うのに必要な業務の実施の方法（無線設備等の点検の事業のみを行う者にあつては、無線設備等の点検を適正に行うのに必要な業務の実施の方法に限る。）が定められているものであること。

5　次の各号のいずれかに該当する者は、第1項の登録を受けることができない。

一　この法律に規定する罪を犯して刑に処せられ、その執行を終わり、又はその執行を受けることがなくなつた日から2年を経過しない者であること。

二　第24条の10又は第24条の13第3項の規定により登録を取り消され、その取消しの日から2年を経過しない者であること。

三　法人であつて、その役員のうちに前2号のいずれかに該当する者があること。

6　前各項に規定するもののほか、第1項の登録に関し必要な事項は、総務省令で定める。

＊1　登録検査等事業者等規則第2条第1項

＊2　登録検査等事業者等規則第2条第2項―第5項

＊3　登録検査等事業者等規則第2条の2

（登録の更新）

第24条の2の2　前条第1項の登録（無線設備等の点検の事業のみを行う者についてのものを除く。）は、5年以上10年以内において政令（＊）で定める期間ごとにその更新を受けなければ、その期間の経過によつて、その効力を失う。

2　前条第2項から第6項までの規定は、前項の登録の更新に準用する。

＊　電波法施行令第1条

（登録簿）

第24条の3　総務大臣は、第24条の2第1項の登録を受けた者（以下「登録検査等事業者」という。）について、登録検査等事業者登録簿を備え、次に掲げる事項を登録しなければならない。

一　登録及びその更新の年月日並びに登録番号

二　第24条の2第2項第1号、第2号及び第4号に掲げる事項

（登録証）

第24条の4　総務大臣は、第24条の2第1項の登録又はその更新をしたときは、登録証を交付する。

2　前項の登録証には、次に掲げる事項を記載しなければならない。

一　登録又はその更新の年月日及び登録番号

二　氏名又は名称及び住所

三　無線設備等の点検の事業のみを行う者にあつては、その旨

3　登録検査等事業者は、登録証をその事業所の見やすい場所に掲示しておかなければならない。

（変更の届出）

第24条の5　登録検査等事業者は、第24条の2第2項第1号又は第2号に掲げる事項に変更があつたときは、遅滞なく、その旨を総務大臣に届け出なければならない。

2　前項の場合において、登録証に記載された事項に変更があつた登録検査等事業者は、同項の規定による届出にその登録証を添えて提出し、その訂正を受けなければならない。

（承継）

第24条の6　登録検査等事業者がその登録に係る事業の全部を譲渡し、又は登録検査等事業者について相続、合併若しくは分割（登録に係る事業の全部を承継させるものに限る。）があつたときは、登録に係る事業の全部を譲り受けた者又は相続人、合併後存続する法人若しくは合併により設立した法人若しくは分割により登録に係る事業の全部を承継した法人は、その登録検査等事業者の地位を承継する。

2　前項の規定により登録検査等事業者の地位を承継した者は、遅滞なく、その事実を証する書面を添えてその旨を総務大臣に届け出なければならない。

（適合命令等）

第24条の7　総務大臣は、登録検査等事業者が第24条の2第4項各号（無線設備等の点検の事業のみを行う者にあつては、第1号、第2号又は第4号）のいずれかに適合しなくなつたと認めるときは、当該登録検査等事業者に対し、これらの規定に適合するために必要な措置をとるべきことを命ずることができる。

2　総務大臣は、登録検査等事業者がその登録に係る業務の実施の方法によらないでその登録に係る検査又は点検の業務を行つていると認めるときは、当該登録検査等事業者に対し、無線設備等の検査又は点検の実施の方法その他の業務の方法の改善に関し必要な措置をとるべきことを命ずることができる。

（報告及び立入検査）

第24条の8　総務大臣は、この法律を施行するため必要があると認めるときは、登録検査等事業者に対し、その登録に係る業務の状況に関し報告させ、又はその職員に、登録検査等事業者の事業所に立ち入り、その登録に係る業務の状況若しくは設備、帳簿、書類その他の物件を検査させることができる。

2　前項の規定により立入検査をする職員は、その身分を示す証明書（*）を携帯し、かつ、関係者の請求があるときは、これを提示しなければならない。

3　第1項の規定による立入検査の権限は、犯罪捜査のために認められたものと解釈してはならない。

（告示*平23第268号）

（廃止の届出）

第24条の9　登録検査等事業者は、その登録に係る事業を廃止したときは、遅滞なく、その旨を総務大臣に届け出なければならない。

2　前項の規定による届出があつたときは、第24条の2第1項の登録は、その効力を失う。

（登録の取消し等）

第24条の10　総務大臣は、登録検査等事業者が次の各号のいずれかに該当するときは、その登録を取り消し、又は期間を定めてその登録に係る検査又は点検の業務の全部若しくは一部の停止を命ずることができる。

一　第24条の2第5項各号（第2号を除く。）のいずれかに該当するに至つたとき。

二　第24条の5第1項又は第24条の6第2項の規定に違反したとき。

三　第24条の7第1項又は第2項の規定による命令に違反したとき。

四　第10条第1項、第18条第1項若しくは第73条第1項の検査を受けた者に対し、その登録に係る点検の結果を偽つて通知したこと又は同条第3項に規定する証明書に虚偽の記載をしたことが判明したとき。

五　その登録に係る業務の実施の方法によらないでその登録に係る検査又は点検の業務を行つたとき。

六　不正な手段により第24条の2第1項の登録又はその更新を受けたとき。

（登録の抹消）

第24条の11　総務大臣は、第24条の2の2第1項若しくは第24条の9第2項の規定により登録がその効力を失つたとき、又は前条の規定により登録を取り消したときは、当該登録検査等事業者の登録を抹消しなければならない。

（登録証の返納）

第24条の12　第24条の2の2第1項若しくは第24条の9第2項の規定により登録がその効力を失つたとき、又は第24条の10の規定により登録を取り消されたときは、登録検査等事業者であつた者は、1箇月以内にその登録証を返納しなければならない。

（外国点検事業者の登録等）

第24条の13　外国において無線設備等の点検の事業を行う者は、総務大臣の登録を受けることができる。

2　第24条の2第2項（第4号を除く。）、第3項、第4項（第3号を除く。）及び第5項、第24条の3、第24条の4第1項及び第2項（第3号を除く。）、第24条の9第2項並びに第24条の11の規定は前項の登録について、第24条の4第3項、第24条の5から第24条の8まで、第24条の9第1項及び前条の規定は前項の登録を受けた者（以下「登録外国点検事業者」という。）について準用する。この場合において、第24条の2第4項中「次の各号（無線設備等の点検の事業のみを行う者にあつては、第1号、第2号及び第4号）」とあるのは「第1号、第2号及び第4号」と、「検査又は点検」とあるのは「点検」と、「方法（無線設備等の点検の事業のみを行う者にあつては、無線設備等の点検を適正に行うのに必要な業務の実施の方法に限る。)」とあるのは「方法」と、第24条の3中「受けた者(以下「登録検査等事業者」という。)」とあるのは「受けた者」と、「登録検査等事業者登録簿」とあるのは「登録外国点検事業者登録簿」と、「及びその更新の年月日並びに」とあるのは「の年月日及び」と、「第24条の2第2項第1号、第2号及び第4号」とあるのは「第24条の2第2項第1号及び第2号」と、第24条の4第1項中「又はその更新をしたとき」とあるのは「をしたとき」と、同条第2項第1号中「又はその更新の年月日」とあるのは「の年月日」と、第24条の7中「命ずる」とあるのは「請求する」と、同条第1項中「第24条の2第4項各号(無線設備等の点検の事業のみを行う者にあつては、第1号、第2号又は第4号)」とあるのは「第24条の2第4項第1号、第2号又は第4号」と、同条第2項中「検査又は点検」とあるのは「点検」と、第24条の11中「第24条の2の2第1項若しくは第24条の9第2項」とあるのは「第24条の9第2項」と、「前条」とあるのは「第24条の13第3項」と、前条中「第24条の2の2第1項若しくは第24条の9第2項」とあるのは「第24条の9第2項」と、「第24条の10」とあるのは「次条第3項」と読み替えるものとする。

3　総務大臣は、登録外国点検事業者が次の各号のいずれかに該当するときは、その登録を取り消すことができる。

一　前項において準用する第24条の2第5項各号(第2号を除く。)のいずれかに該当するに至つたとき。

二　前項において準用する第24条の5第1項又は第24条の6第2項の規定に違反したとき。

三　前項において準用する第24条の7第1項又は第2項の規定による請求に応じなかつたとき。

四　第10条第1項、第18条第1項又は第73条第1項の検査を受けた者に対し、その登録に係る点検の結果を偽つて通知したことが判明したとき。

五　その登録に係る業務の実施の方法によらないでその登録に係る点検の業務を行つたとき。

六　不正な手段により第1項の登録を受けたとき。

七　総務大臣が前項において準用する第24条の8第1項の規定により登録外国点検事業者に対し報告をさせようとした場合において、その報告がされず、又は虚偽の報告がされたとき。

八　総務大臣が前項において準用する第24条の8第1項の規定によりその職員に登録外国点検事業者の事業所において検査をさせようとした場合において、その検査が拒まれ、妨げられ、又は忌避されたとき。

4　前3項に規定するもののほか、第1項の登録に関し必要な事項は、総務省令(*)で定める。

(告示平19第58号)

＊　登録検査等事業者等規則第9条

(無線局に関する情報の公表等)

第25条　総務大臣は、無線局の免許又は第27条の18第1項の登録(以下「免許等」という。)をしたときは、総務省令(＊1)で定める無線局を除き、その無線局の免許状に記載された事項若しくは第27条の6第3項の規定により届け出られた事項(第14条第2項各号に掲げる事項に相当する事項に限る。)又は第27条の22第1項の登録状に記載された事項若しくは第27条の31の規定により届け出られた事項(第27条の22第2項に規定する事項に相当する事項に限る。)のうち、総務省令(＊2)で定めるものをインターネットの利用その他の方法により公表する。

2　前項の規定により公表する事項のほか、総務大臣は、自己の無線局の開設又は周波数の変更をする場合その他総務省令(＊3)で定める場合に必要とされる混信若しくはふくそうに関する調査又は第27条の12第2項第6号に規定する終了促進措置を行おうとする者の求めに応じ、当該調査又は当該終了促進措置を行うために必要な限度において、当該者に対し、無線局の無線設備の工事設計その他の無線局に関する事項に係る情報であつて総務省令(＊4)で定めるものを提供することができる。

3　前項の規定に基づき情報の提供を受けた者は、当該情報を同項の調査又は終了促進措置の用に供する目的以外の目的のために利用し、又は提供してはならない。

＊1　施行規則第11条の2
＊2　施行規則第11条
＊3　施行規則第11条の2の2
＊4　施行規則第11条の2の3

(周波数割当計画)

第26条　総務大臣は、免許の申請等に資するため、割り当てることが可能である周波数の表(以下「周波数割当計画」という。)を作成し、これを公衆の閲覧(＊)に供するとともに、公示しなければならない。これを変更したときも、同様とする。
2　周波数割当計画には、割当てを受けることができる無線局の範囲を明らかにするため、割り当てることが可能である周波数ごとに、次に掲げる事項を記載するものとする。
一　無線局の行う無線通信の態様
二　無線局の目的
三　周波数の使用の期限その他の周波数の使用に関する条件
四　第27条の13第6項の規定により指定された周波数であるときは、その旨
五　放送をする無線局に係る周波数にあつては、次に掲げる周波数の区分の別
イ　放送をする無線局に専ら又は優先的に割り当てる周波数
ロ　イに掲げる周波数以外のもの
＊　施行規則第21条

（電波の利用状況の調査等）
第26条の２　総務大臣は、周波数割当計画の作成又は変更その他電波の有効利用に資する施策を総合的かつ計画的に推進するため、総務省令（＊1）で定めるところにより、無線局の数、無線局の行う無線通信の通信量、無線局の無線設備の使用の態様その他の電波の利用状況を把握するために必要な事項として総務省令（＊2）で定める事項の調査（以下この条において「利用状況調査」という。）を行うものとする。
2　総務大臣は、利用状況調査の結果に基づき、電波に関する技術の発達及び需要の動向、周波数割当てに関する国際的動向その他の事情を勘案して、電波の有効利用の程度を評価するものとする。
3　総務大臣は、利用状況調査を行つたとき、及び前項の規定により評価したときは、総務省令（＊3）で定めるところにより、その結果の概要を公表するものとする。
4　総務大臣は、第2項の評価の結果に基づき、周波数割当計画を作成し、又は変更しようとする場合において、必要があると認めるときは、総務省令（＊4）で定めるところにより、当該周波数割当計画の作成又は変更が免許人等に及ぼす技術的及び経済的な影響を調査することができる。
5　総務大臣は、利用状況調査及び前項に規定する調査を行うため必要な限度において、免許人等に対し、必要な事項について報告を求めることができる。
（告示平19第1号）
＊1　電波の利用状況の調査等に関する省令第3条・第4条
＊2　電波の利用状況の調査等に関する省令第5条
＊3　電波の利用状況の調査等に関する省令第7条
＊4　電波の利用状況の調査等に関する省令第8条

（外国において取得した船舶又は航空機の無線局の免許の特例）
第27条　船舶の無線局又は航空機の無線局であつて、外国において取得した船舶又は航空機に開設するものについては、総務大臣は、第6条から第14条までの規定によらないで免許を与えることができる。
2　前項の規定による免許は、その船舶又は航空機が日本国内の目的地に到着した時に、その効力を失う。

（特定無線局の免許の特例）
第27条の２　次の各号のいずれかに掲げる無線局であつて、適合表示無線設備のみを使用するもの（以下「特定無線局」という。）を二以上開設しようとする者は、その特定無線局が目的、通信の相手方、電波の型式及び周波数並びに無線設備の規格（総務省令（＊1）で定めるものに限る。）を同じくするものである限りにおいて、次条から第27条の11までに規定するところにより、これらの特定無線局を包括して対象とする免許を申請することができる。
一　移動する無線局であつて、通信の相手方である無線局からの電波を受けることによつて自動的に選択される周波数の電波のみを発射するもののうち、総務省令（＊2）で定める無線局
二　電気通信業務を行うことを目的として陸上に開設する移動しない無線局であつて、移動する無線局を通信の相手方とするもののうち、無線設備の設置場所、空中線電力等を勘案して総務省令（＊3）で定める無線局
＊1　施行規則第15条の3
＊2　施行規則第15条の2第1項
＊3　施行規則第15条の2第2項

（特定無線局の免許の申請）
第27条の３　前条の免許を受けようとする者は、申請書（＊1）に、次に掲げる事項（特定無線局（同条第2号に掲げる無線局に係るものに限る。）を包括して対象とする免許の申請にあつては、次に掲げる事項（第6号に掲げる事項を除く。）及び無線設備を設置しようとする区域）を記載した書類を添えて、総務大臣に提出しなければならない。
一　目的（二以上の目的を有する特定無線局であつて、その目的に主たるものと従

たるものの区別がある場合にあつては、その主従の区別を含む。）
二　開設を必要とする理由
三　通信の相手方
四　電波の型式並びに希望する周波数の範囲及び空中線電力
五　無線設備の工事設計
六　最大運用数（免許の有効期間中において同時に開設されていることとなる特定無線局の数の最大のものをいう。）
七　運用開始の予定期日（それぞれの特定無線局の運用が開始される日のうち最も早い日の予定期日をいう。）
八　他の無線局の免許人等との間で混信その他の妨害を防止するために必要な措置に関する契約を締結しているときは、その契約の内容

2　前条の免許を受けようとする者は、通信の相手方が外国の人工衛星局である場合にあつては、前項の書類に、同項に掲げる事項のほか、その人工衛星の軌道又は位置及び当該人工衛星の位置、姿勢等を制御することを目的として陸上に開設する無線局に関する事項その他総務省令（＊2）で定める事項を併せて記載しなければならない。

＊1　免許規則第2章第2節の3
＊2　免許規則第20条の6

（申請の審査）

第27条の4　総務大臣は、前条第1項の申請書を受理したときは、遅滞なくその申請が次の各号に適合しているかどうかを審査しなければならない。
一　周波数の割当てが可能であること。
二　主たる目的及び従たる目的を有する特定無線局にあつては、その従たる目的の遂行がその主たる目的の遂行に支障を及ぼすおそれがないこと。
三　前2号に掲げるもののほか、総務省令（＊）で定める特定無線局の開設の根本的基準に合致すること。

＊　特定無線局の開設の根本的基準

（包括免許の付与）

第27条の5　総務大臣は、前条の規定により審査した結果、その申請が同条各号に適合していると認めるときは、申請者に対し、次に掲げる事項（特定無線局（第27条の2第2号に掲げる無線局に係るものに限る。）を包括して対象とする免許にあつては、次に掲げる事項（第3号に掲げる事項を除く。）及び無線設備の設置場所とすることができる区域）を指定して、免許を与えなければならない。
一　電波の型式及び周波数
二　空中線電力
三　指定無線局数（同時に開設されている特定無線局の数の上限をいう。以下同じ。）
四　運用開始の期限（一以上の特定無線局の運用を最初に開始する期限をいう。）

2　総務大臣は、前項の免許（以下「包括免許」という。）を与えたときは、次に掲げる事項及び同項の規定により指定した事項を記載した免許状を交付する。
一　包括免許の年月日及び包括免許の番号
二　包括免許人（包括免許を受けた者をいう。以下同じ。）の氏名又は名称及び住所
三　特定無線局の種別
四　特定無線局の目的（主たる目的及び従たる目的を有する特定無線局にあつては、その主従の区別を含む。）
五　通信の相手方
六　包括免許の有効期間

3　包括免許の有効期間は、包括免許の日から起算して5年を超えない範囲内において総務省令（＊）で定める。ただし、再免許を妨げない。

＊　施行規則第7条の2

（特定無線局の運用の開始等）

第27条の6　総務大臣は、包括免許人から申請があつた場合において、相当と認めるときは、前条第1項第4号の期限を延長することができる。

2　特定無線局（第27条の2第1号に掲げる無線局に係るものに限る。）の包括免許人（以下「第1号包括免許人」という。）は、当該包括免許に係る一以上の特定無線局の運用を最初に開始したときは、遅滞なく、その旨を総務大臣に届け出なければならない。ただし、総務省令（＊1）で定める場合は、この限りでない。

3　特定無線局（第27条の2第2号に掲げる無線局に係るものに限る。）の包括免許人（以下「第2号包括免許人」という。）は、当該包括免許に係る特定無線局を開設したとき（再免許を受けて当該特定無線局を引き続き開設するときを除く。）は、当該特定無線局ごとに、15日以内で総務省令（＊2）で定める期間内に、当該特定無線局に係る運用開始の期日及び無線設備の設置場所その他の総務省令（＊3）で定める事項を総務大臣に届け出なければならない。これらの事項を変更したとき又は当該特定無線局を廃止（＊4）したときも、同様とする。

＊1　施行規則第10条の3
＊2　施行規則第15条の4
＊3　免許規則第24条の2第1項

＊4　免許規則第24条の4

（指定無線局数を超える数の特定無線局の開設の禁止）

第27条の7　第1号包括免許人は、免許状に記載された指定無線局数を超えて特定無線局を開設してはならない。

（変更等の許可）

第27条の8　包括免許人は、特定無線局の目的若しくは通信の相手方を変更しようとするとき又は第27条の3第1項の規定により提出した無線設備の工事設計と異なる無線設備の工事設計に基づく無線設備を無線通信の用に供しようとするときは、あらかじめ総務大臣の許可を受けなければならない。ただし、特定無線局の目的の変更のうち、基幹放送をすることとすることを内容とするものは、これを行うことができない。

2　第5条第1項から第3項までの規定は、特定無線局の目的の変更に係る前項の許可に準用する。

（申請による周波数、指定無線局数等の変更）

第27条の9　総務大臣は、包括免許人が電波の型式、周波数、空中線電力、指定無線局数又は無線設備の設置場所とすることができる区域の指定の変更を申請した場合において、電波の能率的な利用の確保、混信の除去その他特に必要があると認めるときは、その指定を変更することができる。

（特定無線局の廃止）

第27条の10　第1号包括免許人は、その包括免許に係るすべての特定無線局を廃止するときは、その旨を総務大臣に届け出なければならない。

2　包括免許人がその包括免許に係るすべての特定無線局を廃止したときは、包括免許は、その効力を失う。

（特定無線局及び包括免許人に関する適用除外等）

第27条の11　第27条の5第1項の規定による免許を受けた特定無線局については第15条の規定、包括免許人については第16条、第17条、第19条、第22条及び第23条の規定は、適用しない。

2　包括免許人の地位の承継に関する第20条第6項の規定の適用については、同項中「第7条」とあるのは、「第27条の4」とする。

（特定基地局の開設指針）

第27条の12　総務大臣は、陸上に開設する移動しない無線局であつて、次の各号のいずれかに掲げる事項を確保するために、同一の者により相当数開設されることが必要であるもののうち、電波の公平かつ能率的な利用を確保するためその円滑な開設を図ることが必要であると認められるもの（以下「特定基地局」という。）について、特定基地局の開設に関する指針（以下「開設指針」という。）(＊) を定めることができる。

一　電気通信業務を行うことを目的として陸上に開設する移動する無線局（一又は二以上の都道府県の区域の全部を含む区域をその移動範囲とするものに限る。）の移動範囲における当該電気通信業務のための無線通信

二　移動受信用地上基幹放送に係る放送対象地域（放送法第91条第2項第2号に規定する放送対象地域をいう。次条第2項第3号において同じ。）における当該移動受信用地上基幹放送の受信

2　開設指針には、次に掲げる事項（移動受信用地上基幹放送をする特定基地局に係る開設指針にあつては、第7号に掲げる事項を除く。）を定めるものとする。

一　開設指針の対象とする特定基地局の範囲に関する事項

二　周波数割当計画に示される割り当てることが可能である周波数のうち当該特定基地局に使用させることとする周波数及びその周波数の使用に関する事項（現にその周波数の全部又は一部を当該特定基地局以外の無線局が使用している場合であつて、その周波数について周波数割当計画において使用の期限が定められているときは、その周波数及びその期限の満了の日を含む。）

三　当該特定基地局の配置及び開設時期に関する事項

四　当該特定基地局の無線設備に係る電波の能率的な利用を確保するための技術の導入に関する事項

五　次条第1項の認定を受けた者が納付すべき金銭（以下「特定基地局開設料」という。）の額並びにその納付の方法及び期限その他特定基地局開設料に関する事項

六　第2号括弧書に規定する場合において、同号括弧書に規定する日以前に当該特定基地局の開設を図ることが電波の有効利用に資すると認められるときは、当該周波数を現に使用している無線局による当該周波数の使用を同日前に終了させるために当該特定基地局を開設しようとする

者が行う費用の負担その他の措置（次条第２項第11号及び第116条第10号において「終了促進措置」という。）に関する事項

七　当該特定基地局に係る前項第１号に掲げる無線通信を確保するため、既に開設されている特定基地局の無線設備に当該無線通信を確保するための機能を付加してその運用を図ることが電波の有効利用に資すると認められるときは、高度既設特定基地局（既に開設されている特定基地局であつて、その無線設備に当該機能を付加したものをいう。以下同じ。）の範囲、配置及び運用開始の時期に関する事項

八　次条第１項の認定をするための評価の基準

九　前各号に掲げるもののほか、当該特定基地局の円滑な開設の推進に関する事項その他必要な事項

3　総務大臣は、開設指針を定め、又はこれを変更したときは、遅滞なく、これを公示しなければならない。

（告示＊平14第699号、平17第883号、平19第457号、平21第248号、平21第250号、平22第173号、平23第513号、平25第229号、平25第455号、平26第347号、平30第34号、平31第24号、令３第40号）

（開設計画の認定）

第27条の13　特定基地局を開設しようとする者は、通信系（通信の相手方を同じくする同一の者によつて開設される特定基地局の総体をいう。次項第５号及び第４項第３号において同じ。）又は放送系（放送法第91条第２項第３号に規定する放送系をいう。次項第５号及び第９号並びに第４項第３号において同じ。）ごとに、特定基地局の開設に関する計画（以下「開設計画」という。）を作成し、これを総務大臣に提出して、その開設計画が適当である旨の認定を受けることができる。

2　開設計画には、次に掲げる事項（電気通信業務を行うことを目的とする特定基地局に係る開設計画にあつては第９号及び第10号に掲げる事項、移動受信用地上基幹放送をする特定基地局に係る開設計画にあつては第８号及び第12号に掲げる事項を除く。）を記載しなければならない。

一　特定基地局が前条第１項第１号又は第２号に掲げる事項のいずれを確保するためのものであるかの別

二　特定基地局の開設を必要とする理由

三　特定基地局の通信の相手方である移動する無線局の移動範囲又は特定基地局により行われる移動受信用地上基幹放送に係る放送対象地域

四　希望する周波数の範囲

五　当該通信系又は当該放送系に含まれる特定基地局の総数並びにそれぞれの特定基地局の無線設備の設置場所及び開設時期

六　電波の能率的な利用を確保するための技術であつて、特定基地局の無線設備に用いる予定のもの

七　特定基地局開設料の額

八　特定基地局を開設しようとする者が、電気通信事業法第９条の登録を受けている場合にあつては当該登録の年月日及び登録番号（同法第12条の２第１項の登録の更新を受けている場合にあつては、当該登録及びその更新の年月日並びに登録番号）、同法第９条の登録を受けていない場合にあつては同条の登録の申請に関する事項

九　当該放送系に含まれる全ての特定基地局に係る無線設備の工事費及び無線局の運用費の支弁方法

十　事業計画及び事業収支見積

十一　終了促進措置を行う場合にあつては、当該終了促進措置の内容及び当該終了促進措置に要する費用の支弁方法

十二　高度既設特定基地局を運用する場合にあつては、当該高度既設特定基地局の運用を必要とする理由、当該高度既設特定基地局の総数並びに使用する周波数ごとの当該高度既設特定基地局の無線設備の設置場所及び運用開始の時期

十三　その他総務省令（＊1）で定める事項

3　第１項の認定の申請は、総務大臣が公示する１月を下らない期間内に行わなければならない。

4　総務大臣は、第１項の認定の申請があつたときは、その申請が次の各号（移動受信用地上基幹放送をする特定基地局に係る開設計画にあつては、第５号を除く。）のいずれにも適合しているかどうかを審査しなければならない。

一　その開設計画が開設指針に照らし適切なものであること。

二　その開設計画が確実に実施される見込みがあること。

三　開設計画に係る通信系又は放送系に含まれる全ての特定基地局について、周波数の割当てが現に可能であり、又は早期に可能となることが確実であると認められること。

四　その開設計画に係る特定基地局を開設しようとする者が第５条第３項各号（移動受信用地上基幹放送をする特定基地局

を開設しようとする者にあつては、同条第１項各号又は第３項各号）のいずれにも該当しないこと。
五　その開設計画に係る特定基地局を開設しようとする者が電気通信事業法第９条の登録を受けていること又は受ける見込みが十分であること。
5　総務大臣は、前項の規定により審査した結果、その申請が同項各号（移動受信用地上基幹放送をする特定基地局に係る開設計画にあつては、第５号を除く。）のいずれにも適合していると認めるときは、前条第２項第８号の評価の基準に従つて、その適合していると認められた全ての申請について評価を行うものとする。
6　総務大臣は、前項の評価に従い、電波の公平かつ能率的な利用を確保する上で最も適切であると認められる申請に係る開設計画について、周波数を指定して、第１項の認定をするものとする。
7　第１項の認定の有効期間は、当該認定の日から起算して５年（前条第２項第２号括弧書に規定する周波数を使用する特定基地局の開設計画の認定にあつては、10年）を超えない範囲内において総務省令（＊２）で定める。
8　第１項の認定を受けた者は、開設指針に定める納付の期限までに特定基地局開設料を現金（国税の納付に使用することができる小切手のうち銀行の振出しに係るもの及びその支払保証のあるものを含む。）をもつて国に納付しなければならない。
9　総務大臣は、第１項の認定をしたときは、当該認定をした日及び認定の有効期間、第６項の規定により指定した周波数その他総務省令（＊３）で定める事項を公示（＊４）するものとする。

＊１　免許規則第25条の４第２項
＊２　施行規則第９条の２
＊３　施行規則第11条の２の６
＊４　告示平15第377号、平17第1325号、平18第230号、平20第47号、平21第396号、平22第347号、平24第62号、平24第256号、平25第311号、平26第261号、平27第６号、平30第161号、令元第23号、令３第177号

（開設計画の変更等）
第27条の14　前条第１項の認定を受けた者は、当該認定に係る開設計画（同条第２項第１号、第４号及び第７号に掲げる事項を除く。）を変更しようとするときは、総務大臣の認定を受けなければならない。
2　総務大臣は、前項の認定の申請があつた場合において、その申請が前条第４項各号（移動受信用地上基幹放送をする特定基地局に係る開設計画にあつては、第５号を除く。）のいずれにも適合していると認めるときは、前項の認定をするものとする。
3　総務大臣は、前条第１項の認定を受けた開設計画（第１項の規定による変更の認定があつたときは、その変更後のもの。以下「認定計画」という。）に係る特定基地局を開設する者（以下「認定開設者」という。）が周波数の指定の変更を申請した場合において、混信の除去その他特に必要があると認めるときは、その指定を変更することができる。（＊１）
4　総務大臣は、認定開設者が認定の有効期間の延長を申請した場合において、特に必要があると認めるときは、１年を超えない範囲内において、その期間を延長することができる。
5　総務大臣は、第１項の認定（前条第９項の総務省令（＊２）で定める事項についての変更に係るものに限る。）をしたとき、第３項の規定により周波数の指定を変更したとき又は前項の規定により認定の有効期間を延長したときは、その旨を公示するものとする。

＊１　告示平18第436号、平20第410号、平23第72号、平24第467号、平25第404号
＊２　施行規則第11条の２の６

（認定の取消し等）
第27条の15　総務大臣は、認定開設者が次の各号のいずれかに該当するときは、その認定を取り消さなければならない。
一　電気通信業務を行うことを目的とする特定基地局に係る認定開設者が電気通信事業法第14条第１項の規定により同法第９条の登録を取り消されたとき。
二　移動受信用地上基幹放送をする特定基地局に係る認定開設者が第５条第１項各号のいずれかに該当するに至つたとき。
2　総務大臣は、認定開設者が次の各号のいずれかに該当するときは、その認定を取り消すことができる。
一　正当な理由がないのに、認定計画に係る特定基地局を当該認定計画に従つて開設せず、又は認定計画に係る高度既設特定基地局を当該認定計画に従つて運用していないと認めるとき。
二　正当な理由がないのに、認定計画に係る開設指針に定める納付の期限までに特定基地局開設料を納付していないとき。
三　不正な手段により第27条の13第１項若しくは前条第１項の認定を受け、又は同条第３項の規定による指定の変更を行わ

せたとき。
四　認定開設者が第５条第３項第１号に該当するに至つたとき。
五　電気通信業務を行うことを目的とする特定基地局に係る認定開設者が次のいずれかに該当するとき。
イ　電気通信事業法第12条第１項の規定により同法第９条の登録を拒否されたとき。
ロ　電気通信事業法第12条の２第１項の規定により同法第９条の登録がその効力を失つたとき。
ハ　電気通信事業法第13条第３項において準用する同法第12条第１項の規定により同法第13条第１項の変更登録を拒否されたとき（当該変更登録が認定計画に係る特定基地局又は高度既設特定基地局に関する事項の変更に係るものである場合に限る。）。
ニ　電気通信事業法第18条の規定によりその電気通信事業の全部の廃止又は解散の届出があつたとき。

3　総務大臣は、前項（第４号及び第５号を除く。）の規定により認定の取消しをしたときは、当該認定開設者であつた者が受けている他の開設計画の第27条の13第１項の認定又は無線局の免許等を取り消すことができる。

4　総務大臣は、前三項の規定による処分をしたときは、理由を記載した文書をその認定開設者に送付しなければならない。

（合併等に関する規定の準用）
第27条の16　第20条第１項から第３項まで、第６項及び第９項の規定は、認定開設者について準用する。この場合において、同条第６項中「第５条及び第７条」とあるのは「第27条の13第４項」と、「第２項から前項まで」とあるのは「第２項及び第３項」と、同条第９項中「第１項及び前二項」とあるのは「第27条の16において準用する第１項」と読み替えるものとする。

（認定計画に係る特定基地局の免許申請期間の特例）
第27条の17　認定開設者が認定計画に従つて開設する特定基地局の免許の申請については、第６条第８項の規定は、適用しない。

第２節　無線局の登録

（登録）
第27条の18　電波を発射しようとする場合において当該電波と周波数を同じくする電波を受信することにより一定の時間自己の電波を発射しないことを確保する機能を有する無線局その他無線設備の規格（総務省令（＊1）で定めるものに限る。以下同じ。）を同じくする他の無線局の運用を阻害するような混信その他の妨害を与えないように運用することのできる無線局のうち総務省令（＊2）で定めるものであつて、適合表示無線設備のみを使用するものを総務省令（＊3）で定める区域内に開設しようとする者は、総務大臣の登録を受けなければならない。

2　前項の登録を受けようとする者は、総務省令（＊4）で定めるところにより、次に掲げる事項を記載した申請書を総務大臣に提出しなければならない。
一　氏名又は名称及び住所並びに法人にあつては、その代表者の氏名
二　開設しようとする無線局の無線設備の規格
三　無線設備の設置場所
四　周波数及び空中線電力

3　前項の申請書には、開設の目的その他総務省令（＊5）で定める事項（他の無線局の免許人等との間で混信その他の妨害を防止するために必要な措置に関する契約を締結しているときは、その契約の内容を含む。第27条の29第３項において同じ。）を記載した書類を添付しなければならない。

＊1　施行規則第17条
＊2　施行規則第16条
＊3　施行規則第18条
＊4　免許規則第25条の10第１項・第３項
＊5　免許規則第25条の10第２項

（登録の実施）
第27条の19　総務大臣は、前条第１項の登録の申請があつたときは、次条の規定により登録を拒否する場合を除き、次に掲げる事項を第103条の２第４項第２号に規定する総合無線局管理ファイルに登録しなければならない。
一　前条第２項各号に掲げる事項
二　登録の年月日及び登録の番号

（登録の拒否）
第27条の20　総務大臣は、第27条の18第１項の登録の申請が次の各号のいずれかに該当する場合には、その登録を拒否しなければならない。
一　申請に係る無線設備の設置場所が第27条の18第１項の総務省令で定める区域以外であるとき。
二　申請書又はその添付書類のうちに重要な事項について虚偽の記載があり、又は

重要な事実の記載が欠けているとき。

2　総務大臣は、第27条の18第１項の登録の申請が次の各号のいずれかに該当する場合には、その登録を拒否することができる。

一　申請者が第５条第３項各号のいずれかに該当するとき。

二　申請に係る無線局と使用する周波数を同じくするものについて第76条の２の２の規定により登録に係る無線局を開設することが禁止され、又は登録局の運用が制限されているとき。

三　前２号に掲げるもののほか、申請に係る無線局の開設が周波数割当計画に適合しないときその他電波の適正な利用を阻害するおそれがあると認められるとき。

（登録の有効期間）

第27条の21　第27条の18第１項の登録の有効期間は、登録の日から起算して５年を超えない範囲内において総務省令（*）で定める。ただし、再登録を妨げない。

＊　施行規則第７条の３

（登録状）

第27条の22　総務大臣は、第27条の18第１項の登録をしたときは、登録状を交付する。

2　前項の登録状には、第27条の19各号に掲げる事項を記載しなければならない。

（変更登録等）

第27条の23　登録人（第27条の18第１項の登録を受けた者をいう。以下同じ。）は、同条第２項第３号又は第４号に掲げる事項を変更しようとするときは、総務大臣の変更登録を受けなければならない。ただし、総務省令（*）で定める軽微な変更については、この限りでない。

2　前項の変更登録を受けようとする者は、総務省令で定めるところにより、変更に係る事項を記載した申請書を総務大臣に提出しなければならない。

3　第27条の19及び第27条の20第１項の規定は、第１項の変更登録について準用する。この場合において、第27条の19中「次条」とあるのは「次条第１項」と、「次に掲げる事項」とあるのは「変更に係る事項」と、第27条の20第１項中「申請書又はその添付書類」とあるのは「申請書」と読み替えるものとする。

4　登録人は、第27条の18第２項第１号に掲げる事項に変更があつたとき、又は第１項ただし書の総務省令で定める軽微な変更をしたときは、遅滞なく、その旨を総務大臣に届け出なければならない。その届出があつた場合には、総務大臣は、遅滞なく、当該登録を変更するものとする。

＊　施行規則第19条第１項

（承継）

第27条の24　登録人が登録局をその用に供する事業の全部を譲渡し、又は登録人について相続、合併若しくは分割（登録局をその用に供する事業の全部を承継させるものに限る。）があつたときは、登録局をその用に供する事業の全部を譲り受けた者又は相続人、合併後存続する法人若しくは合併により設立した法人若しくは分割により登録局をその用に供する事業の全部を承継した法人は、その登録人の地位を承継する。ただし、当該事業の全部を譲り受けた者又は相続人、合併後存続する法人若しくは合併により設立した法人若しくは分割により当該事業の全部を承継した法人が第27条の20第２項各号（第２号を除く。）のいずれかに該当するときは、この限りでない。

2　前項の規定により登録人の地位を承継した者は、遅滞なく、その事実を証する書面を添えてその旨を総務大臣に届け出なければならない。

（登録状の訂正）

第27条の25　登録人は、登録状に記載した事項に変更を生じたときは、その登録状を総務大臣に提出し、訂正を受けなければならない。

（廃止の届出）

第27条の26　登録人は、登録局を廃止したときは、遅滞なく、その旨を総務大臣に届け出なければならない。

2　前項の規定による届出があつたときは、第27条の18第１項の登録は、その効力を失う。

（登録の抹消）

第27条の27　総務大臣は、第27条の15第３項、第76条第６項から第８項まで若しくは第76条の３第１項の規定により登録を取り消したとき、第27条の18第１項の登録の有効期間が満了したとき、又は前条第２項の規定により第27条の18第１項の登録がその効力を失つたときは、当該登録を抹消しなければならない。

（登録状の返納）

第27条の28　第27条の15第３項、第76条第６項から第８項まで若しくは第76条の３第１項の規定により登録を取り消されたとき、第27条の18第１項の登録の有効期間が満了したとき、又は第27条の26第２項の規定により第27条の18第１項の登録がその効力を失つたときは、登録人であつた者は、１箇月以内にその登録状を返納しなければならない。

（登録の特例）

第27条の29　第27条の18第１項の登録を受けなければならない無線局を同項の総務省令で定める区域内に二以上開設しようとする者は、その無線局が周波数及び無線設備の規格を同じくするものである限りにおいて、この条から第27条の34までに規定するところにより、これらの無線局を包括して対象とする同項の登録を受けることができる。

2　前項の規定による登録を受けようとする者は、総務省令（＊1）で定めるところにより、次に掲げる事項を記載した申請書を総務大臣に提出しなければならない。

一　氏名又は名称及び住所並びに法人にあつては、その代表者の氏名

二　開設しようとする無線局の無線設備の規格

三　無線設備を設置しようとする区域（移動する無線局にあつては、移動範囲）

四　周波数及び空中線電力

3　前項の申請書には、開設の目的その他総務省令（＊2）で定める事項を記載した書類を添付しなければならない。

＊1　免許規則第25条の17第１項・第３項

＊2　免許規則第25条の17第２項

（包括登録人に関する変更登録等）

第27条の30　前条第１項の規定による登録を受けた者（以下「包括登録人」という。）は、同条第２項第３号又は第４号に掲げる事項を変更しようとするときは、総務大臣の変更登録を受けなければならない。ただし、総務省令（＊）で定める軽微な変更については、この限りでない。

2　前項の変更登録を受けようとする者は、総務省令で定めるところにより、変更に係る事項を記載した申請書を総務大臣に提出しなければならない。

3　第27条の19及び第27条の20第１項の規定は、第１項の変更登録について準用する。この場合において、第27条の19中「次条」とあるのは「次条第１項」と、「次に掲げる事項」とあるのは「変更に係る事項」と、第27条の20第１項中「の設置場所」とあるのは「を設置しようとする区域（移動する無線局にあつては、移動範囲）」と、「申請書又はその添付書類」とあるのは「申請書」と読み替えるものとする。

4　包括登録人は、前条第２項第１号に掲げる事項に変更があつたとき、又は第１項ただし書の総務省令で定める軽微な変更をしたときは、遅滞なく、その旨を総務大臣に届け出なければならない。その届出があつた場合には、総務大臣は、遅滞なく、当該登録を変更するものとする。

＊　施行規則第19条第２項

（無線局の開設の届出）

第27条の31　包括登録人は、その登録に係る無線局を開設したとき（再登録を受けて当該無線局を引き続き開設するときを除く。）は、当該無線局ごとに、15日以内で総務省令（＊1）で定める期間内に、当該無線局に係る運用開始の期日及び無線設備の設置場所その他の総務省令（＊2）で定める事項を総務大臣に届け出なければならない。

＊1　施行規則第20条

＊2　免許規則第25条の23

（変更の届出）

第27条の32　包括登録人は、前条の規定により届け出た事項に変更があつたときは、遅滞なく、その旨を総務大臣に届け出なければならない。

（登録の失効）

第27条の33　包括登録人がその登録に係るすべての無線局を廃止したときは、当該登録は、その効力を失う。

（包括登録人に関する適用除外等）

第27条の34　包括登録人については、第27条の23及び第27条の26第２項の規定は、適用しない。

2　第27条の29第１項の規定による登録に関する第27条の19、第27条の20、第27条の22第２項、第27条の24、第27条の27及び第27条の28の規定の適用については、第27条の19中「前条第１項の」とあるのは「第27条の29第１項の規定による」と、「次条」とあるのは「第27条の34第２項において読み替えて適用する次条」と、「前条第２項各号」とあるのは「第27条の29第２項各号」と、第27条の20中「第27条の18第１項の登録」とあるのは「第27条の29第１項の規定による登録」と、同条第１項第１号中「の設置場所」とあるのは「を設置しようとする区域（移動する無線局にあつては、移動範囲）」と、「である」とあるのは「の区域を含む」と、第27条の22第２項中「第27条の19各号」とあるのは「第27条の34第２項において読み替えて適用する第27条の19各号」と、第27条の24第１項中「第27条の20

第２項各号」とあるのは「第27条の34第２項において読み替えて適用する第27条の20第２項各号」と、同条第２項中「前項」とあるのは「第27条の34第２項において読み替えて適用する前項」と、第27条の27中「前条第２項」とあり、及び第27条の28中「第27条の26第２項」とあるのは「第27条の33」とする。

第３節　無線局の開設に関するあつせん等

（電気通信紛争処理委員会によるあつせん及び仲裁）

第27条の35　免許等を受けて無線局（電気通信業務その他の総務省令（＊1）で定める業務を行うことを目的とするものに限る。以下この条において同じ。）を開設し、又は免許等を受けた無線局に関する周波数その他の総務省令（＊2）で定める事項を変更しようとする者が、当該無線局の開設又は無線局に関する事項の変更により混信その他の妨害を与えるおそれがある他の無線局の免許人等に対し、妨害を防止するために必要な措置に関する契約の締結について協議を申し入れたにもかかわらず、当該他の無線局の免許人等が協議に応じず、又は協議が調わないときは、当事者は、電気通信紛争処理委員会（第３項及び第５項において「委員会」という。）に対し、あつせんを申請することができる。ただし、当事者が第３項の規定による仲裁の申請をした後は、この限りでない。

2　電気通信事業法第154条第２項から第６項までの規定は、前項のあつせんについて準用する。この場合において、同条第６項中「第35条第１項若しくは第２項の申立て、同条第３項の規定による裁定の申請又は次条第１項」とあるのは、「電波法第27条の35第３項」と読み替えるものとする。

3　第１項の規定による協議が調わないときは、当事者の双方は、委員会に対し、仲裁を申請することができる。

4　電気通信事業法第155条第２項から第４項までの規定は、前項の仲裁について準用する。

5　第１項又は第３項の規定により委員会に対してするあつせん又は仲裁の申請は、総務大臣を経由してしなければならない。

＊1　施行規則第20条の２
＊2　施行規則第20条の３

（政令への委任）

第27条の36　前条に規定するもののほか、あつせん及び仲裁の手続に関し必要な事項は、政令で定める。

第３章　無線設備

（電波の質）

第28条　送信設備に使用する電波の周波数の偏差及び幅、高調波の強度等電波の質は、総務省令（＊）で定めるところに適合するものでなければならない。

＊　設備規則第５条―第７条

（受信設備の条件）

第29条　受信設備は、その副次的に発する電波又は高周波電流が、総務省令（＊）で定める限度をこえて他の無線設備の機能に支障を与えるものであつてはならない。

＊　設備規則第24条

（安全施設）

第30条　無線設備には、人体に危害を及ぼし、又は物件に損傷を与えることがないように、総務省令（＊）で定める施設をしなければならない。

＊　施行規則第21条の２―第27条

（周波数測定装置の備えつけ）

第31条　総務省令（＊）で定める送信設備には、その誤差が使用周波数の許容偏差の２分の１以下である周波数測定装置を備えつけなければならない。

＊　施行規則第11条の３

（計器及び予備品の備えつけ）

第32条　船舶局の無線設備には、その操作のために必要な計器及び予備品であつて、総務省令（＊）で定めるものを備えつけなければならない。

＊　施行規則第30条・第31条

（義務船舶局の無線設備の機器）

第33条　義務船舶局の無線設備には、総務省令（＊）で定める船舶及び航行区域の区分に応じて、送信設備及び受信設備の機器、遭難自動通報設備の機器、船舶の航行の安全に関する情報を受信するための機器その他の総務省令（＊）で定める機器を備えなければならない。

＊　施行規則第28条

（義務船舶局等の無線設備の条件）

第34条　義務船舶局及び義務船舶局のある船舶に開設する総務省令（＊1）で定める船舶地球局（以下「義務船舶局等」という。）の無線設備は、次の各号に掲げる要件に適合する場所に設けなければならない。ただし、総務省令（＊2）で定める無線設備については、この限りでない。
一　当該無線設備の操作に際し、機械的原因、電気的原因その他の原因による妨害を受けることがない場所であること。
二　当該無線設備につきできるだけ安全を確保することができるように、その場所が当該船舶において可能な範囲で高い位置にあること。
三　当該無線設備の機能に障害を及ぼすおそれのある水、温度その他の環境の影響を受けない場所であること。
＊1　施行規則第28条の2第1項
＊2　施行規則第28条の2第2項

第35条　義務船舶局等の無線設備については、総務省令（＊）で定めるところにより、次に掲げる措置のうち一又は二の措置をとらなければならない。ただし、総務省令（＊）で定める無線設備については、この限りでない。
一　予備設備を備えること。
二　その船舶の入港中に定期に点検を行い、並びに停泊港に整備のために必要な計器及び予備品を備えること。
三　その船舶の航行中に行う整備のために必要な計器及び予備品を備え付けること。
＊　施行規則第28条の4―第29条

（義務航空機局の条件）
第36条　義務航空機局の送信設備は、総務省令（＊）で定める有効通達距離をもつものでなければならない。
＊　施行規則第31条の3

（人工衛星局の条件）
第36条の2　人工衛星局の無線設備は、遠隔操作により電波の発射を直ちに停止することのできるものでなければならない。
2　人工衛星局は、その無線設備の設置場所を遠隔操作により変更することができるものでなければならない。ただし、総務省令（＊）で定める人工衛星局については、この限りでない。
＊　施行規則第32条の5

（無線設備の機器の検定）
第37条　次に掲げる無線設備の機器は、その型式について、総務大臣の行う検定（＊1）に合格したものでなければ、施設してはならない。ただし、総務大臣が行う検定に相当する型式検定に合格している機器その他の機器であつて総務省令（＊2）で定めるものを施設する場合は、この限りでない。
一　第31条の規定により備え付けなければならない周波数測定装置
二　船舶安全法第2条（同法第29条ノ7の規定に基づく政令（＊3）において準用する場合を含む。）の規定に基づく命令（＊4）により船舶に備えなければならないレーダー
三　船舶に施設する救命用の無線設備の機器であつて総務省令（＊5）で定めるもの
四　第33条の規定により備えなければならない無線設備の機器（前号に掲げるものを除く。）
五　第34条本文に規定する船舶地球局の無線設備の機器
六　航空機に施設する無線設備の機器であつて総務省令（＊6）で定めるもの
＊1　無線機器型式検定規則
＊2　施行規則第11条の5
＊3　船舶安全法施行令第1条
＊4　船舶設備規程第146条の12
＊5　施行規則第11条の4第1項
＊6　施行規則第11条の4第2項

（その他の技術基準）
第38条　無線設備（放送の受信のみを目的とするものを除く。）は、この章に定めるものの外、総務省令（＊）で定める技術基準に適合するものでなければならない。
＊　無線設備規則

（無線設備の技術基準の策定等の申出）
第38条の2　利害関係人は、総務省令（＊）で定めるところにより、第28条から第32条まで又は前条の規定により総務省令で定めるべき無線設備の技術基準について、原案を示して、これを策定し、又は変更すべきことを総務大臣に申し出ることができる。
2　総務大臣は、前項の規定による申出を受けた場合において、その申出に係る技術基準を策定し、又は変更する必要がないと認めるときは、理由を付してその旨を申出人に通知しなければならない。
＊　施行規則第32条の9の2

第3章の2　特定無線設備の技術基準適合証明等

第1節　特定無線設備の技術基準適合証明及び工事設計認証

（登録証明機関の登録）
第38条の2の2　小規模な無線局に使用するための無線設備であつて総務省令（＊1）で定めるもの（以下「特定無線設備」という。）について、前章に定める技術基準に適合していることの証明（以下「技術基準適合証明」という。）の事業を行う者は、

次に掲げる事業の区分（次項、第38条の5第1項、第38条の10、第38条の31第1項及び別表第三において単に「事業の区分」という。）ごとに、総務大臣の登録（＊2）を受けることができる。
一　第4条第2号又は第3号に規定する無線局に係る特定無線設備について技術基準適合証明を行う事業
二　特定無線局（第27条の2第1号に掲げる無線局に係るものに限る。）に係る特定無線設備について技術基準適合証明を行う事業
三　前二号に掲げる特定無線設備以外の特定無線設備について技術基準適合証明を行う事業
2　前項の登録を受けようとする者は、総務省令（＊3）で定めるところにより、次に掲げる事項を記載した申請書を総務大臣に提出しなければならない。
一　氏名又は名称及び住所並びに法人にあつては、その代表者の氏名
二　事業の区分
三　事務所の名称及び所在地
四　技術基準適合証明の審査に用いる測定器その他の設備の概要
五　第38条の8第2項の証明員の選任に関する事項
六　業務開始の予定期日
3　前項の申請書には、技術基準適合証明の業務の実施に関する計画を記載した書類その他総務省令（＊4）で定める書類を添付しなければならない。
4　総務大臣は、第1項の総務省令を制定し、又は改廃しようとするときは、経済産業大臣の意見を聴かなければならない。
＊1　証明規則第2条
＊2　告示平16第642号ほか
＊3　証明規則第3条第1項
＊4　証明規則第3条第3項

（登録の基準）
第38条の3　総務大臣は、前条第1項の登録を申請した者（以下この項において「登録申請者」という。）が次の各号のいずれにも適合しているときは、その登録をしなければならない。
一　別表第四に掲げる条件のいずれかに適合する知識経験を有する者が技術基準適合証明を行うものであること。
二　別表第三の上欄に掲げる事業の区分に応じ、それぞれ同表の下欄に掲げる測定器その他の設備であつて、第24条の2第4項第2号イからニまでのいずれかに掲げる較正等を受けたもの（その較正等を受けた日の属する月の翌月の1日から起算して1年（技術基準適合証明を行うのに優れた性能を有する測定器その他の設備として総務省令（＊）で定める測定器その他の設備に該当するものにあつては、当該測定器その他の設備の区分に応じ、1年を超え3年を超えない範囲内で総務省令（＊）で定める期間）以内のものに限る。）を使用して技術基準適合証明を行うものであること。
三　登録申請者が、特定無線設備の製造業者、輸入業者又は販売業者（以下この号において「特定製造業者等」という。）に支配されているものとして次のいずれかに該当するものでないこと。
イ　登録申請者が株式会社である場合には、特定製造業者等がその親法人（会社法（平成17年法律第86号）第879条第1項に規定する親法人をいう。第71条の3の2第4項第4号イにおいて同じ。）であること。
ロ　登録申請者の役員（持分会社（会社法第575条第1項に規定する持分会社をいう。第71条の3の2第4項第4号ロにおいて同じ。）にあつては、業務を執行する社員）に占める特定製造業者等の役員又は職員（過去2年間に当該特定製造業者等の役員又は職員であつた者を含む。）の割合が2分の1を超えていること。
ハ　登録申請者（法人にあつては、その代表権を有する役員）が、特定製造業者等の役員又は職員（過去2年間に当該特定製造業者等の役員又は職員であつた者を含む。）であること。
2　第24条の2第5項及び第6項の規定は、前条第1項の登録について準用する。この場合において、第24条の2第5項第2号中「第24条の10又は第24条の13第3項」とあるのは「第38条の17第1項又は第2項（第38条の24第3項において準用する場合を含む。）」と、同条第6項中「前各項」とあるのは「前項、第38条の2の2第1項から第3項まで及び第38条の3第1項」と読み替えるものとする。
＊　証明規則第3条の2

（登録の更新）
第38条の4　第38条の2の2第1項の登録は、5年以上10年以内において政令（＊）で定める期間ごとにその更新を受けなければ、その期間の経過によつて、その効力を失う。
2　第24条の2第5項及び第6項、第38条の2の2第2項及び第3項並びに前条第1項

の規定は、前項の登録の更新について準用する。この場合において、第24条の２第５項第２号中「第24条の10又は第24条の13第３項」とあるのは「第38条の17第１項又は第２項（第38条の24第３項において準用する場合を含む。）」と、同条第６項中「前各項」とあるのは「前項、第38条の２の２第１項から第３項まで及び第38条の３第１項」と読み替えるものとする。

＊　電波法施行令第１条の２

（登録の公示等）

第38条の５　総務大臣は、第38条の２の２第１項の登録をしたときは、同項の登録を受けた者（以下「登録証明機関」という。）の氏名又は名称及び住所並びに登録に係る事業の区分、技術基準適合証明の業務を行う事務所の所在地及び技術基準適合証明の業務の開始の日を公示しなければならない。

２　登録証明機関は、第38条の２の２第２項第１号又は第３号に掲げる事項を変更しようとするときは、変更しようとする日の２週間前までに、その旨を総務大臣に届け出なければならない。

３　総務大臣は、前項の規定による届出（登録を受けた者の氏名若しくは名称若しくは住所又は技術基準適合証明の業務を行う事務所の所在地の変更に係るものに限る。）があつたときは、その旨を公示しなければならない。

（技術基準適合証明等）

第38条の６　登録証明機関は、その登録に係る技術基準適合証明を受けようとする者から求めがあつた場合には、総務省令（＊1）で定めるところにより審査を行い、当該求めに係る特定無線設備が前章に定める技術基準に適合していると認めるときに限り、技術基準適合証明を行うものとする。

２　登録証明機関は、その登録に係る技術基準適合証明をしたときは、総務省令（＊2）で定めるところにより、次に掲げる事項を総務大臣に報告しなければならない。

一　技術基準適合証明を受けた者の氏名又は名称及び住所並びに法人にあつては、その代表者の氏名

二　技術基準適合証明を受けた特定無線設備の種別

三　その他総務省令で定める事項

３　技術基準適合証明を受けた者は、前項第１号に掲げる事項に変更があつたときは、総務省令（＊3）で定めるところにより、遅滞なく、その旨を総務大臣に届け出なければならない。

４　総務大臣は、第２項の規定による報告を受けたときは、総務省令（＊4）で定めるところにより、その旨を公示しなければならない。前項の規定による届出があつた場合において、その公示した事項に変更があつたときも、同様とする。

５　総務大臣は、第１項の総務省令を制定し、又は改廃しようとするときは、経済産業大臣に協議しなければならない。

＊１　証明規則第６条第１項―第３項
＊２　証明規則第６条第４項
＊３　証明規則第６条第５項・第６項
＊４　証明規則第６条第７項

（表示）

第38条の７　登録証明機関は、その登録に係る技術基準適合証明をしたときは、総務省令（＊1）で定めるところにより、その特定無線設備に技術基準適合証明をした旨の表示を付さなければならない。

２　適合表示無線設備を組み込んだ製品を取り扱うことを業とする者は、総務省令（＊2）で定めるところにより、製品に組み込まれた適合表示無線設備に付されている表示と同一の表示を当該製品に付することができる。

３　何人も、第１項（第38条の31第４項において準用する場合を含む。）、前項、第38条の26（第38条の31第６項において準用する場合を含む。）、第38条の35又は第38条の44第３項の規定により表示を付する場合を除くほか、国内において無線設備又は無線設備を組み込んだ製品にこれらの表示又はこれらと紛らわしい表示を付してはならない。

４　第１項（第38条の31第４項において準用する場合を含む。）、第38条の26（第38条の31第６項において準用する場合を含む。）若しくは第38条の35又は第38条の44第３項の規定により表示が付されている特定無線設備の変更の工事をした者は、総務省令（＊3）で定める方法により、その表示（第２項の規定により適合表示無線設備を組み込んだ製品に付された表示を含む。）を除去しなければならない。

＊１　証明規則第８条、第27条
＊２　証明規則第８条第２項・第20条第２項・第27条第２項・第36条第２項・第41条第２項
＊３　証明規則第８条の２

（技術基準適合証明の義務等）

第38条の８　登録証明機関は、その登録に係る技術基準適合証明を行うべきことを求められたときは、正当な理由がある場合を除き、遅滞なく技術基準適合証明のための審査を行わなければならない。

2　登録証明機関は、前項の審査を行うときは、別表第三の下欄に掲げる測定器その他の設備であつて、第24条の2第4項第2号イからニまでのいずれかに掲げる較正等を受けたもの（その較正等を受けた日の属する月の翌月の1日から起算して1年（第38条の3第1項第2号の総務省令で定める測定器その他の設備に該当するものにあつては、同号の総務省令で定める期間）以内のものに限る。）を使用し、かつ、別表第四に掲げる条件に適合する知識経験を有する者（以下「証明員」という。）に行わせなければならない。

（役員等の選任及び解任）
第38条の9　登録証明機関は、役員又は証明員を選任し、又は解任したときは、遅滞なくその旨を総務大臣に届け出なければならない。

（業務規程）
第38条の10　登録証明機関は、その登録に係る事業の区分、技術基準適合証明の業務の実施の方法その他の総務省令（*）で定める事項について業務規程を定め、当該業務の開始前に、総務大臣に届け出なければならない。これを変更しようとするときも、同様とする。
　　＊　証明規則第10条、第28条

（財務諸表等の備付け及び閲覧等）
第38条の11　登録証明機関は、毎事業年度経過後3月以内に、その事業年度の財産目録、貸借対照表及び損益計算書又は収支計算書並びに事業報告書（その作成に代えて電磁的記録（電子的方式、磁気的方式その他の人の知覚によつては認識することができない方式で作られる記録であつて、電子計算機による情報処理の用に供されるものをいう。以下この条及び第103条の2第37項において同じ。）の作成がされている場合における当該電磁的記録を含む。次項及び第116条第20号において「財務諸表等」という。）を作成し、5年間事務所に備えて置かなければならない。
2　特定無線設備を取り扱うことを業とする者その他の利害関係人は、登録証明機関の営業時間内は、いつでも、次に掲げる請求をすることができる。ただし、第2号又は第4号の請求をするには、登録証明機関の定めた費用を支払わなければならない。
一　財務諸表等が書面をもつて作成されているときは、当該書面の閲覧又は謄写の請求
二　前号の書面の謄本又は抄本の請求
三　財務諸表等が電磁的記録をもつて作成されているときは、当該電磁的記録に記録された事項を総務省令（＊1）で定める方法により表示したものの閲覧又は謄写の請求
四　前号の電磁的記録に記録された事項を電磁的方法であつて総務省令（＊2）で定めるものにより提供することの請求又は当該事項を記載した書面の交付の請求
　　＊1　証明規則第12条第1項
　　＊2　証明規則第12条第2項

（帳簿の備付け等）
第38条の12　登録証明機関は、総務省令で定めるところにより、技術基準適合証明に関する事項で総務省令（*）で定めるものを記載した帳簿を備え付け、これを保存しなければならない。
　　＊　証明規則第13条、第30条

（登録証明機関に対する改善命令等）
第38条の13　総務大臣は、登録証明機関が第38条の3第1項各号のいずれかに適合しなくなつたと認めるときは、当該登録証明機関に対し、これらの規定に適合するため必要な措置をとるべきことを命ずることができる。
2　総務大臣は、登録証明機関が第38条の6第1項又は第38条の8の規定に違反していると認めるときは、当該登録証明機関に対し、技術基準適合証明のための審査を行うべきこと又は技術基準適合証明のための審査の方法その他の業務の方法の改善に関し必要な措置をとるべきことを命ずることができる。

（技術基準適合証明についての申請及び総務大臣の命令）
第38条の14　第38条の6第1項の規定により技術基準適合証明を求めた者は、その求めに係る特定無線設備について、登録証明機関が技術基準適合証明のための審査を行わない場合又は登録証明機関の技術基準適合証明の結果に異議のある場合は、総務大臣に対し、登録証明機関が技術基準適合証明のための審査を行うこと又は改めて技術基準適合証明のための審査を行うことを命ずべきことを申請することができる。
2　総務大臣は、前項の申請があつた場合において、当該申請に係る登録証明機関が第38条の6第1項又は第38条の8の規定に違反していると認めるときは、当該申請に係る登録証明機関に対し、前条第2項の規定による命令をしなければならない。
3　総務大臣は、前項の場合において、前条

第２項の規定による命令をし、又は命令をしないことの決定をしたときは、遅滞なく、当該申請をした者に通知しなければならない。

（登録証明機関に対する立入検査等）

第38条の15　総務大臣は、この法律を施行するため必要があると認めるときは、登録証明機関に対し、その登録に係る技術基準適合証明の業務の状況に関し報告させ、又はその職員に、登録証明機関の事業所に立ち入り、その登録に係る技術基準適合証明の業務の状況若しくは設備、帳簿、書類その他の物件を検査させることができる。

２　第24条の８第２項及び第３項の規定は、前項の規定による立入検査について準用する。

（告示平19第59号）

（業務の休廃止）

第38条の16　登録証明機関は、その登録に係る技術基準適合証明の業務を休止し、又は廃止しようとするときは、総務省令（*）で定めるところにより、あらかじめ、その旨を総務大臣に届け出なければならない。

２　登録証明機関が技術基準適合証明の業務の全部を廃止したときは、当該登録証明機関の登録は、その効力を失う。

３　総務大臣は、第１項の規定による届出があつたときは、その旨を公示しなければならない。

＊　証明規則第14条

（登録の取消し等）

第38条の17　総務大臣は、登録証明機関が第38条の３第２項において準用する第24条の２第５項各号（第２号を除く。）のいずれかに該当するに至つたときは、その登録を取り消さなければならない。

２　総務大臣は、登録証明機関が次の各号のいずれかに該当するときは、その登録を取り消し、又は期間を定めてその登録に係る技術基準適合証明の業務の全部若しくは一部の停止を命ずることができる。

一　この節の規定に違反したとき。

二　第38条の13第１項又は第２項の規定による命令に違反したとき。

三　不正な手段により第38条の２の２第１項の登録又はその更新を受けたとき。

３　総務大臣は、第１項若しくは前項の規定により登録を取り消し、又は同項の規定により技術基準適合証明の業務の全部若しくは一部の停止を命じたときは、その旨を公示しなければならない。

（総務大臣による技術基準適合証明の実施）

第38条の18　総務大臣は、第38条の２の２第１項の登録を受ける者がいないとき、又は登録証明機関が第38条の16第１項の規定により技術基準適合証明の業務を休止し、若しくは廃止した場合、前条第１項若しくは第２項の規定により登録を取り消した場合、同項の規定により登録証明機関に対し技術基準適合証明の業務の全部若しくは一部の停止を命じた場合若しくは登録証明機関が天災その他の事由によりその登録に係る技術基準適合証明の業務の全部若しくは一部を実施することが困難となつた場合において必要があると認めるときは、技術基準適合証明の業務の全部又は一部を自ら行うものとする。

２　総務大臣は、前項の規定により技術基準適合証明の業務を行うこととし、又は同項の規定により行つている技術基準適合証明の業務を行わないこととするときは、あらかじめその旨を公示しなければならない。

３　総務大臣が、第１項の規定により技術基準適合証明の業務を行うこととした場合における技術基準適合証明の業務の引継ぎその他の必要な事項は、総務省令（*）で定める。

＊　証明規則第15条

（準用）

第38条の19　第24条の３及び第24条の11の規定は、登録証明機関の登録について準用する。この場合において、第24条の３中「受けた者（以下「登録検査等事業者」という。）」とあるのは「受けた者」と、「登録検査等事業者登録簿」とあるのは「登録証明機関登録簿」と、「第24条の２第２項第１号、第２号及び第４号」とあるのは「第38条の２の２第２項第１号から第３号まで」と、第24条の11中「第24条の２の２第１項若しくは第24条の９第２項」とあるのは「第38条の４第１項若しくは第38条の16第２項」と、「前条」とあるのは「第38条の17第１項若しくは第２項」と読み替えるものとする。

（技術基準適合証明を受けた者に対する立入検査等）

第38条の20　総務大臣は、この法律を施行するため必要があると認めるときは、登録証明機関による技術基準適合証明を受けた者に対し、当該技術基準適合証明に係る特定無線設備に関し報告させ、又はその職員に、当該技術基準適合証明を受けた者の事業所に立ち入り、当該特定無線設備その他の物件を検査させることができる。

2　第24条の８第２項及び第３項の規定は、前項の規定による立入検査について準用する。

（告示平19第60号、平27第54号、令３第122号）

（特定無線設備等の提出）

第38条の21　総務大臣は、前条第１項の規定によりその職員に立入検査をさせた場合において、その所在の場所において検査をさせることが著しく困難であると認められる特定無線設備又は当該特定無線設備の検査を行うために特に必要な物件があつたときは、登録証明機関による技術基準適合証明を受けた者に対し、期限を定めて、当該特定無線設備又は当該物件を提出すべきことを命ずることができる。

2　国は、前項の規定による命令によつて生じた損失を当該技術基準適合証明を受けた者に対し補償しなければならない。

3　前項の規定により補償すべき損失は、第１項の命令により通常生ずべき損失とする。

（妨害等防止命令）

第38条の22　総務大臣は、登録証明機関による技術基準適合証明を受けた特定無線設備であつて第38条の７第１項又は第38条の44第３項の表示が付されているものが、前章に定める技術基準に適合しておらず、かつ、当該特定無線設備の使用により他の無線局の運用を阻害するような混信その他の妨害又は人体への危害を与えるおそれがあると認める場合において、当該妨害又は危害の拡大を防止するために特に必要があると認めるときは、当該技術基準適合証明を受けた者に対し、当該特定無線設備による妨害又は危害の拡大を防止するために必要な措置を講ずべきことを命ずることができる。

2　総務大臣は、前項の規定による命令をしようとするときは、経済産業大臣に協議しなければならない。

（表示が付されていないものとみなす場合）

第38条の23　登録証明機関による技術基準適合証明を受けた特定無線設備であつて第38条の７第１項又は第38条の44第３項の規定により表示が付されているものが前章に定める技術基準に適合していない場合において、総務大臣が他の無線局の運用を阻害するような混信その他の妨害又は人体への危害の発生を防止するため特に必要があると認めるときは、当該特定無線設備は、第38条の７第１項又は第38条の44第３項の規定による表示が付されていないものとみなす。

2　総務大臣は、前項の規定により特定無線設備について表示が付されていないものとみなされたときは、その旨を公示しなければならない。

（特定無線設備の工事設計についての認証）

第38条の24　登録証明機関は、特定無線設備を取り扱うことを業とする者から求めがあつた場合には、その特定無線設備を、前章に定める技術基準に適合するものとして、その工事設計（当該工事設計に合致することの確認の方法を含む。）について認証（以下「工事設計認証」という。）する。

2　登録証明機関は、その登録に係る工事設計認証の求めがあつた場合には、総務省令(*)で定めるところにより審査を行い、当該求めに係る工事設計が前章に定める技術基準に適合するものであり、かつ、当該工事設計に基づく特定無線設備のいずれもが当該工事設計に合致するものとなることを確保することができると認めるときに限り、工事設計認証を行うものとする。

3　第38条の６第２項及び第４項、第38条の８、第38条の９、第38条の12、第38条の13第２項並びに第38条の14の規定は登録証明機関が工事設計認証を行う場合について、第38条の10、第38条の15、第38条の16、第38条の17第２項及び第３項並びに第38条の18の規定は登録証明機関が技術基準適合証明の業務及び工事設計認証の業務を行う場合について準用する。この場合において、第38条の６第２項第２号中「を受けた」とあるのは「に係る工事設計に基づく」と、同条第４項中「前項」とあるのは「第38条の29において準用する前項」と、第38条の10中「当該業務」とあるのは「これらの業務」と、第38条の13第２項中「第38条の６第１項又は第38条の８」とあるのは「第38条の８又は第38条の24第２項」と、第38条の14第１項中「第38条の６第１項」とあるのは「第38条の24第２項」と、「特定無線設備」とあるのは「工事設計（当該工事設計に合致することの確認の方法を含む。）」と、同条第２項中「第38条の６第１項又は第38条の８」とあるのは「第38条の８又は第38条の24第２項」と読み替えるものとする。

＊　証明規則第17条第１項―第３項

（工事設計合致義務等）

第38条の25　登録証明機関による工事設計認証を受けた者（以下「認証取扱業者」という。）は、当該工事設計認証に係る工事設計（以下「認証工事設計」という。）に基づく特定無線設備を取り扱う場合においては、当該特定無線設備を当該認証工事設計に合致するようにしなければならない。

2　認証取扱業者は、工事設計認証に係る確認の方法に従い、その取扱いに係る前項の特定無線設備について検査を行い、総務省令（*）で定めるところにより、その検査記録を作成し、これを保存しなければならない。

　＊　証明規則第19条、第35条

（認証工事設計に基づく特定無線設備の表示）

第38条の26　認証取扱業者は、認証工事設計に基づく特定無線設備について、前条第２項の規定による義務を履行したときは、当該特定無線設備に総務省令（*）で定める表示を付することができる。

　＊　証明規則第20条第１項、第36条

（認証取扱業者に対する措置命令）

第38条の27　総務大臣は、認証取扱業者が第38条の25第１項の規定に違反していると認める場合には、当該認証取扱業者に対し、工事設計認証に係る確認の方法を改善するために必要な措置をとるべきことを命ずることができる。

（表示の禁止）

第38条の28　総務大臣は、次の各号に掲げる場合には、認証取扱業者に対し、２年以内の期間を定めて、当該各号に定める認証工事設計又は工事設計に基づく特定無線設備に第38条の26の表示を付することを禁止することができる。

一　認証工事設計に基づく特定無線設備が前章に定める技術基準に適合していない場合において、他の無線局の運用を阻害するような混信その他の妨害又は人体への危害の発生を防止するため特に必要があると認めるとき（第６号に掲げる場合を除く。）。　当該特定無線設備の認証工事設計

二　認証取扱業者が第38条の25第２項の規定に違反したとき。　当該違反に係る特定無線設備の認証工事設計

三　認証取扱業者が前条の規定による命令に違反したとき。　当該違反に係る特定無線設備の認証工事設計

四　認証取扱業者が不正な手段により登録証明機関による工事設計認証を受けたとき。　当該工事設計認証に係る工事設計

五　登録証明機関が第38条の24第２項の規定又は同条第３項において準用する第38条の８第２項の規定に違反して工事設計認証をしたとき。　当該工事設計認証に係る工事設計

六　前章に定める技術基準が変更された場合において、当該変更前に工事設計認証を受けた工事設計が当該変更後の技術基準に適合しないと認めるとき。　当該工事設計

2　総務大臣は、前項の規定により表示を付することを禁止したときは、その旨を公示しなければならない。

（準用）

第38条の29　第38条の６第３項及び第38条の20から第38条の22までの規定は認証取扱業者について、第38条の23の規定は認証工事設計に基づく特定無線設備について準用する。この場合において、第38条の６第３項中「前項第１号」とあるのは「第38条の24第３項において準用する前項第１号又は第３号」と、第38条の20第１項中「技術基準適合証明に」とあるのは「認証取扱業者が受けた工事設計認証に」と、第38条の22第１項中「登録証明機関による技術基準適合証明を受けた」とあるのは「認証工事設計に基づく」と、同項及び第38条の23第１項中「第38条の７第１項」とあるのは「第38条の26」と、第38条の22第１項中「は、当該」とあるのは「は、当該認証工事設計に係る」と読み替えるものとする。

（告示平19第61号）

（外国取扱業者）

第38条の30　登録証明機関による技術基準適合証明を受けた者が外国取扱業者（外国において本邦内で使用されることとなる特定無線設備を取り扱うことを業とする者をいう。以下同じ。）である場合における当該外国取扱業者に対する第38条の21及び第38条の22の規定の適用については、第38条の21第１項及び第38条の22第１項中「命ずる」とあるのは「請求する」と、第38条の21第２項及び第３項並びに第38条の22第２項中「命令」とあるのは「請求」とする。

2　認証取扱業者が外国取扱業者である場合における当該外国取扱業者に対する第38条の27及び第38条の28第１項第３号の規定並びに前条において準用する第38条の21及び第38条の22の規定の適用については、第38条の27並びに前条において準用する第38条の21第１項及び第38条の22第１項中「命ずる」とあるのは「請求する」と、第38条の28第１項第３号中「命令に違反した」とあるのは「請求に応じなかつた」と、「当該違反」とあるのは「当該請求」と、前条において準用する第38条の21第２項及び第３

項並びに第38条の22第２項中「命令」とあるのは「請求」とする。
3　第38条の28第１項の規定によるほか、総務大臣は、次の各号に掲げる場合には、登録証明機関による工事設計認証を受けた外国取扱業者に対し、２年以内の期間を定めて、当該各号に定める認証工事設計に基づく特定無線設備に第38条の26の表示を付することを禁止することができる。
一　当該外国取扱業者が前条において準用する第38条の６第３項の規定に違反して、届出をせず、又は虚偽の届出をしたとき　当該届出に係る特定無線設備の認証工事設計
二　総務大臣が前条において準用する第38条の20第１項の規定により当該外国取扱業者に対し報告をさせようとした場合において、その報告がされず、又は虚偽の報告がされたとき　当該報告に係る特定無線設備の認証工事設計
三　総務大臣が前条において準用する第38条の20第１項の規定によりその職員に当該外国取扱業者の事業所において検査をさせようとした場合において、その検査が拒まれ、妨げられ、又は忌避されたとき　当該検査に係る特定無線設備の認証工事設計
四　当該外国取扱業者が前項において読み替えて適用する前条において準用する第38条の21第１項の規定による請求に応じなかつたとき　当該請求に係る特定無線設備の認証工事設計
4　総務大臣は、前項の規定により表示を付することを禁止したときは、その旨を公示しなければならない。

（承認証明機関）
第38条の31　総務大臣は、外国の法令に基づく無線局の検査に関する制度で技術基準適合証明の制度に類するものに基づいて無線設備の検査、試験等を行う者であつて、当該外国において、外国取扱業者が取り扱う本邦内で使用されることとなる特定無線設備について技術基準適合証明を行おうとするものから申請があつたときは、事業の区分ごとに、これを承認することができる。
2　前項の規定による承認を受けた者（以下「承認証明機関」という。）は、その承認に係る技術基準適合証明の業務を休止し、又は廃止したときは、遅滞なく、その旨を総務大臣に届け出なければならない。
3　総務大臣は、前項の規定による届出があつたときは、その旨を公示しなければならない。
4　第24条の２第５項及び第６項、第38条の２の２第２項及び第３項、第38条の３第１項並びに第38条の５第１項の規定は総務大臣が行う第１項の規定による承認について、同条第２項及び第３項、第38条の６第１項、第２項及び第４項前段、第38条の７第１項、第38条の８、第38条の10、第38条の12から第38条の15まで並びに第38条の23の規定は承認証明機関について、第38条の６第３項及び第４項後段並びに第38条の20から第38条の22までの規定は承認証明機関による技術基準適合証明を受けた者について準用する。この場合において、第24条の２第５項第２号中「第24条の10又は第24条の13第３項」とあるのは「第38条の32第１項又は第２項」と、同条第６項中「前各項」とあるのは「前項、第38条の２の２第２項及び第３項、第38条の３第１項並びに第38条の31第１項」と、第38条の３第１項中「登録申請者」とあるのは「承認申請者」と、「適合しているときは」とあるのは「適合しているときでなければ」と、「しなければならない」とあるのは「してはならない」と、同項第３号イ中「会社法」とあるのは「外国における会社法」と、「親法人を」とあるのは「親法人に相当するものを」と、第38条の５第１項中「同項の登録を受けた者（以下「登録証明機関」という。）」とあり、及び第38条の22第１項中「登録証明機関」とあるのは「承認証明機関」と、第38条の６第１項及び第２項、第38条の７第１項、第38条の８第１項、第38条の10並びに第38条の15第１項中「登録」とあるのは「承認」と、第38条の13、第38条の21第１項及び第38条の22第１項中「命ずる」とあるのは「請求する」と、第38条の14第１項中「命ずべき」とあるのは「請求すべき」と、同条第２項及び第３項、第38条の21第２項及び第３項並びに第38条の22第２項中「命令」とあるのは「請求」と読み替えるものとする。
5　承認証明機関は、外国取扱業者の求めにより、本邦内で使用されることとなる特定無線設備について、工事設計認証を行うことができる。
6　第38条の６第２項及び第４項、第38条の８、第38条の12、第38条の13第２項、第38条の14、第38条の23並びに第38条の24第２項の規定は承認証明機関が工事設計認証を行う場合について、第38条の10、第38条の15並びに第２項及び第３項の規定は承認証明機関が技術基準適合証明の業務及び工事設計認証の業務を行う場合について、第38条の６第３項、第38条の20から第38条の22まで、第38条の25から第38条の28まで並びに前条第３項及び第４項の規定は承認証明

機関による工事設計認証を受けた者について準用する。この場合において、第38条の6第2項、第38条の8第1項、第38条の10、第38条の15第1項及び第38条の24第2項中「登録」とあるのは「承認」と、第38条の6第2項第2号及び第38条の23第1項中「を受けた」とあるのは「に係る工事設計に基づく」と、第38条の6第3項中「前項第1号」とあるのは「前項第1号又は第3号」と、第38条の10中「当該業務」とあるのは「これらの業務」と、第38条の13第2項及び第38条の14第2項中「第38条の6第1項又は第38条の8」とあるのは「第38条の8又は第38条の24第2項」と、第38条の13第2項、第38条の21第1項、第38条の22第1項及び第38条の27中「命ずる」とあるのは「請求する」と、第38条の14第1項中「第38条の6第1項」とあるのは「第38条の24第2項」と、「特定無線設備」とあるのは「工事設計（当該工事設計に合致することの確認の方法を含む。）」と、「命ずべき」とあるのは「請求すべき」と、同条第2項及び第3項、第38条の21第2項及び第3項並びに第38条の22第2項中「命令」とあるのは「請求」と、第38条の20第1項中「技術基準適合証明に」とあるのは「工事設計認証に」と、第38条の22第1項中「登録証明機関による技術基準適合証明を受けた」とあるのは「認証工事設計に基づく」と、同条及び第38条の23第1項中「第38条の7第1項」とあるのは「第38条の26」と、第38条の22第1項中「は、当該」とあるのは「は、当該認証工事設計に係る」と、第38条の28第1項第3号中「命令に違反した」とあるのは「請求に応じなかつた」と、「違反に」とあるのは「請求に」と、同項第4号中「登録証明機関」とあるのは「承認証明機関」と、同項第5号中「登録証明機関が第38条の24第2項の規定又は同条第3項において準用する第38条の8第2項」とあるのは「承認証明機関が第38条の8第2項又は第38条の24第2項」と、前条第3項第1号から第3号までの規定中「前条」とあり、及び同項第4号中「前項において読み替えて適用する前条」とあるのは「次条第6項」と読み替えるものとする。

（告示平19第62号）

（承認の取消し）

第38条の32　総務大臣は、承認証明機関が前条第1項に規定する外国における資格を失つたとき又は同条第4項において準用する第24条の2第5項各号（第2号を除く。）のいずれかに該当するに至つたときは、その承認を取り消さなければならない。

2　総務大臣は、承認証明機関が次の各号のいずれかに該当するときは、その承認を取り消すことができる。

一　前条第2項（同条第6項において準用する場合を含む。）の規定、同条第4項において準用する第38条の5第2項、第38条の6第2項、第38条の8、第38条の10若しくは第38条の12の規定又は前条第6項において準用する第38条の6第2項、第38条の8、第38条の10若しくは第38条の12の規定に違反したとき。

二　前条第4項において準用する第38条の13第1項若しくは第2項の規定又は前条第6項において準用する第38条の13第2項の規定による請求に応じなかつたとき。

三　不正な手段により承認を受けたとき。

四　総務大臣が前条第4項又は第6項において準用する第38条の15第1項の規定により承認証明機関に対し報告をさせようとした場合において、その報告がされず、又は虚偽の報告がされたとき。

五　総務大臣が前条第4項又は第6項において準用する第38条の15第1項の規定によりその職員に承認証明機関の事業所において検査をさせようとした場合において、その検査が拒まれ、妨げられ、又は忌避されたとき。

3　総務大臣は、前2項の規定により承認を取り消したときは、その旨を公示しなければならない。

第2節　特別特定無線設備の技術基準適合自己確認

（技術基準適合自己確認等）

第38条の33　特定無線設備のうち、無線設備の技術基準、使用の態様等を勘案して、他の無線局の運用を著しく阻害するような混信その他の妨害を与えるおそれが少ないものとして総務省令（＊1）で定めるもの（以下「特別特定無線設備」という。）の製造業者又は輸入業者は、その特別特定無線設備を、前章に定める技術基準に適合するものとして、その工事設計（当該工事設計に合致することの確認の方法を含む。）について自ら確認することができる。

2　製造業者又は輸入業者は、総務省令（＊2）で定めるところにより検証を行い、その特別特定無線設備の工事設計が前章に定める技術基準に適合するものであり、かつ、当該工事設計に基づく特別特定無線設備のいずれもが当該工事設計に合致するものとなることを確保することができると認めるときに限り、前項の規定による確認（次項において「技術基準適合自己確認」という。）

を行うものとする。
3　製造業者又は輸入業者は、技術基準適合自己確認をしたときは、総務省令（＊3）で定めるところにより、次に掲げる事項を総務大臣に届け出ることができる。
一　氏名又は名称及び住所並びに法人にあつては、その代表者の氏名
二　技術基準適合自己確認を行つた特別特定無線設備の種別及び工事設計
三　前項の検証の結果の概要
四　第２号の工事設計に基づく特別特定無線設備のいずれもが当該工事設計に合致することの確認の方法
五　その他技術基準適合自己確認の方法等に関する事項で総務省令（＊3）で定めるもの
4　前項の規定による届出をした者（以下「届出業者」という。）は、総務省令（＊4）で定めるところにより、第２項の検証に係る記録を作成し、これを保存しなければならない。
5　届出業者は、第３項各号（第２号及び第３号を除く。）に掲げる事項に変更があつたときは、総務省令（＊5）で定めるところにより、遅滞なく、その旨を総務大臣に届け出なければならない。
6　総務大臣は、第３項の規定による届出があつたときは、総務省令（＊6）で定めるところにより、その旨を公示しなければならない。前項の規定による届出があつた場合において、その公示した事項に変更があつたときも、同様とする。
7　総務大臣は、第１項の総務省令を制定し、又は改廃しようとするときは、経済産業大臣の意見を聴かなければならない。

＊1　証明規則第２条第２項
＊2　証明規則第39条第１項
＊3　証明規則第39条第２項
＊4　証明規則第39条第４項—第７項
＊5　証明規則第39条第８項—第11項
＊6　証明規則第39条第12項

（工事設計合致義務等）
第38条の34　届出業者は、前条第３項の規定による届出に係る工事設計（以下単に「届出工事設計」という。）に基づく特別特定無線設備を製造し、又は輸入する場合においては、当該特別特定無線設備を当該届出工事設計に合致するようにしなければならない。
2　届出業者は、前条第３項の規定による届出に係る確認の方法に従い、その製造又は輸入に係る前項の特別特定無線設備について検査を行い、総務省令（＊）で定めるところにより、その検査記録を作成し、これを保存しなければならない。

＊　証明規則第40条

（表示）
第38条の35　届出業者は、届出工事設計に基づく特別特定無線設備について、前条第２項の規定による義務を履行したときは、当該特別特定無線設備に総務省令（＊）で定める表示を付することができる。

＊　証明規則第41条第１項

（表示の禁止）
第38条の36　総務大臣は、次の各号に掲げる場合には、届出業者に対し、２年以内の期間を定めて、当該各号に定める届出工事設計又は工事設計に基づく特別特定無線設備に前条の表示を付することを禁止することができる。
一　届出工事設計に基づく特別特定無線設備が前章に定める技術基準に適合していない場合において、他の無線局の運用を阻害するような混信その他の妨害又は人体への危害の発生を防止するため特に必要があると認めるとき（第５号に掲げる場合を除く。）。　当該特別特定無線設備の届出工事設計
二　届出業者が第38条の33第３項の規定による届出をする場合において虚偽の届出をしたとき。　当該虚偽の届出に係る工事設計
三　届出業者が第38条の33第４項又は第38条の34第２項の規定に違反したとき。　当該違反に係る特別特定無線設備の届出工事設計
四　届出業者が第38条の38において準用する第38条の27の規定による命令に違反したとき。　当該違反に係る特別特定無線設備の届出工事設計
五　前章に定める技術基準が変更された場合において、当該変更前に第38条の33第３項の規定により届け出た工事設計が当該変更後の技術基準に適合しないと認めるとき。　当該工事設計
2　総務大臣は、前項の規定により表示を付することを禁止したときは、その旨を公示しなければならない。

第38条の37　総務大臣は、届出業者が前条第１項第２号から第４号までのいずれかに該当した場合において、再び同項第２号から第４号までのいずれかに該当するおそれがあると認めるときは、当該届出業者に対し、２年以内の期間を定めて、特別特定無線設備に第38条の35の表示を付することを禁止することができる。

2　総務大臣は、前項の規定により表示を付することを禁止したときは、その旨を公示しなければならない。

（準用）

第38条の38　第38条の20から第38条の22まで及び第38条の27の規定は届出業者及び特別特定無線設備について、第38条の23の規定は届出工事設計に基づく特別特定無線設備について準用する。この場合において、第38条の20第1項中「当該技術基準適合証明に」とあるのは「その届出に」と、第38条の22第1項中「登録証明機関による技術基準適合証明を受けた」とあるのは「届出工事設計に基づく」と、同条及び第38条の23第1項中「第38条の7第1項」とあるのは「第38条の35」と、第38条の22第1項中「は、当該」とあるのは「は、当該届出工事設計に係る」と、第38条の27中「第38条の25第1項」とあるのは「第38条の34第1項」と、「工事設計認証」とあるのは「第38条の33第3項の規定による届出」と読み替えるものとする。

（告示平19第63号）

第3節　登録修理業者

（修理業者の登録）

第38条の39　特別特定無線設備（適合表示無線設備に限る。以下この節において同じ。）の修理の事業を行う者は、総務大臣の登録を受けることができる。

2　前項の登録を受けようとする者は、総務省令（＊1）で定めるところにより、次に掲げる事項を記載した申請書を総務大臣に提出しなければならない。

一　氏名又は名称及び住所並びに法人にあつては、その代表者の氏名

二　事務所の名称及び所在地

三　修理する特別特定無線設備の範囲

四　特別特定無線設備の修理の方法の概要

五　修理された特別特定無線設備が前章に定める技術基準に適合することの確認（以下この節において「修理の確認」という。）の方法の概要

3　前項の申請書には、総務省令（＊2）で定めるところにより、特別特定無線設備の修理の方法及び修理の確認の方法を記載した修理方法書その他総務省令（＊3）で定める書類を添付しなければならない。

＊1　登録修理業者規則第2条第1項
＊2　登録修理業者規則第2条第2項
＊3　登録修理業者規則第2条第3項

（登録の基準）

第38条の40　総務大臣は、前条第1項の登録を申請した者が次の各号のいずれにも適合しているときは、その登録をしなければならない。

一　特別特定無線設備の修理の方法が、修理された特別特定無線設備の使用により他の無線局の運用を著しく阻害するような混信その他の妨害を与えるおそれが少ないものとして総務省令（＊）で定める基準に適合するものであること。

二　修理の確認の方法が、修理された特別特定無線設備が前章に定める技術基準に適合することを確認できるものであること。

2　第24条の2第5項（第1号を除く。）及び第6項の規定は、前条第1項の登録について準用する。この場合において、第24条の2第5項第2号中「第24条の10又は第24条の13第3項」とあるのは「第38条の47」と、同項第3号中「前2号のいずれか」とあるのは「前号」と、同条第6項中「前各項」とあるのは「前項、第38条の39及び第38条の40第1項」と読み替えるものとする。

＊　登録修理業者規則第3条第1項

（登録簿）

第38条の41　総務大臣は、第38条の39第1項の登録を受けた者（以下「登録修理業者」という。）について、登録修理業者登録簿を備え、次に掲げる事項を登録しなければならない。

一　登録の年月日及び登録番号

二　第38条の39第2項各号に掲げる事項

（変更登録等）

第38条の42　登録修理業者は、第38条の39第2項第3号から第5号までに掲げる事項を変更しようとするときは、総務大臣の変更登録を受けなければならない。ただし、総務省令（＊1）で定める軽微な変更については、この限りでない。

2　前項の変更登録を受けようとする者は、総務省令（＊2）で定めるところにより、変更に係る事項を記載した申請書を総務大臣に提出しなければならない。

3　第24条の2第5項（第1号を除く。）及び第6項、第38条の39第3項並びに第38条の40第1項の規定は、第1項の変更登録について準用する。この場合において、第24条の2第5項第2号中「第24条の10又は第24条の13第3項」とあるのは「第38条の47」と、同項第3号中「前2号のいずれか」とあるのは「前号」と、同条第6項中「前各項」とあるのは「前項、第38条の39及び

第38条の40第１項」と読み替えるものとする。

4　登録修理業者は、第38条の39第２項第１号若しくは第２号に掲げる事項に変更があつたとき、修理方法書を変更したとき（第１項の変更登録を受けたときを除く。）又は第１項ただし書の総務省令で定める軽微な変更をしたときは、遅滞なく、その旨を総務大臣に届け出なければならない。

＊1　登録修理業者規則第４条第２項
＊2　登録修理業者規則第４条第１項

（登録修理業者の義務）

第38条の43　登録修理業者は、その登録に係る特別特定無線設備を修理する場合には、修理方法書に従い、修理及び修理の確認をしなければならない。

2　登録修理業者は、その登録に係る特別特定無線設備を修理する場合には、総務省令（＊）で定めるところにより、修理及び修理の確認の記録を作成し、これを保存しなければならない。

＊　登録修理業者規則第７条

（表示）

第38条の44　登録修理業者は、その登録に係る特別特定無線設備を修理したときは、総務省令（＊）で定めるところにより、当該特別特定無線設備に修理をした旨の表示を付さなければならない。

2　何人も、前項の規定により表示を付する場合を除くほか、国内において無線設備に同項の表示又はこれと紛らわしい表示を付してはならない。

3　登録修理業者は、修理方法書に従い、その登録に係る特別特定無線設備の修理及び修理の確認をしたときは、総務省令で定めるところにより、当該特別特定無線設備に、第38条の７第１項（第38条の31第４項において準用する場合を含む。）、第38条の26（第38条の31第６項において準用する場合を含む。）、第38条の35又はこの項の規定により当該特別特定無線設備に付されている表示と同一の表示を付することができる。

＊　登録修理業者規則第８条

（登録修理業者に対する改善命令等）

第38条の45　総務大臣は、登録修理業者が第38条の40第１項各号のいずれかに適合しなくなつたと認めるときは、当該登録修理業者に対し、これらの規定に適合するために必要な措置をとるべきことを命ずることができる。

2　総務大臣は、登録修理業者が第38条の43の規定に違反していると認めるときは、当該登録修理業者に対し、修理の方法又は修理の確認の方法の改善その他の措置をとるべきことを命ずることができる。

3　総務大臣は、登録修理業者が修理したその登録に係る特別特定無線設備が、前章に定める技術基準に適合しておらず、かつ、当該特別特定無線設備の使用により他の無線局の運用を阻害するような混信その他の妨害又は人体への危害を与えるおそれがあると認める場合において、当該妨害又は危害の拡大を防止するために特に必要があると認めるときは、当該登録修理業者に対し、当該特別特定無線設備による妨害又は危害の拡大を防止するために必要な措置を講ずべきことを命ずることができる。

（廃止の届出）

第38条の46　登録修理業者は、その登録に係る事業を廃止したときは、遅滞なく、その旨を総務大臣に届け出なければならない。

2　前項の規定による届出があつたときは、第38条の39第１項の登録は、その効力を失う。

（登録の取消し）

第38条の47　総務大臣は、登録修理業者が第38条の40第２項において準用する第24条の２第５項第３号に該当するに至つたときは、その登録を取り消さなければならない。

2　総務大臣は、登録修理業者が次の各号のいずれかに該当するときは、その登録を取り消すことができる。

一　この節の規定に違反したとき。
二　第38条の45第１項から第３項までの規定による命令に違反したとき。
三　不正な手段により第38条の39第１項の登録又は第38条の42第１項の変更登録を受けたとき。

（準用）

第38条の48　第24条の11の規定は登録修理業者の登録について、第38条の20及び第38条の21の規定は登録修理業者及び特別特定無線設備について準用する。この場合において、第24条の11中「第24条の２の２第１項若しくは第24条の９第２項」とあるのは「第38条の46第２項」と、「前条」とあるのは「第38条の47」と、第38条の20第１項中「当該技術基準適合証明に」とあるのは「当該登録修理業者が修理したその登録に」と読み替えるものとする。

第４章　無線従事者

（無線設備の操作）

第39条　第40条の定めるところにより無線設備の操作を行うことができる無線従事者（義務船舶局等の無線設備であつて総務省令（＊1）で定めるものの操作については、第48条の2第1項の船舶局無線従事者証明を受けている無線従事者。以下この条において同じ。）以外の者は、無線局（アマチュア無線局を除く。以下この条において同じ。）の無線設備の操作の監督を行う者（以下「主任無線従事者」という。）として選任された者であつて第4項の規定によりその選任の届出がされたものにより監督を受けなければ、無線局の無線設備の操作（簡易な操作であつて総務省令（＊2）で定めるものを除く。）を行つてはならない。ただし、船舶又は航空機が航行中であるため無線従事者を補充することができないとき、その他総務省令（＊3）で定める場合は、この限りでない。

2　モールス符号を送り、又は受ける無線電信の操作その他総務省令（＊4）で定める無線設備の操作は、前項本文の規定にかかわらず、第40条の定めるところにより、無線従事者でなければ行つてはならない。

3　主任無線従事者は、第40条の定めるところにより、無線設備の操作の監督を行うことができる無線従事者であつて、総務省令（＊5）で定める事由に該当しないものでなければならない。

4　無線局の免許人等は、主任無線従事者を選任したときは、遅滞なく、その旨を総務大臣に届け出なければならない。これを解任したときも、同様とする。

5　前項の規定によりその選任の届出がされた主任無線従事者は、無線設備の操作の監督に関し総務省令（＊6）で定める職務を誠実に行わなければならない。

6　第4項の規定によりその選任の届出がされた主任無線従事者の監督の下に無線設備の操作に従事する者は、当該主任無線従事者が前項の職務を行うため必要であると認めてする指示に従わなければならない。

7　無線局（総務省令（＊7）で定めるものを除く。）の免許人等は、第4項の規定によりその選任の届出をした主任無線従事者に、総務省令（＊8）で定める期間ごとに、無線設備の操作の監督に関し総務大臣の行う講習を受けさせなければならない。

＊1　施行規則第32条の10
＊2　施行規則第33条
＊3　施行規則第33条の2、第34条
＊4　施行規則第34条の2
＊5　施行規則第34条の3
＊6　施行規則第34条の5
＊7　施行規則第34条の6
＊8　施行規則第34条の7

（指定講習機関の指定）

第39条の2　総務大臣は、その指定（＊1）する者（以下「指定講習機関」という。）に、前条第7項の講習（以下単に「講習」という。）を行わせることができる。

2　指定講習機関の指定は、総務省令（＊2）で定める区分ごとに、講習を行おうとする者の申請により行う。

3　総務大臣は、指定講習機関の指定をしたときは、当該指定に係る区分の講習を行わないものとする。

4　総務大臣は、第2項の申請が次の各号のいずれにも適合していると認めるときでなければ、指定講習機関の指定をしてはならない。

一　職員、設備、講習の業務の実施の方法その他の事項についての講習の業務の実施に関する計画が講習の業務の適正かつ確実な実施に適合したものであること。

二　前号の講習の業務の実施に関する計画を適正かつ確実に実施するに足りる財政的基礎を有するものであること。

三　講習の業務以外の業務を行つている場合には、その業務を行うことによつて講習が不公正になるおそれがないこと。

四　その指定をすることによつて申請に係る区分の講習の業務の適正かつ確実な実施を阻害することとならないこと。

5　総務大臣は、第2項の申請をした者が、次の各号のいずれかに該当するときは、指定講習機関の指定をしてはならない。

一　一般社団法人又は一般財団法人以外の者であること。

二　この法律に規定する罪を犯して刑に処せられ、その執行を終わり、又はその執行を受けることがなくなつた日から2年を経過しない者であること。

三　第39条の11第1項又は第2項の規定により指定を取り消され、その取消しの日から2年を経過しない者であること。

四　その役員のうちに、第2号に該当する者があること。

＊1　告示平2第308号
＊2　従事者規則第70条、第76条

（指定の公示等）

第39条の3　総務大臣は、指定講習機関の指定をしたときは、指定講習機関の名称及び住所、指定に係る区分、講習の業務を行う事務所の所在地並びに講習の業務の開始の日を公示しなければならない。

2　指定講習機関は、その名称若しくは住所又は講習の業務を行う事務所の所在地を変更しようとするときは、変更しようとする日の２週間前までに、その旨を総務大臣に届け出なければならない。
３　総務大臣は、前項の規定による届出があつたときは、その旨を公示しなければならない。

（役員及び職員の公務員たる性質）
第39条の４　講習の業務に従事する指定講習機関の役員及び職員は、刑法（明治40年法律第45号）その他の罰則の適用については、法令により公務に従事する職員とみなす。

（業務規程）
第39条の５　指定講習機関は、総務省令（*）で定める講習の業務の実施に関する事項について業務規程を定め、総務大臣の認可を受けなければならない。これを変更しようとするときも、同様とする。
２　総務大臣は、前項の認可をした業務規程が講習の業務の適正かつ確実な実施をする上で不適当なものとなつたと認めるときは、指定講習機関に対し、これを変更すべきことを命ずることができる。
　　＊　従事者規則第78条、第90条

（指定講習機関の事業計画等）
第39条の６　指定講習機関は、毎事業年度、事業計画及び収支予算を作成し、当該事業年度の開始前に（指定を受けた日の属する事業年度にあつては、その指定を受けた後遅滞なく）、総務大臣に提出しなければならない。これを変更しようとするときも、同様とする。
２　指定講習機関は、毎事業年度、事業報告書及び収支決算書を作成し、当該事業年度の終了後３月以内に総務大臣に提出しなければならない。

（帳簿の備付け等）
第39条の７　指定講習機関は、総務省令（*）で定めるところにより、講習に関する事項で総務省令（*）で定めるものを記載した帳簿を備え付け、これを保存しなければならない。
　　＊　従事者規則第80条、第92条

（監督命令）
第39条の８　総務大臣は、この法律を施行するため必要があると認めるときは、指定講習機関に対し、講習の業務に関し監督上必要な命令をすることができる。

（報告及び立入検査）
第39条の９　総務大臣は、この法律を施行するため必要があると認めるときは、指定講習機関に対し、講習の業務の状況に関し報告させ、又はその職員に、指定講習機関の事業所に立ち入り、講習の業務の状況若しくは設備、帳簿、書類その他の物件を検査させることができる。
２　前項の規定により立入検査をする職員は、その身分を示す証明書を携帯し、かつ、関係者の請求があるときは、これを提示しなければならない。
３　第１項の規定による立入検査の権限は、犯罪捜査のために認められたものと解釈してはならない。
　　（告示平19第64号）

（業務の休廃止）
第39条の10　指定講習機関は、総務大臣の許可を受けなければ、講習の業務の全部又は一部を休止し、又は廃止してはならない。
２　総務大臣は、前項の許可をしたときは、その旨を公示しなければならない。

（指定の取消し等）
第39条の11　総務大臣は、指定講習機関が第39条の２第５項各号（第３号を除く。）のいずれかに該当するに至つたときは、その指定を取り消さなければならない。
２　総務大臣は、指定講習機関が次の各号のいずれかに該当するときは、その指定を取り消し、又は期間を定めて講習の業務の全部若しくは一部の停止を命ずることができる。
一　第39条の３第２項、第39条の５第１項、第39条の６、第39条の７又は前条第１項の規定に違反したとき。
二　第39条の２第４項各号（第４号を除く。）のいずれかに適合しなくなつたと認められるとき。
三　第39条の５第２項又は第39条の８の規定による命令に違反したとき。
四　第39条の５第１項の規定により認可を受けた業務規程によらないで講習の業務を行つたとき。
五　不正な手段により指定を受けたとき。
３　総務大臣は、第１項若しくは前項の規定により指定を取り消し、又は同項の規定により講習の業務の全部若しくは一部の停止を命じたときは、その旨を公示しなければならない。

（総務大臣による講習の実施）
第39条の12　総務大臣は、指定講習機関が第39条の10第１項の規定により講習の業務の全部若しくは一部を休止したとき、前条第２項の規定により指定講習機関に対し講習の業務の全部若しくは一部の停止を命じたとき、又は指定講習機関が天災その他の事由により講習の業務の全部若しくは一部を実施することが困難となつた場合において必要があると認めるときは、第39条の２第３項の規定にかかわらず、講習の業務の全部又は一部を自ら行うものとする。
２　総務大臣は、前項の規定により講習の業務を行うこととし、又は同項の規定により行つている講習の業務を行わないこととするときは、あらかじめその旨を公示しなければならない。
３　総務大臣が、第１項の規定により講習の業務を行うこととし、第39条の10第１項の規定により講習の業務の廃止を許可し、又は前条第１項若しくは第２項の規定により指定を取り消した場合における講習の業務の引継ぎその他の必要な事項は、総務省令（*）で定める。
　　＊　従事者規則第83条

（アマチュア無線局の無線設備の操作）
第39条の13　アマチュア無線局の無線設備の操作は、次条の定めるところにより、無線従事者でなければ行つてはならない。ただし、外国において同条第１項第５号に掲げる資格に相当する資格として総務省令（*１）で定めるものを有する者が総務省令（*２）で定めるところによりアマチュア無線局の無線設備の操作を行うとき、その他総務省令（*３）で定める場合は、この限りでない。
　　＊１　施行規則第34条の８
　　＊２　施行規則第34条の９
　　＊３　施行規則第34条の10

（無線従事者の資格）
第40条　無線従事者の資格は、次の各号に掲げる区分に応じ、それぞれ当該各号に掲げる資格とする。
一　無線従事者（総合）　次の資格
　イ　第一級総合無線通信士
　ロ　第二級総合無線通信士
　ハ　第三級総合無線通信士
二　無線従事者（海上）　次の資格
　イ　第一級海上無線通信士
　ロ　第二級海上無線通信士
　ハ　第三級海上無線通信士
　ニ　第四級海上無線通信士
　ホ　政令（*１）で定める海上特殊無線技士
三　無線従事者（航空）　次の資格
　イ　航空無線通信士
　ロ　政令（*２）で定める航空特殊無線技士
四　無線従事者（陸上）　次の資格
　イ　第一級陸上無線技術士
　ロ　第二級陸上無線技術士
　ハ　政令（*３）で定める陸上特殊無線技士
五　無線従事者（アマチュア）　次の資格
　イ　第一級アマチュア無線技士
　ロ　第二級アマチュア無線技士
　ハ　第三級アマチュア無線技士
　ニ　第四級アマチュア無線技士
２　前項第１号から第４号までに掲げる資格を有する者の行い、又はその監督を行うことができる無線設備の操作の範囲及び同項第５号に掲げる資格を有する者の行うことができる無線設備の操作の範囲は、資格別に政令（*４）で定める。
　　＊１　電波法施行令第２条第１項
　　＊２　電波法施行令第２条第２項
　　＊３　電波法施行令第２条第３項
　　＊４　電波法施行令第３条

（免許）
第41条　無線従事者になろうとする者は、総務大臣の免許を受けなければならない。
２　無線従事者の免許は、次の各号のいずれかに該当する者（第２号から第４号までに該当する者にあつては、第48条第１項後段の規定により期間を定めて試験を受けさせないこととした者で、当該期間を経過しないものを除く。）でなければ、受けることができない。
一　前条第１項の資格別に行う無線従事者国家試験に合格した者
二　前条第１項の資格（総務省令（*１）で定めるものに限る。）の無線従事者の養成課程で、総務大臣が総務省令（*２）で定める基準に適合するものであることの認定をしたものを修了した者
三　次に掲げる学校教育法（昭和22年法律第26号）による学校において次に掲げる当該学校の区分に応じ前条第１項の資格（総務省令（*３）で定めるものに限る。）ごとに総務省令（*３）で定める無線通信に関する科目を修めて卒業した者（同法による専門職大学の前期課程にあつては、修了した者）
　イ　大学（短期大学を除く。）
　ロ　短期大学（学校教育法による専門職大学の前期課程を含む。）又は高等専門学校
　ハ　高等学校又は中等教育学校
四　前条第１項の資格（総務省令（*４）で定めるものに限る。）ごとに前３号に掲

げる者と同等以上の知識及び技能を有する者として総務省令（＊4）で定める同項の資格及び業務経歴その他の要件を備える者

＊1　従事者規則第20条
＊2　従事者規則第21条
＊3　従事者規則第30条
＊4　従事者規則第33条

（免許を与えない場合）

第42条　次の各号のいずれかに該当する者に対しては、無線従事者の免許を与えないことができる。（＊）

一　第9章の罪を犯し罰金以上の刑に処せられ、その執行を終わり、又はその執行を受けることがなくなつた日から2年を経過しない者
二　第79条第1項第1号又は第2号の規定により無線従事者の免許を取り消され、取消しの日から2年を経過しない者
三　著しく心身に欠陥があつて無線従事者たるに適しない者

＊　従事者規則第45条

（無線従事者原簿）

第43条　総務大臣は、無線従事者原簿を備えつけ、免許に関する事項を記載する。

（無線従事者国家試験）

第44条　無線従事者国家試験は、無線設備の操作に必要な知識及び技能について行う。

第45条　無線従事者国家試験は、第40条の資格別に、毎年少なくとも1回総務大臣が行う。

（指定試験機関の指定）

第46条　総務大臣は、その指定（＊1）する者（以下「指定試験機関」という。）に無線従事者国家試験の実施に関する事務（以下「試験事務」という。）の全部又は一部を行わせることができる。

2　指定試験機関の指定は、総務省令（＊2）で定める区分ごとに一を限り、試験事務を行おうとする者の申請により行う。

3　総務大臣は、指定試験機関の指定をしたときは、当該指定に係る区分の試験事務を行わないものとする。

4　総務大臣は、第2項の申請をした者が、次の各号のいずれかに該当するときは、指定試験機関の指定をしてはならない。

一　一般社団法人又は一般財団法人以外の者であること。
二　この法律に規定する罪を犯して刑に処せられ、その執行を終わり、又はその執行を受けることがなくなつた日から2年を経過しない者であること。
三　第47条の5において準用する第39条の11第1項又は第2項の規定により指定を取り消され、その取消しの日から2年を経過しない者であること。
四　その役員のうちに、次のいずれかに該当する者があること。
　イ　第2号に該当する者
　ロ　第47条の2第3項の規定による命令により解任され、その解任の日から2年を経過しない者

＊1　告示昭56第1008号
＊2　従事者規則第85条

（試験事務の実施）

第47条　指定試験機関は、試験事務を行う場合において、無線従事者として必要な知識及び技能を有するかどうかの判定に関する事務については、総務省令（＊）で定める要件を備える者（以下「試験員」という。）に行わせなければならない。

＊　従事者規則第87条

（役員等の選任及び解任）

第47条の2　指定試験機関の役員の選任及び解任は、総務大臣の認可を受けなければ、その効力を生じない。

2　指定試験機関は、試験員を選任し、又は解任したときは、遅滞なくその旨を総務大臣に届け出なければならない。

3　総務大臣は、指定試験機関の役員又は試験員が、この法律、この法律に基づく命令若しくはこれらに基づく処分又は第47条の5において準用する第39条の5第1項の業務規程に違反したときは、その指定試験機関に対し、その役員又は試験員を解任すべきことを命ずることができる。

（秘密保持義務等）

第47条の3　指定試験機関の役員若しくは職員（試験員を含む。次項において同じ。）又はこれらの職にあつた者は、試験事務に関して知り得た秘密を漏らしてはならない。

2　試験事務に従事する指定試験機関の役員及び職員は、刑法その他の罰則の適用については、法令により公務に従事する職員とみなす。

（指定試験機関の事業計画等）

第47条の4　指定試験機関は、毎事業年度、事業計画及び収支予算を作成し、当該事業年度の開始前に（指定を受けた日の属する年度にあつては、その指定を受けた後遅滞なく）、総務大臣の認可を受けなければな

らない。これを変更しようとするときも、同様とする。

（準用）

第47条の５　第39条の２第４項（第４号を除く。）、第39条の３、第39条の５、第39条の６第２項及び第39条の７から第39条の12までの規定は、指定試験機関について準用する。この場合において、第39条の２第４項中「第２項」とあるのは「第46条第２項」と、同項、第39条の３第１項及び第２項、第39条の５、第39条の８、第39条の９第１項、第39条の10第１項、第39条の11第２項及び第３項並びに第39条の12中「講習の業務」とあり、並びに第39条の７中「講習」とあるのは「第46条第１項の試験事務」と、第39条の２第４項第３号中「講習が」とあるのは「第46条第１項の試験事務が」と、第39条の11第１項中「第39条の２第５項」とあるのは「第46条第４項」と、同条第２項第１号中「第39条の６、第39条の７又は前条第１項」とあるのは「第39条の６第２項、第39条の７、前条第１項又は第47条から第47条の４まで」と、同項第３号中「又は第39条の８」とあるのは「、第39条の８又は第47条の２第３項」と、第39条の12第１項中「第39条の２第３項」とあるのは「第46条第３項」と読み替えるものとする。

（告示平19第65号）

（受験の停止等）

第48条　無線従事者国家試験に関して不正の行為があつたときは、総務大臣は、当該不正行為に関係のある者について、その受験を停止し、又はその試験を無効とすることができる。この場合においては、なお、その者について、期間を定めて試験を受けさせないことができる。

２　指定試験機関は、試験事務の実施に関し前項前段に規定する総務大臣の職権を行うことができる。

（船舶局無線従事者証明）

第48条の２　第39条第１項本文の総務省令で定める義務船舶局等の無線設備の操作又はその監督を行おうとする者は、総務大臣に申請して、船舶局無線従事者証明を受けることができる。

２　総務大臣は、船舶局無線従事者証明を申請した者が、総務省令（*）で定める無線従事者の資格を有し、かつ、次の各号の一に該当するときは、船舶局無線従事者証明を行わなければならない。

一　総務大臣が当該申請者に対して行う義務船舶局等の無線設備の操作又はその監督に関する訓練の課程を修了したとき。

二　総務大臣が前号の訓練の課程と同等の内容を有するものであると認定した訓練の課程を修了しており、その修了した日から５年を経過していないとき。

３　第42条（第３号を除く。）の規定は、船舶局無線従事者証明に準用する。この場合において、同条第２号中「第79条第１項第１号」とあるのは、「第79条第２項において準用する同条第１項第１号」と読み替えるものとする。

＊　施行規則第34条の11

（船舶局無線従事者証明の失効）

第48条の３　船舶局無線従事者証明は、当該船舶局無線従事者証明を受けた者がこれを受けた日以降において次の各号の一に該当するときは、その効力を失う。

一　当該船舶局無線従事者証明に係る訓練の課程を修了した日から起算して５年を経過する日までの間第39条第１項本文の総務省令で定める義務船舶局等の無線設備その他総務省令（*）で定める無線局の無線設備の操作又はその監督の業務に従事せず、かつ、当該期間内に総務大臣が義務船舶局等の無線設備の操作又はその監督に関して行う船舶局無線従事者証明を受けている者に対する訓練の課程又は総務大臣がこれと同等の内容を有するものであると認定した訓練の課程を修了しなかつたとき。

二　引き続き５年間前号の業務に従事せず、かつ、当該期間内に同号の訓練の課程を修了しなかつたとき。

三　前条第２項の無線従事者の資格を有する者でなくなつたとき。

四　第79条の２第１項の規定により船舶局無線従事者証明の効力を停止され、その停止の期間が５年を超えたとき。

＊　施行規則第34条の12

（総務省令への委任）

第49条　第39条及び第41条から前条までに規定するもののほか、講習の科目その他講習の実施に関する事項、免許の申請、免許証の交付、再交付及び返納その他無線従事者の免許に関する手続的事項、第41条第２項第２号の認定に関する事項並びに試験科目、受験手続その他無線従事者国家試験の実施細目並びに船舶局無線従事者証明の申請、船舶局無線従事者証明書の交付、再交付及び返納、第48条の２第２項第１号及び前条第１号の総務大臣が行う訓練の課程、第48条の２第２項第２号及び前条第１号の認定その他船舶局無線従事者証明の実施に関する事項は、総務省令（＊）で定める。
＊　従事者規則

（遭難通信責任者の配置等）

第50条　旅客船又は総トン数300トン以上の船舶であつて、国際航海に従事するものの義務船舶局には、遭難通信責任者（その船舶における第52条第１号から第３号までに掲げる通信に関する事項を統括管理する者をいう。）として、総務省令（＊1）で定める無線従事者であつて、船舶局無線従事者証明を受けているものを配置しなければならない。

2　総務大臣は、前項に規定するもののほか、必要があると認めるときは、総務省令（＊2）により、無線局に配置すべき無線従事者の資格（主任無線従事者及び船舶局無線従事者証明に係るものを含む。）ごとの員数を定めることができる。
＊1　施行規則第35条の２
＊2　施行規則第36条

（選解任届）

第51条　第39条第４項の規定は、主任無線従事者以外の無線従事者の選任又は解任に準用する。
（施行規則第34条の４）

第５章　運用

第１節　通則

（目的外使用の禁止等）

第52条　無線局は、免許状に記載された目的又は通信の相手方若しくは通信事項（特定地上基幹放送局については放送事項）の範囲を超えて運用してはならない。ただし、次に掲げる通信については、この限りでない。

一　遭難通信（船舶又は航空機が重大かつ急迫の危険に陥つた場合に遭難信号を前置する方法その他総務省令（＊1）で定める方法により行う無線通信をいう。以下同じ。）

二　緊急通信（船舶又は航空機が重大かつ急迫の危険に陥るおそれがある場合その他緊急の事態が発生した場合に緊急信号を前置する方法その他総務省令（＊2）で定める方法により行う無線通信をいう。以下同じ。）

三　安全通信（船舶又は航空機の航行に対する重大な危険を予防するために安全信号を前置する方法その他総務省令（＊3）で定める方法により行う無線通信をいう。以下同じ。）

四　非常通信（地震、台風、洪水、津波、雪害、火災、暴動その他非常の事態が発生し、又は発生するおそれがある場合において、有線通信を利用することができないか又はこれを利用することが著しく困難であるときに人命の救助、災害の救援、交通通信の確保又は秩序の維持のために行われる無線通信をいう。以下同じ。）

五　放送の受信

六　その他総務省令（＊4）で定める通信
＊1　施行規則第36条の２第１項
＊2　施行規則第36条の２第２項
＊3　施行規則第36条の２第３項
＊4　施行規則第37条

第53条　無線局を運用する場合においては、無線設備の設置場所、識別信号、電波の型式及び周波数は、その無線局の免許状又は第27条の22第１項の登録状（次条第１号及び第103条の２第４項第２号において「免許状等」という。）に記載されたところによらなければならない。ただし、遭難通信については、この限りでない。

第54条　無線局を運用する場合においては、空中線電力は、次の各号の定めるところによらなければならない。ただし、遭難通信については、この限りでない。

一　免許状等に記載されたものの範囲内であること。

二　通信を行うため必要最小のものであること。

第55条　無線局は、免許状に記載された運用許容時間内でなければ、運用してはならない。ただし、第52条各号に掲げる通信を行う場合及び総務省令で定める場合は、この限りでない。

（混信等の防止）

第56条　無線局は、他の無線局又は電波天文業務（宇宙から発する電波の受信を基礎とする天文学のための当該電波の受信の業務をいう。）の用に供する受信設備その他の総務省令（＊1）で定める受信設備（無線局のものを除く。）で総務大臣が指定するものにその運用を阻害するような混信その他の妨害を与えないように運用しなければならない。但し、第52条第１号から第４号までに掲げる通信については、この限りでない。

2　前項に規定する指定は、当該指定に係る受信設備を設置している者の申請により行なう。

3　総務大臣は、第１項に規定する指定をしたときは、当該指定に係る受信設備について、総務省令（＊2）で定める事項を公示（＊）しなければならない。
4　前２項に規定するもののほか、指定の申請の手続、指定の基準、指定の取消しその他の第１項に規定する指定に関し必要な事項は、総務省令（＊3）で定める。
（告示＊平24第174号、平25第195号、平30第363号、令２第３号、令２第415号）
＊1　施行規則第50条の２
＊2　施行規則第50条の６
＊3　施行規則第50条の３―第50条の９

（擬似空中線回路の使用）
第57条　無線局は、次に掲げる場合には、なるべく擬似空中線回路を使用しなければならない。
一　無線設備の機器の試験又は調整を行うために運用するとき。
二　実験等無線局を運用するとき。

（アマチュア無線局の通信）
第58条　アマチュア無線局の行う通信には、暗語を使用してはならない。

（秘密の保護）
第59条　何人も法律に別段の定めがある場合を除くほか、特定の相手方に対して行われる無線通信（電気通信事業法第４条第１項又は第164条第３項の通信であるものを除く。第109条並びに第109条の２第２項及び第３項において同じ。）を傍受してその存在若しくは内容を漏らし、又はこれを窃用してはならない。

（時計、業務書類等の備付け）
第60条　無線局には、正確な時計及び無線業務日誌その他総務省令（＊1）で定める書類を備え付けておかなければならない。ただし、総務省令（＊2）で定める無線局については、これらの全部又は一部の備付けを省略することができる。
＊1　施行規則第38条
＊2　施行規則第38条の２

（通信方法等）
第61条　無線局の呼出し又は応答の方法その他の通信方法、時刻の照合並びに救命艇の無線設備及び方位測定装置の調整その他無線設備の機能を維持するために必要な事項の細目は、総務省令（＊）で定める。
＊　運用規則

第２節　海岸局等の運用

（船舶局の運用）
第62条　船舶局の運用は、その船舶の航行中に限る。但し、受信装置のみを運用するとき、第52条各号に掲げる通信を行うとき、その他総務省令（＊）で定める場合は、この限りでない。
2　海岸局（船舶局と通信を行うため陸上に開設する無線局をいう。以下同じ。）は、船舶局から自局の運用に妨害を受けたときは、妨害している船舶局に対して、その妨害を除去するために必要な措置をとることを求めることができる。
3　船舶局は、海岸局と通信を行う場合において、通信の順序若しくは時刻又は使用電波の型式若しくは周波数について、海岸局から指示を受けたときは、その指示に従わなければならない。
＊　運用規則第40条

（海岸局等の運用）
第63条　海岸局及び海岸地球局（陸上に開設する無線局であつて、人工衛星局の中継により船舶地球局と無線通信を行うものをいう。以下同じ。）は、常時運用しなければならない。ただし、総務省令（＊）で定める海岸局及び海岸地球局については、この限りでない。
＊　運用規則第45条

第64条　削除

（聴守義務）
第65条　次の表の上欄に掲げる無線局で総務省令（＊1）で定めるものは、同表の１の項及び２の項に掲げる無線局にあつては常時、同表の３の項に掲げる無線局にあつては総務省令（＊2）で定める時間中、同表の４の項に掲げる無線局にあつてはその運用義務時間（無線局を運用しなければならない時間をいう。以下同じ。）中、その無線局に係る同表の下欄に掲げる周波数で聴守をしなければならない。ただし、総務省令（＊3）で定める場合は、この限りでない。

無　線　局	周　波　数
一　デジタル選択呼出装置を施設している船舶局及び海岸局	総務省令（＊4）で定める周波数
二　船舶地球局及び海岸地球局	総務省令（＊5）で定める周波数

三　船舶局	156.65メガヘルツ、156.8メガヘルツ及び総務省令（＊6）で定める周波数
四　海岸局	総務省令（＊7）で定める周波数

＊1　運用規則第42条
＊2　運用規則第43条
＊3　運用規則第44条
＊4　運用規則第43条の2第1項
＊5　運用規則第43条の2第2項
＊6　運用規則第43条の2第3項
＊7　運用規則第43条の2第4項

（遭難通信）

第66条　海岸局、海岸地球局、船舶局及び船舶地球局（次条及び第68条において「海岸局等」という。）は、遭難通信を受信したときは、他の一切の無線通信に優先して、直ちにこれに応答し、かつ、遭難している船舶又は航空機を救助するため最も便宜な位置にある無線局に対して通報する等総務省令（＊1）で定めるところにより救助の通信に関し最善の措置をとらなければならない。

2　無線局は、遭難信号又は第52条第1号の総務省令（＊2）で定める方法により行われる無線通信を受信したときは、遭難通信を妨害するおそれのある電波の発射を直ちに中止しなければならない。

＊1　運用規則第72条
＊2　施行規則第36条の2第1項

（緊急通信）

第67条　海岸局等は、遭難通信に次ぐ優先順位をもつて、緊急通信を取り扱わなければならない。

2　海岸局等は、緊急信号又は第52条第2号の総務省令（＊1）で定める方法により行われる無線通信を受信したときは、遭難通信を行う場合を除き、その通信が自局に関係のないことを確認するまでの間（総務省令（＊2）で定める場合には、少なくとも3分間）継続してその緊急通信を受信しなければならない。

＊1　施行規則第36条の2第2項
＊2　運用規則第93条

（安全通信）

第68条　海岸局等は、速やかに、かつ、確実に安全通信を取り扱わなければならない。

2　海岸局等は、安全信号又は第52条第3号の総務省令（＊）で定める方法により行われる無線通信を受信したときは、その通信が自局に関係のないことを確認するまでその安全通信を受信しなければならない。

＊　施行規則第36条の2第3項

（船舶局の機器の調整のための通信）

第69条　海岸局又は船舶局は、他の船舶局から無線設備の機器の調整のための通信を求められたときは、支障のない限り、これに応じなければならない。

第70条　削除

第3節　航空局等の運用

（航空機局の運用）

第70条の2　航空機局の運用は、その航空機の航行中及び航行の準備中に限る。但し、受信装置のみを運用するとき、第52条各号に掲げる通信を行うとき、その他総務省令（＊）で定める場合は、この限りでない。

2　航空局（航空機局と通信を行うため陸上に開設する無線局をいう。以下同じ。）又は海岸局は、航空機局から自局の運用に妨害を受けたときは、妨害している航空機局に対して、その妨害を除去するために必要な措置をとることを求めることができる。

3　航空機局は、航空局と通信を行う場合において、通信の順序若しくは時刻又は使用電波の型式若しくは周波数について、航空局から指示を受けたときは、その指示に従わなければならない。

＊　運用規則第142条

（運用義務時間）

第70条の3　義務航空機局及び航空機地球局は、総務省令（＊1）で定める時間運用しなければならない。

2　航空局及び航空地球局（陸上に開設する無線局であつて、人工衛星局の中継により航空機地球局と無線通信を行うものをいう。次条において同じ。）は、常時運用しなければならない。ただし、総務省令（＊2）で定める場合は、この限りでない。

＊1　運用規則第143条
＊2　運用規則144条

（聴守義務）

第70条の4　航空局、航空地球局、航空機局及び航空機地球局（第70条の6第2項において「航空局等」という。）は、その運用義務時間中は、総務省令（＊1）で定める周波数で聴守しなければならない。ただし、総務省令（＊2）で定める場合は、この限りでない。

＊1　運用規則第146条

＊2　運用規則第147条

（航空機局の通信連絡）

第70条の5　航空機局は、その航空機の航行中は、総務省令（＊1）で定める方法により、総務省令（＊2）で定める航空局と連絡しなければならない。

＊1　運用規則第152条―第167条
＊2　運用規則第149条

（無線設備等保守規程の認定等）

第70条の5の2　航空機局等（航空機局又は航空機地球局（電気通信業務を行うことを目的とするものを除く。）をいう。以下この条において同じ。）の免許人は、総務省令で定めるところにより、当該航空機局等に係る無線局の基準適合性（無線局の無線設備がその工事設計に合致しており、かつ、その無線従事者の資格（第39条第3項に規定する主任無線従事者の要件に係るものを含む。）及び員数が第39条及び第40条の規定に、その時計及び書類が第60条の規定にそれぞれ違反していないことをいう。次項において同じ。）を確保するための無線設備等の点検その他の保守に関する規程（以下「無線設備等保守規程」という。）を作成し、これを総務大臣に提出して、その認定を受けることができる。

2　総務大臣は、前項の認定の申請があつた場合において、その申請に係る無線設備等保守規程が次の各号のいずれにも適合していると認めるときは、同項の認定をするものとする。

一　第73条第1項の総務省令（＊1）で定める時期を勘案して総務省令で定める時期ごとに、その申請に係る航空機局等に係る無線局の基準適合性を確認するものであること。

二　その申請に係る航空機局等に係る無線局の基準適合性を確保するために十分なものであること。

3　第1項の認定を受けた免許人（以下この条において「認定免許人」という。）は、当該認定を受けた無線設備等保守規程を変更しようとするときは、総務省令で定めるところにより、総務大臣の認定を受けなければならない。ただし、総務省令（＊2）で定める軽微な変更については、この限りでない。

4　第2項の規定は、前項の変更の認定について準用する。

5　認定免許人は、第3項ただし書の総務省令で定める軽微な変更をしたときは、遅滞なく、その旨を総務大臣に届け出なければならない。

6　認定免許人は、毎年、総務省令（＊3）で定めるところにより、第1項の認定を受けた無線設備等保守規程（第3項の変更の認定又は前項の変更の届出があつたときは、その変更後のもの。次項において同じ。）に従つて行う当該認定に係る航空機局等の無線設備等の点検その他の保守の実施状況について総務大臣に報告しなければならない。

7　総務大臣は、次の各号のいずれかに該当するときは、第1項の認定を取り消すことができる。

一　第1項の認定を受けた無線設備等保守規程が第2項各号のいずれかに適合しなくなつたと認めるとき。

二　認定免許人が第1項の認定を受けた無線設備等保守規程に従つて当該認定に係る航空機局等の無線設備等の点検その他の保守を行つていないと認めるとき。

三　認定免許人が不正な手段により第1項の認定又は第3項の変更の認定を受けたとき。

8　総務大臣は、前項（第1号を除く。）の規定により第1項の認定の取消しをしたときは、当該認定免許人であつた者が受けている他の無線設備等保守規程の同項の認定を取り消すことができる。

9　第20条第1項、第7項及び第9項の規定は、認定免許人について準用する。この場合において、同条第7項中「船舶局若しくは船舶地球局（電気通信業務を行うことを目的とするものを除く。）のある船舶又は無線設備が遭難自動通報設備若しくはレーダーのみの無線局のある船舶」とあるのは「第70条の5の2第1項の認定に係る同項に規定する航空機局等のある航空機」と、「船舶の」とあるのは「航空機の」と、「船舶を」とあるのは「航空機を」と、同条第9項中「前2項」とあるのは「第7項」と読み替えるものとする。

10　認定免許人が開設している第1項の認定に係る航空機局等については、第73条第1項の規定は、適用しない。

＊1　施行規則第40条の2
＊2　施行規則第40条の3
＊3　施行規則第40条の4

（準用）

第70条の6　第69条（船舶局の機器の調整のための通信）の規定は、航空局及び航空機局の運用について準用する。

2　第66条（遭難通信）及び第67条（緊急通信）の規定は、航空局等の運用について準用する。

第４節　無線局の運用の特例

（非常時運用人による無線局の運用）

第70条の７　無線局（その運用が、専ら第39条第１項本文の総務省令で定める簡易な操作（次条第１項において単に「簡易な操作」という。）によるものに限る。）の免許人等は、地震、台風、洪水、津波、雪害、火災、暴動その他非常の事態が発生し、又は発生するおそれがある場合において、人命の救助、災害の救援、交通通信の確保又は秩序の維持のために必要な通信を行うときは、当該無線局の免許等が効力を有する間、当該無線局を自己以外の者に運用させることができる。

2　前項の規定により無線局を自己以外の者に運用させた免許人等は、遅滞なく、当該無線局を運用する自己以外の者（以下この条において「非常時運用人」という。）の氏名又は名称、非常時運用人による運用の期間その他の総務省令（＊1）で定める事項を総務大臣に届け出なければならない。

3　前項に規定する免許人等は、当該無線局の運用が適正に行われるよう、総務省令（＊2）で定めるところにより、非常時運用人に対し、必要かつ適切な監督を行わなければならない。

4　第74条の２第２項、第76条第１項及び第３項、第76条の２の２並びに第81条の規定は、非常時運用人について準用する。この場合において、必要な技術的読替えは、政令（＊3）で定める。

＊１　免許規則第31条の２
＊２　施行規則第41条２の２
＊３　電波法施行令第４条

（免許人以外の者による特定の無線局の簡易な操作による運用）

第70条の８　電気通信業務を行うことを目的として開設する無線局（無線設備の設置場所、空中線電力等を勘案して、簡易な操作で運用することにより他の無線局の運用を阻害するような混信その他の妨害を与えないように運用することができるものとして総務省令（＊1）で定めるものに限る。）の免許人は、当該無線局の免許人以外の者による運用（簡易な操作によるものに限る。以下この条において同じ。）が電波の能率的な利用に資するものである場合には、当該無線局の免許が効力を有する間、自己以外の者に当該無線局の運用を行わせることができる。ただし、免許人以外の者が第５条第３項各号のいずれかに該当するときは、この限りでない。

2　前条第２項及び第３項の規定は、前項の規定により自己以外の者に無線局の運用を行わせた免許人について準用する。

3　第74条の２第２項、第76条第１項及び第81条の規定は、第１項の規定により無線局の運用を行う当該無線局の免許人以外の者について準用する。

4　前２項の場合において、必要な技術的読替えは、政令（＊2）で定める。

＊１　施行規則第41条の２の３
＊２　電波法施行令第５条

（登録人以外の者による登録局の運用）

第70条の９　登録局の登録人は、当該登録局の登録人以外の者による運用が電波の能率的な利用に資するものであり、かつ、他の無線局の運用に混信その他の妨害を与えるおそれがないと認める場合には、当該登録局の登録が効力を有する間、当該登録局を自己以外の者に運用させることができる。ただし、登録人以外の者が第27条の20第２項各号（第２号を除く。）のいずれかに該当するときは、この限りでない。

2　第70条の７第２項及び第３項の規定は、前項の規定により自己以外の者に登録局を運用させた登録人について準用する。

3　第39条第４項及び第７項、第51条、第74条の２第２項、第76条第１項及び第３項、第76条の２の２並びに第81条の規定は、第１項の規定により登録局を運用する当該登録局の登録人以外の者について準用する。

4　前２項の場合において、必要な技術的読替えは、政令（＊）で定める。

＊　電波法施行令第６条

第６章　監督

（周波数等の変更）

第71条　総務大臣は、電波の規整その他公益上必要があるときは、無線局の目的の遂行に支障を及ぼさない範囲内に限り、当該無線局（登録局を除く。）の周波数若しくは空中線電力の指定を変更し、又は登録局の周波数若しくは空中線電力若しくは人工衛星局の無線設備の設置場所の変更を命ずることができる。

2　国は、前項の規定による無線局の周波数若しくは空中線電力の指定の変更又は登録局の周波数若しくは空中線電力若しくは人工衛星局の無線設備の設置場所の変更を命じたことによつて生じた損失を当該無線局の免許人等に対して補償しなければならない。

3　前項の規定により補償すべき損失は、同項の処分によつて通常生ずべき損失とする。

4　第２項の補償金額に不服がある者は、補償金額決定の通知を受けた日から6箇月以内に、訴えをもつて、その増額を請求することができる。
5　前項の訴えにおいては、国を被告とする。
6　第1項の規定により人工衛星局の無線設備の設置場所の変更の命令を受けた免許人は、その命令に係る措置を講じたときは、速やかに、その旨を総務大臣に報告しなければならない。

（特定周波数変更対策業務及び特定周波数終了対策業務）
第71条の2　総務大臣は、次に掲げる要件に該当する周波数割当計画又は基幹放送用周波数使用計画（以下「周波数割当計画等」という。）の変更を行う場合において、電波の適正な利用の確保を図るため必要があると認めるときは、予算の範囲内で、第3号に規定する周波数又は空中線電力の変更に係る無線設備の変更の工事をしようとする免許人その他の無線設備の設置者に対して、当該工事に要する費用に充てるための給付金の支給その他の必要な援助（以下「特定周波数変更対策業務」という。）を行うことができる。
一　特定の無線局区分（無線通信の態様、無線局の目的及び無線設備についての第3章に定める技術基準を基準として総務省令（＊1）で定める無線局の区分をいう。以下同じ。）の周波数の使用に関する条件として周波数割当計画等の変更の公示の日から起算して10年を超えない範囲内で周波数の使用の期限を定めるとともに、当該無線局区分（以下この条において「旧割当区分」という。）に割り当てることが可能である周波数（以下この条において「割当変更周波数」という。）を旧割当区分以外の無線局区分にも割り当てることとするものであること。
二　割当変更周波数の割当てを受けることができる無線局区分のうち旧割当区分以外のもの（次号において「新割当区分」という。）に旧割当区分と無線通信の態様及び無線局の目的が同一である無線局区分（以下この号において「同一目的区分」という。）があるときは、割当変更周波数に占める同一目的区分に割り当てることが可能である周波数の割合が、4分の3以下であること。
三　新割当区分の無線局のうち周波数割当計画等の変更の公示と併せて総務大臣が公示するもの（以下「特定新規開設局」という。）の免許の申請に対して、当該周波数割当計画等の変更の公示の日から起算して5年以内に割当変更周波数を割り当てることを可能とするものであること。この場合において、当該周波数割当計画等の変更の公示の際現に割当変更周波数の割当てを受けている旧割当区分の無線局（以下「既開設局」という。）が特定新規開設局にその運用を阻害するような混信その他の妨害を与えないようにするため、あらかじめ、既開設局の周波数又は空中線電力の変更（既開設局の目的の遂行に支障を及ぼさない範囲内の変更に限り、周波数の変更にあつては割当変更周波数の範囲内の変更に限る。）をすることが可能なものであること。
2　総務大臣は、その公示する無線局（以下「特定公示局」という。）（＊2）の円滑な開設を図るため、第26条の2第2項の評価の結果に基づき周波数割当計画の変更をして、当該周波数割当計画の変更の公示の日から起算して5年（当該周波数割当計画の変更が免許人等に及ぼす経済的な影響を勘案して特に必要があると認める場合には、10年。以下この項において「基準期間」という。）に満たない範囲内で当該特定公示局に係る無線局区分以外の無線局区分に割り当てることが可能である周波数の一部又は全部について周波数の使用の期限（以下「旧割当期限」という。）を定める場合（前項各号列記以外の部分に規定する場合に該当する場合を除く。）において、予算の範囲内で、旧割当期限が定められたことにより当該旧割当期限の満了の日までに無線局の周波数の指定の変更（登録局にあつては、周波数の変更登録）を申請し又は無線局を廃止しようとする免許人等に対して、基準期間に満たない期間内で旧割当期限が定められたことにより当該免許人等に通常生ずる費用として総務省令（＊3）で定めるものに充てるための給付金の支給その他の必要な援助（以下「特定周波数終了対策業務」という。）を行うことができる。
＊1　特定周波数変更対策業務及び特定周波数終了対策業務に関する規則第4条
＊2　告示平16第622号
＊3　特定周波数変更対策業務及び特定周波数終了対策業務に関する規則第27条

（指定周波数変更対策機関）
第71条の3　総務大臣は、その指定する者（以下「指定周波数変更対策機関」という。）に、特定周波数変更対策業務を行わせることができる。
2　指定周波数変更対策機関の指定は、特定周波数変更対策業務を行う周波数割当計画等の変更ごとに一を限り、特定周波数変更対策業務を行おうとする者の申請により行う。
3　総務大臣は、指定周波数変更対策機関の指定をしたときは、当該指定に係る特定周波数変更対策業務を行わないものとする。
4　第1項の規定により指定周波数変更対策機関が行う特定周波数変更対策業務に係る給付金の支給に関する基準は、総務省令（*1）で定める。
5　指定周波数変更対策機関は、総務省令（*2）で定めるところにより、総務大臣の認可を受けて、特定周波数変更対策業務（給付金の交付の決定を除く。）の一部を他の者に委託することができる。
6　指定周波数変更対策機関は、特定周波数変更対策業務に関し必要があると認めるときは、給付金の交付の決定を受けた者から、必要な事項に関し報告を徴することができる。
7　指定周波数変更対策機関は、毎事業年度、事業報告書、貸借対照表、収支決算書及び財産目録を作成し、当該事業年度の終了後3月以内に総務大臣に提出し、その承認を受けなければならない。
8　指定周波数変更対策機関は、特定周波数変更対策業務以外の業務を行つている場合には、当該業務に係る経理と特定周波数変更対策業務に係る経理とを区分して整理しなければならない。
9　総務大臣は、予算の範囲内で、指定周波数変更対策機関に対し、特定周波数変更対策業務に要する費用の全部又は一部に相当する金額を交付することができる。
10　この条に定めるもののほか、指定周波数変更対策機関の財務及び会計に関し必要な事項は、総務省令（*3）で定める。
11　第39条の2第4項（第4号を除く。）、第39条の3、第39条の5、第39条の7から第39条の12まで、第46条第4項、第47条の2第1項及び第3項、第47条の3並びに第47条の4の規定は、指定周波数変更対策機関について準用する。この場合において、第39条の2第4項及び第46条第4項中「第2項の申請」とあるのは「第71条の3第2項の申請」と、第39条の2第4項、第39条の3第2項、第39条の5、第39条の8、第39条の9第1項、第39条の10第1項、第39条の11第2項及び第3項並びに第39条の12中「講習の業務」とあり、第39条の7中「講習」とあり、並びに第47条の3中「試験事務」とあるのは「特定周波数変更対策業務」と、第39条の2第4項第3号中「講習が」とあるのは「特定周波数変更対策業務が」と、第39条の3中「指定に係る区分、講習の業務を行う事務所の所在地並びに講習の業務」とあるのは「特定周波数変更対策業務を行う事務所の所在地並びに特定周波数変更対策業務」と、第39条の11第1項中「第39条の2第5項」とあるのは「第46条第4項」と、同条第2項第1号中「第39条の6、第39条の7又は前条第1項」とあるのは「第39条の7、前条第1項、第47条の4又は第71条の3第5項、第7項若しくは第8項」と、同項第3号中「又は第39条の8」とあるのは「、第39条の8又は第47条の2第3項」と、第39条の12第1項中「第39条の2第3項」とあるのは「第71条の3第3項」と、第46条第4項第3号及び第47条の2第3項中「第47条の5」とあるのは「第71条の3第11項」と、同項中「役員又は試験員」とあるのは「役員」と、第47条の3中「職員（試験員を含む。次項において同じ。）」とあるのは「職員」と読み替えるものとする。

　　＊1　特定周波数変更対策業務及び特定周波数終了対策業務に関する規則第6条の2
　　＊2　特定周波数変更対策業務及び特定周波数終了対策業務に関する規則第7条
　　＊3　特定周波数変更対策業務及び特定周波数終了対策業務に関する規則第19条―第26条
　（告示平19第158号）

（登録周波数終了対策機関）
第71条の3の2　総務大臣は、その登録を受けた者（以下「登録周波数終了対策機関」という。）（*1）に、特定周波数終了対策業務の全部又は一部を行わせることができる。
2　総務大臣は、前項の規定により登録周波数終了対策機関に特定周波数終了対策業務を行わせることとしたときは、当該特定周波数終了対策業務を行わないものとする。
3　第1項の登録は、総務省令（*2）で定めるところにより、特定周波数終了対策業務を行おうとする者の申請により行う。
4　総務大臣は、前項の規定により登録の申請をした者（以下この項において「申請者」という。）が次の各号のいずれにも適合しているときは、その登録をしなければならない。
一　別表第五に掲げる条件のいずれかに適合する知識経験を有する者が特定周波数終了対策業務に係る給付金の交付の決定に係る事務を行うものであること。
二　債務超過の状態にないこと。
三　旧割当期限に係る周波数の電波を使用

する無線局を開設している者でないこと。

四 申請者が、特定の者に支配されているものとして次のいずれかに該当するものでないこと。

イ 申請者が株式会社である場合にあつては、他の株式会社がその親法人であること。

ロ 申請者の役員（持分会社にあつては、業務を執行する社員）に占める同一の者の役員又は職員（過去２年間にその同一の者の役員又は職員であつた者を含む。）の割合が２分の１を超えていること。

5 第24条の２第５項及び第６項の規定は、第１項の登録について準用する。この場合において、同条第５項第２号中「第24条の10又は第24条の13第３項」とあるのは「第71条の３の２第11項において準用する第38条の17第１項又は第２項」と、同条第６項中「前各項」とあるのは「前項並びに第71条の３の２第１項から第４項まで及び第６項」と読み替えるものとする。

6 第１項の登録は、登録周波数終了対策機関登録簿に次に掲げる事項を記載してするものとする。

一 登録の年月日及び登録の番号

二 登録を受けた者の氏名又は名称及び住所並びに法人にあつては、その代表者の氏名

三 登録を受けた者が特定周波数終了対策業務を行う事務所の名称及び所在地

7 第１項の登録は、３年を下らない政令（＊3）で定める期間ごとにその更新を受けなければ、その期間の経過によつて、その効力を失う。

8 第３項から第６項までの規定は、前項の登録の更新について準用する。

9 登録周波数終了対策機関は、総務大臣から特定周波数終了対策業務を行うべきことを求められたときは、正当な理由がある場合を除き、遅滞なく、その特定周波数終了対策業務を行わなければならない。

10 総務大臣は、登録周波数終了対策機関が前項の規定に違反していると認めるとき、その他特定周波数終了対策業務の適正な実施を確保するため必要があると認めるときは、その登録周波数終了対策機関に対し、特定周波数終了対策業務を行うべきこと又は特定周波数終了対策業務の実施の方法その他の業務の方法の改善に関し必要な措置をとるべきことを命ずることができる。

11 第24条の７第１項、第24条の11、第38条の５、第38条の９、第38条の11、第38条の12、第38条の15、第38条の17、第38条の18、第39条の５、第39条の10、第47条の３並びに前条第４項から第６項まで、第８項及び第９項の規定は、登録周波数終了対策機関について準用する。この場合において、次の表の上欄に掲げる規定中同表の中欄に掲げる字句は、同表の下欄に掲げる字句にそれぞれ読み替えるものとする。

第24条の７第１項	第24条の２第４項各号（無線設備等の点検の事業のみを行う者にあつては、第１号、第２号又は第４号）	第71条の３の２第４項各号
第24条の11	第24条の２の２第１項若しくは第24条の９第２項	第71条の３の２第７項
	失つたとき	失つたとき、同条第11項において準用する第39条の10第１項の規定により登録周波数終了対策機関が特定周波数終了対策業務の全部を廃止したとき
	前条	第71条の３の２第11項において準用する第38条の17第１項若しくは第２項
第38条の５第１項	第38条の２の２第１項	第71条の３の２第１項
	受けた者（以下「登録証明機関」という。）	受けた者
	事業の区分、技術基準適合証明の業務	特定周波数終了対策業務
	技術基準適合証明の業務	特定周波数終了対策業務

第38条の５第２項	第38条の２の２第２項第１号又は第３号	第71条の３の２第６項第２号又は第３号
第38条の５第３項、第38条の15第１項、第38条の17第２項各号列記以外の部分及び第３項並びに第38条の18第２項及び第３項	技術基準適合証明の業務	特定周波数終了対策業務
第38条の９	役員又は証明員	役員又は別表第五に掲げる条件に適合する知識経験を有する者
第38条の11第２項	特定無線設備を取り扱うことを業とする者	特定周波数終了対策業務に係る給付金の支給の申請をした免許人
第38条の12	技術基準適合証明	特定周波数終了対策業務
第38条の17第１項	第38条の３第２項	第71条の３の２第５項
第38条の17第２項第１号	この節	第71条の３の２第11項において準用する第38条の５第２項、第38条の９、第38条の11第１項、第38条の12、第39条の５第１項、第39条の10第１項又は第71条の３第５項若しくは第８項
第38条の17第２項第２号	第38条の13第１項又は第２項	第71条の３の２第10項又は同条第11項において準用する第24条の７第１項若しくは第39条の５第２項
第38条の17第２項第３号	第38条の２の２第１項	第71条の３の２第１項
第38条の18第１項	総務大臣は、第38条の２の２第１項の登録を受ける者がいないとき、又は	総務大臣は、
	第38条の16第１項	第71条の３の２第11項において準用する第39条の10第１項
	技術基準適合証明の業務	特定周波数終了対策業務
第39条の５及び第39条の10第１項	講習の業務	特定周波数終了対策業務
第47条の３第１項	職員（試験員を含む。次項において同じ。）	職員
	試験事務	特定周波数終了対策業務
第47条の３第２項	試験事務	特定周波数終了対策業務
前条第４項	第１項	次条第１項
	特定周波数変更対策業務	特定周波数終了対策業務
前条第５項、第６項、第８項及び第９項	特定周波数変更対策業務	特定周波数終了対策業務

（告示平19第66号）

＊１　告示平16第698号、平17第13号、平24第13号

＊２　特定周波数変更対策業務及び特定周波数終了対策業務に関する規則第28条

＊３　電波法施行令第７条

（給付金の交付の決定を受けた免許人等の義務等）

第71条の４　特定周波数変更対策業務に係

る給付金の交付の決定を受けた免許人は、遅滞なく、周波数又は空中線電力の指定の変更を申請しなければならない。
2　特定周波数終了対策業務に係る給付金の交付の決定を受けた免許人等は、遅滞なく、周波数の指定の変更（登録人にあつては、周波数の変更登録）を申請し、又は無線局を廃止しなければならない。
3　前３条の規定は、総務大臣が、第71条第１項の規定に基づき既開設局の周波数若しくは空中線電力の指定を変更すること、又は第76条の３第１項の規定に基づき第71条の２第２項の旧割当期限に係る周波数の電波を使用している無線局の周波数の指定を変更し、当該周波数の電波を使用している登録局の周波数の変更を命じ、若しくは当該周波数の電波を使用している無線局の免許等を取り消すことを妨げるものではない。

（技術基準適合命令）
第71条の５　総務大臣は、無線設備が第３章に定める技術基準に適合していないと認めるときは、当該無線設備を使用する無線局の免許人等に対し、その技術基準に適合するように当該無線設備の修理その他の必要な措置をとるべきことを命ずることができる。

（電波の発射の停止）
第72条　総務大臣は、無線局の発射する電波の質が第28条の総務省令（＊）で定めるものに適合していないと認めるときは、当該無線局に対して臨時に電波の発射の停止を命ずることができる。
2　総務大臣は、前項の命令を受けた無線局からその発射する電波の質が第28条の総務省令（＊）の定めるものに適合するに至つた旨の申出を受けたときは、その無線局に電波を試験的に発射させなければならない。
3　総務大臣は、前項の規定により発射する電波の質が第28条の総務省令（＊）で定めるものに適合しているときは、直ちに第１項の停止を解除しなければならない。
＊　設備規則第５条―第７条

（検査）
第73条　総務大臣は、総務省令（＊1）で定める時期ごとに、あらかじめ通知する期日に、その職員を無線局（総務省令（＊2）で定めるものを除く。）に派遣し、その無線設備等を検査させる。ただし、当該無線局の発射する電波の質又は空中線電力に係る無線設備の事項以外の事項の検査を行う必要がないと認める無線局については、その無線局に電波の発射を命じて、その発射する電波の質又は空中線電力の検査を行う。
2　前項の検査は、当該無線局についてその検査を同項の総務省令（＊1）で定める時期に行う必要がないと認める場合及び当該無線局のある船舶又は航空機が当該時期に外国地間を航行中の場合においては、同項の規定にかかわらず、その時期を延期し、又は省略することができる。
3　第１項の検査は、当該無線局（人の生命又は身体の安全の確保のためその適正な運用の確保が必要な無線局として総務省令（＊3）で定めるものを除く。以下この項において同じ。）の免許人から、第１項の規定により総務大臣が通知した期日の１月前までに、当該無線局の無線設備等について第24条の２第１項の登録を受けた者（無線設備等の点検の事業のみを行う者を除く。）が、総務省令（＊4）で定めるところにより、当該登録に係る検査を行い、当該無線局の無線設備がその工事設計に合致しており、かつ、その無線従事者の資格及び員数が第39条又は第39条の13、第40条及び第50条の規定に、その時計及び書類が第60条の規定にそれぞれ違反していない旨を記載した証明書の提出があつたときは、第１項の規定にかかわらず、省略することができる。
4　第１項の検査は、当該無線局の免許人から、同項の規定により総務大臣が通知した期日の１箇月前までに、当該無線局の無線設備等について第24条の２第１項又は第24条の13第１項の登録を受けた者が総務省令（＊5）で定めるところにより行つた当該登録に係る点検の結果を記載した書類の提出があつたときは、第１項の規定にかかわらず、その一部を省略することができる。
5　総務大臣は、第71条の５の無線設備の修理その他の必要な措置をとるべきことを命じたとき、前条第１項の電波の発射の停止を命じたとき、同条第２項の申出があつたとき、無線局のある船舶又は航空機が外国へ出港しようとするとき、その他この法律の施行を確保するため特に必要があるときは、その職員を無線局に派遣し、その無線設備等を検査させることができる。
6　総務大臣は、無線局のある船舶又は航空機が外国へ出港しようとする場合その他この法律の施行を確保するため特に必要がある場合において、当該無線局の発射する電波の質又は空中線電力に係る無線設備の事項のみについて検査を行う必要があると認めるときは、その無線局に電波の発射を命じて、その発射する電波の質又は空中線電力の検査を行うことができる。
7　第39条の９第２項及び第３項の規定は、第１項本文又は第５項の規定による検査について準用する。
（告示平23第269号）
＊1　施行規則第41条の3・第41条の4
＊2　施行規則第41条の2の6
＊3　登録検査等事業者等規則第15条
＊4　登録検査等事業者等規則第16条
＊5　登録検査等事業者等規則第19条―第21条

（非常の場合の無線通信）
第74条　総務大臣は、地震、台風、洪水、津波、雪害、火災、暴動その他非常の事態が発生し、又は発生するおそれがある場合においては、人命の救助、災害の救援、交通通信の確保又は秩序の維持のために必要な通信を無線局に行わせることができる。
2　総務大臣が前項の規定により無線局に通信を行わせたときは、国は、その通信に要した実費を弁償しなければならない。

（非常の場合の通信体制の整備）
第74条の2　総務大臣は、前条第1項に規定する通信の円滑な実施を確保するため必要な体制を整備するため、非常の場合における通信計画の作成、通信訓練の実施その他の必要な措置を講じておかなければならない。
2　総務大臣は、前項に規定する措置を講じようとするときは、免許人等の協力を求めることができる。

（無線局の免許の取消し等）
第75条　総務大臣は、免許人が第5条第1項、第2項及び第4項の規定により免許を受けることができない者となつたとき、又は地上基幹放送の業務を行う認定基幹放送事業者の認定がその効力を失つたときは、当該免許を受けることができない者となつた免許人の免許又は当該地上基幹放送の業務に用いられる無線局の免許を取り消さなければならない。
2　前項の規定にかかわらず、総務大臣は、免許人が第5条第4項（第3号に該当する場合に限る。）の規定により免許を受けることができない者となつた場合において、同項第3号に該当することとなつた状況その他の事情を勘案して必要があると認めるときは、当該免許人の免許の有効期間の残存期間内に限り、期間を定めてその免許を取り消さないことができる。

第76条　総務大臣は、免許人等がこの法律、放送法若しくはこれらの法律に基づく命令（＊）又はこれらに基づく処分に違反したときは、3月以内の期間を定めて無線局の運用の停止を命じ、又は期間を定めて運用許容時間、周波数若しくは空中線電力を制限することができる。
2　総務大臣は、包括免許人又は包括登録人がこの法律、放送法若しくはこれらの法律に基づく命令又はこれらに基づく処分に違反したときは、3月以内の期間を定めて、包括免許又は第27条の29第1項の規定による登録に係る無線局の新たな開設を禁止することができる。
3　総務大臣は、前2項の規定によるほか、登録人が第3章に定める技術基準に適合しない無線設備を使用することにより他の登録局の運用に悪影響を及ぼすおそれがあるとき、その他登録局の運用が適正を欠くため電波の能率的な利用を阻害するおそれが著しいときは、3月以内の期間を定めて、その登録に係る無線局の運用の停止を命じ、運用許容時間、周波数若しくは空中線電力を制限し、又は新たな開設を禁止することができる。
4　総務大臣は、免許人（包括免許人を除く。）が次の各号のいずれかに該当するときは、その免許を取り消すことができる。
一　正当な理由がないのに、無線局の運用を引き続き6月以上休止したとき。
二　不正な手段により無線局の免許若しくは第17条の許可を受け、又は第19条の規定による指定の変更を行わせたとき。
三　第1項の規定による命令又は制限に従わないとき。
四　免許人が第5条第3項第1号に該当するに至つたとき。
五　特定地上基幹放送局の免許人が第7条第2項第4号ロに適合しなくなつたとき。
5　総務大臣は、包括免許人が次の各号のいずれかに該当するときは、その包括免許を取り消すことができる。
一　第27条の5第1項第4号の期限（第27条の6第1項の規定による期限の延長があつたときは、その期限）までに特定無線局の運用を全く開始しないとき。
二　正当な理由がないのに、その包括免許に係る全ての特定無線局の運用を引き続き6月以上休止したとき。
三　不正な手段により包括免許若しくは第27条の8第1項の許可を受け、又は第27条の9の規定による指定の変更を行わせたとき。
四　第1項の規定による命令若しくは制限又は第2項の規定による禁止に従わないとき。
五　包括免許人が第5条第3項第1号に該当するに至つたとき。

6　総務大臣は、登録人が次の各号のいずれかに該当するときは、その登録を取り消すことができる。
一　不正な手段により第27条の18第1項の登録又は第27条の23第1項若しくは第27条の30第1項の変更登録を受けたとき。
二　第1項の規定による命令若しくは制限、第2項の規定による禁止又は第3項の規定による命令、制限若しくは禁止に従わないとき。
三　登録人が第5条第3項第1号に該当するに至つたとき。
7　総務大臣は、前3項の規定によるほか、電気通信業務を行うことを目的とする無線局の免許人等が次の各号のいずれかに該当するときは、その免許等を取り消すことができる。
一　電気通信事業法第12条第1項の規定により同法第9条の登録を拒否されたとき。
二　電気通信事業法第13条第3項において準用する同法第12条第1項の規定により同法第13条第1項の変更登録を拒否されたとき（当該変更登録が無線局に関する事項の変更に係るものである場合に限る。)。
三　電気通信事業法第15条の規定により同法第9条の登録を抹消されたとき。
8　総務大臣は、第4項（第4号を除く。）及び第5項（第5号を除く。）の規定により免許の取消しをしたとき、並びに第6項（第3号を除く。）の規定により登録の取消しをしたときは、当該免許人等であつた者が受けている他の無線局の免許等又は開設計画若しくは無線設備等保守規程の認定を取り消すことができる。
＊　施行規則、設備規則、型式検定規則、従事者規則等

第76条の2　総務大臣は、特定無線局（第27条の2第1号に掲げる無線局に係るものに限る。）について、その包括免許の有効期間中において同時に開設されていることとなる特定無線局の数の最大のものが当該包括免許に係る指定無線局数を著しく下回ることが確実であると認めるに足りる相当な理由があるときは、その指定無線局数を削減することができる。この場合において、総務大臣は、併せて包括免許の周波数の指定を変更するものとする。

第76条の2の2　総務大臣は、登録局のうち特定の周波数の電波を使用するものが著しく多数であり、かつ、当該特定の周波数の電波を使用する登録局が更に増加することにより他の無線局の運用に重大な影響を与えるおそれがある場合として総務省令(＊)で定める場合において必要があると認めるときは、当該特定の周波数の電波を使用している登録局の登録人に対し、その影響を防止するため必要な限度において、登録に係る無線局を新たに開設することを禁止し、又は当該登録人が開設している登録局の運用を制限することができる。
＊　施行規則第42条の2

第76条の3　総務大臣は、第71条第1項の規定により周波数の指定を変更し、又は周波数の変更を命ずる場合のほか、第26条の2第2項の評価の結果に基づき周波数割当計画を変更して特定の無線局区分に割り当てることが可能な周波数の一部又は全部について周波数の使用の期限を定めたときは、当該期限の到来後に、当該期限に係る周波数の電波を使用している無線局（登録局を除く。）の周波数の指定を変更し、当該周波数の電波を使用している登録局の周波数の変更を命じ、又は当該周波数の電波を使用している無線局の免許等を取り消すことができる。
2　国は、前項の規定による無線局の周波数の指定の変更、登録局の周波数の変更の命令又は無線局の免許等の取消しによつて生じた損失を当該無線局の免許人等に対して補償しなければならない。
3　第71条第3項から第5項までの規定は、前項の規定による損失の補償について準用する。

第77条　総務大臣は、第75条から前条までの規定による処分をしたときは、理由を記載した文書を免許人等に送付しなければならない。

（電波の発射の防止）
第78条　無線局の免許等がその効力を失つたときは、免許人等であつた者は、遅滞なく空中線の撤去その他の総務省令(＊)で定める電波の発射を防止するために必要な措置を講じなければならない。
＊　施行規則第42条の3

（無線従事者の免許の取消し等）
第79条　総務大臣は、無線従事者が左の各号の一に該当するときは、その免許を取り消し、又は3箇月以内の期間を定めてその業務に従事することを停止することができる。
一　この法律若しくはこの法律に基く命令(＊)又はこれらに基く処分に違反したとき。

二　不正な手段により免許を受けたとき。
三　第42条第3号に該当するに至つたとき。
2　前項（第3号を除く。）の規定は、船舶局無線従事者証明を受けている者に準用する。この場合において、同項中「免許」とあるのは、「船舶局無線従事者証明」と読み替えるものとする。
3　第77条の規定は、第1項（前項において準用する場合を含む。）の規定による取消し又は停止に準用する。
　＊　施行規則、設備規則、型式検定規則、従事者規則等

（船舶局無線従事者証明の効力の停止）
第79条の2　総務大臣は、第81条の2第2項の規定により書類の提出を求められた者が当該書類を提出しないときは、その船舶局無線従事者証明の効力を停止することができる。
2　総務大臣は、前項の規定により船舶局無線従事者証明の効力を停止した場合において、同項の書類の提出があつたときは、速やかにその停止を解除するものとする。
3　第77条の規定は、第1項の規定による停止に準用する。

（報告等）
第80条　無線局の免許人等は、次に掲げる場合は、総務省令（＊1）で定める手続により、総務大臣に報告しなければならない。
一　遭難通信、緊急通信、安全通信又は非常通信を行つたとき（第70条の7第1項、第70条の8第1項又は第70条の9第1項の規定により無線局を運用させた免許人等以外の者が行つたときを含む。）。
二　この法律又はこの法律に基づく命令（＊2）の規定に違反して運用した無線局を認めたとき。
三　無線局が外国において、あらかじめ総務大臣が告示した以外の運用の制限をされたとき。
　＊1　施行規則第42条の4
　＊2　施行規則、設備規則、型式検定規則、従事者規則等

第81条　総務大臣は、無線通信の秩序の維持その他無線局の適正な運用を確保するため必要があると認めるときは、免許人等に対し、無線局に関し報告を求めることができる。

第81条の2　総務大臣は、この法律を施行するため必要があると認めるときは、船舶局無線従事者証明を受けている者に対し、船舶局無線従事者証明に関し報告を求めることができる。
2　総務大臣は、船舶局無線従事者証明を受けた者が第48条の3第1号又は第2号に該当する疑いのあるときは、その者に対し、総務省令で定めるところにより、当該船舶局無線従事者証明の効力を確認するための書類であつて総務省令（＊）で定めるものの提出を求めることができる。
　＊　施行規則第43条の4第1項

（免許等を要しない無線局及び受信設備に対する監督）
第82条　総務大臣は、第4条第1号から第3号までに掲げる無線局（以下「免許等を要しない無線局」という。）の無線設備の発する電波又は受信設備が副次的に発する電波若しくは高周波電流が他の無線設備の機能に継続的かつ重大な障害を与えるときは、その設備の所有者又は占有者に対し、その障害を除去するために必要な措置をとるべきことを命ずることができる。
2　総務大臣は、免許等を要しない無線局の無線設備について又は放送の受信を目的とする受信設備以外の受信設備について前項の措置をとるべきことを命じた場合において特に必要があると認めるときは、その職員を当該設備のある場所に派遣し、その設備を検査させることができる。
3　第39条の9第2項及び第3項の規定は、前項の規定による検査について準用する。
　（告示平23第269号）

第7章　審査請求及び訴訟

（審査請求の方式）
第83条　この法律又はこの法律に基づく命令（＊）の規定による総務大臣の処分についての審査請求は、審査請求書正副二通を提出してしなければならない。
　＊　施行規則、設備規則、型式検定規則、従事者規則等

第84条　削除

（電波監理審議会への付議）
第85条　第83条の審査請求があつたときは、総務大臣は、その審査請求を却下する場合を除き、遅滞なく、これを電波監理審議会の議に付さなければならない。

（審理の開始）
第86条　電波監理審議会は、前条の規定により議に付された事案につき、審査請求が受理された日から30日以内に審理を開始しなければならない。

第87条　審理は、電波監理審議会が事案を指定して指名する審理官が主宰する。ただし、事案が特に重要である場合において電波監理審議会が審理を主宰すべき委員を指名したときは、この限りでない。

第88条　審理の開始は、審査請求人に対し、審理官（前条ただし書の場合はその委員。以下同じ。）の名をもつて、事案の要旨、審理の期日及び場所並びに出頭を求める旨を記載した審理開始通知書を送付して行う。

2　前項の審理開始通知書を発送したときは、事案の要旨並びに審理の期日及び場所を公告するとともに、その旨を知れている利害関係者に通知しなければならない。

（参加人）

第89条　利害関係者は、審理官の許可を得て、参加人として当該審理に関する手続に参加することができる。

2　審理官は、必要があると認めるときは、利害関係者に対し、参加人として当該審理に関する手続に参加することを求めることができる。

（代理人及び指定職員）

第90条　利害関係者は、弁護士その他適当と認める者を代理人に選任することができる。

2　総務大臣は、所部の職員でその指定するもの（以下「指定職員」という。）をして審理に関する手続に参加させることができる。

3　第１項の代理人は、審理に関し、審査請求人、参加人又は指定職員に代わつて一切の行為をすることができる。

（意見の陳述）

第91条　審査請求人、参加人又は指定職員は、審理の期日に出頭して、意見を述べることができる。

2　前項の場合において、審査請求人又は参加人は、審理官の許可を得て補佐人とともに出頭することができる。

3　審理官は、審理に際し必要があると認めるときは、審査請求人、参加人又は指定職員に対して、意見の陳述を求めることができる。

（証拠書類等の提出）

第92条　審査請求人、参加人又は指定職員は、審理に際し、証拠書類又は証拠物を提出することができる。ただし、審理官が証拠書類又は証拠物を提出すべき相当の期間を定めたときは、その期間内にこれを提出しなければならない。

（参考人の陳述及び鑑定の要求）

第92条の２　審理官は、審査請求人、参加人若しくは指定職員の申立てにより又は職権で、適当と認める者に、参考人として出頭を求めてその知つている事実を陳述させ、又は鑑定をさせることができる。この場合においては、審査請求人、参加人又は指定職員も、その参考人に陳述を求めることができる。

（物件の提出要求）

第92条の３　審理官は、審査請求人、参加人若しくは指定職員の申立てにより又は職権で、書類その他の物件の所持人に対し、その物件の提出を求め、かつ、その提出された物件を留め置くことができる。

（検証）

第92条の４　審理官は、審査請求人、参加人若しくは指定職員の申立てにより又は職権で、必要な場所につき、検証をすることができる。

2　審理官は、審査請求人、参加人又は指定職員の申立てにより前項の検証をしようとするときは、あらかじめ、その日時及び場所を申立人に通知し、これに立ち会う機会を与えなければならない。

（審査請求人又は参加人の審問）

第92条の５　審理官は、審査請求人、参加人若しくは指定職員の申立てにより又は職権で、審査請求人又は参加人を審問することができる。この場合においては、第92条の２後段の規定を準用する。

（調書及び意見書）

第93条　審理官は、審理に際しては、調書を作成しなければならない。

2　審理官は、前項の調書に基き意見書を作成し、同項の調書とともに、電波監理審議会に提出しなければならない。

3　電波監理審議会は、第１項の調書及び前項の意見書の謄本を公衆の閲覧に供しなければならない。

（証拠書類等の返還）

第93条の２　審理官は、前条第２項の規定により意見書を提出したときは、すみやかに、第92条の規定により提出された証拠書類又は証拠物及び第92条の３の規定による提出要求に応じて提出された書類その他の物件をその提出人に返還しなければならない。

（審査請求の制限）

第93条の３　審理官が審理に関する手続においてする処分又はその不作為については、審査請求をすることができない。

（議決）

第93条の４　電波監理審議会は、第93条の調書及び意見書に基づき、事案についての裁決案を議決しなければならない。

（処分の執行停止）

第93条の５　総務大臣は、第85条の規定により電波監理審議会の議に付した事案に係る処分につき、行政不服審査法（平成26年法律第68号）(*) 第25条第２項の規定による申立てがあつたときは、電波監理審議会の意見を聴かなければならない。

＊　行政不服審査法

（執行停止）

第25条　審査請求は、処分の効力、処分の執行又は手続の続行を妨げない。

２　処分庁の上級行政庁又は処分庁である審査庁は、必要があると認める場合には、審査請求人の申立てにより又は職権で、処分の効力、処分の執行又は手続の続行の全部又は一部の停止その他の措置（以下「執行停止」という。）をとることができる。

（審査請求に関する規定の準用）

第61条　第９条第４項、第10条から第16条まで、第18条第３項、第19条（第３項並びに第５項第１号及び第２号を除く。）、第20条、第23条、第24条、第25条（第３項を除く。）、第26条、第27条、第31条（第５項を除く。）、第32条（第２項を除く。）、第39条、第51条及び第53条の規定は、再調査の請求について準用する。この場合において、別表第二の上欄に掲げる規定中同表の中欄に掲げる字句は、それぞれ同表の下欄に掲げる字句に読み替えるものとする。

（裁決）

第94条　総務大臣は、第93条の４の議決があつたときは、その議決の日から７日以内に、その議決により審査請求についての裁決をする。

２　裁決書には、審理を経て電波監理審議会が認定した事実を示さなければならない。

３　総務大臣は、裁決をしたときは、行政不服審査法 (*) 第51条の規定によるほか、裁決書の謄本を第89条の規定による参加人に送付しなければならない。

＊　行政不服審査法（前条及び附録参照）

（参考人の旅費等）

第95条　第92条の２の規定により出頭を求められた参考人は、政令 (*) で定める額の旅費、日当及び宿泊料を受ける。

＊　電波法による旅費等の額を定める政令

（総務省令への委任）

第96条　この章に定めるもののほか、審理に関する手続は、総務省令 (*) で定める。

＊　電波監理審議会が行う審理及び意見の聴取に関する規則

（訴えの提起）

第96条の２　この法律又はこの法律に基づく命令 (*) の規定による総務大臣の処分に不服がある者は、当該処分についての審査請求に対する裁決に対してのみ、取消しの訴えを提起することができる。

＊　施行規則、設備規則、型式検定規則、従事者規則等

（専属管轄）

第97条　前条の訴え（審査請求を却下する裁決に対する訴えを除く。）は、東京高等裁判所の専属管轄とする。

（記録の送付）

第98条　前条の訴の提起があつたときは、裁判所は、遅滞なく総務大臣に対し当該事件の記録の送付を求めなければならない。

（事実認定の拘束力）

第99条　第97条の訴については、電波監理審議会が適法に認定した事実は、これを立証する実質的な証拠があるときは、裁判所を拘束する。

２　前項に規定する実質的な証拠の有無は、裁判所が判断するものとする。

第７章の２　電波監理審議会

（設置）

第99条の２　電波及び放送法第２条第１号に規定する放送に関する事務の公平かつ能率的な運営を図り、この法律及び放送法の規定によりその権限に属させられた事項を処理するため、総務省に電波監理審議会を置く。

（組織）

第99条の２の２　電波監理審議会は、委員５人をもつて組織する。

2　審議会に会長を置き、委員の互選により選任する。

3　会長は、会務を総理する。

4　電波監理審議会は、あらかじめ、委員のうちから、会長に事故がある場合に会長の職務を代行する者を定めて置かなければならない。

（委員の任命）

第99条の３　委員は、公共の福祉に関し公正な判断をすることができ、広い経験と知識を有する者のうちから、両議院の同意を得て、総務大臣が任命する。

2　委員の任期が満了し、又は欠員を生じた場合において、国会の閉会又は衆議院の解散のため両議院の同意を得ることができないときは、総務大臣は、前項の規定にかかわらず、両議院の同意を得ないで委員を任命することができる。この場合においては、任命後最初の国会において、両議院の同意を得なければならない。

3　次の各号のいずれかに該当する者は、委員となることができない。

一　禁錮以上の刑に処せられた者

二　国家公務員として懲戒免職の処分を受け、当該処分の日から２年を経過しない者

三　放送法第２条第26号に規定する放送事業者、同条第27号に規定する認定放送持株会社、同法第152条第２項に規定する有料放送管理事業者、電気通信事業法第２条第５号に規定する電気通信事業者（電気通信回線設備（送信の場所と受信の場所との間を接続する伝送路設備及びこれと一体として設置される交換設備並びにこれらの附属設備をいう。）を設置する者に限る。）、無線設備の機器の製造業者若しくは販売業者又はこれらの者が法人であるときはその役員（いかなる名称によるかを問わずこれと同等以上の職権又は支配力を有する者を含む。以下この条において同じ。）若しくはその法人の議決権の10分の１以上を有する者（任命の日以前１年間においてこれらに該当した者を含む。）

四　前号に掲げる事業者の団体の役員（任命の日以前１年間においてこれに該当した者を含む。）

（服務）

第99条の４　国家公務員法（昭和22年法律第120号）第96条、第98条から第102条まで及び第105条の規定は、委員に準用する。

（任期）

第99条の５　委員の任期は、３年とする。但し、補欠の委員は、前任者の残任期間在任する。

2　委員は、再任されることができる。

（退職）

第99条の６　委員は、第99条の３第２項後段の規定による両議院の同意が得られなかつたときは、当然退職するものとする。

（罷免）

第99条の７　総務大臣は、委員が第99条の３第３項各号の一に該当するに至つたときは、これを罷免しなければならない。

第99条の８　総務大臣は、委員が心身の故障のため職務の執行ができないと認めるとき、又は委員に職務上の義務違反その他委員たるに適しない非行があると認めるときは、両議院の同意を得て、これを罷免することができる。

（退職後の就職の制限）

第99条の９　委員であつた者は、その退職後１年間は、第99条の３第３項第３号及び第４号に掲げる職についてはならない。

（会議及び手続）

第99条の10　電波監理審議会は、会長を含む３人以上の委員の出席がなければ、会議を開き、議決をすることができない。

2　電波監理審議会の議事は、出席者の過半数をもつて決する。可否同数のときは、会長の決するところによる。

3　前二項に定めるもののほか、電波監理審議会の会議の議事に関する手続は、総務省令（*）で定める。

　＊　電波監理審議会議事規則

（必要的諮問事項）

第99条の11　総務大臣は、次に掲げる事項については、電波監理審議会に諮問しなければならない。

一　第４条第１号、第２号及び第３号（免許等を要しない無線局）、第４条の２第１項、第２項（用途、周波数その他の条件を勘案した無線局の定めに係るものに限る。）及び第３項（適合表示無線設備とみなす条件）、第４条の３（呼出符号又は呼出名称の指定）、第６条第８項（無線局の免許申請期間）、第７条第１項第４号（基幹放送局以外の無線局の開設の

根本的基準)、同条第2項第6号ハ(基幹放送に加えて基幹放送以外の無線通信の送信をする無線局の基準)、同項第7号(基幹放送局の開設の根本的基準)、第8条第1項第3号(識別信号)、第9条第1項ただし書(許可を要しない工事設計変更)、同条第5項及び第17条第2項(基幹放送の業務に用いられる電気通信設備の変更)、第13条第1項(無線局の免許の有効期間)、第15条(簡易な免許手続)、第24条の2第4項第2号(検査等事業者の登録)、第26条の2第1項(電波の利用状況の調査等)、第27条の2(特定無線局)、第27条の4第3号(特定無線局の開設の根本的基準)、第27条の5第3項(包括免許の有効期間)、第27条の6第3項(特定無線局の開設等の届出)、第27条の13第7項(開設計画の認定の有効期間)、第27条の18第1項(登録)、第27条の21(登録の有効期間)、第27条の23第1項(変更登録を要しない軽微な変更)、第27条の30第1項(包括登録人に関する変更登録を要しない軽微な変更)、第27条の31(無線局の開設の届出)、第27条の35第1項(電気通信紛争処理委員会によるあつせん及び仲裁)、第28条(第100条第5項において準用する場合を含む。)(電波の質)、第29条(受信設備の条件)、第30条(第100条第5項において準用する場合を含む。)(安全施設)、第31条(周波数測定装置の備付け)、第32条(計器及び予備品の備付け)、第33条(義務船舶局の無線設備の機器)、第35条(義務船舶局等の無線設備の条件)、第36条(義務航空機局の条件)、第37条(無線設備の機器の検定)、第38条(第100条第5項において準用する場合を含む。)(技術基準)、第38条の2の2第1項(特定無線設備)、第38条の3第1項第2号(登録の基準)、第38条の33第1項(特別特定無線設備)、第39条第1項、第2項、第3項、第5項及び第7項(無線設備の操作)、第39条の13ただし書(アマチュア無線局の無線設備の操作)、第41条第2項第2号、第3号及び第4号(無線従事者の養成課程に関する認定の基準等)、第47条(試験事務の実施)、第48条の3第1号(船舶局無線従事者証明の失効)、第49条(国家試験の細目等)、第50条(遭難通信責任者の配置等)、第52条第1号、第2号、第3号及び第6号(目的外使用)、第55条(運用許容時間外運用)、第61条(通信方法等)、第65条(聴守義務)、第66条第1項(遭難通信)、第67条第2項(緊急通信)、第70条の4(聴守義務)、第70条の5(航空機局の通信連絡)、第70条の5の2第2項第1号及び第3項ただし書(無線設備等保守規程の認定等)、第70条の8第1項(免許人以外の者に簡易な操作による運用を行わせることができる無線局)、第71条の3第4項(第71条の3の2第11項において準用する場合を含む。)(給付金の支給基準)、第73条第1項(検査)、同条第3項(人の生命又は身体の安全の確保のためその適正な運用の確保が必要な無線局の定めに係るものに限る。)(国の定期検査を必要とする無線局)、第78条(第4条の2第5項において準用する場合を含む。)(電波の発射を防止するための措置)、第100条第1項第2号(高周波利用設備)、第102条の11第4項(適正な運用の確保が必要な無線局)、第102条の13第1項(特定の周波数を使用する無線設備の指定)、第102条の14第1項(指定無線設備の販売における告知等)、第102条の14の2(情報通信の技術を利用する方法)、第102条の18第1項(測定器等)、同条第9項(較正の業務の実施)並びに第103条の2第7項ただし書及び第11項(電波利用料の徴収等)の規定による総務省令の制定又は改廃

二　第7条第3項又は第4項の規定による基幹放送用周波数使用計画の制定又は変更、第26条第1項の周波数割当計画(同条第2項第4号に係る部分を除く。)の作成又は変更、第26条の2第2項の規定による電波の有効利用の程度の評価、第27条の12第1項の開設指針の制定又は変更及び第71条の2第2項の特定公示局の決定又は変更

三　第27条の15第2項若しくは第3項の規定による開設計画の認定の取消し、同項の規定による無線局の免許等の取消し、第39条の11第2項(第47条の5、第71条の3第11項、第102条の17第5項及び第102条の18第13項において準用する場合を含む。)の規定による指定講習機関、指定試験機関、指定周波数変更対策機関、センター若しくは指定較正機関の指定の取消し、第47条の2第3項(第71条の3第11項及び第102条の18第13項において準用する場合を含む。)の規定による指定試験機関若しくは指定周波数変更対策機関の役員、指定試験機関の試験員若しくは指定較正機関の較正員の解任の命令、第70条の5の2第7項若しくは第8項の規定による無線設備等保守規程の認定の取消し、第76条第4項、第5項、第7項若しくは第8項の規定による無線

局の免許の取消し、同項の規定による開設計画若しくは無線設備等保守規程の認定の取消し、同条第６項、第７項若しくは第８項の規定による第27条の18第１項の登録の取消し、第76条の２の規定による指定無線局数の削減及び周波数の指定の変更、第76条の２の２の規定による登録に係る無線局の開設の禁止若しくは登録局の運用の制限、第76条の３第１項の規定による無線局の周波数の指定の変更、登録局の周波数の変更の命令若しくは無線局の免許等の取消し又は第79条第１項（同条第２項において準用する場合を含む。）の規定による無線従事者の免許若しくは船舶局無線従事者証明の取消し

四　第４条の規定による免許（地上基幹放送をする無線局の再免許であるものに限る。）、第８条の規定による無線局の予備免許、第９条第１項の規定による工事設計変更の許可、同条第４項若しくは第17条第１項の規定による無線局の目的、放送事項若しくは基幹放送の業務に用いられる電気通信設備の変更の許可、第27条の５第１項の規定による包括免許、第27条の８第１項の規定による特定無線局の目的の変更の許可、第27条の13第１項の規定による開設計画の認定、第39条の２第１項の規定による指定講習機関の指定、第46条第１項の規定による指定試験機関の指定、第70条の５の２第１項の規定による無線設備等保守規程の認定、第71条第１項の規定による無線局の周波数等の指定の変更若しくは登録局の周波数等若しくは人工衛星局の無線設備の設置場所の変更の命令、第71条の３第１項の規定による指定周波数変更対策機関の指定、第102条の２第１項の規定による伝搬障害防止区域の指定、第102条の17第１項の規定によるセンターの指定又は第102条の18第１項の規定による指定較正機関の指定

五　第38条の２第２項の規定による通知（第100条第５項において準用する場合を含む。）

2　前項各号（第３号を除く。）に掲げる事項のうち、電波監理審議会が軽微なものと認めるものについては、総務大臣は、電波監理審議会に諮問しないで措置をすることができる。

（意見の聴取）

第99条の12　電波監理審議会は、前条第１項第３号の規定により諮問を受けた場合には、意見の聴取を行わなければならない。

2　電波監理審議会は、前項の場合のほか、前条第１項各号（第３号を除く。）の規定により諮問を受けた場合において必要があると認めるときは、意見の聴取を行うことができる。

3　前２項の意見の聴取の開始は、審理官（第６項において準用する第87条ただし書の場合はその委員。以下同じ。）の名をもつて、事案の要旨並びに意見の聴取の期日及び場所を公告して行う。ただし、当該事案が特定の者に対して処分をしようとするものであるときは、当該特定の者に対し、事案の要旨、意見の聴取の期日及び場所並びに出頭を求める旨を記載した意見聴取開始通知書を送付して行うものとする。

4　前項ただし書の場合には、事案の要旨並びに意見の聴取の期日及び場所を公告しなければならない。

5　第１項及び第２項の意見の聴取（行政手続法（平成５年法律第88号）第２条第４号に規定する不利益処分（次項及び第８項において単に「不利益処分」という。）に係るものを除く。）においては、当該事案に利害関係を有する者は、審理官の許可を得て、意見の聴取の期日に出頭し、意見を述べることができる。

6　第87条、第90条から第93条の３まで及び第96条の規定は第１項及び第２項の意見の聴取に、第89条及び行政手続法第18条の規定は不利益処分に係る第１項及び第２項の意見の聴取について準用する。この場合において、第90条第３項中「審査請求人」とあるのは「第99条の12第３項ただし書の意見聴取開始通知書の送付を受けた者（第47条の２第３項（第71条の３第11項及び第102条の18第13項において準用する場合を含む。）の規定による指定試験機関に対するその役員若しくは試験員の解任の命令、指定周波数変更対策機関に対するその役員の解任の命令又は指定較正機関に対するその較正員の解任の命令の処分に係る意見の聴取においては、第99条の12第３項ただし書の意見聴取開始通知書の送付を受けた者及び当該役員、当該試験員又は当該較正員。以下第92条の５までにおいて「当事者」という。）」と、第91条から第92条の５までの規定中「審査請求人」とあるのは「当事者」と、第96条中「この章」とあるのは「第99条の12」と、行政手続法第18条第１項中「当事者」とあるのは「電波法第99条の12第６項において読み替えて準用する同法第90条第３項の当事者」と、「参加人」とあるのは「同法第99条の12第６項において準用する同法第89条第１項又は第２項の参加人」と、「聴聞の通知」とあるのは「同法第99条の12第３項ただし書に規定

する意見聴取開始通知書の送付」と読み替えるものとする。
7　第1項又は第2項の規定により意見の聴取を行つた事案については、電波監理審議会は、前項において準用する第93条の調書及び意見書に基づき答申を議決しなければならない。
8　第1項又は第2項の規定による意見の聴取を経てされる処分であつて、不利益処分に該当するものについては、行政手続法第3章（第12条及び第14条を除く。）の規定は、適用しない。

（勧告）
第99条の13　電波監理審議会は、第99条の11に掲げる事項に関し、総務大臣に対して必要な勧告をすることができる。
2　総務大臣は、前項の勧告を受けたときは、その内容を公表しなければならない。

（審理官）
第99条の14　電波監理審議会に、審理官5人以内を置く。
2　審理官は、前章（放送法第180条において準用する場合を含む。）に規定する審理又は第99条の12若しくは同法第178条に規定する意見の聴取の手続を主宰する。
3　審理官は、電波監理審議会の議決を経て、総務大臣が任命する。

第8章　雑則

（高周波利用設備）
第100条　左に掲げる設備を設置しようとする者は、当該設備につき、総務大臣の許可を受けなければならない。
一　電線路に10キロヘルツ以上の高周波電流を通ずる電信、電話その他の通信設備（ケーブル搬送設備、平衡二線式裸線搬送設備その他総務省令（＊1）で定める通信設備を除く。）
二　無線設備及び前号の設備以外の設備であつて10キロヘルツ以上の高周波電流を利用するもののうち、総務省令（＊2）で定めるもの
2　前項の許可の申請があつたときは、総務大臣は、当該申請が第5項において準用する第28条、第30条又は第38条の技術基準に適合し、且つ、当該申請に係る周波数の使用が他の通信（総務大臣がその公示（＊）する場所において行なう電波の監視を含む。）に妨害を与えないと認めるときは、これを許可しなければならない。
3　第1項の許可を受けた者が当該設備を譲り渡したとき、又は同項の許可を受けた者について相続、合併若しくは分割（当該設備を承継させるものに限る。）があつたときは、当該設備を譲り受けた者又は相続人、合併後存続する法人若しくは合併により設立された法人若しくは分割により当該設備を承継した法人は、同項の許可を受けた者の地位を承継する。
4　前項の規定により第1項の許可を受けた者の地位を承継した者は、遅滞なく、その事実を証する書面を添えてその旨を総務大臣に届け出なければならない。
5　第14条第1項及び第2項（免許状）、第17条（変更等の許可）、第21条（免許状の訂正）、第22条、第23条（無線局の廃止）、第24条（免許状の返納）、第28条（電波の質）、第30条（安全施設）、第38条（技術基準）、第38条の2（無線設備の技術基準の策定等の申出）、第71条の5（技術基準適合命令）、第72条（電波の発射の停止）、第73条第5項及び第7項（検査）、第76条、第77条（無線局の免許の取消し等）並びに第81条（報告）の規定は、第1項の規定により許可を受けた設備に準用する。
（告示＊平13第189号）
＊1　施行規則第44条
＊2　施行規則第45条

（無線設備の機能の保護）
第101条　第82条第1項の規定は、無線設備以外の設備（前条の設備を除く。）が副次的に発する電波又は高周波電流が無線設備の機能に継続的且つ重大な障害を与えるときに準用する。

第102条　総務大臣の施設した無線方位測定装置の設置場所から1キロメートル以内の地域に、電波を乱すおそれのある建造物又は工作物であつて総務省令（＊1）で定めるものを建設しようとする者は、あらかじめ総務大臣にその旨を届け出なければならない。
2　前項の無線方位測定装置の設置場所は、総務大臣が公示（＊）する。
（告示＊平13第190号）
＊1　施行規則第51条

（伝搬障害防止区域の指定）
第102条の2　総務大臣は、890メガヘルツ以上の周波数の電波による特定の固定地点間の無線通信で次の各号の一に該当するもの（以下「重要無線通信」という。）の電波伝搬路における当該電波の伝搬障害を防止して、重要無線通信の確保を図るため必要があるときは、その必要の範囲内において、当該電波伝搬路の地上投影面に沿い、

その中心線と認められる線の両側それぞれ100メートル以内の区域を伝搬障害防止区域として指定することができる。
一　電気通信業務の用に供する無線局の無線設備による無線通信
二　放送の業務の用に供する無線局の無線設備による無線通信
三　人命若しくは財産の保護又は治安の維持の用に供する無線設備による無線通信
四　気象業務の用に供する無線設備による無線通信
五　電気事業に係る電気の供給の業務の用に供する無線設備による無線通信
六　鉄道事業に係る列車の運行の業務の用に供する無線設備による無線通信
2　前項の規定による伝搬障害防止区域の指定は、政令（＊1）で定めるところにより告示をもつて行わなければならない。
3　総務大臣は、政令（＊2）で定めるところにより、前項の告示に係る伝搬障害防止区域を表示した図面を総務省及び関係地方公共団体の事務所に備え付け、一般の縦覧に供しなければならない。
4　総務大臣は、第2項の告示に係る伝搬障害防止区域について、第1項の規定による指定の理由が消滅したときは、遅滞なく、その指定を解除しなければならない。
＊1　電波法施行令第8条
＊2　電波法施行令第9条

（伝搬障害防止区域における高層建築物等に係る届出）
第102条の3　前条第2項の告示に係る伝搬障害防止区域内（その区域とその他の区域とにわたる場合を含む。）においてする次の各号の一に該当する行為（以下「指定行為」という。）に係る工事の請負契約の注文者又はその工事を請負契約によらないで自ら行なう者（以下単に「建築主」という。）は、総務省令（＊1）で定めるところにより、当該指定行為に係る工事に自ら着手し又はその工事の請負人（請負工事の下請人を含む。以下同じ。）に着手させる前に、当該指定行為に係る工作物につき、敷地の位置、高さ、高層部分（工作物の全部又は一部で地表からの高さが31メートルをこえる部分をいう。以下同じ。）の形状、構造及び主要材料、その者が当該指定行為に係る工事の請負契約の注文者である場合にはその工事の請負人の氏名又は名称及び住所その他必要な事項を書面により総務大臣に届け出なければならない。
一　その最高部の地表からの高さが31メートルをこえる建築物その他の工作物（土地に定着する工作物の上部に建築される一又は二以上の工作物の最上部にある工作物の最高部の地表からの高さが31メートルをこえる場合における当該各工作物のうち、それぞれその最高部の地表からの高さが31メートルをこえるものを含む。以下「高層建築物等」という。）の新築
二　高層建築物等以外の工作物の増築又は移築で、その増築又は移築後において当該工作物が高層建築物等となるもの
三　高層建築物等の増築、移築、改築、修繕又は模様替え（改築、修繕及び模様替えについては、総務省令（＊2）で定める程度のものに限る。）
2　前項の規定による届出をした建築主は、届出をした事項を変更しようとするときは、総務省令（＊3）で定めるところにより、その変更に係る事項を書面により総務大臣に届け出なければならない。
3　前二項の規定による届出があつた場合において、その届出に係る文書の記載をもつてしては、当該高層部分が当該伝搬障害防止区域に係る重要無線通信の電波伝搬路における当該電波の伝搬障害を生ずる原因（以下「重要無線通信障害原因」という。）となるかどうかを判定することができないときは、総務大臣は、その判定に必要な範囲内において、その届出をした建築主に対し、期限を定めて、さらに必要と認められる事項の報告を求めることができる。
4　前条第1項の規定による伝搬障害防止区域の指定があつた際現に当該伝搬障害防止区域内（その区域とその他の区域とにわたる場合を含む。）において施工中の指定行為（総務省令（＊4）で定める程度にその施工の準備が完了したものを含む。）については、第1項の規定は、適用しない。
5　前項に規定する指定行為に係る建築主は、当該伝搬障害防止区域の指定後遅滞なく、総務省令（＊3）で定めるところにより、当該指定行為に係る工事の計画を総務大臣に届け出なければならない。
6　第4項に規定する指定行為に係る建築主が、当該伝搬障害防止区域の指定の際におけるその指定行為に係る工事の計画（従前この項の規定による届出に係る計画の変更があつた場合には、その変更後の計画）のうち総務省令（＊4）で定める事項に係るものを変更しようとする場合には、第2項及び第3項の規定を準用する。
＊1　電波法による伝搬障害の防止に関する規則第3条・第4条・第8条・第11条
＊2　電波法による伝搬障害の防止に関する規則第5条
＊3　電波法による伝搬障害の防止に

関する規則第８条・第11条
＊4　電波法による伝搬障害の防止に関する規則第６条

第102条の４　総務大臣は、建築主が、前条第１項又は第２項（同条第６項及び次項において準用する場合を含む。）の規定による届出をしなければならない場合において、その届出をしないで、指定行為に係る工事又は当該変更に係る事項に係る部分の工事（総務省令で定めるものを除く。）に自ら着手し又はその工事の請負人に着手させたことを知つたときは、直ちに、当該建築主に対し、期限を定めて、同条第１項又は第２項（同条第６項及び次項において準用する場合を含む。）の規定により届け出るべきものとされている事項を書面により総務大臣に届け出るべき旨を命じなければならない。
２　前項の規定に基づき前条第１項の規定により届け出るべきものとされている事項の届出を命ぜられてその届出をした者については、同条第２項の規定を準用する。
３　第１項の規定に基づく命令による届出又は前項において準用する前条第２項の規定による届出があつた場合には、同条第３項の規定を準用する。

（伝搬障害の有無等の通知）
第102条の５　総務大臣は、第102条の３第１項若しくは第２項（同条第６項及び前条第２項において準用する場合を含む。）の規定による届出又は前条第１項の規定に基づく命令による届出があつた場合において、その届出に係る事項を検討し、その届出に係る高層部分（変更の届出に係る場合にあつては、その変更後の高層部分。以下同じ。）が当該伝搬障害防止区域に係る重要無線通信障害原因となると認められるときは、その高層部分のうち当該重要無線通信障害原因となる部分（以下「障害原因部分」という。）を明示し、理由を付した文書により、当該高層部分が当該伝搬障害防止区域に係る重要無線通信障害原因とならないと認められるときは、その検討の結果を記載した文書により、その旨を当該届出をした建築主に通知しなければならない。
２　前項の規定による通知は、当該届出があつた日（第102条の３第３項（同条第６項及び前条第３項において準用する場合を含む。）の規定による報告を求めた場合には、その報告があつた日）から３週間以内にしなければならない。
３　第１項の場合において、前二項の規定により、届出に係る高層部分が当該伝搬障害防止区域に係る重要無線通信障害原因となると認められる旨の通知を発したときは、総務大臣は、その後直ちに、当該高層建築物等につき、建築主の氏名又は名称及び住所、敷地の位置、高さ、高層部分の形状、構造及び主要材料、障害原因部分その他必要な事項を書面により当該伝搬障害防止区域に係る重要無線通信を行なう無線局の免許人に通知するとともに、建築主からの届出に係る当該工事の請負人に対しても、当該障害原因部分その他必要な事項を書面により通知しなければならない。

（重要無線通信障害原因となる高層部分の工事の制限）
第102条の６　前条第１項及び第２項の規定により、届出に係る高層部分が当該伝搬障害防止区域に係る重要無線通信障害原因となると認められる旨の通知を受けた建築主は、次の各号のいずれかに該当する場合を除くほか、その通知を受けた日から２年間は、当該指定行為に係る工事のうち当該通知に係る障害原因部分に係るものを自ら行い又はその請負人に行わせてはならない。
一　当該指定行為に係る工事の計画を変更してその変更につき第102条の３第２項（同条第６項及び第102条の４第２項において準用する場合を含む。）の規定による届出をし、これにつき、前条第１項及び第２項の規定により当該高層部分が当該伝搬障害防止区域に係る重要無線通信障害原因とならない旨の通知を受けたとき。
二　当該伝搬障害防止区域に係る重要無線通信を行う無線局の免許人との間に次条第１項の規定による協議が調つたとき。
三　その他総務省令(＊)で定める場合
＊　電波法による伝搬障害の防止に関する規則第９条

（重要無線通信の障害防止のための協議）
第102条の７　前条に規定する建築主及び当該伝搬障害防止区域に係る重要無線通信を行なう無線局の免許人は、相互に、相手方に対し、当該重要無線通信の電波伝搬路の変更、当該高層部分に係る工事の計画の変更その他当該重要無線通信の確保と当該高層建築物等に係る財産権の行使との調整を図るため必要な措置に関し協議すべき旨を求めることができる。
２　総務大臣は、前項の規定による協議に関し、当事者の双方又は一方からの申出があつた場合には、必要なあつせんを行うものとする。

（違反の場合の措置）

第102条の８　次の各号の一に該当する場合において、必要があると認められるときは、総務大臣は、その必要の範囲内において、当該各号の建築主に対し、当該建築主が現に自ら行ない若しくはその請負人に行なわせている当該各号の工事を停止し若しくはその請負人に停止させるべき旨又は相当の期間を定めて、その期間内は当該各号の工事を自ら行ない若しくはその請負人に行なわせてはならない旨を命ずることができる。

一　第102条の３第１項又は第２項（同条第６項及び第102条の４第２項において準用する場合を含む。）の規定に違反して建築主からこれらの規定による届出がなかつた場合（第102条の４第１項の規定に基づく命令による届出があり、これにつき第102条の５第１項及び第２項の規定による通知をした場合を除く。）において、当該建築主が、現に当該指定行為に係る工事のうち高層部分に係るものを自ら行ない若しくはその請負人に行なわせているとき、又は近く当該工事を自ら行ない若しくはその請負人に行なわせる見込みが確実であるとき。

二　総務大臣が第102条の３第３項（同条第６項及び第102条の４第３項において準用する場合を含む。）の規定により報告を求めたが当該建築主から期限までにその報告がない場合において、当該建築主が、現に当該指定行為に係る工事のうち高層部分に係るものを自ら行ない若しくはその請負人に行なわせているとき、又は近く当該工事を自ら行ない若しくはその請負人に行なわせる見込みが確実であるとき。

2　前項の相当の期間は、第102条の６に規定する期間を基準とし、当該高層部分が当該伝搬障害防止区域に係る重要無線通信障害原因となる程度、当該重要無線通信の電波伝搬路を変更するとすればその変更に通常要すべき期間その他の事情を勘案して定めるものとする。

3　総務大臣は、第１項の規定により建築主に対し期間を定めて高層部分に係る工事を自ら行ない又はその請負人に行なわせてはならない旨を命じた場合において、その期間中に、当該建築主と当該伝搬障害防止区域に係る重要無線通信を行なう無線局の免許人との間に協議がととのつたとき、第102条の６第１号又は第３号に該当するに至つたときその他その必要が消滅するに至つたときは、遅滞なく、当該命令を撤回しなければならない。

（報告の徴収）

第102条の９　総務大臣は、前７条の規定を施行するため特に必要があるときは、その必要の範囲内において、建築主から指定行為に係る工事の計画又は実施に関する事項で必要と認められるものの報告を徴することができる。

（総務大臣及び国土交通大臣の協力）

第102条の10　総務大臣及び国土交通大臣は、第102条の２から第102条の８までの規定の施行に関し相互に協力するものとする。

（基準不適合設備に関する勧告等）

第102条の11　無線設備の製造業者、輸入業者又は販売業者は、無線通信の秩序の維持に資するため、第３章に定める技術基準に適合しない無線設備を製造し、輸入し、又は販売することのないように努めなければならない。

2　総務大臣は、次の各号に掲げる場合において、当該各号に定める設計と同一の設計又は当該各号に定める設計と類似の設計であつて第３章に定める技術基準に適合しないものに基づき製造され、又は改造された無線設備（以下この項及び次条において「基準不適合設備」という。）が広く販売されることにより、当該基準不適合設備を使用する無線局が他の無線局の運用に重大な悪影響を与えるおそれがあると認めるときは、無線通信の秩序の維持を図るために必要な限度において、当該基準不適合設備の製造業者、輸入業者又は販売業者に対し、その事態を除去するために必要な措置を講ずべきことを勧告することができる。

一　無線局が他の無線局の運用を著しく阻害するような混信その他の妨害を与えた場合において、その妨害が第３章に定める技術基準に適合しない設計に基づき製造され、又は改造された無線設備を使用したことにより生じたと認めるとき　当該無線設備に係る設計

二　無線設備が第３章に定める技術基準に適合しない設計に基づき製造され、又は改造されたものであると認められる場合において、当該無線設備を使用する無線局が開設されたならば、当該無線局が他の無線局の運用を著しく阻害するような混信その他の妨害を与えるおそれがあると認めるとき　当該無線設備に係る設計

3　総務大臣は、前項の規定による勧告をした場合において、その勧告を受けた者がその勧告に従わないときは、その旨を公表することができる。

4　総務大臣は、第２項の規定による勧告を

受けた製造業者、輸入業者又は販売業者が、前項の規定によりその勧告に従わなかつた旨を公表された後において、なお、正当な理由がなくてその勧告に係る措置を講じなかつた場合において、その運用に重大な悪影響を与えられるおそれがあると認められる無線局が重要無線通信を行う無線局その他のその適正な運用の確保が必要な無線局として総務省令で定めるものであるときは、無線通信の秩序の維持を図るために必要な限度において、当該製造業者、輸入業者又は販売業者に対し、その勧告に係る措置を講ずべきことを命ずることができる。

5　総務大臣は、第２項の規定による勧告又は前項の規定による命令をしようとするときは、経済産業大臣の同意を得なければならない。

（報告の徴収）

第102条の12　総務大臣は、前条の規定の施行に必要な限度において、基準不適合設備の製造業者、輸入業者又は販売業者から、その業務に関し報告を徴することができる。

（特定の周波数を使用する無線設備の指定）

第102条の13　総務大臣は、第４条の規定に違反して開設される無線局のうち特定の範囲の周波数の電波を使用するもの（以下「特定不法開設局」という。）が著しく多数であると認められる場合において、その特定の範囲の周波数の電波を使用する無線設備（免許等を要しない無線局に使用するためのもの及び当該特定不法開設局に使用されるおそれが少ないと認められるものを除く。以下「特定周波数無線設備」という。）が広く販売されているため特定不法開設局の数を減少させることが容易でないと認めるときは、総務省令（*）で、その特定周波数無線設備を特定不法開設局に使用されることを防止すべき無線設備として指定することができる。

2　総務大臣は、前項の規定による指定の必要がなくなつたと認めるときは、当該指定を解除しなければならない。

3　総務大臣は、第１項の総務省令（*）を制定し、又は改廃しようとするときは、経済産業大臣に協議しなければならない。

　＊　施行規則第51条の２

（指定無線設備の販売における告知等）

第102条の14　前条第１項の規定により指定された特定周波数無線設備（以下「指定無線設備」という。）の小売を業とする者（以下「指定無線設備小売業者」という。）は、指定無線設備を販売するときは、当該指定無線設備を販売する契約を締結するまでの間に、その相手方に対して、当該指定無線設備を使用して無線局を開設しようとするときは無線局の免許等を受けなければならない旨を、告げ、又は総務省令（*１）で定める方法により示さなければならない。

2　指定無線設備小売業者は、指定無線設備を販売する契約を締結したときは、遅滞なく、次に掲げる事項を総務省令（*２）で定めるところにより記載した書面を購入者に交付しなければならない。

一　前項の規定により告げ、又は示さなければならない事項

二　無線局の免許等がないのに、指定無線設備を使用して無線局を開設した者は、この法律に定める刑に処せられること。

三　指定無線設備を使用する無線局の免許等の申請書を提出すべき官署の名称及び所在地（*）

　（告示＊平６第177号）

　＊１　施行規則第51条の３

　＊２　施行規則第51条の４

（情報通信の技術を利用する方法）

第102条の14の２　指定無線設備小売業者は、前条第２項の規定による書面の交付に代えて、政令（*１）で定めるところにより、当該購入者の承諾を得て、当該書面に記載すべき事項を電子情報処理組織を使用する方法その他の情報通信の技術を利用する方法であつて総務省令（*２）で定めるものにより提供することができる。この場合において、当該指定無線設備小売業者は、当該書面を交付したものとみなす。

　＊１　電波法施行令第10条

　＊２　施行規則第51条の４の２

（指示）

第102条の15　総務大臣は、指定無線設備小売業者が第102条の14の規定に違反した場合において、特定不法開設局の開設を助長して無線通信の秩序の維持を妨げることとなると認めるときは、その指定無線設備小売業者に対し、必要な措置を講ずべきことを指示することができる。

2　総務大臣は、前項の規定による指示をしようとするときは、経済産業大臣の同意を得なければならない。

（報告及び立入検査）

第102条の16　総務大臣は、前条の規定の施行に必要な限度において、指定無線設備小売業者から、その業務に関し報告を徴し、又はその職員に、指定無線設備小売業者の事業所に立ち入り、指定無線設備、帳簿、

書類その他の物件を検査させることができる。

2　第39条の9第2項及び第3項の規定は、前項の規定による立入検査について準用する。

（告示平27第55号）

（電波有効利用促進センター）

第102条の17　総務大臣は、電波の有効かつ適正な利用に寄与することを目的とする一般社団法人又は一般財団法人であつて、次項に規定する業務を適正かつ確実に行うことができると認められるものを、その申請により、電波有効利用促進センター（以下「センター」という。）として指定（*）することができる。

2　センターは、次に掲げる業務を行うものとする。

一　混信に関する調査その他の無線局の開設又は無線局に関する事項の変更に際して必要とされる事項について、照会及び相談に応ずること。

二　他の無線局と同一の周波数の電波を使用する無線局を当該他の無線局に混信その他の妨害を与えないように運用するに際して必要とされる事項について、照会に応ずること。

三　電波に関する条約を適切に実施するために行う無線局の周波数の指定の変更に関する事項、電波の能率的な利用に著しく資する設備に関する事項その他の電波の有効かつ適正な利用に寄与する事項について、情報の収集及び提供を行うこと。

四　電波の利用に関する調査及び研究を行うこと。

五　電波の有効かつ適正な利用について啓発活動を行うこと。

六　前各号に掲げる業務に附帯する業務を行うこと。

3　総務大臣は、センターの役員が、この法律、この法律に基づく命令若しくはこれらに基づく処分又は第5項において準用する第39条の5第1項の業務規程に違反したときは、そのセンターに対し、その役員の解任を勧告することができる。

4　総務大臣は、センターに対し、第2項第1号及び第2号に掲げる業務の実施に必要な無線局に関する情報の提供又は指導及び助言を行うことができる。

5　第39条の2第5項（第1号を除く。）、第39条の3、第39条の5、第39条の6、第39条の8、第39条の9、第39条の11及び第47条の3の規定は、センターについて準用する。この場合において、第39条の2第5項中「第2項の申請」とあるのは「第102条の17第1項の申請」と、第39条の3第1項中「指定に係る区分、講習の業務を行う事務所の所在地並びに講習の」とあるのは「第102条の17第2項に規定する業務を行う事務所の所在地並びに同項に規定する」と、同条第2項、第39条の8並びに第39条の11第2項（第4号を除く。）及び第3項中「講習の」とあるのは「第102条の17第2項に規定する」と、第39条の5中「講習の」とあるのは「第102条の17第2項第1号から第3号までに掲げる」と、第39条の9第1項中「対し、講習の」とあるのは「対し、第102条の17第2項に規定する」と、「立ち入り、講習の」とあるのは「立ち入り、同項に規定する」と、第39条の11第2項第1号中「、第39条の6、第39条の7又は前条第1項」とあるのは「又は第39条の6」と、同項第2号中「第39条の2第4項各号（第4号を除く。）のいずれかに適合しなくなつた」とあるのは「第102条の17第2項に規定する業務を適正かつ確実に実施することができない」と、同項第4号中「講習の」とあるのは「第102条の17第2項第1号から第3号までのいずれかに掲げる」と、第47条の3中「試験事務」とあるのは「第102条の17第2項第1号又は第2号に掲げる業務」と、同条第1項中「職員（試験員を含む。次項において同じ。）」とあるのは「職員」と読み替えるものとする。

（告示＊平7第337号）
（告示平19第69号）

（測定器等の較正）

第102条の18　無線設備の点検に用いる測定器その他の設備であつて総務省令（＊1）で定めるもの（以下この条において「測定器等」という。）の較正は、機構がこれを行うほか、総務大臣は、その指定（*）する者（以下「指定較正機関」という。）にこれを行わせることができる。

2　指定較正機関の指定は、前項の較正を行おうとする者の申請により行う。

3　機構又は指定較正機関は、第1項の較正を行つたときは、総務省令（＊2）で定めるところにより、その測定器等に較正をした旨の表示を付するものとする。

4　機構又は指定較正機関による較正を受けた測定器等以外の測定器等には、前項の表示又はこれと紛らわしい表示を付してはならない。

5　総務大臣は、第2項の申請が次の各号のいずれにも適合していると認めるときでなければ、指定較正機関の指定をしてはならない。

一　職員、設備、較正の業務の実施の方法

その他の事項についての較正の業務の実施に関する計画が較正の業務の適正かつ確実な実施に適合したものであること。
二　前号の較正の業務の実施に関する計画を適正かつ確実に実施するに足りる財政的基礎を有するものであること。
三　法人にあつては、その役員又は法人の種類に応じて総務省令（＊3）で定める構成員の構成が較正の公正な実施に支障を及ぼすおそれがないものであること。
四　前号に定めるもののほか、較正が不公正になるおそれがないものとして、総務省令（＊4）で定める基準に適合するものであること。
五　その指定をすることによつて較正の業務の適正かつ確実な実施を阻害することとならないこと。
6　総務大臣は、第2項の申請をした者が、次の各号のいずれかに該当するときは、指定較正機関の指定をしてはならない。
一　この法律に規定する罪を犯して刑に処せられ、その執行を終わり、又はその執行を受けることがなくなつた日から2年を経過しない者であること。
二　第13項において準用する第39条の11第1項又は第2項の規定により指定を取り消され、その取消しの日から2年を経過しない者であること。
三　法人であつて、その役員のうちに前2号のいずれかに該当する者があること。
7　指定較正機関の指定は、5年以上10年以内において政令（＊5）で定める期間ごとにその更新を受けなければ、その期間の経過によつて、その効力を失う。
8　第2項、第5項及び第6項の規定は、前項の指定の更新について準用する。
9　指定較正機関は、較正を行うときは、総務省令（＊6）で定める測定器その他の設備を使用し、かつ、総務省令（＊7）で定める要件を備える者（以下「較正員」という。）にその較正を行わせなければならない。
10　較正の業務に従事する指定較正機関の役員（法人でない指定較正機関にあつては、指定較正機関の指定を受けた者。第110条の2及び第113条の2において同じ。）及び職員（較正員を含む。）は、刑法その他の罰則の適用については、法令により公務に従事する職員とみなす。
11　指定較正機関は、較正の業務の全部又は一部を休止し、又は廃止しようとするときは、総務省令（＊8）で定めるところにより、あらかじめ、その旨を総務大臣に届け出なければならない。
12　総務大臣は、前項の規定による届出があつたときは、その旨を公示しなければならない。
13　第39条の3、第39条の5から第39条の9まで、第39条の11並びに第47条の2第2項及び第3項の規定は、指定較正機関について準用する。この場合において、第39条の3第1項中「指定に係る区分、講習の業務を行う事務所の所在地並びに講習」とあるのは「較正の業務を行う事務所の所在地並びに較正」と、同条第2項、第39条の5、第39条の7、第39条の8、第39条の9第1項並びに第39条の11第2項及び第3項中「講習」とあるのは「較正」と、第39条の11第1項中「第39条の2第5項各号（第3号」とあるのは「第102条の18第6項各号（第2号」と、同条第2項第1号中「又は前条第1項」とあるのは「、第47条の2第2項又は第102条の18第9項若しくは第11項」と、同項第2号中「第39条の2第4項各号（第4号」とあるのは「第102条の18第5項各号（第5号」と、同項第3号中「又は第39条の8」とあるのは「、第39条の8又は第47条の2第3項」と、第47条の2第2項中「試験員」とあるのは「役員又は較正員」と、同条第3項中「役員又は試験員」とあるのは「較正員」と、「第47条の5」とあるのは「第102条の18第13項」と読み替えるものとする。

（告示＊平18第507号、平25第126号、平26第262号、平30第194号、平30第287号）

＊1　較正規則第2条
＊2　較正規則第6条
＊3　較正規則第8条の2
＊4　較正規則第8条の3
＊5　電波法施行令第11条
＊6　較正規則第10条
＊7　較正規則第11条
＊8　較正規則第16条

（第13項において準用する第39条の9第2項の証明書　告示平19第70号）

（手数料の徴収）

第103条　次の各号に掲げる者は、政令の定めるところにより、実費を勘案して政令（＊）で定める額の手数料を国（指定講習機関が行う講習を受ける者にあつては当該指定講習機関、指定試験機関がその実施に関する事務を行う無線従事者国家試験を受ける者にあつては当該指定試験機関、機構が行う較正を受ける者にあつては機構）に納めなければならない。
一　第6条の規定による免許を申請する者
二　第10条の規定による検査を受ける者
三　第18条の規定による検査を受ける者（第71条第1項又は第76条の3第1項の

規定に基づく指定の変更を受けたため第17条第1項の許可を受けた者を除く。)
四　第24条の2の2第1項の規定による登録の更新を申請する者
五　第25条第2項の規定による情報の提供を受ける者
六　第27条の3の規定による免許を申請する者
七　第27条の13第1項の規定による認定を申請する者
八　第27条の18第1項の規定による登録を申請する者
九　第27条の29第1項の規定による登録を申請する者
十　第37条の規定による検定を受ける者
十一　第38条の4第1項の規定による登録の更新を申請する者
十二　第38条の18第1項の規定による技術基準適合証明を求める者
十三　第38条の24第3項において準用する第38条の18第1項の規定による工事設計認証を求める者
十四　第38条の39第1項の規定による登録を申請する者
十五　第38条の42第1項の規定による変更登録を申請する者
十六　第39条第7項の規定による講習を受ける者
十七　第41条の規定による無線従事者国家試験を受ける者
十八　第41条の規定による免許を申請する者
十九　第48条の2第1項の規定による船舶局無線従事者証明を申請する者
二十　第48条の2第2項第1号の総務大臣が行う訓練を受ける者
二十一　第48条の3第1号の総務大臣が行う訓練を受ける者
二十二　免許状、登録状、登録証、免許証又は船舶局無線従事者証明書の再交付を申請する者
二十三　第70条の5の2第1項の規定による認定を申請する者
二十四　第73条第1項の規定による検査を受ける者
二十五　前条第1項の規定による較正(指定較正機関が行うものを除く。)を受ける者

2　地震、台風、洪水、津波、雪害、火災、暴動その他非常の事態(以下この項において「地震等」という。)が発生し、又は発生するおそれがある場合において専ら人命の救助、災害の救援、交通通信の確保若しくは秩序の維持のために必要な通信又は第102条の2第1項各号に掲げる無線通信(当該必要な通信に該当するものを除く。)を行う無線局のうち、当該地震等による被害の発生を防止し、又は軽減するために必要な通信を行う無線局として総務大臣が認めるものであつて、臨時に開設するものについては、前項第1号、第2号、第6号、第8号又は第9号に掲げる者は、同項の規定にかかわらず、手数料を納めることを要しない。

3　第1項の規定により指定講習機関、指定試験機関又は機構に納められた手数料は、当該指定講習機関、当該指定試験機関又は機構の収入とする。

＊　電波法関係手数料令

(電波利用料の徴収等)

第103条の2　免許人等は、電波利用料として、無線局の免許等の日から起算して30日以内及びその後毎年その免許等の日に応当する日(応当する日がない場合には、その翌日。以下この条において「応当日」という。)から起算して30日以内に、当該無線局の免許等の日又は応当日(以下この項において「起算日」という。)から始まる各1年の期間(無線局の免許等の日が2月29日である場合においてその期間がうるう年の前年の3月1日から始まるときは翌年の2月28日までの期間とし、起算日から当該免許等の有効期間の満了の日までの期間が1年に満たない場合にはその期間とする。)について、別表第六の上欄に掲げる無線局の区分に従い同表の下欄に掲げる金額(起算日から当該免許等の有効期間の満了の日までの期間が1年に満たない場合には、その額に当該期間の月数を12で除して得た数を乗じて得た額に相当する金額)を国に納めなければならない。

2　前項の規定によるもののほか、広範囲の地域において同一の者により相当数開設される無線局(以下「広域開設無線局」という。)に使用させることを目的として別表第七の上欄に掲げる区域を単位として総務大臣が指定(＊1)する周波数(六千メガヘルツ以下のものに限る。)の電波(以下「広域使用電波」という。)を使用する広域開設無線局の免許人は、電波利用料として、毎年11月1日までに、その年の10月1日から始まる1年の期間について、当該免許人に係る広域使用電波の周波数の幅のメガヘルツで表した数値に当該区域に応じ同表の下欄に掲げる係数を乗じて得た数値を別表第八の上欄に掲げる広域使用電波の区分に従い同表の下欄に掲げる金額に乗じて得た額に相当する金額を国に納めなければならない。この場合において、広域使用電波を

最初に使用する無線局の免許の日（無線局の周波数の指定の変更を受けることにより当該広域使用電波を使用できることとなる場合には、当該指定の変更の日。以下この項において同じ。）が10月１日以外の日である場合における当該免許の日から同日以後の最初の９月末日までの期間についてのこの項前段の規定の適用については、「毎年11月１日までに、その年の10月１日から始まる１年の期間について」とあるのは「当該広域使用電波を最初に使用する無線局の免許の日（無線局の周波数の指定の変更を受けることにより当該広域使用電波を使用できることとなる場合には、当該指定の変更の日。以下この項において同じ。）の属する月の末日から起算して30日以内に、当該免許の日から同日以後の最初の９月末日までの期間について」と、「得た額」とあるのは「得た額に当該期間の月数を12で除して得た数を乗じて得た額」とする。

3　認定計画に係る指定された周波数の電波が広域使用電波である場合において、当該認定計画に係る認定開設者がその認定を受けた日から起算して６月を経過する日（認定計画に係る指定された周波数の電波が当該認定計画に係る認定開設者がその認定を受けた日後に広域使用電波となつた場合には、その認定を受けた日から起算して６月を経過する日又は当該指定された周波数の電波が広域使用電波となつた日のいずれか遅い日。以下この項において「６月経過日」という。）までに当該認定計画に係るいずれの特定基地局の免許も受けなかつたときは、当該認定開設者を当該６月経過日に当該広域使用電波を最初に使用する特定基地局の免許を受けた免許人とみなして、前項及び第19項の規定を適用する。

4　この条及び次条において「電波利用料」とは、次に掲げる電波の適正な利用の確保に関し総務大臣が無線局全体の受益を直接の目的として行う事務の処理に要する費用（同条及び第103条の４第１項において「電波利用共益費用」という。）の財源に充てるために免許人等、第12項の特定免許等不要局を開設した者又は第13項の表示者が納付すべき金銭をいう。

一　電波の監視及び規正並びに不法に開設された無線局の探査

二　総合無線局管理ファイル（全無線局について第６条第１項及び第２項、第27条の３、第27条の18第２項及び第３項並びに第27条の29第２項及び第３項の書類及び申請書並びに免許状等に記載しなければならない事項その他の無線局の免許等に関する事項を電子情報処理組織によつて記録するファイルをいう。）の作成及び管理

三　周波数を効率的に利用する技術、周波数の共同利用を促進する技術又は高い周波数への移行を促進する技術としておおむね５年以内に開発すべき技術に関する無線設備の技術基準の策定に向けた研究開発並びに既に開発されている周波数を効率的に利用する技術、周波数の共同利用を促進する技術又は高い周波数への移行を促進する技術を用いた無線設備について無線設備の技術基準を策定するために行う国際機関及び外国の行政機関その他の外国の関係機関との連絡調整、試験並びにその結果の分析

四　電波の人体等への影響に関する調査

五　標準電波の発射

六　電波の伝わり方について、観測を行い、予報及び異常に関する警報を送信し、並びにその他の通報をする事務並びに当該事務に関連して必要な技術の調査、研究及び開発を行う事務

七　特定周波数変更対策業務（第71条の３第９項の規定による指定周波数変更対策機関に対する交付金の交付を含む。）

八　特定周波数終了対策業務（第71条の３の２第11項において準用する第71条の３第９項の規定による登録周波数終了対策機関に対する交付金の交付を含む。第12項及び第13項において同じ。）

九　現に設置されている人命又は財産の保護の用に供する無線設備による無線通信について、当該無線設備が用いる技術の内容、当該無線設備が使用する周波数の電波の利用状況、当該無線通信の利用に対する需要の動向その他の事情を勘案して電波の能率的な利用に資する技術を用いた無線設備により行われるようにするため必要があると認められる場合における当該技術を用いた人命又は財産の保護の用に供する無線設備（当該無線設備と一体として設置される総務省令（＊２）で定める附属設備並びに当該無線設備及び当該附属設備を設置するために必要な工作物を含む。）の整備のための補助金の交付

十　前号に掲げるもののほか、電波の能率的な利用に資する技術を用いて行われる無線通信を利用することが困難な地域において必要最小の空中線電力による当該無線通信の利用を可能とするために行われる次に掲げる設備（当該設備と一体として設置される総務省令（＊３）で定める附属設備並びに当該設備及び当該附属設備を設置するために必要な工作物を含

む。）の整備のための補助金の交付その他の必要な援助
イ　当該無線通信の業務の用に供する無線局の無線設備及び当該無線局の開設に必要な伝送路設備
ロ　当該無線通信の受信を可能とする伝送路設備
十一　前二号に掲げるもののほか、電波の能率的な利用に資する技術を用いて行われる無線通信を利用することが困難なトンネルその他の環境において当該無線通信の利用を可能とするために行われる設備の整備のための補助金の交付
十二　電波の能率的な利用を確保し、又は電波の人体等への悪影響を防止するために行う周波数の使用又は人体等の防護に関するリテラシーの向上のための活動に対する必要な援助
十三　電波利用料に係る制度の企画又は立案その他前各号に掲げる事務に附帯する事務
5　包括免許人又は包括登録人（以下この条において「包括免許人等」という。）は、第１項の規定にかかわらず、電波利用料として、第１号包括免許人にあつては包括免許の日の属する月の末日及びその後毎年その包括免許の日に応当する日（応当する日がない場合には、その前日）の属する月の末日現在において開設している特定無線局の数（以下この項及び次項において「開設無線局数」という。）をその翌月の15日までに総務大臣に届け出て、当該届出が受理された日から起算して30日以内に、第２号包括免許人にあつては包括免許の日の属する月の末日及びその後毎年その包括免許の日に応当する日（応当する日がない場合には、その前日）の属する月の末日から起算して45日以内に、包括登録人にあつては第27条の29第１項の規定による登録の日の属する月の末日及びその後毎年その登録の日に応当する日（応当する日がない場合には、その前日）の属する月の末日から起算して45日以内にそれぞれ当該包括免許若しくは同項の規定による登録（以下「包括免許等」という。）の日又はその後毎年その包括免許等の日に応当する日（応当する日がない場合には、その翌日）から始まる各１年の期間（包括免許等の日が２月29日である場合においてその期間がうるう年の前年の３月１日から始まるときは翌年の２月28日までの期間とし、当該包括免許等の日又はその包括免許等の日に応当する日（応当する日がない場合には、その翌日）から当該包括免許等の有効期間の満了の日までの期間が１年に満たない場合にはその期間とする。以下この項及び次項において同じ。）について、第１号包括免許人にあつては370円（広域使用電波を使用する広域開設無線局を通信の相手方とする無線局については、170円）に、第２号包括免許人にあつては別表第六の上欄に掲げる無線局の区分に従い同表の下欄に掲げる金額に、包括登録人にあつては400円（移動しない無線局については、別表第九の上欄に掲げる無線局の区分に従い同表の下欄に掲げる金額）に、それぞれ当該１年の期間に係る開設無線局数又は開設登録局数（登録の日の属する月の末日及びその後毎年その登録の日に応当する日（応当する日がない場合には、その前日）の属する月の末日現在において開設している登録局の数をいう。次項において同じ。）を乗じて得た金額（当該包括免許等の日又はその包括免許等の日に応当する日（応当する日がない場合には、その翌日）から当該包括免許等の有効期間の満了の日までの期間が１年に満たない場合には、その額に当該期間の月数を12で除して得た数を乗じて得た額に相当する金額）を国に納めなければならない。
6　包括免許人等は、前項の規定によるもののほか、包括免許等の日又はその後毎年その包括免許等の日に応当する日（応当する日がない場合には、その翌日）から始まる各１年の期間において、当該包括免許等の日の属する月の翌月以後の月の末日又はその後毎年その包括免許等の日に応当する日（応当する日がない場合には、その前日）の属する月の翌月以後の月の末日現在において開設している特定無線局又は登録局の数がそれぞれ当該１年の期間に係る開設無線局数（特定無線局（第27条の２第１号に掲げる無線局に係るものに限る。）にあつては既にこの項の規定による届出があつた場合には、その届出の日以後においては、その届出に係る特定無線局の数、特定無線局（同条第２号に掲げる無線局に係るものに限る。）にあつては既に特定無線局の数が開設無線局数を超えた月があつた場合には、その月の翌月以後においては、その月の末日現在において開設している特定無線局の数）又は開設登録局数（既に登録局の数が開設登録局数を超えた月があつた場合には、その月の翌月以後においては、その月の末日現在において開設している登録局の数）を超えたときは、電波利用料として、第１号包括免許人にあつては当該開設している特定無線局の数を当該超えた月の翌月の15日までに総務大臣に届け出て、当該届出が受理された日から起算して30日以内に、第２号包括免許人又は包括登録人にあ

つては当該超えた月の末日から起算して45日以内に、当該超えた月から次の包括免許等の日に応当する日（応当する日がない場合には、その前日）の属する月の前月まで又は当該包括免許等の有効期間の満了の日の翌日の属する月の前月までの期間について、第１号包括免許人にあつては370円（広域使用電波を使用する広域開設無線局を通信の相手方とする無線局については、170円）に、第２号包括免許人にあつては別表第六の上欄に掲げる無線局の区分に従い同表の下欄に掲げる金額に、包括登録人にあつては400円（移動しない無線局については、別表第九の上欄に掲げる無線局の区分に従い同表の下欄に掲げる金額）に、それぞれその超える特定無線局の数又は登録局の数（当該包括免許人等が他の包括免許等（当該包括免許人等の包括免許等に係る無線局と同等の機能を有するものとして総務省令（＊4）で定める無線局に係るものに限る。）を受けている場合において、当該超えた月の末日現在において当該他の包括免許等に基づき開設している特定無線局の数又は登録局の数が当該超えた月の前月の末日現在において当該他の包括免許等に基づき開設している特定無線局の数又は登録局の数を下回るときは、当該超える特定無線局の数又は登録局の数を限度としてこれらの数からそれぞれその下回る特定無線局の数又は登録局の数を控除した数）を乗じて得た金額に当該期間の月数を12で除して得た数を乗じて得た額に相当する金額を国に納めなければならない。

7　広域使用電波を使用する第１号包括免許人（広域開設無線局の免許人であるものに限る。次項において同じ。）は、第１項及び前二項の規定にかかわらず、電波利用料として、同等の機能を有する特定無線局（第27条の２第１号に掲げる無線局に係るものであつて、広域使用電波を使用する広域開設無線局であるものに限る。以下この項及び次項において同じ。）の区分として総務省令（＊5）で定める区分（以下この項及び次項において「同等特定無線局区分」という。）ごとに、当該第１号包括免許人が受けている包括免許に基づき毎年10月末日現在において開設している特定無線局の数（次項において「開設特定無線局数」という。）をその年の11月15日までに総務大臣に届け出て、当該届出が受理された日から起算して30日以内に、その年の10月１日から始まる１年の期間（その年の10月１日からその包括免許の有効期間の満了の日までの期間が１年に満たない特定無線局にあつては、その期間）について、一局につき170円（その年の10月１日からその包括免許の有効期間の満了の日までの期間が１年に満たない特定無線局にあつては、170円に当該期間の月数を12で除して得た数を乗じて得た額に相当する金額）を国に納めなければならない。ただし、この項本文の規定により各同等特定無線局区分について算出された額が当該同等特定無線局区分に係る上限額（170円に、同等特定無線局区分周波数幅（当該同等特定無線局区分に係る当該開設している特定無線局が使用する広域使用電波の周波数の幅のメガヘルツで表した数値に当該広域使用電波に係る別表第七の上欄に掲げる区域に応じ同表の下欄に掲げる係数を乗じて得た数値をいう。）及び基準無線局数（電波の有効利用の程度を勘案して総務省令（＊6）で定める一メガヘルツ当たりの特定無線局の数をいう。）を乗じて得た額をいう。以下この項及び次項において同じ。）を超えるときは、当該第１号包括免許人がこの項の規定により当該同等特定無線局区分について国に納めなければならない電波利用料の額は、当該同等特定無線局区分に係る上限額とする。

8　広域使用電波を使用する第１号包括免許人は、前項の規定によるもののほか、同等特定無線局区分ごとに、毎年10月１日から始まる各１年の期間において、その年の11月以後の月の末日現在において開設している特定無線局（その年の11月１日以後の日を包括免許の日とする包括免許に基づき開設している特定無線局に限る。以下この項において「新規免許開設局」という。）の数がこの項の規定による届出に係る新規免許開設局の数（この項の規定により新規免許開設局の数についての届出がされていない場合には、零）を超えたとき、又は当該末日現在において開設している特定無線局（新規免許開設局を除く。以下この項において「既存免許開設局」という。）の数が当該１年の期間に係る開設特定無線局数（既にこの項の規定により既存免許開設局の数についての届出があつた場合には、その届出の日以後においては、その届出に係る既存免許開設局の数）を超えたときは、電波利用料として、新規免許開設局についてはその超えた月の末日現在における新規免許開設局の数を、既存免許開設局についてはその超えた月の末日現在における既存免許開設局の数をその翌月の15日までに総務大臣に届け出て、当該届出が受理された日から起算して30日以内に、当該届出に係る月からその年の翌年の９月（その年の翌年の９月末日より前にその包括免許の有効期間が満了する特定無線局にあつては、当該包括免許の有効期間の満了の日の翌日の属する月の前月）までの期間について、170円に、新規免許開設局についてはその超える新規免許開設局の数を、既存免許開設局についてはその超える既存免許開設局の数を乗じて得た金額に、当該期間の月数を12で除して得た数を乗じて得た額に相当する金額の合計額を国に納めなければならない。ただし、この項本文の規定により当該第１号包括免許人が開設している特定無線局に係る各同等特定無線局区分について算出された額に当該同等特定無線局区分に係る既納付額（当該第１号包括免許人が前項及びこの項の規定により既に当該１年の期間又は当該１年の期間に含まれる１年未満の期間について国に納めた当該同等特定無線局区分に係る電波利用料の額の合計額をいう。以下この項において同じ。）を加えて得た額が当該同等特定無線局区分に係る上限額を超えるときは、当該第１号包括免許人がこの項の規定により当該同等特定無線局区分について国に納めなければならない電波利用料の額は、当該同等特定無線局区分に係る上限額から当該同等特定無線局区分に係る既納付額を控除して得た額に相当する金額とする。

9　免許人が既開設局の免許人である場合における当該既開設局に係る第１項の規定の適用については、当該既開設局に係る周波数割当計画等の変更（当該既開設局に係る無線局区分の周波数の使用の期限に係るものに限る。）の公示の日から10年を超えない範囲内で政令で定める期間を経過する日までの間は、同項中「金額)」とあるのは、「金額）に、当該免許人等に係る特定周波数変更対策業務（第71条の３第９項の規定による指定周波数変更対策機関に対する交付金の交付を含む。）に要すると見込まれる費用の２分の１に相当する額に当該特定周波数変更対策業務に係る既開設局の各免許人が当該既開設局と特定新規開設局とを併せて開設する期間を平均した期間の当該既開設局に係る周波数割当計画等の変更（当該既開設局に係る無線局区分の周波数の使用の期限に係るものに限る。）の公示の日から当該周波数の使用の期限までの期間に対する割合を乗じた額を勘案し、当該既開設局の周波数及び空中線電力に応じて政令で定める金額を加算した金額」とする。

10　免許人等が特定公示局の免許人等である場合における当該特定公示局に係る第１項及び第５項から第８項までの規定の適用については、当該特定公示局に係る旧割当期限の満了の日（以下「満了日」という。）の翌日から起算して10年を超えない範囲内で政令（＊7）で定める期間を経過する日までの間は、第１項中「金額)」とあるのは「金額）に、当該免許人等に係る特定周波数終了対策業務（第71条の３の２第11項において準用する第71条の３第９項の規定による登録周波数終了対策機関に対する交付金の交付を含む。）に要すると見込まれる費用（第71条第２項又は第76条の３第２項の規定に基づき当該特定周波数終了対策業務に係る旧割当期限を定めた周波数の電波を使用する無線局の免許人等に対して補償する場合における当該補償に要すると見込まれる費用を含む。）の２分の１に相当する額及び第10項の政令で定める期間に開設されると見込まれる当該特定周波数終了対策業務に係る特定公示局の数を勘案し、無線局の種別、周波数及び空中線電力に応じて政令（＊8）で定める金額を加算した金額」と、第５項及び第６項中「掲げる金額)」とあるのは「掲げる金額）に、それぞれ当該包括免許人等に係る特定周波数終了対策業務（第71条の３の２第11項において準用する第71条の３第９項の規定による登録周波数終了対策機関に対する交付金の交付を含む。）に要すると見込まれる費用（第71条第２項又は第76条の３第２項の規定に基づき当該特定周波数終了対策業務に係る旧割当期限を定めた周波数の電波を使用する無線局の免許人等に対して補償する場合における当該補償に要すると見込まれる費用を含む。）の２分の１に相当する額及び第10項の政令で定める期間に開設されると見込まれる当該特定周波数終了対策業務に係る特定公示局の数を勘案し、無線局の種別、周波数及び空中線電力に応じて政令（＊8）で定める金額を加算した金額」と、第７項中「一局につき170円」とあるのは「一局につき170円に、当該第１号包括免許人に係る特定周波数終了対策業務（第71条の３の２第11項において準用する第71条の３第９項の規定による登録周波数終了対策機関に対する交付金の交付を含む。）に要すると見込まれる費用（第71条第２項又は第76条の３第２項の規定に基づき当該特定周波数終了対策業務に係る旧割当期限を定めた周波数の電波を使用する無線局の免許人等に対して補償する場合における当該補償に要すると見込まれる費用を含む。）の２分の１に相当する額及び第10項の政令で定める期間に開設されると見込まれる当該特定周波数終了対策業務に係る特定公示局の数を勘案し、無線局の種別、周波数及び空中線電力に応じて政令で定める金額（以下この項及び次項において「特定周波数終了対策業務に係る金額」という。）を加算した金額」と、「、170円」とあるのは「、170円に特定周波数終了対策業務に係る金額を加算した金額」と、「(170円」とあるのは「(170円に特定周波数終了対策業務に係る金額を加算した金額」と、第８項中「170円」とあるのは「170円に特定周波数終了対策業務に係る金額を加算した金額」とする。

11　前項の規定にかかわらず、免許人が特定公示局の免許人であつて認定計画に従つて特定基地局を最初に開設する場合における当該最初に開設する特定基地局（当該特定基地局が包括免許に係るものである場合には、当該包括免許に係る他の特定基地局を含む。以下この項において同じ。）に係る第１項又は第５項の規定の適用については、当該特定公示局に係る満了日の翌日から起算して５年を超えない範囲内で政令で定める期間を経過する日までの間は、第１項中「金額)」とあるのは「金額）に、当該免許人等に係る」と、同項及び第５項中「を国に」とあるのは「特定周波数終了対策業務（第71条の３の２第11項において準用する第71条の３第９項の規定による登録周波数終了対策機関に対する交付金の交付を含む。）に要すると見込まれる費用（第71条第２項又は第76条の３第２項の規定に基づき当該特定周波数終了対策業務に係る旧割当期限を定めた周波数の電波を使用する無線局の免許人等に対して補償する場合における当該補償に要すると見込まれる費用を含む。）の２分の１に相当する額を勘案して当該特定基地局に使用させることとする周波数及びその使用区域に応じて政令で定める金額と、当該政令で定める金額未満で当該認定計画に係る認定の有効期間、特定基地局の総数その他の当該認定計画が特定基地局の円滑な開設に寄与する程度を勘案して総務省令で定めるところにより算定した金額とを合算した金額を加算した金額を国に」と、同項中「相当する金額)」とあるのは「相当する金額）に、当該包括免許人等に係る」とする。この場合において、当該認定計画に従つて開設される当該最初に開設する特定基地局以外の特定基地局及び当該認定計画に従つて開設される特定基地局の通信の相手方である移動する無線局については、前項の規定は、適用しない。

12　特定周波数終了対策業務に係る全ての特定公示局が第４条第３号の無線局である場合における当該特定公示局（以下「特定免許等不要局」という。）に係る満了日の翌日から起算して10年を超えない範囲内で政令で定める期間を経過する日までの間（以下この条において「対象期間」という。）に当該特定周波数終了対策業務に係る特定免許等不要局（電気通信業務その他これに準ずる業務の用に供する無線局に専ら使用される無線設備であつて総務省令で定めるものを使用するものに限る。）を開設した者は、政令で定める無線局の有する機能ごとに、その者の氏名（法人にあつては、その名称及び代表者の氏名。次項において同じ。）及び住所並びに対象期間における毎年の当該特定免許等不要局に係る満了日に応当する日（応当する日がない場合には、その前日）現在において開設している当該特定免許等不要局の数（以下この項において「開設特定免許等不要局数」という。）をその日の属する月の翌月の15日までに総務大臣に届け出て、電波利用料として、当該届出が受理された日から起算して30日以内に、当該応当する日までの１年の期間について、当該特定免許等不要局に係る特定周波数終了対策業務に要すると見込まれる費用（第71条第２項又は第76条の３第２項の規定に基づき当該特定周波数終了対策業務に係る旧割当期限を定めた周波数の電波を使用する無線局の免許人等に対して補償する場合における当該補償に要する費用を含む。次項において同じ。）の２分の１に相当する額及び対象期間において開設されると見込まれる当該特定周波数終了対策業務に係る特定免許等不要局の数を勘案して当該政令で定める無線局の有する機能に応じて政令で定める金額に当該１年の期間に係る開設特定免許等不要局数を乗じて得た金額を国に納めなければならない。

13　前項に規定する場合において、当該特定周波数終了対策業務に係る特定免許等不要局に使用することができる無線設備（同項の総務省令で定めるものを除く。）に対象期間に表示（第38条の７第１項、第38条の26（外国取扱業者に適用される場合を除く。）又は第38条の35の規定による表示をいう。以下この項及び第21項において同じ。）を付した者（以下この条において「表示者」という。）は、政令で定める無線局の有する機能ごとに、その者の氏名及び住所並びに対象期間において毎年の満了日に応当する日（応当する日がない場合には、その前日）前１年間に表示を付した当該無線設備の数その他総務省令（＊9）で定める事項をその日の属する月の翌月の15日までに総務大臣に届け出て、電波利用料として、当該届出が受理された日から起算して30日以内に、当該無線設備を使用する特定免許等不要局に係る特定周波数終了対策業務に要すると見込まれる費用の２分の１に相当する額、対象期間において開設されると見込まれる当該特定周波数終了対策業務に係る特定免許等不要局の数及び当該無線設備が使用されると見込まれる平均的な期間を勘案して当該政令で定める無線局の有する機能に応じて政令で定める金額に、当該1年間に表示を付した無線設備の数（当該無線設備のうち、専ら本邦外において使用されると見込まれるもの及び輸送中又は保管中におけるその機能の障害その他これに類する理由により対象期間において使用されないと見込まれるものがある場合には、総務省令で定めるところにより、これらのものの数を控除した数。第21項後段において同じ。）を乗じて得た金額を国に納めなければならない。

14　第1項、第2項及び第5項から第12項までの規定は、第27条第1項の規定により免許を受けた無線局の免許人又は前条第2項に規定する無線局（次の各号に掲げる者が専ら当該各号に定める事務の用に供することを目的として開設する無線局（以下この項において「国の機関等が開設する無線局」という。）を除く。）若しくは国の機関等が開設する無線局その他これらに類するものとして政令（*10）で定める無線局の免許人等（当該無線局が特定免許等不要局であるときは、当該特定免許等不要局を開設した者）には、当該無線局に関しては適用しない。ただし、当該無線局（国の機関等が開設する無線局又はこの項本文の政令で定める無線局に限る。）が、電波の能率的な利用に資する技術を用いた無線設備を使用していないと認められるもの（その無線設備が使用する周波数の電波に関する需要の動向その他の事情を勘案して当該技術を用いた無線設備の導入を促進する必要性が低いと認められるものを除く。次項において同じ。）として政令で定めるものである場合は、この限りでない。

一　警察庁　警察法（昭和29年法律第162号）第2条第1項に規定する責務を遂行するために行う事務

二　消防庁又は地方公共団体　消防組織法（昭和22年法律第226号）第1条に規定する任務を遂行するために行う事務

三　法務省　刑事収容施設及び被収容者等の処遇に関する法律（平成17年法律第50号）第3条に規定する刑事施設、少年院法（平成26年法律第58号）第3条に規定する少年院、少年鑑別所法（平成26年法律第59号）第3条に規定する少年鑑別所及び婦人補導院法（昭和33年法律第17号）第1条第1項に規定する婦人補導院の管理運営に関する事務

四　出入国在留管理庁　出入国管理及び難民認定法（昭和26年政令第319号）第61条の3の2第2項に規定する事務

五　公安調査庁　公安調査庁設置法（昭和27年法律第241号）第4条に規定する事務

六　厚生労働省　麻薬及び向精神薬取締法（昭和28年法律第14号）第54条第5項に規定する職務を遂行するために行う事務

七　国土交通省　航空法第96条第1項の規定による指示に関する事務

八　気象庁　気象業務法（昭和27年法律第165号）第23条に規定する警報に関する事務

九　海上保安庁　海上保安庁法（昭和23年法律第28号）第2条第1項に規定する任務を遂行するために行う事務

十　防衛省　自衛隊法（昭和29年法律第165号）第3条に規定する任務を遂行するために行う事務

十一　国の機関、地方公共団体又は水防法（昭和24年法律第193号）第2条第2項に規定する水防管理団体　水防事務（第2号に定めるものを除く。）

十二　国の機関　災害対策基本法（昭和36年法律第223号）第3条第1項に規定する責務を遂行するために行う事務（前各号に定めるものを除く。）

15　次の各号に掲げる無線局（前項本文の政令で定めるものを除く。）の免許人等（当該無線局が特定免許等不要局であるときは、当該特定免許等不要局を開設した者）が納めなければならない電波利用料の金額は、当該各号に定める規定にかかわらず、これらの規定による金額の2分の1に相当する金額とする。ただし、当該無線局（第3号に掲げるものを除く。）が、電波の能率的な利用に資する技術を用いた無線設備を使用していないと認められるものとして政令で定めるものである場合は、この限りでない。

一　前項各号に掲げる者が当該各号に定める事務の用に供することを目的として開設する無線局（専ら当該各号に定める事務の用に供することを目的として開設するものを除く。）　第1項、第2項及び第5項から第12項まで

二　地方公共団体が開設する無線局であつて、災害対策基本法第2条第10号に掲げる地域防災計画の定めるところに従い防災上必要な通信を行うことを目的とするもの（専ら前項第2号及び第11号に定める事務の用に供することを目的として開設するもの並びに前号に掲げるものを除く。）　第1項及び第5項から第12項まで

三　周波数割当計画において無線局の使用する電波の周波数の全部又は一部について使用の期限が定められている場合（第71条の２第１項の規定の適用がある場合を除く。）において当該無線局をその免許等の日又は応当日から起算して２年以内に廃止することについて総務大臣の確認を受けた無線局　第１項

16　第１項、第２項、第５項及び第７項の月数は、暦に従つて計算し、１月に満たない端数を生じたときは、これを１月とする。

17　免許人等（包括免許人等を除く。）は、第１項の規定により電波利用料を納めるときには、その翌年の応当日以後の期間に係る電波利用料を前納することができる。

18　前項の規定により前納した電波利用料は、前納した者の請求により、その請求をした日後に最初に到来する応当日以後の期間に係るものに限り、還付する。

19　総務大臣は、総務省令で定めるところにより、免許人の申請に基づき、当該免許人が第２項前段の規定により納付すべき電波利用料を延納させることができる。

20　表示者は、第13項の規定にかかわらず、総務大臣の承認を受けて、同項の規定により当該表示者が対象期間のうち総務省令で定める期間（以下この条において「予納期間」という。）を通じて納付すべき電波利用料の総額の見込額を予納することができる。この場合において、当該表示者は、予納期間において同項の規定による届出をすることを要しない。

21　前項の規定により予納した表示者は、予納期間において表示を付した第13項の無線設備の数を予納期間が終了した日（当該表示者が表示に係る業務を休止し、又は廃止した場合その他総務省令（＊11）で定める事由が生じた場合には、当該事由が生じた日）の属する月の翌月の15日までに総務大臣に届け出なければならない。この場合において、当該表示者は、予納した電波利用料の金額が同項の政令で定める金額に予納期間において表示を付した無線設備の数を乗じて得た金額（次項において「要納付額」という。）に足りないときは、その不足金額を当該届出が受理された日から起算して30日以内に国に納めなければならない。

22　第20項の規定により表示者が予納した電波利用料の金額が要納付額を超える場合には、その超える金額について、当該表示者の請求により還付する。

23　総務大臣は、電波利用料を納付しようとする者から、預金又は貯金の払出しとその払い出した金銭による電波利用料の納付をその預金口座又は貯金口座のある金融機関に委託して行うことを希望する旨の申出があつた場合には、その納付が確実と認められ、かつ、その申出を承認することが電波利用料の徴収上有利と認められるときに限り、その申出を承認することができる。

24　前項の承認に係る電波利用料が同項の金融機関による当該電波利用料の納付の期限として総務省令（＊12）で定める日までに納付された場合には、その納付の日が納期限後である場合においても、その納付は、納期限までにされたものとみなす。

25　電波利用料を納付しようとする者は、その電波利用料の額が総務省令（＊13）で定める金額以下である場合には、納付受託者（第27項に規定する納付受託者をいう。次項において同じ。）に納付を委託することができる。

26　電波利用料を納付しようとする者が、納付受託者に納付しようとする電波利用料の額に相当する金銭を交付したときは、当該交付した日に当該電波利用料の納付があつたものとみなして、延滞金に関する規定を適用する。

27　電波利用料の納付に関する事務（以下この項及び第35項において「納付事務」という。）を適正かつ確実に実施することができると認められる者であり、かつ、政令（＊14）で定める要件に該当する者として総務大臣が指定（＊15）するもの（次項から第37項までにおいて「納付受託者」という。）は、電波利用料を納付しようとする者の委託を受けて、納付事務を行うことができる。

28　総務大臣は、前項の規定による指定をしたときは、納付受託者の名称、住所又は事務所の所在地その他総務省令（＊16）で定める事項を公示しなければならない。

29　納付受託者は、その名称、住所又は事務所の所在地を変更しようとするときは、あらかじめ、その旨を総務大臣に届け出なければならない。

30　総務大臣は、前項の規定による届出があつたときは、当該届出に係る事項を公示しなければならない。

31　納付受託者は、第25項の規定により電波利用料を納付しようとする者の委託に基づき当該電波利用料の額に相当する金銭の交付を受けたときは、総務省令（＊17）で定める日までに当該委託を受けた電波利用料を納付しなければならない。

32　納付受託者は、第25項の規定により電波利用料を納付しようとする者の委託に基づき当該電波利用料の額に相当する金銭の交付を受けたときは、遅滞なく、総務省令（＊18）で定めるところにより、その旨及び交付を受けた年月日を総務大臣に報告しなけ

ればならない。
33　納付受託者が第31項の電波利用料を同項の総務省令で定める日までに完納しないときは、総務大臣は、国税の保証人に関する徴収の例によりその電波利用料を納付受託者から徴収する。
34　総務大臣は、第31項の規定により納付受託者が納付すべき電波利用料については、当該納付受託者に対して国税滞納処分の例による処分をしてもなお徴収すべき残余がある場合でなければ、その残余の額について当該電波利用料に係る第25項の規定による委託をした者から徴収することができない。
35　納付受託者は、総務省令（*19）で定めるところにより、帳簿を備え付け、これに納付事務に関する事項を記載し、及びこれを保存しなければならない。
36　総務大臣は、第27項から前項までの規定を施行するため必要があると認めるときは、その必要な限度で、総務省令（*20）で定めるところにより、納付受託者に対し、報告をさせることができる。
37　総務大臣は、第27項から前項までの規定を施行するため必要があると認めるときは、その必要な限度で、その職員に、納付受託者の事務所に立ち入り、納付受託者の帳簿書類（その作成又は保存に代えて電磁的記録の作成又は保存がされている場合における当該電磁的記録を含む。）その他必要な物件を検査させ、又は関係者に質問させることができる。
38　前項の規定により立入検査を行う職員は、その身分を示す証明書を携帯し、かつ、関係者の請求があるときは、これを提示しなければならない。
39　第37項に規定する権限は、犯罪捜査のために認められたものと解してはならない。
40　総務大臣は、第27項の規定による指定を受けた者が次の各号のいずれかに該当するときは、その指定を取り消すことができる。
一　第27項に規定する指定の要件に該当しなくなつたとき。
二　第32項又は第36項の規定による報告をせず、又は虚偽の報告をしたとき。
三　第35項の規定に違反して、帳簿を備え付けず、帳簿に記載せず、若しくは帳簿に虚偽の記載をし、又は帳簿を保存しなかつたとき。
四　第37項の規定による立入り若しくは検査を拒み、妨げ、若しくは忌避し、又は同項の規定による質問に対して陳述をせず、若しくは虚偽の陳述をしたとき。
41　総務大臣は、前項の規定により指定を取り消したときは、その旨を公示しなければならない。
42　総務大臣は、電波利用料を納めない者があるときは、督促状によつて、期限を指定して督促しなければならない。
43　総務大臣は、前項の規定による督促を受けた者がその指定の期限までにその督促に係る電波利用料及び次項の規定による延滞金を納めないときは、国税滞納処分の例により、これを処分する。この場合における電波利用料及び延滞金の先取特権の順位は、国税及び地方税に次ぐものとする。
44　総務大臣は、第42項の規定により督促をしたときは、その督促に係る電波利用料の額につき年14.5パーセントの割合で、納期限の翌日からその納付又は財産差押えの日の前日までの日数により計算した延滞金を徴収する。ただし、やむを得ない事情があると認められるとき、その他総務省令（*21）で定めるときは、この限りでない。
45　第17項から前項までに規定するもののほか、電波利用料の納付の手続その他電波利用料の納付について必要な事項は、総務省令（*22）で定める。

＊1　施行規則第51条の９の９
＊2　施行規則第51条の９の12第１項
＊3　施行規則第51条の９の12第２項
＊4　施行規則第51条の10の２
＊5　施行規則第51条の10の２の２
＊6　施行規則第51条の10の２の６
＊7　電波法施行令第12条第１項
＊8　電波法施行令第12条第２項
＊9　施行規則第51条の10の４
＊10　電波法施行令第13条
＊11　施行規則第51条の11の２の７
＊12　施行規則第51条の11の７
＊13　施行規則第51条の11の８
＊14　電波法施行令第14条
＊15　施行規則第51条の11の10
＊16　施行規則第51条の11の11
＊17　施行規則第51条の11の14
＊18　施行規則第51条の11の15
＊19　施行規則第51条の11の17
＊20　施行規則第51条の11の18
＊21　施行規則第51条の14
＊22　施行規則第51条の10の６—第51条の11の２の６・第51条の11の２の８—第51条の11の６、第51条の11の10・第51条の11の12・第51条の11の13・第51条の11の16・第51条の12・第51条の13

第103条の３　政府は、毎会計年度、当該年度の電波利用料の収入額の予算額に相当する金額を、予算で定めるところにより、電波利用共益費用の財源に充てるものとする。

ただし、その金額が当該年度の電波利用共益費用の予算額を超えると認められるときは、当該超える金額については、この限りでない。
2　政府は、当該会計年度に要する電波利用共益費用に照らして必要があると認められるときは、当該年度の電波利用料の収入額の予算額のほか、当該年度の前年度以前で平成5年度以降の各年度の電波利用料の収入額の決算額（当該年度の前年度については、予算額）に相当する金額を合算した額から当該年度の前年度以前で平成5年度以降の各年度の電波利用共益費用の決算額（当該年度の前年度については、予算額）を合算した額を控除した額に相当する金額の全部又は一部を、予算で定めるところにより、当該年度の電波利用共益費用の財源に充てるものとする。
3　総務大臣は、前条第4項第3号に規定する研究開発の成果その他の同項各号に掲げる事務の実施状況に関する資料を公表するものとする。

（特定基地局開設料の使途）
第103条の4　政府は、特定基地局開設料の収入見込額に相当する金額を、電波を使用する高度情報通信ネットワークの整備を促進するために必要な施策、当該高度情報通信ネットワークを通じて流通する多様かつ大量の情報の活用による高い付加価値の創出を促進するために必要な施策及び当該付加価値が社会の諸課題の解決に活用されることを促進するために必要な施策の実施に要する経費（電波利用共益費用に該当するものを除く。）に充てるものとする。
2　前項の規定の適用については、金額の算出は、各年度において、その年度の予算金額によるものとする。

（船舶又は航空機に開設した外国の無線局）
第103条の5　第2章及び第4章の規定は、船舶又は航空機に開設した外国の無線局には、適用しない。
2　前項の無線局は、次に掲げる通信を行う場合に限り、運用することができる。
一　第52条各号の通信
二　電気通信業務を行うことを目的とする無線局との間の通信
三　航行の安全に関する通信（前号に掲げるものを除く。）

（特定無線局と通信の相手方を同じくする外国の無線局等）
第103条の6　第1号包括免許人は、第2章、第3章及び第4章の規定にかかわらず、総務大臣の許可を受けて、本邦内においてその包括免許に係る特定無線局と通信の相手方を同じくし、当該通信の相手方である無線局からの電波を受けることによつて自動的に選択される周波数の電波のみを発射する次に掲げる無線局を運用することができる。
一　外国の無線局（当該許可に係る外国の無線局の無線設備を使用して開設する無線局を含み、次号に掲げる無線局を除く。）
二　実験等無線局
2　前項の許可の申請があつたときは、総務大臣は、当該申請に係る無線局の無線設備が第3章に定める技術基準に相当する技術基準に適合していると認めるときは、これを許可しなければならない。
3　第1号包括免許人の包括免許がその効力を失つたときは、当該第1号包括免許人が受けていた第1項の許可は、その効力を失う。
4　第1号包括免許人が第1項の許可を受けたときは、当該許可に係る無線局を当該第1号包括免許人がその包括免許に基づき開設した特定無線局とみなして、第5章及び第6章の規定（当該無線局が当該許可に係る外国の無線局の無線設備を使用して開設する無線局又は同項第2号に掲げる無線局である場合にあつては、これらの規定のほか、第26条の2、第27条の7、第103条の2及び第103条の3の規定）を適用する。ただし、第71条第2項、第76条第5項第1号及び第2号、第76条の2並びに第76条の3第2項の規定を除く。

（国等に対する適用除外）
第104条　国については第103条及び次章の規定、独立行政法人通則法（平成11年法律第103号）第2条第1項に規定する独立行政法人（当該独立行政法人の業務の内容その他の事情を勘案して政令（＊1）で定めるものに限る。）については第103条の規定は、適用しない。ただし、他の法律の規定により国とみなされたものについては、同条の規定の適用があるものとする。（＊2）
2　この法律を国に適用する場合において「免許」又は「許可」とあるのは、「承認」と読み替えるものとする。
（告示平16第3号）
＊1　電波法施行令第15条
＊2　国立大学法人法施行令第23条

（予備免許等の条件等）
第104条の2　予備免許、免許、許可又は第27条の18第1項の登録には、条件又は期限を付することができる。

2　前項の条件又は期限は、公共の利益を増進し、又は予備免許、免許、許可若しくは第27条の18第１項の登録に係る事項の確実な実施を図るため必要最少限度のものに限り、かつ、当該処分を受ける者に不当な義務を課することとならないものでなければならない。

（権限の委任）

第104条の３　この法律に規定する総務大臣の権限は、総務省令（*）で定めるところにより、その一部を総合通信局長又は沖縄総合通信事務所長に委任することができる。

2　第７章の規定は、総合通信局長又は沖縄総合通信事務所長が前項の規定による委任に基づいてした処分についての審査請求及び訴訟に準用する。この場合において、第96条の２中「総務大臣」とあるのは、「総合通信局長又は沖縄総合通信事務所長」と読み替えるものとする。

　＊　施行規則第51条の15

（指定試験機関の処分に係る審査請求等）

第104条の４　この法律の規定による指定試験機関の処分に不服がある者は、総務大臣に対し、審査請求をすることができる。この場合において、総務大臣は、行政不服審査法第25条第２項及び第３項、第46条第１項及び第２項並びに第47条の規定の適用については、指定試験機関の上級行政庁とみなす。

2　第83条及び第85条から第96条までの規定は前項の規定による審査請求に、第96条の２から第99条までの規定は同項の処分についての訴訟に、それぞれ準用する。この場合において、第90条第２項及び第96条の２中「総務大臣」とあるのは「指定試験機関」と、第90条第２項中「所部の職員」とあるのは「役員又は職員」と読み替えるものとする。

（経過措置）

第104条の５　この法律の規定に基づき命令を制定し、又は改廃するときは、その命令（*）で、その制定又は改廃に伴い合理的に必要と判断される範囲内において、所要の経過措置（罰則に関する経過措置を含む。）を定めることができる。

　＊　電波法施行令附則第３条

第９章　罰則

第105条　無線通信の業務に従事する者が第66条第１項（第70条の６において準用する場合を含む。）の規定による遭難通信の取扱をしなかつたとき、又はこれを遅延させたときは、１年以上の有期懲役に処する。

2　遭難通信の取扱を妨害した者も、前項と同様とする。

3　前二項の未遂罪は、罰する。

第106条　自己若しくは他人に利益を与え、又は他人に損害を加える目的で、無線設備又は第100条第１項第１号の通信設備によつて虚偽の通信を発した者は、３年以下の懲役又は150万円以下の罰金に処する。

2　船舶遭難又は航空機遭難の事実がないのに、無線設備によつて遭難通信を発した者は、３月以上10年以下の懲役に処する。

第107条　無線設備又は第100条第１項第１号の通信設備によつて日本国憲法又はその下に成立した政府を暴力で破壊することを主張する通信を発した者は、５年以下の懲役又は禁こに処する。

第108条　無線設備又は第100条第１項第１号の通信設備によつてわいせつな通信を発した者は、２年以下の懲役又は100万円以下の罰金に処する。

第108条の２　電気通信業務又は放送の業務の用に供する無線局の無線設備又は人命若しくは財産の保護、治安の維持、気象業務、電気事業に係る電気の供給の業務若しくは鉄道事業に係る列車の運行の業務の用に供する無線設備を損壊し、又はこれに物品を接触し、その他その無線設備の機能に障害を与えて無線通信を妨害した者は、５年以下の懲役又は250万円以下の罰金に処する。

2　前項の未遂罪は、罰する。

第109条　無線局の取扱中に係る無線通信の秘密を漏らし、又は窃用した者は、１年以下の懲役又は50万円以下の罰金に処する。

2　無線通信の業務に従事する者がその業務に関し知り得た前項の秘密を漏らし、又は窃用したときは、２年以下の懲役又は100万円以下の罰金に処する。

第109条の２　暗号通信を傍受した者又は暗号通信を媒介する者であつて当該暗号通信を受信したものが、当該暗号通信の秘密を漏らし、又は窃用する目的で、その内容を復元したときは、１年以下の懲役又は50万円以下の罰金に処する。

2　無線通信の業務に従事する者が、前項の罪を犯したとき（その業務に関し暗号通信を傍受し、又は受信した場合に限る。）は、

２年以下の懲役又は100万円以下の罰金に処する。

3　前二項において「暗号通信」とは、通信の当事者（当該通信を媒介する者であつて、その内容を復元する権限を有するものを含む。）以外の者がその内容を復元できないようにするための措置が行われた無線通信をいう。

4　第１項及び第２項の未遂罪は、罰する。

5　第１項、第２項及び前項の罪は、刑法第４条の２の例に従う。

第109条の３　第47条の３第１項（第71条の３第11項、第71条の３の２第11項及び第102条の17第５項において準用する場合を含む。）の規定に違反して、その職務に関して知り得た秘密を漏らした者は、１年以下の懲役又は50万円以下の罰金に処する。

第110条　次の各号のいずれかに該当する者は、１年以下の懲役又は100万円以下の罰金に処する。

一　第４条の規定による免許又は第27条の18第１項の規定による登録がないのに、無線局を開設した者

二　第４条の規定による免許又は第27条の18第１項の規定による登録がないのに、かつ、第70条の７第１項、第70条の８第１項又は第70条の９第１項の規定によらないで、無線局を運用した者

三　第27条の７の規定に違反して特定無線局を開設した者

四　第100条第１項の規定による許可がないのに、同条同項の設備を運用した者

五　第52条、第53条、第54条第１号又は第55条の規定に違反して無線局を運用した者

六　第18条第１項の規定に違反して無線設備を運用した者

七　第71条の５（第100条第５項において準用する場合を含む。）の規定による命令に違反した者

八　第72条第１項（第100条第５項において準用する場合を含む。）又は第76条第１項（第70条の７第４項、第70条の８第３項、第70条の９第３項及び第100条第５項において準用する場合を含む。）の規定によつて電波の発射又は運用を停止された無線局又は第100条第１項の設備を運用した者

九　第74条第１項の規定による処分に違反した者

十　第76条第２項の規定による禁止に違反して無線局を開設した者

十一　第38条の22第１項（第38条の29及び第38条の38において準用する場合を含む。）の規定による命令に違反した者

十二　第38条の28第１項（第１号に係る部分に限る。）、第38条の36第１項（第１号に係る部分に限る。）又は第38条の37第１項の規定による禁止に違反した者

第110条の２　次の各号のいずれかに該当する者は、１年以下の懲役又は50万円以下の罰金に処する。

一　第24条の10又は第38条の17第２項（第38条の24第３項及び第71条の３の２第11項において準用する場合を含む。）の規定による命令に違反した者

二　第102条の６の規定に違反して、障害原因部分に係る工事を自ら行い、又はその請負人に行わせた者

三　第102条の８第１項の規定に基づく命令に違反して、高層部分に係る工事を停止せず、若しくはその請負人に停止させない者又は当該工事を自ら行い、若しくはその請負人に行わせた者

第110条の３　第39条の11第２項（第47条の５、第71条の３第11項、第102条の17第５項及び第102条の18第13項において準用する場合を含む。）の規定による業務の停止の命令に違反したときは、その違反行為をした指定講習機関、指定試験機関、指定周波数変更対策機関、センター又は指定較正機関の役員又は職員は、１年以下の懲役又は50万円以下の罰金に処する。

第110条の４　第99条の９の規定に違反した者は、１年以下の懲役又は50万円以下の罰金に処する。

第111条　次の各号のいずれかに該当する者は、６月以下の懲役又は30万円以下の罰金に処する。

一　第70条の５の２第６項の規定による報告をせず、又は虚偽の報告をした者

二　第73条第１項、第５項（第100条第５項において準用する場合を含む。）若しくは第６項又は第82条第２項（第４条の２第３項において読み替えて適用する場合を含む。）の規定による検査を拒み、妨げ、又は忌避した者

三　第73条第３項に規定する証明書に虚偽の記載をした者

第112条　次の各号のいずれかに該当する者は、50万円以下の罰金に処する。

一　第38条の７第３項又は第４項の規定に違反した者

二　第38条の44第２項の規定に違反した者
三　第62条第１項の規定に違反した者
四　第70条の２第１項の規定に違反した者
五　第76条第１項（第70条の７第４項、第70条の８第３項、第70条の９第３項及び第100条第５項において準用する場合を含む。）の規定による運用の制限に違反した者
六　第102条の４第１項の規定に基づく命令に違反して、届出をせず、又は虚偽の届出をした者
七　第102条の18第４項の規定に違反した者

第113条　次の各号のいずれかに該当する者は、30万円以下の罰金に処する。
一　第４条の２第２項の規定による届出をする場合において虚偽の届出をして、同項の無線設備を使用する同項の実験等無線局を開設した者
二　第４条の２第４項（同条第２項第４号から第６号までに掲げる事項の変更の届出に係る部分に限る。）の規定に違反して、届出をせず、又は虚偽の届出をして、当該事項を変更した者
三　第24条の８第１項の規定による報告をせず、若しくは虚偽の報告をし、又は同項の規定による検査を拒み、妨げ、若しくは忌避した者
四　第26条の２第５項の規定による報告をせず、又は虚偽の報告をした者
五　第27条の６第３項（特定無線局の開設の届出及び変更の届出に係る部分に限る。）の規定に違反して、届出をせず、又は虚偽の届出をした者
六　第27条の23第１項の規定に違反して、第27条の18第２項第３号又は第４号に掲げる事項を変更した者
七　第27条の30第１項の規定に違反して、第27条の29第２項第３号又は第４号に掲げる事項を変更した者
八　第27条の31の規定に違反して、届出をせず、又は虚偽の届出をした者
九　第27条の32の規定に違反して、届出をせず、又は虚偽の届出をした者
十　第38条の６第２項（第38条の24第３項において準用する場合を含む。）の規定による報告をせず、又は虚偽の報告をした者
十一　第38条の12（第38条の24第３項及び第71条の３の２第11項において準用する場合を含む。）の規定に違反して帳簿を備え付けず、帳簿に記載せず、若しくは帳簿に虚偽の記載をし、又は帳簿を保存しなかった者
十二　第38条の15第１項（第38条の24第３項及び第71条の３の２第11項において準用する場合を含む。以下この号において同じ。）の規定による報告をせず、若しくは虚偽の報告をし、又は第38条の15第１項の規定による検査を拒み、妨げ、若しくは忌避した者
十三　第38条の16第１項（第38条の24第３項において準用する場合を含む。）の規定による届出をしないで業務を廃止し、又は虚偽の届出をした者
十四　第38条の20第１項（第４条の２第５項、第38条の29、第38条の38及び第38条の48において準用する場合を含む。以下この号において同じ。）の規定による報告をせず、若しくは虚偽の報告をし、又は第38条の20第１項の規定による検査を拒み、妨げ、若しくは忌避した者
十五　第38条の21第１項（第４条の２第５項、第38条の29、第38条の38及び第38条の48において準用する場合を含む。）の規定による命令に違反した者
十六　第38条の33第３項の規定による届出をする場合において虚偽の届出をした者
十七　第38条の33第４項の規定に違反して、記録を作成せず、若しくは虚偽の記録を作成し、又は記録を保存しなかつた者
十八　第39条第１項若しくは第２項又は第39条の13の規定に違反した者
十九　第39条第４項（第70条の９第３項において準用する場合を含む。）の規定に違反して、届出をせず、又は虚偽の届出をした者
二十　第71条の３第６項（第71条の３の２第11項において準用する場合を含む。）の規定による報告をせず、又は虚偽の報告をした者
二十一　第78条（第４条の２第５項において準用する場合を含む。）の規定に違反して、電波の発射を防止するために必要な措置を講じなかつた者
二十二　第79条第１項（同条第２項において準用する場合を含む。）の規定により業務に従事することを停止されたのに、無線設備の操作を行つた者
二十三　第79条の２第１項の規定により船舶局無線従事者証明の効力を停止されたのに、第39条第１項本文の総務省令で定める船舶局の無線設備の操作を行つた者
二十四　第82条第１項（第４条の２第３項において読み替えて適用する場合及び第101条において準用する場合を含む。）の規定による命令に違反した者
二十五　第102条の３第１項又は第２項（同条第６項及び第102条の４第２項にお

いて準用する場合を含む。）の規定に違反して、届出をせず、又は虚偽の届出をした者
二十六　第102条の９の規定による報告をせず、又は虚偽の報告をした者
二十七　第102条の11第４項の規定による命令に違反した者
二十八　第102条の12の規定による報告をせず、又は虚偽の報告をした者
二十九　第102条の15第１項の規定による指示に違反した者
三十　第102条の16第１項の規定による報告をせず、若しくは虚偽の報告をし、又は同項の規定による検査を拒み、妨げ、若しくは忌避した者

第113条の２　次の各号のいずれかに該当するときは、その違反行為をした指定講習機関、指定試験機関、指定周波数変更対策機関、登録周波数終了対策機関、センター又は指定較正機関の役員又は職員は、30万円以下の罰金に処する。
一　第39条の７（第47条の５、第71条の３第11項及び第102条の18第13項において準用する場合を含む。）の規定に違反して帳簿を備え付けず、帳簿に記載せず、若しくは帳簿に虚偽の記載をし、又は帳簿を保存しなかつたとき。
二　第39条の９第１項（第47条の５、第71条の３第11項、第102条の17第５項及び第102条の18第13項において準用する場合を含む。以下この号において同じ。）の規定による報告をせず、若しくは虚偽の報告をし、又は第39条の９第１項の規定による検査を拒み、妨げ、若しくは忌避したとき。
三　第39条の10第１項（第47条の５、第71条の３第11項及び第71条の３の２第11項において準用する場合を含む。）の許可を受けないで、講習の業務の全部、試験事務の全部、特定周波数変更対策業務の全部又は特定周波数終了対策業務の全部を廃止したとき。
四　第102条の18第11項の規定による届出をしないで業務の全部を廃止し、又は虚偽の届出をしたとき。

第114条　法人の代表者又は法人若しくは人の代理人、使用人その他の従事者が、その法人又は人の業務に関し、次の各号に掲げる規定の違反行為をしたときは、行為者を罰するほか、その法人に対して当該各号に定める罰金刑を、その人に対して各本条の罰金刑を科する。
一　第110条（第11号及び第12号に係る部分に限る。）　１億円以下の罰金刑
二　第110条（第11号及び第12号に係る部分を除く。）、第110条の２又は第111条から第113条まで　各本条の罰金刑

第115条　第92条の２の規定による審理官の処分に違反して、出頭せず、陳述をせず、若しくは虚偽の陳述をし、又は鑑定をせず、若しくは虚偽の鑑定をした者は、30万円以下の過料に処する。

第116条　次の各号のいずれかに該当する者は、30万円以下の過料に処する。
一　第４条の２第４項（同条第２項第１号に掲げる事項の変更の届出に係る部分に限る。）の規定に違反して、届出をせず、又は虚偽の届出をした者
二　第４条の２第６項の規定に違反して、届出をしない者
三　第20条第９項（同条第10項、第27条の16及び第70条の５の２第９項において準用する場合を含む。）の規定に違反して、届出をしない者
四　第22条（第100条第５項において準用する場合を含む。）の規定に違反して届出をしない者
五　第24条（第100条第５項において準用する場合を含む。）の規定に違反して、免許状を返納しない者
六　第24条の５第１項の規定に違反して、届出をせず、又は虚偽の届出をした者
七　第24条の６第２項の規定に違反して、届出をせず、又は虚偽の届出をした者
八　第24条の９第１項の規定に違反して、届出をせず、又は虚偽の届出をした者
九　第24条の12の規定に違反して、登録証を返納しない者
十　第25条第３項の規定に違反して、情報を同条第２項の調査又は終了促進措置の用に供する目的以外の目的のために利用し、又は提供した者
十一　第27条の６第３項（特定無線局の廃止の届出に係る部分に限る。）の規定に違反して、届出をしない者
十二　第27条の10第１項の規定に違反して、届出をしない者
十三　第27条の23第４項の規定に違反して、届出をせず、又は虚偽の届出をした者
十四　第27条の24第２項（第27条の34第２項において読み替えて適用する場合を含む。）の規定に違反して、届出をしない者
十五　第27条の26第１項の規定に違反して、届出をしない者
十六　第27条の28（第27条の34第２項にお

いて読み替えて適用する場合を含む。）の規定に違反して、登録状を返納しない者
十七　第27条の30第４項の規定に違反して、届出をせず、又は虚偽の届出をした者
十八　第38条の５第２項（第71条の３の２第11項において準用する場合を含む。）の規定に違反して、届出をせず、又は虚偽の届出をした者
十九　第38条の６第３項（第38条の29において準用する場合を含む。）の規定に違反して、届出をせず、又は虚偽の届出をした者
二十　第38条の11第１項（第71条の３の２第11項において準用する場合を含む。）の規定に違反して財務諸表等を備えて置かず、財務諸表等に記載すべき事項を記載せず、若しくは虚偽の記載をし、又は正当な理由がないのに第38条の11第２項（第71条の３の２第11項において準用する場合を含む。）の規定による請求を拒んだ者
二十一　第38条の33第５項の規定に違反して、届出をせず、又は虚偽の届出をした者
二十二　第38条の42第４項の規定に違反して、届出をせず、又は虚偽の届出をした者
二十三　第38条の46第１項の規定に違反して、届出をせず、又は虚偽の届出をした者
二十四　第70条の５の２第５項の規定に違反して、届出をせず、又は虚偽の届出をした者
二十五　第70条の７第２項（第70条の８第２項及び第70条の９第２項において準用する場合を含む。）の規定に違反して、届出をせず、又は虚偽の届出をした者
二十六　第100条第４項の規定に違反して、届出をしない者
二十七　第102条の３第５項の規定に違反して、届出をしない者
二十八　第103条の２第５項から第８項まで、第12項、第13項又は第21項の規定に違反して、届出をせず、又は虚偽の届出をした者

電　波　年　表

西暦	記　　事
1864 (元治1)	—·—　☆マクスウェル(英)、電波の存在を理論的に提唱
1888 (明　21)	—·—　☆ヘルツ（独)、電磁波の存在を実証
1890 (明　23)	—·—　☆ブランリー（仏)、コヒーラ検波器を発明
1895 (明　28)	—·—　☆マルコーニ（伊)、無線電信を発明
1896 (明　29)	10·—　逓信省電気試験所に無線電信研究部を設置し、浅野応輔管理の下に、松代松之助等協力して無線電信の研究開始
1897 (明　30)	12.24　逓信省、東京湾内海上1海里の無線電信実験に成功 —·—　☆ブラウン（独)、陰極線管（ブラウン管）を発明
1900 (明　33)	10.10　逓信省令第77号で電信法中私設に関する規定を除き、これを無線電信に準用する旨公布（無線電信の政府専掌を明示)
1901 (明　34)	12·—　☆マルコーニ、大西洋横断無線電信試験に成功 —·—　☆フェッセンデン(米)、ピッツバーグで無線電話実験に成功
1902 (明　35)	—·—　☆ケネリー(米)及びヘビサイド(英)、電離層の仮説発表
1906 (明　39)	10. 3　最初の国際無線電信会議ベルリンで開催 —·—　☆ド・フォレ(米)、三極真空管発明
1907 (明　40)	12·—　官設無線電信の通信従事者の養成開始
1908 (明　41)	5.16　銚子無線電信局、天洋丸無線電信局開始、我が国における船舶－陸上間業務開始 6.22　1906年ベルリン国際無線電信条約批准、7月1日発効
1911 (明　44)	12. 1　中央標準時無線報時の試験開始
1914 (大　3)	1.20　海上における人命の安全に関する国際会議ロンドンで開催 5.12　逓信省令第13号で電信法中私設に関する規定を除き無線電話に準用する旨公布（政府専掌を明示)
1915 (大　4)	11. 1　無線電信法施行、無線電信、無線電話の私設が認められ、これに伴い、電波の監理、施設の検査、従事者の検定等の制度確立
1920 (大　9)	11. 2　☆米国ピッツバーグKDKA局最初のラジオ放送開始
1921 (大　10)	1.25　清水市の静岡県水産試験所に我が国最初の漁業用無線電信を施設
1923 (大　12)	12.21　放送用私設無線電話規則施行、ラジオに関する制度確立
1924 (大　13)	11.29　社団法人東京放送局設立許可
1925 (大　14)	3.22 東京放送局放送開始 10.20　日本無線電話株式会社創立 —·—　☆ベアード(英)、最初の実用的テレビジョン発明 —·—　☆アップルトン(英)、電離層の実在を実験により証明
1926 (大　15)	8.20　社団法人日本放送協会設立 —·—　八木秀次、宇田新太郎、超短波の八木空中線を発明 —·—　逓信省電気試験所において写真電送及びテレビジョンの調査に着手
1927 (昭　2)	3.29　東京及び大阪において短波の電波監視を実施 —·—　☆ベル研究所、ワシントン－ニューヨーク間2,000マイルのテレビジョン実験公開
1928 (昭　3)	12.26　1927年ワシントン国際無線電信条約批准、翌年1月1日発効 —·—　☆アームストロング(米)、周波数変調方式発明 —·—　ベアード（英)、世界最初のカラーテレビジョン実験に成功
1929 (昭　4)	9.18　第1回国際無線通信諮問委員会(CCIR)ヘーグで開催

西暦	記　　　　事
1932 （昭　7）	12.24　国際電話株式会社創立（対外無線電話の建設、保守）
1933 （昭　8）	12.28　1932年マドリッド国際電気通信条約批准、翌年1月1日発効
1935 （昭　10）	6．1　日本放送協会海外放送開始 7．1　海上における人命の安全のための国際条約批准、公布
1937 （昭　12）	9·—　逓信省、東京－鹿児島間の短波ＳＳＢ方式による多重無線電話の実験に成功
1939 （昭　14）	1.30　1938年カイロ国際電気通信条約附属一般無線通信規則等発効 5．1　日本放送協会、テレビジョンの公開実験に成功
1940 （昭　15）	1.30　逓信省、標準電波業務開始 —·—　☆アメリカのCBSW2X局、カラーテレビジョンの実験放送開始
1944 （昭　19）	4. 1　逓信院に電波局設置
1947 （昭　22）	5.15　無線通信主官庁会議アトランティック・シティーで開催 7．1　国際電気通信連合全権委員会議アトランティック・シティーで開催
1948 （昭　23）	6·—　☆ベル電話研究所（米）、トランジスタ発明 10.25　第1回国際高周波放送会議メキシコ・シティーで開催 12.20　1947年アトランティック・シティー国際電気通信条約公布、翌年1月1日発効
1949 （昭　24）	6．1　電波局は電気通信省の外局電波庁となる。
1950 （昭　25）	6．1　電波法、放送法、電波監理委員会設置法施行、同時に電波庁・無線電信法は廃止、電波監理は委員会行政に移行 6．1　放送法に基づく日本放送協会設立
1951 （昭　26）	4．1　有線ラジオ放送業務の運用の規正に関する法律施行 4.21　我が国最初の一般放送局（民間放送局）16局に予備免許 9．1　我が国最初の民間放送局新日本放送株式会社（大阪）、中部日本放送株式会社（名古屋）本放送開始
1952 （昭　27）	2．1　日本放送協会、「国際放送」再開 2.28　白黒式テレビジョン放送に関する標準方式制定 7.29　アマチュア無線再開 7.31　日本テレビジョン放送網株式会社に我が国最初のテレビジョン放送局予備免許 8．1　電波監理委員会廃止、電波監理及び研究は郵政省（電波監理局、電波研究所）の所管となる。 8．1　郵政省に電波監理審議会設置 8．1　電気通信省廃止、日本電信電話公社（NTT）設立
1953 （昭　28）	1.10　日本放送協会、東京－名古屋－大阪間にわが国最初のマイクロウェーブによるテレビジョン中継放送網開設 2．1　日本放送協会東京テレビジョン放送局、我が国最初のテレビジョン放送開始 4．1　国際電信電話株式会社（KDD）国際通信業務開始 5.30　標準放送用周波数割当表の策定 8.28　日本テレビジョン放送網株式会社、我が国最初の民間テレビジョン放送局として放送開始 9．8　1952年国際民間航空条約に加入、10月8日発効 9.15　1952年ブエノスアイレス国際電気通信条約批准、翌年1月1日発効
1954 （昭　29）	4．1　日本電信電話公社、東京－名古屋－大阪間にマイクロウェーブによる公衆通信業務開始 8.27　株式会社日本短波放送、我が国最初の国内向け短波放送開始
1955 （昭　30）	8.31　福岡管区気象台において気象観測用大電力レーダ（気

西暦	記　　事
	象援助局）運用開始 9.8　第3回国際地球観測年特別委員会（CSAGI）ブラッセルで開催
1956 （昭　31）	2.17　テレビジョン放送用周波数の割当計画基本方針の決定（使用チャンネル数6（VHF）とする。） 11.8　第3回国際地球観測年の予備観測のため、第1次南極地域観測隊出発（昭和32.4.24帰国） 12.20　日本放送協会、カラーテレビジョン放送実験局（東京）運用開始
1957 （昭　32）	5.21　テレビジョン放送用周波数の割当計画基本方針の修正（使用チャンネル数5（VHF）追加する。） 10.5　☆ソ連、世界最初の人工衛星（スプートニク1号）の打上げに成功
1958 （昭　33）	12.23　日本電波塔株式会社の電波塔（東京タワー）完成
1959 （昭　34）	1.10　日本放送協会東京教育テレビジョン放送局放送開始 3.27　小電力標準放送局免許方針の策定 5.1　無線従事者国家試験に学校認定制度実施 7.1　我が国の航空交通管制業務が全面的に日本側に移管された。 8.17　通常無線通信主管庁会議ジュネーブで開催 10.14　国際電気通信連合全権委員会議ジュネーブで開催
1960 （昭　35）	4.11　日本放送協会（名古屋）、テレビジョン放送の精密オフセット方式の実験放送開始 4.12　日本放送協会、UHF帯のFM実験放送を開始 6.1　東海道線(東京－神戸間)400Mc帯による列車無線の局を開設（同年8月20日から、列車公衆電話をあわせ行う。） 9.10　カラーテレビジョン放送本放送開始 （日本放送協会東京2（総合、

西暦	記　　事
	教育）、大阪2（総合、教育）、民間放送では日本テレビ放送網㈱、㈱ラジオ東京、読売テレビ放送㈱、朝日放送㈱の4局合計8局）
1961 （昭　36）	3.10　京浜地区のハイヤー・タクシー用無線局（基地局55、陸上移動局996）に対し、自動選択呼出装置を付設して一斉に免許付与 4.1　国際放送を18方向、1日32時間に拡充（アフリカ向け新設） 4.22　テレビジョン放送用周波数の第2次割当計画表の策定（割当地区数74地区） 5.1　国際電気通信条約附属「無線通信規則」及び「追加無線通信規則」(1959年ジュネーブ）公布 8.4　市民ラジオの制度新設
1962 （昭　37）	6.10　日本電信電話公社マイクロ回線によるカラーテレビの中継を開始（東日本ルート、東京－金沢－大阪ルート・NHK、NTV系） 7.10　☆(米)、通信衛星テルスターを打上げ、大西洋越しのテレビ中継に成功 12.11　運輸省、我が国最初のVORTACを大島に開設
1963 （昭　38）	3.30　米国の通信衛星リレーを利用するリオデジャネイロ（ブラジル）－東京間の通話実験に成功 9.28　本土－沖縄間マイクロ回線完成 11.23　初の大平洋横断テレビ中継実験（デモンストレーション・テスト）に成功 11.29　通信衛星リレー1号による欧－米－日テレビ中継試験に成功
1964 （昭　39）	4.24　微小電力テレビジョン放送局の免許方針の策定 7.11　観測ロケットラムダ3型1号機を打上げ、観測実験に成功 8.20　「商業用通信衛星世界組

西暦	記　　　事
	織に関する暫定的制度を定める協定」に我が国調印加盟（なお、同協定の定める参加募集体としてＫＤＤが指定された。） 9．1　昭38. 9.28免許された日本電信電話公社の本土－沖縄マイクロ回線による公衆通信業務開始 9.11　国鉄東海道新幹線の列車無線の局123局に免許（承認） 10.10　オリンピック東京大会の開催期間中におけるテレビジョン放送国際中継に成功 10.11　気象庁が静岡県富士宮市（富士山頂）に気象の観測に使用する1500kWのレーダの実用化試験局（無線標定陸上局）を開設
1965 （昭　40）	2.18　☆(米)、月ロケット・レンジャー8号を打上げ、月面撮影に成功 4．6　☆(米)、初の商業用通信衛星アーリ・バード（HS－303）の打上げに成功 9.14～11.12　国際電気通信連合全権委員会議スイスモントルーで開催
1966 （昭　41）	1.12　漁業用ファクシミリの許可（昭41. 3.1送信開始） 3．4　ＮＨＫ総合・教育330局、民放67局にカラーテレビの実施を許可 9.13　郵政省に「通信・放送衛星研究開発連絡協議会」を設置 10.17　国際商業衛星通信を行うためのKDD所属茨城実用化試験局（地球局）を免許 11．1　ATS衛星を対象とする宇宙業務研究用鹿島実験局（郵政省所属）を免許（承認）
1967 （昭　42）	4．1　海上保安庁、北海道デッカチェーンを開設 6.20　昭43.6.1のSSB化への切り替えに対処して、35波の増設、特殊波の設定等を含む一般漁業用27MHz帯無線電話のSSB用及び１WDSB用周波数割当を再編成 9.18～11.3　世界無線通信主官庁会議（海上移動業務）ジュネーブで開催 10.10「月その他の天体を含む宇宙空間の探査及び利用における国家の活動を規制する原則に関する条約」（宇宙条約）を批准 10.13　テレビジョン放送用周波数の割当計画基本方針の修正（①使用チャンネル数12に(UHF)を追加し、民放の複数化を図る。②広域放送圏内に県域放送の導入を図る。） 11．1　UHF帯による新たなテレビジョン放送局（親局15社16局）予備免許（昭42.11. 14　2社２局予備免許） 12.22　沖縄放送協会(OHK)、本放送開始
1968 （昭　43）	7．1　NTT、外出者への連絡手段として、我が国初の東京都23区内を対象に信号報知業務（ポケットベルサービス）を開始 8．9　㈱岐阜放送岐阜テレビジョン放送局の免許（我が国初のUHF帯によるテレビジョン放送を行う一般放送事業者の誕生、翌日運用開始） 11.29　超短波放送用周波数割当計画の策定
1969 （昭　44）	4．4「雑音防止協議会」が名称を「電波障害防止協議会」に変更 5．6　ヨーロッパ方面の国際公衆通信回線及び日英間テレビ中継回線として、KDD山口地球局開局 7.21　☆(米)、アポロ11号の月面着陸が初めて月面の状況をテレビ放送 10．1　宇宙開発事業団発足 12．1　電波研究所鹿島支所、同所開発のSSCC（Spin Scan Cloud Camera）受画装置により、静止衛星ＡＴＳ－１による我が国初の雲写真受像

西暦	記　　　　事
1970 (昭　45)	2.11　東大宇宙航空研究所、ラムダ4S－5号機の打上げに成功（我が国初の人工衛星“おおすみ”が地球を回る。） 3.26　政府、「宇宙開発に関する基本計画」を決定 7．7　テレビジョン放送用周波数の割当計画の基本方針の修正（使用チャンネル数20(UHF) を追加、使用チャンネル総数62となる。）
1971 (昭　46)	6．7～7.17　宇宙通信に関する世界無線通信主管庁会議ジュネーブで開催 8.16　㈱日本短波放送で放送大学の実験番組放送開始（文部省の委託により、家政学、文学、経営学及び工学の４科目について週３時間放送） 8.20　インテルサット（世界商業通信衛星組織）協定、署名開放（我が国署名）
1972 (昭　47)	5.15　沖縄の本土復帰（無線局数2,177） (1)　復帰に伴い、米国政府の管轄下にあった沖縄関係の国際登録周波数が、現状の権益のまま、我が国政府に移管された。 (2)　復帰に伴う特別措置に関する法律の規定により、次の放送局が郵政大臣の免許を受けたものとみなされた。 ア　標準放送局 (ア)　琉球放送㈱～那覇（日本語、英語)、宮古 (イ)　㈱ラジオ沖縄～那覇 (ウ)　ファー・イースト・ブロードキャスティング・カンパニー・INC～那覇(日本語(注１)、英語（注２)) 注１～免許の有効期限は、1973(昭48).5.14まで 注２～免許の有効期限は、1977(昭52).5.14まで イ　テレビジョン放送局 (ア)　日本放送協会～那覇、今帰仁、久米島（各総合及び教育）宮古、八重山、川平、祖納、与那国（各総合） (イ)　一般放送事業者 ア　琉球放送㈱～那覇、久米島 イ　沖縄テレビ放送㈱～那覇 (3)　沖縄郵政管理事務所（電波監理部)・沖縄電波観測所を設置（5.15～48.3.31) 7．1　新標準時採用後、初の「うるう秒」をUTO時（日本標準時９時）の直前にそう入 7．1　有線放送審議会設置 7．1　有線テレビジョン放送法公布、昭和48年１月１日施行（この法律の制定の際に、電波法、放送法、有線放送業務の運用の規正に関する法律、郵政省設置法等の一部改正が行われた。） 9.12　電波法施行規則の一部を改正する省令（昭和47.5.15施行）によって国産電子レンジ33機種に対して、郵政大臣大臣による初の型式指定を実施
1973 (昭　48)	2.12　国際電気通信衛星機構(インテルサット)に関する協定及び運用協定、発効 5.30「通信・放送衛星開発研究委員会」設置 6．7　テレビジョン放送難視聴対策調査会の設置 6．7　CATV技術研究会設置 11.20　「石油緊急対策要綱」に基づき一般放送事業者（テレビジョン放送事業者に限る。）に対し午前零時以降におけるテレビジョン放送の自粛を要請
1974 (昭　49)	4.22～6．8　ＩＴＵ世界海上無線通信主管庁会議、ジュネーブで開催（IFRB委員の選挙が行われ、我が国から立候補した藤木　栄が次期委員

西暦	記　　　事
	に選出） 7.9　多重放送に関する調査研究会議の設置 11.1「1974年の海上における人命の安全のための国際条約」採択会議ロンドンで開催、同日付をもって採択され、署名のため開放
1975 （昭　50）	2.24　科学衛星3号打上げ「たいよう」と命名。軌道斜角31.5°、周期120.3分、遠地点3135km、近地点255km 4.23　国際海事衛星システムの設立に関する第１回政府間会議をロンドンで開催 7.1　社団法人日本有線テレビジョン技術協会の設立許可 9.9　宇宙開発事業団、Ｎロケット１号機による技術試験衛星Ｉ型（ETS－Ｉ「きく」）の打上げに成功
1976 （昭　51）	1.22　世界海上無線通信主管庁会議（1974年ジュネーブ）の結果に伴う短波帯海上移動業務用周波数の再編成のための電波法第71条第１項の規定による周波数等の指定の変更の方針決定 2.29　宇宙開発事業団、Ｎロケット2号機による電離層観測衛星（ISS「うめ」）の打上げに成功 6.9　☆米海事衛星マリサット（太平洋）打上げ 10.15　☆米海事衛星マリサット（インド洋）打上げ
1977 （昭　52）	1.15　☆米国法人極東放送沖縄放送局廃止 2.23～3.5　宇宙開発事業団、技術試験衛星Ⅱ型（ETS－Ⅱ）「きく２号」を打ち上げ静止軌道への投入に成功。我が国初の静止衛星となる。（東経130度の赤道上空） 3.22　日本・インマルサット条約に署名 4.2「1977年の漁船の安全に関するトレモリノス国際条約」採択会議マラガ・トレモ

西暦	記　　　事
	リノスで開催、同日付けをもって採択され、署名のため開放 5.4　マリサット・システム（米国の海事衛星システム）を利用する我が国最初の船舶地球局（実用化試験局）を国際電信電話株式会社に免許 5.14　VOA（Voice of Americe）が放送を終了 7.14　静止気象衛星（GMS、「ひまわり」）を打上げ、静止軌道への投入に成功（東経140度の赤道上空） 8.4　新東京国際空港（成田空港）における航空無線通信業務（ATC通信を除く。）の一部をNTT・KDDの委託により開始（日本空港無線サービス株式会社が設立された。） 12.15～12.24　実験用中容量静止通信衛星（CS「さくら」）を打上げ、静止軌道への投入に成功（東経135度の赤道上空）
1978 （昭　53）	2.16　宇宙開発事業団、電離層観測衛星（ISS－ｂ「うめ２号」）の打上げに成功 4.8　実験用中容量放送衛星（BS「ゆり」）の打上げに成功（ボルネオ島西端、東経110度の赤道上空に静止） 4.21　㈱極東放送所属那覇標準放送局に予備免許 7.18「無線従事者国家試験及び免許規則の一部を改正する省令」公布、施行（この省令改正は、最近の無線技術の進歩等にかんがみ、目の見えない人にも上級アマチュア無線技士の免許を与えることができるようにしたものである。） 8.18　日本放送協会東京及び大阪テレビジョン文字多重実験局に予備免許 9.5　テレビジョン音声多重放送の免許方針を策定 9.22　日本放送協会及び民放（６社）にテレビジョン音声多重放送の実用化試験局に予

西暦	記　　　　事
	備免許 11.18　KDD、山口マリサット地球局を開設し、インド洋上のマリサット衛星経由船舶地球局との間に電話及びテレックスによる海上移動衛星通信業務を開始 11.22　沖縄郵政管理事務所石垣電波方位測定所方位測定業務を開始 11.23　ＬＦ／ＭＦ放送地域主管庁会議の協定発効に伴う標準放送局の周波数一斉切替え実施 11.27～30　点字による第一級および第二級アマチュア無線技士の初の国家試験を実施 12.15　テレビジョン放送用周波数の割当計画基本方針および第１次割当計画表の修正 （テレビジョン放送番組のより一層の多様化を図るため、静岡県については、一般放送事業者の放送について、4の放送が可能となるようにするとともに、基幹的地域に準ずる地域として、新たに熊本県及び鹿児島県を追加したほか、静岡、熊本及び鹿児島の各割当地区に対し、一般放送事業者用として、新たに各１のテレビジョン放送用周波数の割当てを行った。） 12.15　超短波放送用周波数の割当計画を修正（民放の超短波放送の拡充を図るため、札幌、仙台、静岡及び広島の４地区について周波数の割当を行った。）
1979 （昭　54）	２．６　宇宙開発事業団、実験用静止通信衛星（ECS「あやめ」）を種子島宇宙センターからNロケット5号機（F）により打上げ ２．８　電波法施行規則の一部を改正する省令公布、施行 （大規模地震対策特別措置法の施行に伴い、警戒宣言が発せられた場合、その通信を目

西暦	記　　　　事
	的外通信とした。） ５．９　テレビ放送共同受信施設設置費補助金交付要綱を制定 ７．４「無線設備規則の一部を改正する省令」公布、施行 （1974年海上人命安全条約の発効に備え、無線電話遭難周波数2182kHzの無休聴守に使用される無線電話緊急自動受信機の技術基準を定めた。） ８．１「テレビジョン放送の受信障害に関する調査研究会議」が報告書を提出 ８．６　通信・放送衛星機構の設立を許可 12．３　日本電信電話公社、自動車公衆無線電話サービスを東京23区において開始
1980 （昭　55）	５．６「電波法施行規則の一部を改正する省令」公布、昭和55年5月25日施行 （電波法に人工衛星局の技術条件等が定められたことに伴い、無線局の種別として「人工衛星局」、「放送衛星局」及び「放送試験衛星局」を定める等必要な整備、また、船舶無線電信局による無線電話の聴守が強化されたことに伴い、無線電信緊急自動受信機及び無線電話警急自動受信機の定義を設けたほか、一定の船舶無線電信局については警急自動電話装置の備付けを義務付けること等について定めた。） 5.25　1974年の海上における人命の安全のための国際条約発効 6.13「車両位置等自動表示システム（ＡＶＭ）に係る無線局の免許申請等に対する処理方針」策定 6.20　テレビジョン放送用周波数の割当計画基本方針及び第１次割当計画表の修正 （テレビジョン放送番組の多様化を図るため、大阪府については、一般放送事業者の放

西暦	記　　　事
	送について5の放送が可能となるようにするとともに、基幹的地域に準ずる地域として、新たに福島県を追加し、3の一般放送事業者の放送が可能となるよう周波数の割当を行った。） 6.20　超短波放送周波数の割当計画の修正 （一般放送事業者の超短波放送の拡充を図るため、金沢、松山及び長崎の３地区について新たに周波数の割当を行った。） 6.21　都市の大規模有線テレビジョン放送施設に関する開発調査研究会議を設置 7.14～25　国際無線障害特別委員会（CISPR）第21回総会、運営委員会及び合同小委員会を東京（経団連会館）で開催 9．9　㈳日本有線テレビジョン放送連盟の設立許可 12.12「中央防災用無線局の開設に関する処理方針」の一部改正（我が国で初めてミリ波帯（37.5～39.5GHz帯）を用いた短距離デジタル無線方式を導入）
1981 （昭　56）	2.11　宇宙開発事業団、技術試験衛星Ⅳ型（ETS－Ⅳ「きく3号」）を種子島宇宙センターからNロケット7号機（NロケットⅡ型1号機）により打上げ 5.23　電波法の一部を改正する法律公布、同年11月23日施行。ただし、一部の改正規定は、昭和58年１月１日から施行（相互主義に基づき外国人にもアマチュア無線局の免許を与え得るようにすること、技術基準適合証明の制度を設け、郵政大臣の指定する者にもこれを行わせることができるようにするとともに、証明を受けた無線設備については簡易な免許手続により免許を与え得るようにすること、電

西暦	記　　　事
	話級アマチュア無線技士等の資格の無線従事者国家試験に関する事務を郵政大臣の指定する者にも行わせ得るようにすること、免許がないのに無線局を開設した者に対し罰則を科し得るようにすること等について定めたものである。） 6.11　放送大学学園法公布、施行 6.29　車両位置自動表示システム（ＡＶＭシステム）の分散送信方式によるサインポストの無線局を財団法人移動無線センターに免許 7.1「周波数の割当原則」の全面的改正 7.1　放送大学学園設立 7.14　日本放送協会及び㈱東京放送ほか６社所属緊急放送システム用実験局に予備免許 9.29　実用通信衛星協議会を設置（電波利用開発調査研究会実用衛星部会の審議及び提言を踏まえ、衛星通信政策の推進に資するための検討を行う。）
1982 （昭　57）	1.29　日本電信電話公社、自動車公衆無線電話サービスを名古屋地区において開始 2．1　インマルサット・システム運用開始（我が国の船舶地球局123局、海岸地球局3局）（国際電信電話株式会社所属山口海岸地球局及び茨城海岸地球局にそれぞれ同日付で免許） 2．1　ITUの1978年の航空移動（R）業務に関する世界無線通信主管庁会議（WARC－AR）の決定に基づき、短波帯航空無線電話のSSB方式への移行完了 2．4　宇宙開発事業団、我が国初の実用通信衛星（CS－2a）を種子島宇宙センターから打上げ、東経132度の赤道上空静止に成功 なお、同衛星の愛称は「さく

西暦	記　　　事
	ら2号－a」と命名 2.18　航空移動業務（R）業務用短波帯周波数を新周波数へ移行（WARC－ARの決定に基づき、原則として9MHz以上を対象とする。） 2.28～3.18　移動業務のための世界無線通信主官庁会議（WARC-Mobile）、ジュネーヴで開催（代表17名出席、無線通信規則の改正を行い、移動業務に関する緊急かつ重要な問題、特に将来の全世界的な海上遭難安全制度（FGMDSS）のために必要な周波数及びその使用方法を制定） 3.10「10.7～11.7GHz帯の固定業務及び移動業務に対する周波数割当方針」全部改正（公衆通信用短距離小・中容量電話の固定業務への割当て） 3.19「放送の多様化に関する調査研究会議」、報告書提出 4.19～5.7　ITU第37回管理理事会、ジュネーブで開催（代表7名出席、全権委員会議（ナイロビ）に対する1974年以降の管理理事会の活動報告、WARC－HFBC（第一会期）の議事日程及びIFRBによるコンピュータの拡大利用計画等が審議されるとともに、IFRB委員補充選挙（4.20）が行われ、栗原芳高氏（前電波研究所長）が選出された。） 6.1　電波法の一部を改正する法律公布 （市民ラジオの無線局の免許制の廃止、外国公館の無線局の開設、STCW条約の発効に備えた船舶局無線従事者証明制度の創設等を定めた。） 8.2　通信・放送衛星機構、君津衛星管制センター開設 9.13「MCA陸上移動通信に係る無線局の免許申請等に対する処理方針」策定 9.13「MCA陸上移動通信を行

西暦	記　　　事
	う陸上移動業務に対する周波数割当方針」策定 （850MHzから860MHzまで、905MHzから915MHzまでと対で399波） 9.13　電波法施行規則、無線局免許手続規則、無線局（放送局を除く。）の開設の根本的基準、無線設備規則、特定無線設備の技術基準適合証明に関する規則及び無線機器型式検定規則の各一部を改正する省令公布、施行 （陸上移動中継局の新設、800MHz帯の周波数の電波を使用するMCA陸上移動通信システムの導入、400MHz帯の狭帯域化、標準放送のプレエンファシス実施、市民ラジオの無線設備を技術基準適合証明の対象とすること等を定めた。） 10.27　超短波放送用周波数割当計画表の修正（一般放送事業者の超短波放送の普及を図るため、青森、横浜及び京都等22地区について新たに周波数の割当てを行った。）
1983 （昭　58）	4.1　外国海岸局経由による短波狭帯域直接印刷電信方式による無線テレックスの取扱いを開始（国際電信電話株式会社） 5.4　CS－2aが宇宙開発事業団から通信・放送衛星機構へ引渡し 5.20　放送衛星2号（BS－2）による放送の免許方針の策定（昭和59年2月に打ち上げられる我が国初の実用放送衛星（BS－2）について、その免許方針を策定し、12GHz帯放送衛星業務用の二つのチャンネルを日本放送協会のテレビジョン放送の難視聴解消等に利用することとした。） 5.30　電波法施行規則、無線局免許手続規則、無線設備規則、テレビジョン文字多重放送に

西暦	記　　　　事
	関する送信の標準方式及び特定無線設備の技術基準適合証明に関する規則の各一部を改正する省令並びにテレビジョン放送に関する送信の標準方式及びテレビジョン音声多重放送に関する送信の標準方式の各全部を改正する省令公布、同年6月6日施行（放送衛星局及び地球局の無線設備の技術基準を定め、50GHz帯の簡易無線局及び40MHz帯の船舶局を導入し、超音波洗浄機等の高周波利用設備の型式指定を行う等を定めた。） 6.1　有線ラジオ放送業務の運用の規正に関する法律及び有線テレビジョン放送法の一部を改正する法律公布、同年12月1日施行（道路法等の許可又は電柱等の所有者の承諾を得ずに設置された設備を使用して有線ラジオ放送又は有線テレビジョン放送を行ってはならない等を定めた。） 6.1～10「電波法違反防止旬間」、不法無線局の一掃と電波利用秩序を確立するため実施 6.15「40MHzの電波を使用する漁業用無線局の免許方針」策定 6.17　テレビジョン放送用周波数の割当計画の修正 （岡山県及び香川県の地域における住民の間の受信条件の不均衡を是正するため、放送局の設置場所等の変更が可能となるよう、従来の岡山地区、高松地区を併せて、岡山・高松地区とする等、第１次割当計画表、第２次割当計画表について所要の改正を行った。） 6.20　宇宙三条約（宇宙救助返還協定、宇宙損害賠償条約及び宇宙物体登録条約）加入 6.21　日本放送協会所属東京実用化試験局（テレビジョン文字多重放送）等2局に予備免許

西暦	記　　　　事
	8.9　日本放送協会及び日本テレビ放送網㈱所属テレビ同期放送用実験局に予備免許、日本放送協会、㈱東京放送、㈱毎日放送所属テレビファクシミリ多重用実験局に予備免許 9.19～21　世界アマチュア無線国際会議（WARIC）、日本都市センターで開催 11.5　郵政省電波研究所、VLBIシステムの性能確認のための試験観測を日米（鹿島－モハービ及びオーエスズバレー）間、約8,000kmで実施し成功 11.24　自動車公衆無線電話サービスの全国広域化に伴う自動車公衆無線電話用無線局の免許方針策定
1984 （昭　59）	2.29　コードレス電話通信用周波数の割当方針を改正 5.12　日本放送協会、衛星テレビ放送開始 6.8　閣議決定により、新「郵政省組織令」を決定。これにより、7月1日から電気通信行政機構は、①通信政策局②電気通信局③放送行政局の3局体制になった。 12.20「日本電信電話株式会社法」、「電気通信事業法」及び「日本電信電話株式会社法及び電気通信事業法の施行に伴う関係法律の整備等に関する法律」が可決成立
1985 （昭　60）	4.1　放送大学学園放送局、授業放送を開始 4.1　電気通信事業におけるNTT、KDDの独占制が廃止され、競争制度が導入されるとともに、日本電信電話公社が廃止され、日本電信電話株式会社が発足 6.21　第二電電㈱、日本テレコム㈱、日本高速通信（株）、日本通信衛星（株）、宇宙通信（株）の５社に対し、第一種電気通信事業許可 9.1　緊急警報放送システムの

西暦	記　　　　事
	運用開始 11.25　テレビジョン文字多重放送局の予備免許
1986 （昭　61）	1．8　電気通信行政情報システム（STARS）の更改システムの始動式 6.19　我が国初のアマチュア無線用衛星に開設するアマチュア無線局予備免許
1987 （昭　62）	4．1　多摩ケーブルネットワーク㈱が最初の都市型CATVとして開局 5.12「不要電波問題懇談会」報告書提出 6．2　放送法の一部を改正する法律公布（国際中継放送関係規定の整備） 7．4　日本放送協会24時間の衛星試験放送開始 10.12「ハイビジョンの推進に関する懇談会」報告書提出 11.22～29　第1回ハイビジョンウィーク開催 11.25　第1回ハイビジョンの日
1988 （昭　63）	1.18　外国人等が開設する無線局について、13か国、10種別の無線局の開設が認められた 2.19　通信衛星「さくら3号ａ」打上げ成功 3.28　無線局免許手続規則の一部が改正され、簡易陸上移動無線電話（通称コンビニエンス・ラジオフォン）を導入 4．1　日本放送協会がカナダとの中継国際放送を開始 4．8　電波研究所の名称が通信総合研究所に改められた 4.15　超短波音声多重放送及び超短波文字多重放送に関する送信の標準方式が制定された 5．6　放送法の一部を改正する法律公布（放送普及基本計画の策定、有料放送制度創設） 9.17～10.3　ソウル五輪ハイビジョン中継、全国81か所で展示
1989 （平　元）	2.—　昭和57年に始まったパーソナル無線局数、150万局突破

西暦	記　　　　事
	3．7　通信衛星JC-SAT打上げ（最初の民間通信衛星） 6．3　日本放送協会、ハイビジョン定時実験放送開始 6.28　放送法の一部を改正する法律公布（受託国内放送の創設、日本放送協会の業務委託規定の整備、指定法人放送番組センターの創設） 6.末　無線局数 500万局突破 8.24　我が国初のクリアビジョン放送が東京地区で開始 11．7　電波法の一部を改正する法律公布（主任無線従事者制度の導入、無線従事者の資格区分の大幅改正、国際電気通信条約附属無線通信規則の改正に伴う条文の改正及び追加） 12.18　無線従事者の操作の範囲等を定める政令公布、平成２年５月１日施行
1990 （平　2）	3.31　無線従事者規則の全部を改正する省令公布、平成2年5月1日施行 6.19　特定通信・放送開発事業実施円滑化法制定公布 8.28　放送衛星「ゆり3号a」打上げ成功 11.29　日本衛星放送株式会社の衛星放送局に免許、我が国初の民間衛星放送（サービス放送）開始
1991 （平　3）	2.18　㈶放送番組センターを放送法第53条第１項に基づく我が国唯一の放送番組センターに指定 2.28　無線設備規則及び特定無線設備の技術基準適合証明に関する規則の一部を改正する省令公布施行（デジタル方式自動車無線電話の導入） 4．2　電気通信基盤充実臨時措置法制定 4．9　不法無線局に起因する混信妨害等から無線通信を保護するため、郵政省をはじめ無線局の免許人、電波利用関係団体、無線機器製造・販売

西暦	記　　　事
	業者等をもって構成する「電波環境保護協力会」設立 11.25　ハイビジョン推進協議会、ハイビジョン試験放送を開始
1992 (平　4)	2．1　新しい海の安全のための通信、GMDSS（海上における遭難及び安全の世界的な制度）の全世界的な導入開始 3.15　中波ステレオ放送が首都圏（東京放送、文化放送、日本放送）及び近畿圏（毎日放送、朝日放送）で開始 4.21　我が国初のCSテレビジョン放送（通信衛星を利用したテレビジョン放送）開始 6．5　電波法の一部を改正する法律公布（電波利用料制度導入） 10．1　無線従事者規則の一部改正（目の不自由な人に第三級陸上特殊無線技士の資格の免許が与えられることとなった。） 12.24　我が国初のコミュニティ放送局「函館エフエム」放送開始
1993 (平　5)	2.25　エヌ・ティ・ティ移動通信網㈱、首都圏においてデジタル方式自動車携帯電話サービスの提供開始 4．1　電波利用料制度発足 6.16　電波法の一部を改正する法律公布（不法無線局の未然防止のための新たな法的措置である「免許情報報告知制度」の創設） 10．5　電波法施行規則、無線設備規則等4省令の一部を改正する規則公布施行（PHSの実用化、簡易無線局の周波数の追加） 10.29　無線従事者規則の一部を改正する省令公布施行（養成課程の対象資格に新たに第四級海上無線通信士及び航空無線通信士の追加、養成課程の授業時間の改正）
1994 (平　6)	2．4　宇宙開発事業団、国産Ｈ－Ⅱロケット試験機１号機の打上げに成功 4．1　免許情報告知制度に関する電波法施行（不法市民ラジオ及び不法パーソナル無線に適用） 4．1　携帯・自動車無線電話移動機の売り切り制導入 6.24　ＰＨＳシステムの導入について、実用化実験の実施者、利用者の意見等を踏まえ、事業化の基本方針決定 7.15　「21世紀に向けた通信・放送の融合に関する懇談会」設置 9.16　東京地区における超短波文字多重放送局（見えるラジオ）予備免許 9.19　ITU全権委員会議が国立京都国際会館において開催 10．6　郵政省令の一部改正公布施行（道路交通情報ビーコンシステムの導入） 10.24　日本放送協会及び一般放送事業者７社に対し、ハイビジョン実用化試験局の予備免許（11月25日放送開始） 12.22　関係郵政省令の一部改正（携帯・自動車無線通信を行う基地局の免許に包括周波数指定制度導入）
1995 (平　7)	1.17　阪神・淡路大震災発生 3.1　無線呼出受信機（ページャー）の売り切り制導入 3.14　無線従事者規則の一部改正、平成８年４月１日施行（無線従事者国家試験の予備免許廃止等） 3.末　全無線局数1,000万台突破 5．8　電波法の一部を改正する法律成立公布、平成８年４月１日施行（学校卒業者に一定の無線従事者免許を付与等） 7．1　首都圏と北海道の一部地域で、ＰＨＳシステムの初のサービス開始） 10．6　無線従事者規則の一部を改正する省令公布、平成８年

西暦	記　　　　事
	4月1日施行（長期型養成課程の創設等） 11. 2　関係郵政省令の一部改正公布施行（FM多重ページングの事業化） 10.23～11.17　ITU世界無線通信会議（WRC-95）ジュネーブにおいて開催 （周回衛星を利用した新しい衛星通信システムに必要とする無線周波数の決定、手続の簡素化を目的とした無線通信規則の全面改正等について審議） 10.27　「GMDSS導入促進連絡協議会」設立
1996 （平　8）	2.28　放送普及基本計画及び関係郵政省令の一部改正（衛星デジタル多チャンネル放送導入） 3. 1　電波法施行規則改正、8年6月1日施行（免許情報告知制度の対象設備にアマチュア無線設備（144MHz帯及び430MHz帯）を追加指定） 3. 1　電波法施行規則改正、平成8年6月1日施行（免許情報告知制度の対象設備にアマチュア無線設備（144MHz帯及び430MHz帯）を追加指定） 4.23　VICSセンター（道路交通情報通信システムセンター）、首都圏及び東名・名神高速道路全線で道路交通情報の提供開始 10.末　携帯・自動車電話とPHSの加入者総数が2,000万台を突破
1997 （平　9）	2.17　㈱日本サテライトシステムズ（JSAT）の通信衛星JSAT-4打ち上げ 4.17　放送衛星ＢＳ-３号の後継機BSAT-1a打上げ 5. 9　電波法の一部を改正する法律公布（無線局の免許に包括免許制度導入（10月1日施行）、無線局の検査に認定点検業者制度導入（平成10年4月1日施行））

西暦	記　　　　事
	12·16　電波法施行規則、無線設備規則の一部改正公布、施行。76GHz帯小電力ミリ波レーダーを「免許を要しない無線局」に追加
1998 （平　10）	3.末　無線局数3,000万台突破 4.29　放送衛星BSAT-1bの打上げ 7.28　通信衛星スーパーバードC（SCC（宇宙通信株式会社））の打ち上げ 7.30　国際電信電話株式会社法廃止、7月30日施行（国際電信電話株式会社は民営化され、ケイディディ株式会社（KDD）となる。） 10.27　BS-4後発機によるBS放送委託放送事業者（10社）の決定（10月30日周波数の割当て決定） 12. 3　通信衛星JCSAT 1-B（JCSAT-5）の打ち上げ
1999 （平　11）	2. 1　GMDSS（海上における遭難及び安全に関する世界的制度）への完全移行の省令改正 6.10　通信総合研究所、空中線電力50kW（実行輻射10kW）の大電力40kHz長波標準周波数局（おおたかどや山標準電波送信所:福島県田村郡都路村）を開設、運用開始 7. 1　日本電信電話株式会社が、持株会社（日本電信電話株式会社）、東・西地域会社（東日本電信電話株式会社、西日本電信電話株式会社）及び長距離会社（NTTコミュニケーションズ株式会社）に分社化し、再編成 7.16　中央省庁等改革のための国の行政組織関係法律の整備に関する法律及び総務省設置法公布 8.18　犯罪捜査のための通信傍受に関する法律の制定 12.21　ITU（国際電気通信連合）において、我が国及びアジア・太平洋地域が共同提案したＥＴＣ（自動料金収受システ

西暦	記　　　事
	ム）及び自動車レーダーの国際基準を制定。(11.15) 標準テレビジョン放送のうちデジタル放送及び高精細度テレビジョン放送の標準方式を制定 12.22　独立行政法人通信総合研究所法（平成11年12月22日法律第162号）の制定（平成13年1月6日施行） 12.22　中央省庁等改革関係法施行法公布（この法律による電波法等の一部改正により、中央省庁の再編成後の関係法の規定を整備（平成13年1月6日施行））
2000 （平　12）	3．1　2GHz帯の周波数の電波を使用する符号分割多元接続方式携帯無線通信を行う無線局等の無線設備の技術的条件を制定 3.末　平成11年度末の無線局数は、5,748万局となり、前年度に引き続き携帯電話の増加により、平成10年度末から1,051万局（22%）増加 5.31　電子署名及び認証業務に関する法律（平成12年5月31日法律第102号）の制定（平成13年4月1日施行） 8．9　特定小電力無線局に使用する周波数として、59GHzを超え66GHz以下の周波数を追加 8．9　デジタル方式の番組素材中継を行う移動業務の無線局の技術基準を制定 11.27　電波法の一部改正（平成12年11月27日法律第126号）により、特定無線設備小売業者は、書面の交付に代えて、その書面に記載すべき事項を電子情報処理組織を利用する方法その他の情報通信の技術を利用する方法により提供することができることとされた（平成13年4月1日施行）。 11.30　無線従事者の免許の条件が緩和され、精神病者等について、無線設備の操作に支障がない場合には免許を与えることができることとされた（平成12年11月30日施行）。 12．6　高度情報通信ネットワーク社会形成基本法（平成12年12月6日法律第140号）の制定（平成13年1月6日施行）
2001 （平　13）	2．1　インマルサット船舶地球局のインマルサットF型の無線設備の技術条件を制定。 3.末　平成12年度末の無線局数は、6,657万局となり、前年度より909万局（16%）増加 6．8　通信・放送融合技術の開発の促進に関する法律（平成13年6月8日法律第44号）の制定（平成13年11月7日施行） 6.15　電波法の一部改正（平成13年6月15日法律第48号）により特定周波数変更対策業務に関する規則を制定（平成13年7月25日施行） 6.29　電気通信役務利用放送法（平成13年6月29日法律第85号）の制定（平成14年1月28日施行） 7.11　特定機器に係る適合性評価の欧州共同体との相互承認の実施に関する法律（平成13年7月11日法律第111号）の制定（平成14年1月1日施行）） 7.23　電波法施行令（平成13年7月23日政令第245号）が制定され次の政令が廃止された。 ・電波法による伝搬障害防止区域の指定に関する政令 ・無線従事者の操作の範囲等を定める政令 ・電波法第104条第1項の独立行政法人を定める政令 ・電波法第102条の14の2の規定に基づく情報通信の技術を利用する方法に関する政令 12.13　衛星非常用位置指示無線標識（衛星EPIRB）及び航空機用救命無線機（ＥＬＴ）に新たに遭難周波数として

西暦	記　　　　　事
	406.028MHzを追加。 12.21　電波法施行令の一部改正により、陸上の無線局の多重無線設備の操作のうち簡易なものは、第三級陸上特殊無線技士の資格でできることとされた。
2002 （平　14）	2．4　宇宙開発事業団が種子島宇宙センターからＨ２Ａロケット試験機２号機の打上げ 3.22　アマチュア無線で一定の条件の下で国際宇宙ステーション（ＩＳＳ）と音声通信（ＦＭ電話）を可能とするための告示の制定 3.末　平成13年度末の無線局数は、7,434万局となり、前年度より777万局（12%）増加 4.22　特定機器相互承認法の一部改正により、日本とシンガポールの間で無線機器等に相互承認（ＭＲＡ）を認める制度の導入（施行は、平成14年11月30日） 5.10　電波の有効利用に資する施策を総合的かつ計画的に推進するため電波法の一部改正（法律第38号）。改正の要旨は次のとおり（施行は、平成14年10月31日）。 ①おおむね３年ごとに、電波の利用状況の調査等を行う ②利用状況調査等の結果の概要を公表すること ③利用状況調査等を行うため必要な限度において、免許人に対し、報告を求めること 6．1　小型航空機衝突防止にACASI(航空機衝突防止装置)を導入するための関係省令の改正・施行 6.28　義務船舶局の無線設備に、ＡＩＳ（船舶自動識別装置）、衛星無線航法装置及び地上無線航法装置を追加するための関係省令の改正（施行は、平成14年７月１日）。 また、中波無線方位測定機に係る電波法令関係規定の削除
	9.19　ワイヤレスカードシステムを、免許を要しない無線局から削除し、誘導式読み書き通信設備に含め高周波利用設備とすること、また、５GHz帯無線アクセスシステムの陸上移動局で、空中線電力が0.01ワット以下のものは免許を要しない無線局とすることで、関係規定の改正 10.31　電波の利用状況の調査等に関する省令が施行された。 12．6　通信・放送機構を通信総合研究所と統合し、独立行政法人情報通信研究機構とするための「独立行政法人通信総合研究所法の一部を改正する法律」の公布（法律第134号、統合は平成16年４月１日） 12.13　放送大学の設置主体を学校法人に転換するため、放送大学学園法の全部が改正された。（学校法人放送大学学園の設立期日は、平成15年10月1日）。 12.13　宇宙開発事業団、宇宙科学研究所及び航空宇宙技術研究所を統合するため、独立行政法人宇宙航空研究開発機構法が制定された。（施行は、平成15年10月1日）。
2003 （平　15）	3.17　無線局に関する情報の公表等が開始された。 3.20　無線従事者免許申請の際の医師の診断書の添付は原則不要とされ、併せて無線従事者免許申請書様式が改められた。 3.末　平成14年度末の無線局数は、8,042万局となり、前年度より608 万局（8.1%）増加。 6．6　電波法一部改正（法律第66号）が公布され、 1　適合表示無線設備のみを使用する一定の無線局について、簡易な免許手続等を適用するための規定が整備された。

西暦	記　　　　事
	2　無線設備等の点検を行う者は、従来の「認定」から総務大臣の「登録」を受けることでできることとされ、関係規定が整備された。 3　総務省令で定める小規模無線局の無線設備（「特定無線設備」）について、電波法第3章の技術基準に適合していることの証明（「技術基準適合証明」）の事業を行う者は、従来の「指定」から総務大臣の「登録」（「登録証明機関」）を受けることでできることとされ、関係規定が整備された。 4　総務省令で定める特別特定無線設備の製造業者又は輸入業者は、その工事設計が技術基準に適合しているものとして自己確認ができる等、また検証結果を総務大臣に届け出る（「届出業者」）等関係規定の整備がされた。 5　特定周波数対策業務に係る既開設局の免許人が納付すべき電波利用料の額が引き上げられた。 （施行は、平成16年1月26日） 11.19　デジタルタクシー無線に初の許可（関東地区の4社） 12. 1　地上デジタルテレビジョン放送開始（東京、大阪、名古屋の三大広域圏）
2004 （平　16）	1.30　電波法関係手数料令の一部改正（見直し改正）が行われた。併せて情報通信技術利用法（平14法律151）の規定による電子情報処理組織を使用する免許申請等の手数料が設定された（平成16年3月29日施行） 3.29　特定実験局制度（総務大臣が公示する周波数、当該周波数の使用が可能な地域及び期間並びに空中線電力の範囲内で開設するもの）が導入された。 3.29　無線局免許申請書等の添付書類の写し及び備付けを要する業務書類等について、電磁的方法により記録する制度が導入された。また使用を終えた無線検査簿の保存義務が廃止された。 3.末　平成15年度末の無線局数は、8,737万局となり、前年度より695万局（8.64%）増加 5.19　電波法の一部改正が公布され、 1　特定周波数終了対策業務及び登録周波数終了対策機関に関する制度が整備された。(平成16年7月12日施行) 2　登録により、無線局を開設しうる制度が導入された（平成17年5月16日施行）。 7. 1　「船舶保安警報装置」の義務化（国際航海に従事する旅客船及び総トン数500トン以上の旅客船以外の船舶）が行われた。
2005 （平　17）	3.末　平成16年度末の無線局数は、96,643,685局となり、前年度より927万局（10.6%）増加 5.16　無線局の登録の有効期間が5年とされ、登録手続き、対象無線局等が定められた。 8.11　特定基地局の開設計画の認定有効期間が原則5年とされた。 10. 1　1アマ及び2アマの国家試験電気通信術の試験内容が改正された。また、3アマの電気通信術の試験は行わないこととされた。 12. 1　電波利用料制度の見直しが行われ、電波利用料の額の改正及び使用できる事務の追加が行われた。 12. 1　無線設備のスプリアス発射の強度の許容値等の改正が行われた。
2006 （平　18）	3.末　平成17年度末の無線局数は、104,296,073局となり、前年度より765万局（7%）増加

西暦	記　　　　　事
	電波法及び放送法の一部改正（2005年（平17）11月２日法律第107号）が公布され、 4.1　地上放送をする無線局の免許の欠格事由に、間接による外国性の制限に係るものが施行された。
2007 （平　19）	3.末　平成18年度末の無線局数は、102,803,380局となり、前年度より149万局（1.4％）減少 12.28　電波法の一部改正（法律第136号）が公布され、電波利用をより迅速かつ柔軟に行うための手続きの創設①実験無線局制度の拡大②無線局の開設等に係る斡旋・仲裁制度の導入③無線局の運用者の変更制度の導入④電波監理審議会への諮問対象の見直し等の実施。
2008 （平　20）	3.末　平成19年度末の無線局数は、108,035,751局となり、前年度より523万局（5.1％）増加 5.30　電波法の一部改正（法律第50号）が公布され、 1　電波利用制度の見直し①使途の見直し②料額の見直し③納付委託制度の整備 2　無線局の運用の特例の追加　携帯電話の超小型基地局等について、免許人以外の者に復旧や移設のための運用を行わせることを可能とする制度を創設 3　無線局免許等の手続きの透明化　総務大臣の免許等の案の策定前においても電波監理審議会に諮問できるよう改正された。
2009 （平　21）	3.末　平成20年度末の無線局数は112,017,717局となり前年度より、398万局（3.7％）の増加 4.24　電波法の一部改正（法律第22号）が公布され、①総務大臣が特定基地局の開設指針を定めることができる無線局として、移動受信用地上放送

西暦	記　　　　　事
	に係る放送対象地域における当該移動受信用地上放送の受信を確保するために必要となる無線局が追加された。②電波利用料の使途の特例として、テレビジョン放送の受信設備を設置している者のうち、経済的困難その他の事由により地上デジタル放送の受信が困難な者に対して地上デジタル放送の受信に必要な設備の整備のために行う補助金の交付その他の援助が追加された。
2010 （平　22）	3.末　平成21年度末の無線局数は116,564,451局となる。 12.3　放送と通信が融合する時代に向けて、法体系を大幅に見直した放送法改正が公布された（施行は平23年６月30日）。改正は、インターネットの普及で放送と通信の垣根が低くなっていることを受け、テレビ、ラジオなど分野ごとに縦割りの関連法を整理、集約することが目的。あわせて電波法も改正され、無線LANブロードバンドルータやトランシーバーなどの免許を要しない無線局の出力の上限が0.01W（10mW）から1W（1000mW）に改められた。
2011 （平　23）	3.末　平成22年度末の無線局数は120,979,200局となる。 3.11　日本の東北地方太平洋岸沖を震源とする、マグニチュード9.0の地震が発生。 6.1　電波法の一部を改正する法律が公布され電波利用料の見直し、周波数再編の迅速化が図られることとなった 7.24　テレビ放送において、東日本大震災で大きな被害を受けた岩手・福島・宮城の3県を除き、地上デジタルテレビ放送へ全面移行した。また日本のアナログBS放送も停波した（アナログ放送完全廃止）。被災地の３県の地上デジタル

西暦	記　　　　事
	テレビ放送への移行は、平24年3月31日まで延期。
2012 (平　24)	1.16　国際電気通信連合(ITU)無線通信総会(RA-12)及び世界無線通信会議(WRC-12)開催 3.31　岩手・宮城・福島でも地上アナログ放送が廃止され、全国で完全地デジ化 3.末　平成23年度末の無線局数は134,889,238局となる 5.22　首都圏・地上デジタル用の電波塔「東京スカイツリー」(東京都墨田・台東地区)運用開始
2013 (平　25)	3.末　平成24年度末の無線局数は146,234,284局となる。 5.31　午前9時、在京テレビ局の送信塔がスカイツリーに移転。 6.12　電波法の一部改正(法律第36号)が公布され、電波利用料の使途として、市町村が行う防災行政及び消防・救急無線のデジタル化に要する費用の一部補助が追加された。
2014 (平　26)	3.末　平成25年度末の無線局数は157,240,014局となる。 4.23　電波法の一部改正(法律第26号)が公布され、電波利用料の料額を見直し、同利用料の使途として、ラジオ放送の難聴解消のための小電力のＦＭ中継局整備に対する支援の追加、登録検査等事業における検査を行う者の資格要件の見直し等が行われた。 10.20～11. 7　ITU全権委員会が開催(韓国釜山)され、日本はITU理事国に1959年以来連続で選出された。
2015 (平　27)	3.末　平成26年度末の無線局数は177,545,403局となる。 5.22　2020年代に向けて、我が国の世界最高水準のICT基盤を更に普及・発展させ、経済活性化・国民生活の向上を実現するため、電気通信事業法等が改正された。電波法の改正では、海外から持ち込まれる無線設備の利用に関する規定の整備等が行われた。 5.15　ICT技術を通じて世界中の人々の生活向上に多大な功績のあった個人を顕彰する「ITU150周年賞」を坂村健氏(東京大学大学院情報学環教授)が受賞。米国のビル・ゲイツ氏など世界から6名が選ばれる。 9.11　航空法が一部改正され、無人航空機(ドローン、ラジコン機等)の定義等が定められた。 11.2　世界無線通信会議(WRC-15)開催 11.25　海外において電気通信事業、放送事業若しくは郵便事業又はこれらの関連事業を行う者に対して資金の供給、専門家の派遣その他の支援を行うことを目的とする「株式会社海外通信・放送・郵便事業支援機構」が正式に発足。
2016 (平　28)	3.末　平成27年度末の無線局数は199,841,479局となる。 3.28　インマルサットB型のサービス終了(12月)に伴い、電波法施行規則、無線設備規則、無線機器型式検定規則、告示等の規定が整備された。 11.25　国立研究開発法人情報通信研究機構(NICT)の業務範囲に、サイバーセキュリティ演習及びIoTの実現に資する新たな電気通信技術の開発等の促進に係る業務が追加された。
2017 (平　29)	3.末　平成28年度末の無線局数は217,350,742局となる。 5.12　電波利用料の料額の改定、電気通信業務を行うことを目的としない船舶地球局の実用化に係る規定の整備、登録検査等事業者及び登録認定機関がその業務に使用する測定器等の較正等に係る期間の延長等の措置が講じられた。

西暦	記　　　　事
	5.16　第5世代移動通信システム（5G）実現による新たな市場の創出に向けて、様々な利活用分野の関係者が参加する5Gの総合的な実証試験の開始を総務省が発表。 10.3　サイバーセキュリティタスクフォースにおいて取りまとめられた「IoTセキュリティ総合対策」が公表される。 11.16　第14回アジア・太平洋電気通信共同体（APT）総会において、日本の近藤勝則氏が事務局次長に再選。
2018 （平　30）	2.1　電波法施行規則等の一部を改正する省令が公布され、規制緩和等(免許証票の廃止、免許状掲示義務の一部廃止、無線業務日誌の電子化、フロッピーディスク申請の廃止）が図られた。 3.末　平成29年度末の無線局数は234,449,085局となる。 7.25　電波法及び電気通信事業法の一部を改正する法律の一部の施行に伴う関係政令の整備に関する政令が公布され、航空機等の無線設備等の点検その他の保守に関する規程の認定申請手数料の額が定められた。 7.25　電波法施行規則等の一部を改正する省令が公布され、衛星AISを想定して電気通信業務を行うことを目的としない船舶地球局の整備及びAISの通信操作の緩和等図るための関係規定の整備が行われた。 10.4　電波法施行規則等の一部を改正する省令が公布され、無線局免許申請書等の電子申請の入力様式と書面申請の様式の相違によって申請項目の配置が異なっていること等を改善するとともに、様式が定まっていない申請書等の様式の制定等が行われた。

西暦	記　　　　事
2019 （平　31） ［4月まで］	1.30　電波法施行令の一部を改正する政令が公布施行され、第一級陸上特殊無線技士、第二級陸上特殊無線技士、第二級総合無線通信士及び第三級総合無線通信士の操作の範囲に、コミュニティ放送をする無線局及び受信障害対策中継放送をする無線局の無線設備の外部転換装置で電波の質に影響を及ぼさない技術操作が追加された。 1.24　電波法施行規則等の一部を改正する省令が公布施行され、第5世代移動通信システムの導入に係る規定が整備された。 3.末　平成30年度末の無線局数は251,013,472局となる。 5.17　電波法の一部を改正する法律が公布され、電波利用料の料額の改定、特定基地局の開設計画の認定に係る制度の整備、実験等無線局の開設及び運用に係る特例の整備が行われた（11.20までに段階的に施行済み）。
（令　元） ［5月から］	6.5　放送法の一部を改正する法律が公布され、NHKについてインターネット活用業務の対象を拡大するとともに、NHKグループの適正な経営を確保するための制度が充実されたほか、衛星基幹放送の業務の認定要件が追加された(2.3.31までに段階的に施行)。 10.28　世界無線通信会議（WRC-19）開催 11.15　電波法関係手数料令の一部を改正する政令が公布され、無線設備の操作の監督に関する講習及び無線従事者国家試験を受けるものが納めなければならない手数料の額が改定された（2.4.1施行）。
2020 （令 2）	3.末　令和元年度末の無線局数は266,268,254局となる。 4.17　電波法施行規則等の一部

西暦	記　　　事
	を改正する省令が公布施行され、インマルサットBGAN型についても航空機の安全運航又は正常運航に関する通信を行う航空機地球局の設備として搭載が可能となるよう制度整備が行われた。 4.24　電波法の一部を改正する法律が公布され、電波有効利用促進センターの業務の追加、特定基地局開設料に関する制度の対象となる特定基地局の追加、技術基準に適合しない無線設備に関する勧告等に関する制度の整備及び衛星基幹放送の受信環境の整備に関する電波利用料の使途の特例に係る期限の延長が行われた（一部の規定を除き、公布の日から起算して9月を超えない範囲内において政令で定める日から施行）。 6.22　無線局（基幹放送局を除く。）の開設の根本的基準等の一部を改正する省令が公布施行され、長らく実験試験局として運用されてきた携帯無線通信等を抑止する無線局の実用局化が実現した。 11.19　電波法施行規則等の一部を改正する省令が公布され、電波法関係の省令等に規定する様式への押印等が廃止された（2.12.1施行）。
2021 （令　3）	3.2　電波法施行規則等の一部を改正する省令が公布施行され、イリジウムシステムについて「船舶の遭難通信等を行う船舶地球局」及び「航空機の安全運航又は正常運航に関する通信を行う航空機地球局」の設備として利用可能となるよう制度整備が行われた。 3.10　無線局（基幹放送局を除く。）の開設の根本的基準等の一部を改正する省令が公布施行され、アマチュア業務の

西暦	記　　　事
	定義変更等の制度整備により、アマチュア無線の社会貢献活動等への活用の容易化が図られた。 3.末　令和2年度末の無線局数は277,108,741局となる。 8.31　電波法施行規則等の一部を改正する省令が公布施行され、マイクロ波帯を用いたUWB無線システムの屋外利用の周波数帯域拡張及び60GHz帯の周波数を使用する無線設備の多様化(60GHz帯パルス方式のセンサーの導入等)に係る制度整備が行われた。 11.29　無線設備規則及び特定無線設備の技術基準適合証明等に関する規則の一部を改正する省令が公布施行され、2.3GHz帯周波数における移動通信システムの導入のための制度整備が行われた。

索　引

〔サ〕

〔シ〕

〔ス〕

〔セ〕

〔ソ〕

〔タ〕

〔チ〕

〔ニ〕

〔ノ〕

〔ハ〕

〔ヒ〕

〔フ〕

〔メ〕

〔モ〕

〔ヤ〕

〔ユ〕

〔ヨ〕

■ 著者略歴

今泉　至明　（いまいずみ　よしあき）

昭和46年東京大学法学部卒業、同年郵政省に入省し、放送行政局総務課長、通信政策局総務課長、電気通信研修所長、関東電気通信監理局長等を歴任の上、平成11年退官。

以後、（財）移動無線センター、（株）日立製作所、（株）テレビ東京での勤務を経験。

現在（一財）テレコムエンジニアリングセンター評議員、（一財）日本アマチュア無線振興協会養成課程審査委員会委員、（一財）情報通信振興会法制研究員

平成14年3月15日　初版発行
令和4年3月24日　第12版改訂版

電波法要説
（電略ホヨ）

著　者　今泉至明

発行所　一般財団法人
情報通信振興会

〒170-8480 東京都豊島区駒込2-3-10
電　話　(03) 3940 - 3951(販売)
　　　　(03) 3940 - 8900(編集)
FAX　(03) 3940 - 4055
振替口座　00100 - 9 - 19918
https://www.dsk.or.jp/

印　刷　㈱エム.ティ.ディ

ISBN978-4-8076-0958-1 C3032